# al de dagen van ons leven

Dit boek is een aanpassing
voor Vlaanderen en Nederland
van het Duitse boek
"Durch das Jahr, durch das Leben",
uitgegeven door Kösel Verlag in München

# al de dagen van ons leven

## een boek voor gelovige gezinnen

samengesteld door
Paul Deleu
Trees Dehaene
Wim van Dongen
Jef Bulckens

*Altiora* Averbode

AL DE DAGEN VAN ONS LEVEN
Paul Deleu, e.a.
© Kösel Verlag, 1982, Durch das Jahr,
durch das Leben
© Nederlandse uitgave: uitgeverij Altiora-Averbode
druk: Altiora-Averbode
vormgeving: Gregie de Maeyer
fotografie: Paul van Wouwe
ISBN 90 317 679 5
D/1986/39/14
verspreiding voor Nederland:
Secretariaat R.K. Kerkgenootschap
Biltstraat 121
Postbus 13049
3507 LA UTRECHT


juni 1986: 1ste druk
september 1986: 2de druk

Samenstellers:
Paul Deleu, Trees Dehaene, Wim van Dongen, Jef Bulckens
Stuurgroep:
Chris Deleu, Maria Geens, Annemie Luyten, André Maes, Roos Maes, Paul Scheelen, Jef Snaet, Herman Vandecasteele, Hilde Van Laer, Janin Wellens
Andere medewerkers:
A. Buddelmeyer, Lieve Deleu, Peter D'Haese o.p., Jean-Pierre Goetghebuer, Zr. Damiana Jacobs, P. Krekelberg, J. Sondaal, Aubert-Tillo van Biervliet o.s.b., Paul van Wouwe

RICHT MIJN STAPPEN

Toen wij in 1984 in de abdij van Averbode de 850ste verjaardag van onze stichting hebben herdacht, meenden wij deze gelegenheid te moeten aangrijpen om voor gelovige gezinnen, in Vlaanderen en Nederland een boek samen te stellen en aan te bieden. Dit tegen zo interessant mogelijke voorwaarden.

Het jarenlang bezig zijn van Averbode met kinderen en jongeren en de respons hierop, die wij herhaaldelijk en met vreugde en dankbaarheid hebben mogen ervaren, maakten het bijna tot een plicht. Vooral ook daar dat voortdurende contact met de voorbije decennia ons, als gemeenschap, naar binnen toe heeft getekend. En stemt zulks inderdaad, naar buiten toe, niet tot grote erkentelijkheid?

'Al de dagen van ons leven' wil voor gelovige gezinnen een spoor zijn. Een begaanbaar, verhard en beproefd spoor waarlangs reeds velen vóór ons tot de grote ontmoeting zijn gekomen: de ontmoeting met God en het goddelijke in het menselijke bestaan...! Een ontmoeting die verre horizonten naderbij brengt en ons duidelijker laat zien, horen en begrijpen wat de God aller dingen, dus ook van de wereld van vandaag en morgen, ons wil geven en van ons verwacht.

Moge de evangelische boodschap, die dit boek zo duidelijk kleurt, ons tot blijde en vertrouwvolle gelovigen maken, al de dagen van ons leven!

Koenraad E. Stappers, abt van Averbode.

## Aanbeveling

De Nationale Raad voor Gezinspastoraal in Vlaanderen, de Bisschoppelijke Commissie voor Katechese en de Nationale Raad voor Katechese in Nederland zijn verheugd over het verschijnen van dit boek.

Zij willen deze uitgave van harte aanbevelen aan eenieder die zich in gezinsverband of anderszins wil verdiepen in het geloofsleven.

In dit boek wordt uitgebreide en gedegen informatie geboden over en ten dienste van het hedendaagse christelijke leven van katholieken zoals dat dagelijks en op bijzondere momenten van het leven gestalte kan krijgen.

Het boek is des te meer aanbevelenswaardig, omdat naast de uitleg ook tal van suggesties worden gedaan voor de concrete beleving van ons geloof, waardoor geloof en leven dicht bij elkaar worden gebracht.

Nationale Raad voor Gezinspastoraal,
Bisschoppelijke Commissie voor Katechese,
Nationale Raad voor Katechese.

*Ik ken slechts één verlangen:*
*te wonen in het huis van Jahweh*
*al de dagen van mijn leven.*
*Ps. 27,4*

## Het is een onbegonnen werk...

... u allemaal afzonderlijk aan te spreken: vaders en moeders, dochters en zoons, grootouders en kinderen, jongeren en bejaarden, jong- en langgehuwden... de hele familie. En toch zouden wij dat graag doen om u 'Al de dagen van ons leven' voor te stellen.

U houdt op dit ogenblik een boek in handen dat belangrijk voor u kan zijn. Het zou wel eens een huisvriend kunnen worden waarvan u blij bent dat u hem hebt. Want 'Al de dagen van ons leven' is een boek dat thuis op de tafel wil liggen, of in het handige boekenrekje waar iedereen bij kan, omdat het telkens weer wat te bieden heeft.

Vader en moeder vinden in het boek bijvoorbeeld heel wat ideeën over gehuwd zijn, over het leven met kinderen en jongeren, over het omgaan met huwelijksconflicten...

Kinderen en jongeren kunnen erin terecht voor spelletjes en gebeden, voor overwegingen bij het vormsel, voor verhalen over Sint-Nicolaas en over de vierde koning, voor bedenkingen bij het samenwonen...

Geloofscommunicatie in het gezin, suggesties om een eerste communie of een verjaardag te vieren, knutselideetjes... zijn dan weer onderwerpen voor ouders en kinderen samen.

Er zijn hoofdstukjes over oud worden, over grootouder zijn, over de beleving van de pensioenleeftijd, over sterven...

U ziet: van alles wat. En de registers achteraan helpen u om uw weg doorheen het boek te vinden.

Het was inderdaad onze bedoeling om het boek zo samen te stellen dat kinderen, jongeren, volwassenen en oudere mensen er veel informatie in vinden in verband met gewone levenssituaties. Maar ook op bijzondere dagen en feesten in de loop van het leven en van de jaarkring kan 'Al de dagen van ons leven' een soort begeleider worden die u helpt. U vindt er een antwoord in op vragen als: Wat is er nodig bij een kerkelijk huwelijk? — Hoe vandaag de dag met kinderen bidden? — Wat te doen als er in het

9

gezin iemand overlijdt? — Hoe actief meedoen aan de vastenactie? — Hoe thuis als gezin het paasfeest vieren? — Sinds wanneer wordt de zondag als de dag des Heren gevierd? — Biechten, moet dat nu nog wel?

Het boek is echter niet enkel voor individueel gebruik bestemd. Het kan ook aanzetten tot gesprek tussen man en vrouw, tussen ouders en kinderen, tussen grootouders en kleinkinderen, tussen vrienden en allen die onderweg zijn onderling. Het staat vol met aanleidingen en suggesties om ervaringen te vertellen en met elkaar te spreken over gezamenlijke levensvragen.

Het kan tenslotte ook wel als bijdehands tussendoortje gebruikt worden: eventjes doorbladeren en stilstaan bij een foto, een lied, een verhaal, een gedicht, een recept...

Als symbool voor het boek kozen wij een boom in de wisseling van de seizoenen. Is een gezin ook niet als een boom? De jonge plant, die niet voldoende gesteund is, heeft het lastig om recht te blijven als er stormwind opsteekt en menig jong huwelijk waait vandaag de dag in zijn prille bestaan tegen de vlakte. Staat de boom echter in goeie grond en wordt hem voldoende zonlicht en steun gegund, dan groeit hij jaar na jaar uit tot een stevige plant met diepe wortels en rijke vrucht. Man en vrouw zetten zich in voor elkaar, voor buren en vrienden, voor de kinderen, de kleinkinderen, voor een rechtvaardige en vredelievende samenleving... in de wisseling der seizoenen, in goede en kwade dagen.

Laten we wel wezen: het leven in een gezin is niet vrij van zorgen en lijden. En vele, té vele huwelijken en gezinnen breken uit elkaar. Wij geloven echter dat een gezinsleven in een geest van liefde zoals die ons door Jezus van Nazaret werd voorgeleefd, onvermoede kansen biedt. Wie in onze tijd op zoek is naar 'gelukkig zijn', naar het volle leven in het eigen huwelijk, binnen het eigen gezin, kan niet om de boodschap van Jezus heen: 'Een nieuw gebod geef Ik u: gij moet elkaar liefhebben. Hieruit zullen allen kunnen opmaken dat gij mijn leerlingen zijt' (Joh. 13,34-35). Het leven in een gezin, in goede en kwade dagen, in lijden en in vreugde, biedt bijzondere kansen om te leren wat dit nieuwe gebod van Jezus concreet betekent... In je gezin leer je leven, kun je samen op weg gaan om elkaar lief te hebben en gelukkig te zijn. De basis daarvan wordt eigenlijk gelegd in de huwelijksbelofte: 'Ik wil je liefhebben en waarderen, **al de dagen van ons leven'**. En als het gezin als een boom is, dan zal, volgens een ander woord van Jezus, die boom ook aan zijn vruchten te herkennen zijn.

Wij zijn ervan overtuigd: in een christelijk gezin leer je echt leven. En als het kan, wil dit boek daarbij helpen.

Wij dragen het dan ook op aan iedereen die in zijn relatie met man of vrouw, met vrienden, met ouders, grootouders, kinderen, kleinkinderen, zoekt gelukkig te zijn;
aan de gezinnen waarin gehoopt wordt niet vruchteloos te leven;
aan de gezinnen waarin die hoop is uitgedoofd, opdat ze weer mag opleven;
aan iedereen die het nieuwe gebod waar wil maken: 'Gij moet elkaar liefhebben'.

Paul Dcleu, redactiesecretaris
Trees Dehaene
Wim van Dongen
Jef Bulckens

# Inhoud

"Kinder"-communie.

## Bevrijding tot nieuw leven blz. 117

Biechten? Daar kom ik niet meer aan toe ☐ Schuld en verzoening in het gezinsleven ☐ Jezus' boodschap: de goedheid van de Vader ☐ De tien geboden opnieuw doordacht ☐ Geschiedenis van het boetesacrament ☐ Het boetesacrament vandaag ☐ Gewetensvorming met kinderen ☐ Voorbereiding op de eerste biecht in gezin en parochie ☐ Schuldbelijdenissen.

## Vormsel: verantwoordelijk leven blz. 139

Vragen naar de zin van het leven ☐ Ouders en jongeren zoeken antwoorden ☐ Gods geest over Jezus Christus ☐ Christenen bezield met de geest van God ☐ Sacrament van het vormsel: voorbereiding, viering, sacramentele tekenen ☐ Het feest thuis ☐ Na het vormsel is het niet afgelopen.

## Ziek zijn blz. 161

Door een ziekte wordt alles heel anders ☐ Uit gesprekken met zieken ☐ Jezus ontmoet zieken ☐ Als iemand in ons gezin ziek wordt ☐ Gouden wenken bij het bezoeken van zieken ☐ De ziekenzalving: een sacrament voor de levenden ☐ De ziekencommunie.

## Oud worden blz. 175

Tussen grote ouders en kleine kinderen ☐ Waar zal ik wonen? ☐ Grootouders... van onschatbare waarde ☐ Jong en oud, één wereld? ☐ Rust en onrust ☐ Een testament maken ☐ Aanleiding tot vreugde.

## Sterven en dood blz. 191

De dood heeft vele namen ☐ Stervenden troosten ☐ Gebeden ☐ Het viaticum ☐ Als iemand gestorven is: symbolen, dodenwake ☐ Kerkelijke uitvaart ☐ Nagedachtenis ☐ Door de rouw heen ☐ Met kinderen over de dood praten ☐ Hoe jongeren over de dood denken ☐ Leren sterven, bewuster leren leven.

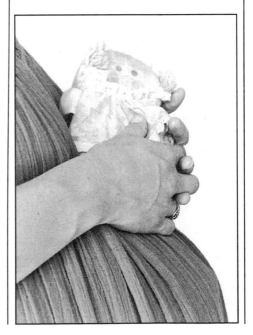

Vastenavond, carnaval □ Aswoensdag: ontdekken wat waardevol en
noodzakelijk is □ Gebed, vasten,
aalmoezen □ Suggesties om samen
iets te doen □ De liturgie van de
veertigdagentijd □ De zes zondagen in de veertigdagentijd □
Vastenacties □ Met het Zonnelied
de veertigdagentijd door □ Kleine
geschiedenis van de kruisweg □
Kruisweg □ De goede week □
Voorbereiding van het paasfeest □
Geschiedenis van het paasfeest □
Pasen □ De Hemelvaart van
Christus □ Pinksteren: geschiedenis van het pinksterfeest □ Het lied
van de Heilige Geest □ De verdere
jaarkring.

## Ons gezin

□ Stamboom
□ Mijlpalen in het leven: huwelijk,
doop, eerste communie, vormsel,
overlijden.

## Appendices

□ Naamdagen
□ Kerkelijke feestdagen 1986-
2002
□ Register

# het leven

# Groei van een liefde

Zowat 1900 jaar geleden schreef Paulus aan zijn vrienden in Rome:

'Wij hebben allen verschillende gaven gekregen, die beantwoorden aan de levensroeping van elk.
Hebt gij dan de gave om aan de mensen duidelijk te maken wat God van hen wil in deze tijd, gebruik deze gave dan vanuit uw geloof.
Hebt gij de gave om u in alle eenvoud dienstbaar te maken, doe het dan!
Kunt gij de mensen moed inspreken, geef dan uw opwekkend woord.
Hebt gij iets om te delen, geef dan zonder rekenen en staat gij aan de leiding of draagt gij verantwoordelijkheid, zet u er dan volledig voor in.
En als gij u bekommert om armen en ongelukkigen, doe het dan met een blij hart.
Laat uw liefde nooit bij uiterlijke schijn blijven!
Houd van elkaar in hartelijke genegenheid en schat de ander steeds hoger dan uzelf.
Leg u toe op de gastvrijheid en wens het goede toe aan wie u vervolgen, verwens hen niet.
Wees verheugd om de vreugde van anderen en laat de droefheid van hen die wenen ook de uwe worden.
Wees eensgezind, nooit eigenwijs!
Laat alle mensen zien dat gij het goed met hen bedoelt en doe al wat gij kunt om met iedereen in vrede te leven.
Laat u door het kwade nooit ontmoedigen maar overwin wat kwaad is door het goede.
Kijk blij de toekomst in.'

*Uit: God ons nabij*

## Eerste liefde
## steeds weer anders

'Toen ik Vicky de eerste keer zag —
op een feestje was dat — was ik direct wild enthousiast: die moest ik
hebben. Ze droeg een strak truitje
en een lekker nauwe pantalon: een
beeldig stuk. Zij moet mij ook tof
gevonden hebben, want we hebben
meteen de hele avond dicht tegen
elkaar aan gedanst. Sindsdien vàllen
we gewoon op mekaar... en we hebben daar niet veel woorden bij nodig.'

'Wij kenden mekaar reeds toen we
nog kinderen waren. We speelden
samen en gingen samen naar school.
Later gingen we ook samen dansen.
We vonden dat heel gewoon. En op
een bepaald moment wisten wij het
allebei zeker: wij hoorden bij elkaar. We gingen elkaar op een
nieuwe manier ontdekken. We waren waarachtig verliefd...'

'Nooit had ik gedacht dat ik zozeer
aan Hans verslingerd zou raken.
Maar nu is hij ervandoor; ik weet
niet waarheen. Ik ben zeer eenzaam. Ik zit dagelijks tegen mezelf
te praten, en te huilen. Want toch
houd ik nog van hem! Ik weet niet
meer hoe het nu verder met me
moet.'

'Toen ik Greta leerde kennen, konden wij het goed met elkaar stellen.
We waren eigenlijk smoor op elkaar
en trokken altijd samen op. Tot ik
een ander meisje leerde kennen en
Greta liet vallen. Zij heeft daar
nogal onder geleden; ik niet het
minst. Enkele maanden later zagen
wij elkaar terug. En toen werd mij
plots duidelijk wat ik haar had aangedaan...'

'Voor ons was het eigenlijk snel
duidelijk; wij pasten gewoon bij elkaar. Maar toen begonnen de
ouders van Peter bezwaren te maken. Ik was protestants, hij katholiek; ik was secretaresse, hij studeerde; ik was van lage komaf, zijn
vader was bedrijfsleider... Het was
een moeilijke tijd voor ons; zij stel-
den alles in het werk om het tussen
ons maar niets te laten worden. En
toch zijn wij samengebleven...'

## Wegen van liefde...

... twee mensen zien elkaar en voelen meteen dat ze van elkaar houden

... zij kennen elkaar al lang en langzamerhand groeit hun liefde voor elkaar

... hij bemint haar, maar zij houdt van een ander

... twee jonge mensen zijn volledig zeker van elkaar en zijn het met elkaar eens, maar hun ouders zien het anders

... zij houden van elkaar, zij maken ruzie, zij gaan uiteen, zij komen weer samen

... zij gaan enkele jaren met elkaar om voordat zij trouwen

... die twee kennen elkaar helemaal nog niet zolang, maar zij zijn zeker van elkaar en gaan trouwen.

Dit keert steeds weer in het leven. En toch is het voor iedere generatie nieuw. In vrijwel elk gezin komt ooit het moment, dat de opgroeiende kinderen een ander belangrijker vinden dan hun eigen ouders. Elkaar loslaten — uit elkaar gaan — zich opnieuw binden gaat in elk gezin anders. En er is dan altijd een fase van verdriet en verwerking daarvan.

De liefde tussen man en vrouw is zo natuurlijk en ook zo belangrijk in het leven, dat al op de eerste bladzijde van de bijbel, in het scheppingsverhaal, hierover wordt gesproken. Deze gebeurtenis wordt op een heel oorspronkelijke manier met God in verbinding gebracht.

*Jahweh God sprak: 'Het is niet goed dat de mens alleen blijft. Ik ga een hulp voor hem maken die bij hem past...' Toen liet Jahweh God de mens in een diepe slaap vallen: en terwijl hij sliep, nam Hij een van zijn ribben weg en zette er vlees voor in de plaats. Daarna vormde Jahweh God uit de rib die Hij bij de mens had weggenomen, een vrouw, en bracht haar naar de mens.*
*Toen sprak de mens:*
*'Eindelijk been van mijn gebeente en vlees van mijn vlees! Mannin zal zij heten, want uit een man is zij genomen'.*
*Zo komt het dat een man zijn vader en zijn moeder verlaat en zich zo aan zijn vrouw hecht, dat zij volkomen één worden. Zij waren beiden naakt, de mens en zijn vrouw, maar zij voelden geen schaamte voor elkaar.*
*Gen. 2,18. 21-25*

21

# De juiste partner

'Ons kind moet de juiste partner vinden' – 'Hij moet in ons gezin passen. Waarom moet het uitgerekend dié zijn?' – 'Hopelijk heeft zij ook hetzelfde geloof als wij.' Dergelijke wensen en verzuchtingen van ouders zijn begrijpelijk.

Toch gaan kinderen hun eigen wegen. Ouders vinden die dikwijls onverstandig, omdat zij indruisen tegen wat zijzelf bij de opvoeding trachten mee te geven.

Voor vele ouders is het een hele opgave om dit te aanvaarden, niet in zelfverwijten te vervallen en toch van hun zoon of dochter te blijven houden.

## Levenswijsheden over liefde, geluk en huwelijk

Motto: dat spreekwoorden elkaar zo dikwijls tegenspreken, daarin bestaat juist hun wijsheid.

Niettemin dienen zij wel met het nodige korreltje zout genomen te worden, zeker als zij duidelijk uit een mannencultuur afkomstig zijn.

Zoet zijn de tranen, die de liefste droogt. *Portugal*

Een vrouw ken je niet vóór je een kameellast zout met haar gegeten hebt. *Egypte*

Wie op twee hazen jaagt, zal er geen een vangen. *Griekenland*

Als wij trouwen, nemen we een verzegelde brief aan, waarvan we de inhoud pas ontdekken, als we in volle zee zijn. *Schotland*

De liefde is de kokkin van het leven; zij maakt het smakelijk, maar vaak ook te zout. *Duitsland*

De harten, die zich het snelst geven, trekken zich het eerst weer terug. *China*

Mooie vrouwen zijn een week lang goed, maar goede vrouwen zijn een leven lang mooi. *Korea*

Een rijke vrouw vroeg eens aan rabbi Jose ben Chalafta: 'In hoeveel dagen heeft God de wereld geschapen?' De rabbi antwoordde: 'In zes dagen'. De vrouw vroeg verder: 'En wat doet Hij sindsdien?' R. Jose antwoordde: 'Hij brengt de echtparen bij elkaar'. 'Dat kan ik ook', repliceerde de vrouw.

'Ook al heb ik een heleboel knechten en dienstmeiden, ik kan ze binnen het uur met elkaar laten trouwen.' R. Jose bracht daar tegen in: 'Voor u mag dat makkelijk lijken, maar voor God is het minstens zo moeilijk als de Rode Zee in tweeën te splijten'. Toen ging de rabbi weg en de vrouw bleef alleen achter.

Wat deed de vrouw? Zij maakte twee rijen: 1000 knechten aan de ene en 1000 dienstmeiden aan de andere kant. Zij beval: 'Jij trouwt met hem en hij trouwt met haar'. En zo verbond ze ze allemaal in één nacht in het huwelijk.

De volgende morgen kwamen de gehuwde knechten en dienstmeiden naar de vrouw toe. De een had een gat in het hoofd, de ander was een oog kwijt, weer een ander had een gebroken been. De ene zei: 'Hem wil ik niet', en de ander zei: 'Haar wil ik niet'. Zeer onthutst liet de vrouw de rabbi bij zich roepen. Ze zei tegen hem: 'De thora spreekt de waarheid, ze is bruikbaar en aan de omstandigheden aangepast. Alles wat u gezegd hebt, klopt'.

Daarop antwoordde rabbi Jose: 'Ik heb dus toch gelijk gekregen, ook al is het sluiten van een huwelijk in uw ogen zo gemakkelijk, voor God is het even moeilijk als het splijten van de Rode Zee'.

*Joodse legende*

## Teder zijn
## met alle zinnen liefhebben

Twee mensen houden van elkaar, zij worden belangrijk voor elkaar, zij vertrouwen elkaar, zij willen tenslotte alles aan elkaar toevertrouwen, alles met elkaar delen, alles aan elkaar zeggen. Twee mensen die van elkaar houden, willen hun liefde tonen en uitdrukken met woorden en gebaren, met alle zintuigen. En zoals twee mensen elkaar niet meteen door en door kennen, zo zal ook hun lichamelijke betrokkenheid op elkaar groeien, met een wisselende intensiteit, met een rijkdom aan uitdrukkingsvormen en fasen van tederheid.

Als de Schrift het over seksuele gemeenschap heeft, dan wordt daarvoor het woord 'kennen' gebruikt: het met de partner eens worden, hem kennen en erkennen zoals hij is: in zijn handelen en denken, in zijn willen en voelen, in zijn verlangen en liefde. Dit 'kennen' wil horen, zien, ruiken, smaken, tasten en aanraken.

Teder zijn moet geleerd worden. Het is elkaar liefkozen en daarin vindingrijk worden. Soms is het ook onzeker zijn en niet weten waar de grenzen te trekken. Dan is het belangrijk dat jonge mensen moed tonen en met elkaar durven spreken over wat zij denken, voelen en graag zouden willen. Zo leren zij over de tedere uitingen van hun liefde te praten. Verlangen naar tederheid is niet zomaar hetzelfde als verlangen naar seksuele gemeenschap. Wie van het begin af al dadelijk met zijn partner naar bed wil, verwacht te veel en zet de dingen op hun kop. De speelruimte en de fasen van de tederheid zijn veel ruimer dan dat. Het is als een boeiende weg met veelzijdige en steeds weer verrassende landschappen. En een heel leven is nodig om die te onderzoeken. Het wonder van de ander blijft immers altijd groter, de ander blijft de ander...

*Ik heb je hart nodig om begrepen te worden,*
*je woorden om gekend te zijn.*
*Ik heb je handen nodig om goed te doen en je voeten om te gaan waar anderen niet gaan.*
*Ik heb jou nodig, helemaal,*
*om mijn liefde te zijn,*
*mijn mensgeworden zoon tussen de mensen.*

## Drie schuintamboers

1. Drie schuin'tamboers, die kwa-men uit het Oos-ten. Drie schuintamboers, die kwa-men uit het Oos-ten, Van rom-bom, wat maal ik er om ; die kwa-men uit het Oos-ten, rom-bom !

2 Een van die drie zag daar een aardig meisje, (2x) enz.
3 Zeg, meisjelief, wil jij mijn vrouwtje wezen? enz.
4 Ja jonge man; dat moet je vader vragen, enz.
5 Zeg, ouwe heer, mag ik je dochter trouwen? enz.
6 Zeg, jonge man, zeg mij, wat is rijkdom, enz.
7 Mijn rijkdom is, — daar wil ik niet om jokken —
   Mijn rijkdom is een trommel met twee stokken, enz.
8 Neen, jonge man; mijn kind kun je niet krijgen, enz.
9 Maar, ouwe heer, ik heb nog iets vergeten, enz.
10 Mijn vader is Groothertog van Castielje, enz.
11 Dan, jonge man, mag jij mijn dochter trouwen, enz.
12 Neen, ouwe heer, je kunt je dochter houen, enz.

# Trouwen of niet?

Burgerlijke en kerkelijke huwelijken zijn niet meer vanzelfsprekend. Het aantal paren dat er bedenkingen tegen heeft neemt toe. Zij gaan met elkaar een 'proefhuwelijk' of een 'huwelijk zonder boterbriefje' aan. Allerlei persoonlijke en maatschappelijke opvattingen werken in hen door. Het gaat om een trend die maatschappelijk blijkbaar steeds meer geaccepteerd wordt.

— Paren die toch willen trouwen, ook kerkelijk, moeten zich tegenover vrienden en collega's verantwoorden.

— Waarden als trouw, duurzame binding aan een levenspartner, beschouwen velen als ouderwets en achterhaald.

— Jongeren maken de mislukking mee van het huwelijk van hun ouders, van broer of zus, van vrienden en bekenden. Zij krijgen schrik en gaan ook zelf twijfelen over de consequenties van hun eigen beslissing.

— Verschillende vormen van groepswonen, gemeenschapswonen worden uitgeprobeerd.

## Vele meningen

'Wij hebben een persoonlijk recht op geluk. Het gaat een ander niet aan hoe wij samenleven. Onze vriendschap is alleen onze verantwoordelijkheid. Het gaat om óns en niet om wat anderen vinden'.

'Met onze liefde hebben kerk en staat niets te maken! Zij reglementeren en beperken ons al genoeg. In onze liefde willen wij vrij zijn en blijven'.

'Als wij samenleven zonder te huwen, geven wij ons meer moeite om elkaar, want je bent dan minder elkaars bezit. Wij willen ons niet voor eeuwig binden, want wie weet of wij over vijf, tien of vijftien jaar nog steeds van elkaar houden'.

## Andere bedenkingen

Noch een alleenstaande, noch een echtpaar leeft alleen voor zichzelf. Wie zich afkeert van ouders, broers, zussen, vrienden en kennissen, en hun raadgevingen afwijst, loopt het gevaar in de loop van de tijd volledig geïsoleerd te raken. Vriendschap en partnerschap zijn niet enkel persoonlijke aangelegenheden.

o Kan het huwelijk voor de partners ook niet een lastenverlichting betekenen ? Het biedt bescherming tegen overhaaste maatregelen van anderen en tegen willekeurige ingrepen van buitenaf.

o Men kan zich afvragen of niet in alle relaties tussen mensen de behoefte wordt gevoeld aan vaste normen en tekenen. Het trouw-boekje is meer dan een stukje papier.

In de liefde tussen twee mensen kunnen ook conflicten opkomen en misverstanden ontstaan. Precies bij dergelijke gelegenheden krijgt het eens gegeven jawoord een volstrekt eigen en positieve betekenis.

o Is het wel mogelijk het huwelijk uit te proberen ? Dat zou betekenen dat er grenzen kunnen gesteld en voorwaarden kunnen verbonden worden aan de liefde. Wie liefheeft en door de ander bemind wordt wil echter niet aan bepaalde voorwaarden onderworpen zijn en wil zeker niet door een ander uitgeprobeerd worden.

Het huwelijk bestaat, evenals de liefde, dank zij de trouw. Het is een lange weg, een waagstuk met goede en kwade dagen.

## Trouwen leer je een leven lang

Liefhebben en een huwelijk aangaan is ook een kunde. Het gaat niet zomaar vanzelf. Je moet er langzaam in groeien. Stappen die op die weg gezet kunnen worden zijn:

o **Jezelf aanvaarden en met jezelf in het reine komen.**

Eigen sterke en zwakke kanten, eigen hoop en angsten kunnen inschatten.

o **Jezelf met je eigen seksualiteit accepteren.**
Je weten te identificeren met je man of vrouw zijn. Eigen lusten en behoeften onderkennen en ermee weten om te gaan.

o **Teder zijn voor de ander.**
Met veel fantasie en invoelingsvermogen de ander ontdekken.

o **Je losmaken uit een kinderlijke ouderbinding.**
Zelfstandig beslissingen kunnen nemen en je die niet laten ontnemen of afdwingen.

o **Je niet laten leven.**
Je waarden, bedoelingen en levensstijl niet klakkeloos van buitenaf laten beïnvloeden en bepalen.

o **Spanningen kunnen verdragen.**
Je eigen verwachtingen kunnen matigen: moeilijkheden, hindernissen en tegenstand kunnen doorstaan en ertegenin kunnen gaan.

o **Het gesprek aandurven.**
Openstaan voor een ander en met de partner levendig in gesprek blijven.

o **Je vrij kunnen binden aan je partner.**
Vrij kiezen voor deze partner en die keuze als blijvende band accepteren en volhouden.

o **Verantwoordelijkheid dragen.**
Je eigen leven weten te verantwoorden. Oog hebben voor de opgaven die voortspruiten uit een vriendschap en later uit een huwelijk. Ze zien als een gezamenlijke opdracht die samen moet worden uitgevoerd.

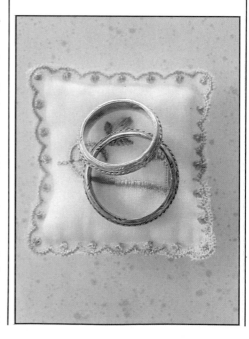

## Twee mensen...

Twee mensen die elkander vinden...

Het is een vreemd aantrekkelijk verhaal van blindelings bewonderen bij het begin, gegrepen zijn, gevat in mateloos verlangen naar die ene. Van samen willen zijn en opgaan in elkaar, alleen en van geen mens gestoord.

Het is het tere spel van stap voor stap verkennen van wat je het liefste is; van zachte lieve woorden, gefluister bij elkaar. Van hardop samen dromen van wat het jullie worden zal. 'Ik doe je mijn verhaal. Ik luister naar het jouwe'.

Het is het vreugdevolle feest van goed zijn voor elkaar, van vrijen met de handen en strelen met de mond. Van lief zijn lijf aan lijf en dag aan dag wat dichter grenzen aan elkaar. Het is die tinteling in lijf en leden, die warmte die je voelt wanneer je samen bent.

Twee mensen die elkander vinden...

Dat is het durende verhaal van langzaam aan gewennen in wederzijds vertrouwen. In twijfel soms en vragen heen en weer. Want wie ben jij en wie ben ik dat wij elkaar beminnen? En wat is houden van? Soms weet je het en dan weer niet. Je proeft het aan elkaar in rustig welbevinden of wrevel bij het vreemde. Is onze liefde durend? Is trouw zijn bij de tijd of zaak van het verleden? Is het niet beter vrij te zijn en door geen band gebonden, zodat je later zeggen kan als het eens minder wordt: het is nu goed geweest, saluut, ik wens je verder 't beste? Maar wat is 't beste? Samen? Of alleen? Of nu bij die, dan bij een ander? En wie beantwoordt jou die vraag? Wie meer nog dan jijzelf?

Twee mensen die elkander vinden, dan weer niet en dan weer wel. Het is het vreemd aanlokkelijke spel waarvoor je ja zou willen zeggen, hopend, wellicht vrezend, maar ongemeen volmondig, tegen alle twijfels in...

*Uit: IPB, Brieven aan gezinnen*

---

*De onverbreekbaarheid van het huwelijk, waarvoor vandaag de dag nog maar weinig begrip is, is ook uitdrukking van menselijke waardigheid. Mensen kunnen niet op proef leven, evenmin als op proef sterven. De liefde kan niet uitgeprobeerd worden. Mensen kunnen elkaar niet voor een tijdje uitproberen.*
Paus Johannes-Paulus II
op 15 november 1980 in
Keulen

## Droom en werkelijkheid

Een jongeman had een droom. Achter de toonbank zag hij een engel. Haastig vroeg hij: 'Wat verkoopt u, mijnheer?'
De engel antwoordde vriendelijk: 'Alles, wat u maar wil'.
De jongeman zei:
'Dan had ik graag:
o een vrouw, die me altijd begrijpt en waarop ik kan bouwen
o een gelukkig huwelijk, dat tot het eind van ons leven gelukkig blijft
o goede vrienden, die ons op onze levensweg begeleiden
o kinderen, die flink opgroeien en waaraan we vreugde beleven
o en, en...'
Toen viel de engel hem in de rede en zei: 'Excuseert u mij, jongeman, u heeft mij verkeerd begrepen. Wij verkopen hier geen vruchten, wij verkopen alleen de zaden.'

*Zegen God, wat Gij in ons begonnen zijt*
*nu wij mogen leven*
*van de liefde en de trouw*
*die we van elkaar hopen te ontvangen.*
*Wees ons nabij, God,*
*in onze liefste wensen,*
*in onze diepste momenten*
*en in hetgeen waar we samen nog van dromen.*
*Wees ons nabij, God,*
*in alle gewone dagen,*
*in de vanzelfsprekende dingen,*
*in de dagelijkse taak waarvoor wij staan.*
*Wees ons nabij, God,*
*wanneer wij lijden aan het leven,*
*wanneer pijn en verdriet ons overvallen,*
*wanneer we elkaar misschien niet verstaan.*
*Laat niet toe, God,*
*dat ons leven slijt aan gewoonte en dat wij blind worden voor elkaar.*
*Geef ons ogen om te zien*
*dat wij iedere dag elkaar gegeven zijn*
*als een kostbare schat, als een diep geheim, dat lange duur en leven nodig heeft om het in al zijn diepte te kunnen meten.*
*God, laat ons meer zijn dan brood,*
*laat ons ons leven geven aan elkaar.*

*Uit: Huub Oosterhuis, Hem herkennen in ons midden*

## Dankzegging

*Wij zijn gelukkig en mogen
elkaar gelukkig maken.
Dank U, dat wij elkaar gevonden
hebben, Heer.
Dank U, dat wij gezond zijn en
plannen kunnen maken voor de
toekomst.
Dank U voor de ogen, waarmee
wij elkaar mogen zien.
Dank U voor de tederheid, die
wij elkaar mogen schenken.
Wij danken U en leggen ons
geluk in uw handen.
Gij maakt alles goed, Gij zijt
liefde.
Laat ons elkaar steeds beter leren
kennen en erkennen dat wij voor
elkaar bestemd zijn.
Wij zijn verliefd en zijn daar
dankbaar voor.*

## De homofiele mens

Jezus Christus heeft een bevrijdende, blijde boodschap gebracht,
voor alle mensen zonder onderscheid. Hij roept allen op zijn
boodschap te beluisteren. Wie van
goede wil is mag rekenen op de
liefdevolle, bevrijdende nabijheid
van God, zijn Vader. God staat
naast ieder die naar Hem of althans
naar de goede, juiste manier van leven, op zoek wil gaan. Op grond
waarvan zou men dan beweren dat
die goede wil bij homofiele mensen
minder zou zijn of dat God hen
minder nabij zou zijn. De wetenschap neemt aan, dat de uitsluitende
en blijvende gerichtheid op personen van het eigen geslacht in het
algemeen niet te verklaren is.
Men is zo, zonder dat men weet
waardoor of waarom, en zonder dat
men bij machte is daarin veranderingen te brengen. Deze homo
fiele aanleg is dus in het algemeen
gesproken geen vrij gekozen aanleg, en daarom zijn woorden als
zondig en schuldig daarop niet toe-
pasbaar. Waarom beoordelen wij
homofielen niet op de eerste plaats
als alle mensen ? Als mensen die net
als iedereen rechtvaardig kunnen
zijn of onrechtvaardig, bekwaam in
hun beroep of niet bekwaam, oprecht of onoprecht, geëngageerd of
meer afstandelijk, gelovig christen
of meer onverschillig in levenshou-
ding ?

## Korte geschiedenis van het christelijk huwelijk

Het huwelijk is meegegroeid en veranderd met de ontwikkelingen van de samenleving. Van oudsher is het een van de gevestigde instellingen van deze wereld.

Het is nooit een strikt persoonlijke aangelegenheid geweest tussen twee mensen. Het was daarentegen steeds onderworpen aan de belangen en de bescherming van de wereldlijke en de religieuze gemeenschap.

Voor christenen heeft het huwelijk een dubbele betekenis. Het is enerzijds een aardse en natuurlijke werkelijkheid.

Anderzijds is het ook een verbond met God.

De vormgeving van de huwelijkssluiting is steeds afgestemd geweest op de gebruiken en wetten van het land waarin de christenen wonen.

Het is bewezen dat reeds in de vierde eeuw de priesterlijke zegen en het gebed deel uitmaakten van de huwelijkssluiting.

In de vijfde eeuw werd in Rome bij het afsluiten van een huwelijk de eucharistie gevierd.

Onder invloed van de heilige Augustinus ontwikkelde zich in de vroege middeleeuwen de leer van de sacramentaliteit van het huwe-

(...)
Een homofiel is ook een mens. Natuurlijk. Hij wordt dus door God evenzeer met liefde benaderd als wie dan ook. Hij hoort bij de kerk, als hij dat wil. Wie erop uit is Gods boodschap naar best vermogen te verstaan en te beleven, hem zal de Heer nabij zijn, in goede en kwade dagen. In feite vindt men onder homofielen veel lijden, omdat zij ervaren dat mensen van de kerk voor hen de toegang naar de Heer versperd achten. Dat moet ons, mensen van de kerk, een grote zorg zijn! De boodschap van de Heer over Gods liefde en barmhartigheid voor allen, zal niets kunnen bieden, zelfs niet verstaan kunnen worden, als zijn volgelingen harder willen zijn dan Hij.
*J. Bluyssen*

lijk. In de twaalfde eeuw werd het huwelijk één van de zeven sacramenten. Bijzonder aan het huwelijkssacrament is dat man en vrouw het zelf aan elkaar toedienen. Het is altijd een vereiste geweest dat een huwelijk in het openbaar gesloten wordt. De manier waarop kon echter wel eens veranderen.

In de middeleeuwen kon men, als men dat wilde, een priester verzoeken om de zegen over het huwelijk uit te spreken. Op het concilie van Trente, in de 16de eeuw, ontwikkelde de kerk een voorgeschreven vorm. Het werd verplicht om het (sacramentele) huwelijk voor een priester en twee getuigen – dus openbaar – te sluiten. Deze rechtsvorm werd een voorwaarde voor de kerkelijk-openbare erkenning van het huwelijk.

De reden voor deze rechtsvorm (vormplicht) was dat toen de huwelijken nog niet door de staat geregistreerd werden en tevoren was de vastlegging ervan door de kerk ook gebrekkig. Dit had geheime huwelijken tot gevolg, waardoor het gevaar voor ontrouw of dubbele huwelijken niet denkbeeldig was.

Na de Franse Revolutie eiste de Staat de openbare, rechtszekere huwelijkssluiting op: het burgerlijk huwelijk werd ingevoerd. Enige landen vermeden de dubbele huwelijkssluiting (burgerlijk en kerkelijk) en erkenden het kerkelijk huwelijk ook in de staatsrechtelijke zin. In andere landen – zoals in het Nederlandse taalgebied – bleven ze beide naast elkaar bestaan.

Vóór het kerkelijk huwelijk wordt op het gemeentehuis het burgerlijk huwelijk gesloten.

## Medewerking gevraagd

'Ik zou de jonge mensen om hun bijzondere medewerking willen vragen. Het christelijk huwelijk veranderde in de loop van zijn geschiedenis steeds weer van vorm en bewees daardoor zijn levenskracht en superioriteit. Ook nu staat dat huwelijk open voor vernieuwing en verdieping van zijn vormgeving. Ook jullie kunnen een bijdrage leveren in een dergelijke vernieuwing en verdieping van het eeuwenlange zoeken van de mens naar de passende huwelijksvorm. Ook jullie kunnen meewerken aan de toekomst van het huwelijk in onze maatschappij.

De krachten van het christelijk huwelijk zijn nog lang niet uitgeput.'

*Mgr. Karl Lehmann*

# Kerkelijk huwen: een verbond voor het leven vieren

Een kerkelijk huwelijk veronderstelt een bewuste keuze van het paar. Het burgerlijk huwelijk trouwens ook, want ook hier gaat het om een ernstig engagement. Dikwijls echter hebben jonge mensen het moeilijk om te verwoorden waarom ze een kerkelijk huwelijk wensen. Uit recent onderzoek bij jongeren en pasgehuwden in Nederland en Vlaanderen, blijken volgende motiveringen tot de meest genoemde te behoren:

## ...om Gods zegen over ons huwelijk te krijgen

Een jonge man en een jonge vrouw die van elkaar houden en willen huwen, leven in een spanningsveld van tegenstrijdige gevoelens. Hoop en vertrouwen dat hun huwelijk goed zal worden, wisselen af met twijfel en angst omtrent hun samenblijven in moeilijke tijden...
Vanuit ons geloof weten wij dat wij niet alles zélf kunnen doen en dat zoiets ook niet hoéft. Wij kunnen altijd vertrouwen op iemand die ons bijstaat, die 'Ja' tot ons zegt...
In geloof noemen wij die toezegging van God 'zegenen'. Dat is de vertaling van het Latijnse 'benedicere', wat letterlijk 'goed spreken' of 'welzeggen' betekent. De zegen van God betekent dan niet anders dan dat God ons, mensen, het goede toezegt, dat Hij wil dat wij het goed stellen, dat Hij ons welwillend terzijde staat. Het is om deze zegen dat bij een kerkelijk huwelijk gebeden wordt.
En de huwenden kunnen er zeker van zijn dat God wil dat hun huwelijk mag slagen. Sacrament van het huwelijk wil dan zeggen: 'Jullie hoeven de weg niet alleen te gaan. Ik, God, ben bij je, Ik zal met je meegaan. Ik zal altijd bij je zijn, waarheen je weg ook voeren mag.'

## ...omdat wij bij de kerk willen horen

Huwen doe je uiteraard niet alleen. Je begint er met zijn tweeën aan. Je woont ook in een huis in een straat, in een wijk, in een dorp of stad; je bent onderdeel of lid van een gemeenschap. Willen lid zijn van een gelovige gemeenschap die samenkomt rond Jezus van Nazaret, ondersteunt het eigen project om elkaar liefdevol en blijvend nabij te zijn, zoals Jezus ons dat heeft voorgeleefd. En die gemeenschap kan je op velerlei wijzen helpen, steunen en ruime geborgenheid bieden bij de uitbouw van je leven als gehuwden.

## ... omdat iedereen het doet

Huwen in de kerk 'omdat iedereen het doet' is op zich een weinig godsdienstige motivering. Sociologen zullen daarvan zeggen dat het gewoon een toegeven is aan sociale druk. Overigens huwt niet iedereen voor de kerk en is dat zelfs steeds minder het geval.

Anderzijds: als je voor de kerk huwt omdat de meeste van je vrienden en kennissen dat ook doen en daar wel bij varen, is dat dan een louter toegeven aan sociale druk ? Of is het een grage, zij het vage, bevestiging van een gelovige gemeenschap waar je je goed bij voelt ?

Wat uitzuivering van de motivering kan in dit geval geen kwaad.

## Zegen bij het einde van de huwelijksviering

God, onze eeuwige Vader,
beware u beiden in eenheid van hart.
En moge de vrede van Christus steeds wonen in u en in uw huis.

Allen: Amen.

Wees gezegend in uw kinderen,
ontvang troost van uw vrienden
en leef in vrede met allen.

Allen: Amen.

Wees getuigen van Gods liefde in deze wereld,
houd uw deur open voor al wie arm en bedroefd is;
dat zij u eens vol dankbaarheid verwelkomen in het huis van de Vader.

Allen: Amen

En u allen die hier aanwezig zijt,
u zegene de almachtige God,
Vader, Zoon en heilige Geest.

Allen: Amen.

35

# Gemengd huwelijk

Toenadering en liefde tussen mensen worden niet tegengehouden door de grenzen tussen godsdiensten. Als de vrouw en de man, die hun liefde voor elkaar in een huwelijk willen bezegelen, lid zijn van de katholieke kerk en van een andere christelijke kerk, is het nuttig zich af te vragen op welke wijze uitdrukking gegeven kan worden aan de betrokkenheid van beide kerken bij de inzegening; of men het huwelijk wil laten inzegenen door een predikant of een priester; bij welke gemeente of parochie men zich wil aansluiten en waar men de diensten gaat volgen.

De katholieke en de protestantse kerken zijn de laatste decennia dichter bij elkaar gekomen. Ze zijn echter niet zover, dat ze met elkaar een eensgezinde kerkgemeenschap vormen. Daarom zijn de problemen van de gemengde huwelijken nog niet opgelost. Wel doen de kerken terwille van het welslagen van het huwelijk moeite een voor de kerken samen acceptabele regeling te treffen.

Sinds 1970 bestaan er in Nederland tussen de Katholieke Kerk, de Nederlands Hervormde Kerk, de Gereformeerde Kerken, de Evangelisch-Lutherse Kerk en de Remonstrantse Broederschap, bepaalde afspraken. Aanbevolen wordt het huwelijk in te zegenen in één van de betrokken kerken, dus niet apart in beide kerken of in een mengvorm, al kunnen elementen van de huwelijksviering van de andere kerk wel worden opgenomen. Hier buitenom wordt ook wel eens toestemming gegeven voor een door de bisschop erkende gemeenschappelijke huwelijksviering. In deze wordt van bisdom tot bisdom een verschillend beleid gevoerd. Voorts wordt aangeraden de plechtigheid in te richten na beraad tussen het bruidspaar en de betrokken predikant en priester. Bij de viering zal de pastor van de andere kerk worden uitgenodigd. De verantwoordelijkheid ligt echter bij de kerk waar het huwelijk wordt ingezegend.

Het voortgaande overleg tussen de kerken heeft er in de loop van de tijd toe geleid dat het gemengde huwelijk meer positief gewaardeerd wordt als een gelegenheid waarlangs de partners én de kerken elkaar kunnen verrijken. Uitgangspunt is respect voor de overtuiging van de partners.

36

# Geloven in liefde

Het kerkelijk huwelijk wordt gesloten tussen twee gelovige mensen. Deze zin staat er als een stelling, als een vanzelfsprekendheid. Het zou echter jammer zijn als het daarbij blijft. Het huwelijk is immers een belangrijk moment in het leven en daarom een reden om er bij stil te staan en er zich op te bezinnen.

Geloof en liefde liggen erg dicht bij elkaar. Het is nauwelijks voor te stellen dat iemand die zich liefdeloos opstelt, zich wel gelovige kan noemen. Liefde tot andere mensen en in het bijzonder tot één mens, is niet meer en niet minder dan uiting geven aan een groot geloof in de ander. Liefde die twee jonge mensen voor elkaar voelen is welhaast gelijk aan geloof: overgave aan elkaar zonder vooraf vastgestelde voorwaarden, volkomen trouw aan elkaar, alles wat zichtbaar en tastbaar is overstijgend, het beredeneerbare ver achter zich latend, de dwaasheid van het ongerijmde waarin pas de mooiste geluksbeleving mogelijk wordt.

En evenzo als van de liefde wordt gehoopt dat ze een leven lang mag duren en steeds intenser zal worden, zo is dat ook waar voor geloven. Niet vanzelfsprekend, want voor beide zal moeite gedaan moeten worden, soms zelfs erg veel.

Intussen zal de liefde zich verdiepen en verbreden. Ze is niet gericht op een moment met het huwelijk als afsluiting, maar juist als begin. De liefde zal stilaan meer vorm krijgen, concrete gestalten aannemen, niet alleen in eventuele wederzijdse cadeautjes, maar in talloze andere vormen: dienstbaarheid aan elkaar en aan de medemens, de geboorte van een kind. Die liefde is een beleving van geloof als God daarin wordt ontdekt en beleefd, als in zijn openbaring in de geschiedenis inspiratie en kracht gevonden wordt om het leven zin te geven en te richten.

Op welke wijze en in welke vormen christenen dat geloof beleven, wordt in dit boek op talloze wijzen verduidelijkt.

De viering van een liefde, in het bijzonder die van jonge mensen die gaan trouwen, is bij uitstek de gelegenheid voor een gelovige bezinning. In de liefde immers wordt ook het meest ervaarbaar wat geloven is: ze vloeien als het ware in elkaar over. Daarom is hier geloofsbezinning met een pastor of met andere bruidsparen op zijn plaats.

Zij die hun liefde een gelovige context geven, willen die bezegelen ten overstaan van de geloofsgemeenschap waarmee zij zich verwant voelen. De geloofsge-

## De huwelijksdag goed voorbereiden...

... want trouwen doe je niet van vandaag op morgen. Een degelijke voorbereiding is zonder meer noodzakelijk. En die kan je best wat volgens plan laten verlopen. Een ludiek voorbeeld:

### 6 maanden vooraf
Huwelijksdatum vastleggen en afspreken met pastoor en gemeente; woning zoeken; respectieve ouders gezellig samenbrengen; budget opmaken; feestzaal bespreken en mensen contacteren die de maaltijd zullen bereiden of voor dansmuziek tijdens het feest zorgen; inschrijven voor een vorm van huwelijksvoorbereiding.

De kerkgemeenschap biedt verschillende vormen van huwelijksvoorbereiding aan. Bij de pastores of in het onthaalcentrum kan je daar meer over vernemen. Meestal gaat het om goed begeleide ontmoetingen tussen enkele verloofdenparen. Er worden gesprekken gevoerd over partnerschap en seksualiteit, over verantwoordelijk ouderschap en als christenen gehuwd zijn...

### 4-5 maanden vooraf
Bij familie, vrienden of op de vlooienmarkt meubelen op de kop tik-

meenschap zelf zal daar doorgaans graag aan willen meewerken.

Mensen die in de kerk willen trouwen vooral omwille van het mooie kader, om folkloristische of romantische motieven, stuiten dan ook op aarzeling en soms zelfs afwijzing bij de geloofsgemeenschap en haar vertegenwoordigers.

Dat motief is beslist te mager! Zo kiezen zij namelijk voor de vormgeving en niet voor de inhoud: geloof in elkaar, in God en in de medemens en hoe daar vorm aan gegeven wordt in de gemeenschap van gelovigen en in het functioneren van christenen in maatschappij en wereld.

ken. Als je liever nieuwe wil, ze gaan kopen.

### 3 maanden vooraf
Vervoer op de trouwdag regelen; feestmenu opmaken; lijstje van mogelijke geschenken opstellen; adressen voor de huwelijksaankondiging verzamelen; familie en vrienden bezoeken; naar de pastoor voor de ondertrouw; eerste huishoudgerei samenzoeken; eventuele huwelijksreis reserveren; kleren kiezen, passen of maken; even bij de dokter voor een algemene check up; getuigen aanspreken voor gemeente en kerk.

De ondertrouw is een gesprek met de priester over de ernst van het kerkelijke huwelijk en over de consequenties die dat heeft voor de manier waarop je samenleeft en vruchtbaar wilt zijn. Ook de vormgeving van de huwelijksmis kun je dan met hem bespreken.

### 2 maanden vooraf
Naar notaris voor huwelijkscontract; huwelijksaankondiging laten drukken of zelf maken; huwelijksringen maken of kopen; met priester doorwerken aan het opstellen van de huwelijksmis en mensen aanspreken die je in die mis actief wil betrekken.

### 1 maand vooraf
Eventjes een ernstige babbel met een priester of een gehuwd paar; aankondigingen versturen; afspraak

maken met de kapper; woning of appartementje opknappen en inrichten; eens bij een goed verzekeringsagent aanlopen.

### 3 weken vooraf
Tafelschikking opmaken; menu's maken; bloemen bestellen (niet nodig als je veldbloemen gebruikt).

### 1-2 weken vooraf
Vergat je wat, dat nog vlug proberen te regelen: helpers zoeken om op de dag zelf verantwoordelijk te zijn voor enkele praktische klusjes (bedankingen, betalingen, vervoer...); je schat verrassen met een kleine attentie.

### 1 dag vooraf
Er even samen tussenuit...

### De dag zelf
Laat alle praktische zaken aan anderen over.

Een persoonlijk vormgegeven uitnodiging of aankondiging kan iets uitdrukken van hetgeen het huwelijk voor het paar betekent.

Wie de ander liefheeft
laat hem tot zijn recht komen
zoals hij is,
zoals hij geweest is
en zal zijn.

*Michel Quoist*

---

Dit is mijn geheim:
alleen met het hart kun je goed zien.
Het wezenlijke is voor de ogen onzichtbaar.
Dat is een waarheid, die de mensen vergeten hebben. Maar die moet jij niet vergeten. Je blijft altijd verantwoordelijk voor wat je tam hebt gemaakt.

*Antoine de Saint-Exupéry*

---

Ons ja is een ja.
Ons ja is geen ja maar.
Ons ja is geen misschien,
niet afhankelijk van de omstandigheden.
Geen proberen.
Ons ja is geen nu ja.
Ons ja
is een ja tegen elkaar,
zoals wij zijn
en zoals wij kunnen worden.

*Jozef Dirnbeck*

Hopen betekent:
in het avontuur van de liefde geloven,
vertrouwen in de mensen hebben,
de sprong in het onzekere wagen
en op God vertrouwen.

*Dom Helder Camara*

---

Je kunt beter met tweeën zijn dan alleen. Als de één valt helpt de ander hem op de been. En: twee die bij elkaar slapen hebben het warm. Maar hoe moet iemand die alleen ligt het warm krijgen? Iemand alleen kan overweldigd worden, maar met z'n tweeën kun je een aanvaller baas.

*Pred. 4,9 ev.*

---

Waar jij gaat, ga ik.
Waar jij blijft, blijf ik.

*Ruth 1, 16*

---

De ervaring leert ons,
dat de liefde niet daarin bestaat,
dat we elkaar naar de ogen kijken,
maar dat we samen in dezelfde richting kijken.

*Antoine de Saint-Exupéry.*

---

Mensen, die vanuit de hoop leven, zien verder;
Mensen, die vanuit de liefde leven, zien dieper;
Mensen, die vanuit het geloof leven, zien alles
in een ander licht.

*Lothar Zenetti*

# De grote dag

## Het witte bruidskleed

Velen houden eraan in het wit te trouwen. Bij die witte kleur denken wij aan vreugde en feest, aan zuiverheid en volkomenheid, aan leven en ongebroken licht. Wit is van oudsher ook de kleur van het doopkleed, en van de kledij bij alle feesten waarbij een belangrijk levensmoment gevierd wordt: huwe-lijk, eerste communie, intrede in een klooster, dood...

Het is een mooi, maar weinig bekend gebruik, later uit het bruidskleed of uit de bruidssluier het doopkleed voor het kind te maken.

## Het bruidsboeket

Bloemen zijn vrolijke, kleurige tekens van leven. In vervlogen tijden waren zij dan ook een middel om geesten af te weren. Zij zijn ook symbolen van liefde en goede wensen. De bruidsruiker kan iets laten zien van de persoonlijke wensen en voorkeur van de bruid of van het paar.

Welke bloemen zien we liefst ?
Wat drukt deze of gene bloem voor
ons uit ? Kunnen wij bepaalde kleuren in verband brengen met sommige van onze huwelijksverwach-
tingen... zodat ons huwelijk een
bonte bloemenbos wordt en niet
zomaar grijs-grijs, of blauw-blauw...

## Volksgebruiken rond het huwelijksfeest

Wanneer een jonge kerel het inzicht had te trouwen en dat in de
kerk werd afgeroepen, werd hij
belegerd door een aantal jonge sna-
ken die van de toekomstige bruidegom absoluut een 'afscheidsge-
schenk' eisten. Dit moest een heel
of tenminste een half vaatje bier
zijn.
Die eeuwenoude gewoonte van het
schenken van een *vat bier* wordt op

vele plaatsen ook nu nog in ere gehouden.

In Vlaanderen kende men destijds
de zogenaamde 'hondefeesten' naar
aanleiding van een bruiloft. Werd
aan hun dringend verzoek om een
vat bier geen gevolg gegeven, dan
dreigden de jongemannen ermee
'hondefeesten' te zullen organiseren.
Dit hondefeest werd gehouden op
de zondag of feestdag na de
huwelijksinzegening. Enkele honden werden dan behangen met ge-
schriften en allerhande scheld- en
smaadwoorden. De jongelui kwamen met hun honden samen in een
herberg bij de kerk. En wanneer de
gelovigen na de hoogmis de kerk
verlieten, werden de honden los-
gelaten bij luid geroep en getier.
Het tumult dat de jongemannen
daarbij maakten, duurde soms tot
laat in de nacht en had de woning
van het jonge paar als mikpunt.

In sommige gewesten bestonden er
'jongemansverenigingen', 'de jonk-
heid', die er bepaalde traditities op na
hield. Zo werd bijvoorbeeld aan
degene die het eerst trouwde een
bok of een geit geschonken.
Dergelijke verenigingen waakten
erover dat alles volgens oud ritueel
en naar volkse zeden verliep.
Hiertoe behoorde onder meer het
verbranden van de 'jonk-
mansbroek' of het begraven van het
vrijgezellenleven.

Ook *'schieten'* is een leuke gewoonte die nu nog op vele plaatsen in is. Algemeen schoot men met carbid of met 'carbure'. De vreugdesalvo's loste men met ijzeren melkkruiken, met een stenen of houten blok waarin één of meer holten waren aangebracht, met blikken dozen.

Dit schieten, het losschieten of inschieten van de bruid, is een zeer oud gebruik. Oorspronkelijk werd het een magische kracht toegedicht. Door de boze geesten weg te schieten, zou er immers geluk en vreugde moeten heersen. Deze oude rite zou tevens de vruchtbaarheid bevorderen.

## Het is soms merkwaardig

Het is soms merkwaardig dat aan de wijze waarop de trouwers deze feestelijke dag beleven, merkbaar is welke ruimte ze aan elkaar en aan de mensen, die ze in de viering betrekken, geven.

Zo zijn er paren die de kunst verstaan een geschenk — het mag klein zijn — te ontvangen als een blijk van waardering. Er zijn er ook die enkel oog hebben voor dure cadeaus. Of anderen die verkiezen dat je de girorekening van een of ander ontwikkelingsproject spijzigt.

Er zijn paren die hun feest graag eenvoudig houden, maar er daarom niet minder vreugde en plezier aan beleven, misschien wel wat meer volk op het avondfeest kunnen laten komen. Daarentegen zijn er ook trouwers die het graag wat sjieker hebben, met wat meer 'standing'. Er zijn trouwfeesten met groot orkest en luide muziek; er zijn er ook waarop de aanwezigen rustig een uitgesponnen babbeltje kunnen slaan. Er zijn feestelijke dissen met acht gangen die je bij wijze van spreken aan tafel kluisteren; op menig huwelijksfeest wordt er ook op een eenvoudiger manier feestelijk gegeten. Er zijn prachtige suites, en er wordt hier en daar in grote glimmende taxi's naar de kerk gereden. Er zijn daarentegen ook paren die zich in eigen mooi versierde wagens laten vervoeren. Of die te voet gaan als het niet te ver is...

43

## De viering van het kerkelijk huwelijk

De priester (of diaken) spreekt het bruidspaar toe in volgende of gelijkaardige bewoordingen:

N. en N.,
we zijn nu aan het belangrijkste ogenblik gekomen van deze viering.
Gij gaat uw trouwbelofte uitspreken voor deze verzamelde gemeenschap.
Vraag aan God, onze Vader, dat Hij uw woorden aanneemt
en uw beide namen samen schrijft
in de palm van zijn hand,
dat Hij uw verbond bezegelt
en u aan elkaar schenkt
als man en vrouw.

Mag ik u dan verzoeken te antwoorden op de volgende vragen:

Vervolgens vraagt de priester (of diaken) aan bruid en bruidegom:

N. en N.,
bent u uit vrije wil
en met de volle instemming van uw hart,
hierheen gekomen
om met elkaar te trouwen?

Bruidspaar: Ja

Priester (of diaken):

Bent u bereid kinderen als geschenk uit Gods hand te aanvaarden, hen in uw liefde te laten delen en hen in de geest van Christus en zijn kerk op te voeden?

Bruidspaar: Ja

## De trouwbelofte

Priester:

Mag ik u dan vragen
elkaar de rechterhand te geven
en hier in deze gemeenschap
voor uw familieleden en vrienden,
voor God en voor zijn kerk,
uw wil kenbaar te maken
om met elkaar te trouwen.

Bruid en bruidegom geven elkaar
de rechterhand.

Bruidegom:

N., ik aanvaard je als mijn vrouw,
en ik beloof je
trouw te blijven
in goede en kwade dagen,
in armoede en rijkdom,
in ziekte en gezondheid.
Ik wil je liefhebben en waarderen
al de dagen van ons leven.

Met dezelfde woorden belooft de
bruid haar trouw.

De priester bevestigt de trouwbelofte en na de zegening van de ringen steken bruidegom en bruid de
ringen aan elkaars vinger met de
woorden:

N., ontvang deze ring als teken van
mijn liefde en trouw.

## Wens voor gehuwden

Mocht je in je huwelijk geen dag
kennen waarop je zeggen moet:
destijds hielden wij van elkaar,
maar nu is onze liefde dood.
Geen dag waarop je zegt:
wij hebben geen vrienden die ons
begrijpen,
die met ons spreken,
die naar ons luisteren,
die ons helpen,
die lijden als wij lijden,
die onze vreugde delen.
Geen dag waarop je zegt:
ik ben zo alleen, jij bent mij zo
vreemd.
Doe elkaar alle goeds;
troost en vergeef elkaar.
Smeed plannen,
en mochten jullie verlangens be-
waarheid worden.
Jullie deur moge openstaan voor
mensen die je hoogacht en die je
hoogachten, die je raad geven en
aan wie je zelf raad kunt geven:
Jullie huwelijk blijve spannend,
en mocht je de spanningen erin
kunnen verdragen;
het blijve gelukkig
doordat je je in trouw aan elkaar
waagt en je in Gods trouw opgenomen weet.
Dan zal jullie huwelijk voor anderen en voor jezelf
een teken zijn van hoop en moed.
Gods liefde moge in jullie huwelijk
tastbaar naspeurbaar worden,
want God wil in ons zichtbaar worden.

## Tafelgebed

Vooraleer op het bruiloftsfeest aan tafel te gaan, kan één van de aanwezigen, bijvoorbeeld één van de ouders, bidden:

*Wij, mensen, zijn door U bestemd*
*om gelukkig te zijn met elkaar.*
*Zó hebt Gij ons gemaakt,*
*zó zijn wij door U bedoeld.*
*Steeds weer*
*wekt Gij liefde*
*in het hart van de mensen.*
*Wij bidden U*
*voor ..... en ..... die samen de weg*
*van het leven willen gaan.*
*Wees Gij het licht op hun pad,*
*doe hen leven van uw genade*
*en vervul hun hart*
*met de warmte van uw goedheid.*
*Maak hen tot een zegen*
*voor elkaar*
*en voor hun omgeving.*
*Moge hun liefde*
*vruchtbaar zijn,*
*duurzaam en trouw,*
*al hun levensdagen.*
*Uit: Thuis bidden*

Bruid en bruidegom kunnen daarop laten volgen:

*Goede God, vóór U hebben wij*
*vandaag aan elkaar ons jawoord*
*gegeven. Gij wilt met ons zijn in*
*goede en kwade dagen.*
*Zegen nu deze maaltijd, de eerste*
*van ons huwelijk, en alle komende*
*maaltijden: dat wij erdoor*
*gesterkt mogen worden.*
*Wij bidden U, zegen ook onze*
*gasten, dat zij ook in de toekomst*
*onze gasten mogen zijn en ons met*
*raad en daad bijstaan. Amen.*

# Huwelijksjubilea

Naast de zilveren en gouden trouwdag, de bekende huwelijksjubilea, zijn er nog een heleboel trouwdagen, die misschien niet zo ernstig te nemen zijn, maar toch heel originele mogelijkheden bieden om te vieren. Meestal verwijzen de benamingen naar de geschenken die gegeven kunnen worden.

1 jaar:
*Katoenen* trouwdag. Men geeft praktische cadeaus, waaronder katoenen handdoeken.

5 jaar:
*Houten* trouwdag. Het huwelijk lijkt stand te houden. Dus... houtsnijwerk.

6,5 jaar:
*Tinnen* trouwdag. Het huwelijk moet van tijd tot tijd weer opgepoetst worden. Naast tin zijn er veel geschenken, die dat ook nodig hebben.

7 jaar:
*Peterselie*trouwdag. Het huwelijk zal groen en kruidig blijven. Wat op deze dag aan smakelijks gegeten wordt, brengen de gasten mee.

8 jaar:
*Blikken* trouwdag. Het huwelijk heeft zijn gewone weg gevonden. Geliefde geschenken zijn bakvormen, ook keukenblik genaamd.

10 jaar:
*Rozen*trouwdag. Het huwelijk, nu echt bestendig, kan zich over rozen van vandaag heen, de tijd van de bruidsruiker en van de eerste huwelijksdagen herinneren. Het is een feest met gasten die voor het echtpaar belangrijk zijn. Aan goede vrienden kan men van alles ten geschenke geven.

12,5 jaar:
*Koperen* trouwdag. Het huwelijk lijkt zo bestendig te zijn, dat zij platina (een sieraad van de oudedag) zullen bereiken. Men geeft koperen munten als onderpand van het geluk.

15 jaar:
*Glazen* of *kristallen* trouwdag. Het huwelijk, de relatie tussen man en vrouw, is doorzichtig en helder. Glas en kristal worden als geschenk aangeboden, want een en ander zal reeds aan scherven gegaan zijn.

20 jaar:
*Porseleinen* trouwdag. Stevig en glanzend, is het huwelijk tegelijkertijd ook gevoelig geworden. Nieuw servies kan ingewijd worden.

25 jaar:
*Zilveren* trouwdag. Het huwelijk,

47

dat nu een kwarteeuw duurt, heeft zijn blijvende waarde bewezen. Het feest brengt de verwanten samen, het jubilerende paar draagt een zilveren krans en boeketje.

30 jaar:
*Paarlen* trouwdag. De huwelijksjaren rijgen zich aan elkaar als een parelsnoer. Het is de gelegenheid om de echtgenote een nieuw parelsnoer te schenken.

35 jaar:
*Linnen* trouwdag. Zoals goed linnen heeft het huwelijk zich als onverscheurbaar bewezen. Veel is echter opgebruikt en de linnenkast moet opnieuw aangevuld worden.

37,5 jaar:
*Aluminium* trouwdag. Het huwelijk en het geluk waren duurzaam. Wat met herinneringen te maken heeft, is passend geschenk. Een rustig feest waarin de herinneringen gevierd kunnen worden.

40 jaar:
*Robijnen* trouwdag. Het vuur van de liefde brandt nog steeds. De trouwring krijgt een robijn, de edelsteen van de liefde en het vuur.

50 jaar:
*Gouden* trouwdag. Zoals goud heeft het huwelijk steeds standgehouden en is het stevig en kostbaar gebleken. Veel echtparen kiezen nieuwe ringen.

60 jaar:
*Diamanten* trouwdag. Niets kan het huwelijk meer in gevaar brengen, het is onverwoestbaar. Dit wordt bij de volgende jubilea nog sterker uitgedrukt.

65 jaar:
*IJzeren* trouwdag.

67,5 jaar:
*Stenen* trouwdag.

70 jaar:
*Genade*trouwdag.

75 jaar:
*Kroonjuwelen*trouwdag.

# Gehuwd zijn

## De windhond

Een windhond schreef eens aan zijn
bruid:
'Bij mij is plots de wind eruit
zodat ik, weliswaar gezond,
je groet als een gewone hond'.

Zij schreef hem weer: 'O schat,
kom vlug
als mijn gewone hond terug,
naar mij, je zielsverheugde vrouw,
die niet van wind houdt,
maar van jou!'
*Rudolf Otto Wiemer*

## Rozegeur en maneschijn

Ze zijn smoorverliefd — zij brengt
hem het hoofd op hol — hij is verslingerd op haar — zij hebben het
erg te pakken — hij is tot over zijn
oren verliefd op haar — zij staat in
vuur en vlam — zij zijn in liefde
voor elkaar ontvlamd — alles is ro-
zegeur en maneschijn voor hen —
zij zien alles door een roze bril.

Huwelijken worden in de hemel
gesloten maar op aarde beleefd.
*Spreekwoord*

## Een huwelijk is een levensgeschiedenis

Ik beloof je trouw te blijven
in goede en kwade dagen,
in armoede en rijkdom,
in ziekte en gezondheid.
Ik wil
je liefhebben en waarderen
al de dagen van ons leven.

*(Wederzijdse belofte bij het
kerkelijk huwelijk)*

De gemiddelde levensduur is vandaag de dag langer dan vroeger. Ook huwelijken kunnen langer duren. En de gouden bruiloft zal voor de komende generaties minder uitzonderlijk zijn.
Wie huwt, heeft een bewogen levensgeschiedenis vóór zich: wennen aan elkaar, beslissen over het hebben van kinderen, een gezinsleven uitbouwen, de kinderen loslaten, weer met zijn tweetjes verderleven, grootouder worden...

## Verloop van het huwelijk

### 1. Het huwelijk begint

'De liefde heeft haar eigen taal, maar het huwelijk spreekt de landstaal.'
Deze oude Russische volkswijsheid drukt treffend de situatie uit van de eerste huwelijksjaren. De roes, de stormachtige tijd van de eerste verliefdheid is voorbij. En stilaan breekt de welbekende alledaagsheid van het huwelijk met zijn 'normale' taal door. Hooggespannen verwachtingen worden met de dagdagelijkse realiteit geconfronteerd. En de prille echtelieden stellen vast dat vele van die verwachtingen, vele van hun wensen en dromen, eigenlijk wel aan die realiteit voorbijgingen. Kleine of grote ontgoochelingen zijn dan niet te vermijden. Die tijd van 'onttovering' biedt echter naast bittere ervaringen ook positieve kansen. Beide partners kunnen nu loskomen van het toch wel idyllische beeld dat ze zich van elkaar gevormd hadden. Nu kunnen zij echt van elkaar leren houden en elkaar leren ontdekken. Zij mogen zich nu geven zoals ze werkelijk zijn of zouden willen zijn.
Wat hen voorheen gefascineerd had, wordt nu nuchterder bekeken. En zij raken geboeid door dingen, die ze vroeger niet in elkaar hadden opgemerkt.

50

In het beste geval erkennen zij elkaar in hun anderszijn en aanvaarden zij elkaar, elk met zijn eigen talenten en zwakheden.

De ervaring leert ons hier echter bescheiden te zijn: een aanzienlijk aantal huwelijken mislukken precies in die eerste jaren...

## 2. Het huwelijk wordt gezin...

Denk je aan een jaar
leg dan zaden in de grond.
Denk je aan tien jaar
plant dan een boom.
Denk je aan een eeuw
breng dan een mens groot.

*Chinees spreekwoord*

De geboorte van een kind is een belangrijke gebeurtenis in ieder huwelijk. Man en vrouw worden vader en moeder. Als het kind dan waarlijk gewenst is en de ouders geven daar daadwerkelijk blijk van, dan drukken zij daarin hun levensmoed, hun levensvreugde, hun levenshoop uit. Kinderen wijzen vooruit naar de toekomst. En in wezen zijn zij een geschenk, maar ook een bijzondere opgave, waardoor de huwelijksrelatie verandert.

In hun nieuwe situatie als ouders zien de gehuwden zich immers geplaatst voor nieuwe opgaven, voor een nieuwe rol. Veel van wat hen vroeger probleemloos mogelijk was, wordt nu moeilijk of moeten zij zelfs laten vallen: het spontane bezoek bij vrienden, de ongestoorde nachtrust, de weekenduitstap, het theaterbezoek en zelfs het buitenshuiswerk van beide partners. Kinderen vergen zorgen en aanpassing.

Zij kunnen ook een bijzondere bron van vreugde zijn en pittige mede- en tegenspelers worden voor hun ouders. Kunnen leven in de hechte groep van een gezin is voor kinderen, maar ook voor hun vader en moeder, een nooit te onderschatten, verrijkend gebeuren. Zeker binnen een grote, bedreigende maatschappij. Doorheen en wellicht dank zij de zorgen die in het gezin aan elkaar besteed worden, kan er een grote solidariteit groeien. En daarbinnen kan men intens plezier beleven aan elkaar.

## 3. ... Maar het blijft een huwelijk

Van iemand houden is
met hem oud willen worden

*Albert Camus*

Kinderen verlaten tegenwoordig relatief vroeg het ouderlijk huis. De ouders leven nadien dikwijls nog meer dan twintig jaar samen. En ze hebben dan ook weer meer tijd voor elkaar. Veel van wat vroeger omwille van de kinderen niet kon, wordt nu wel mogelijk. Vele langgekoesterde wensen kunnen nu vervuld worden.

Een groot aantal gehuwden heeft het moeilijk met die nieuwe si-

tuatie. Zij hebben tijd nodig om weer op elkaar ingesteld te raken. In die nieuwe situatie zitten een aantal overeenkomsten met de beginperiode van het huwelijk. De pensionering van de man en van de vrouw leidt niet zelden tot een verenging van de contacten met de buitenwereld. Het paar zondert zich af. En hoe ouder ze worden, hoe afhankelijker van elkaar ze worden. Zeker bij ziekte en bij gebrekkigheid hebben zij elkaars hulp en solidariteit nodig.

Vele oudere echtparen blijven jong met hun kleinkinderen. Zij dragen er niet meer de directe verantwoordelijkheid voor en kunnen zich nu met volle begrip en geduld met hen bezig houden. Wat zij vroeger dikwijls voor hun eigen kinderen niet hadden, hebben zij nu in overvloed: ruimte en tijd om te vertellen, voor te lezen, te spelen, pret te maken.

Heer, onze God,
ik leg de namen van mijn
kinderen
in uw zegenende handen.
Schrijf ze daarin op,
vergeet ze niet,
laat ze niet verzanden
in wat schittert aan de
buitenkant.
Houd Gij mijn lieve kinderen
vast
als ik ze los moet laten,
en zij hun eigen weg door het
leven gaan.
Dat zij voortstappen op vaste
baan
en niet de levensstijl verlaten
die Gij ons hebt voorgedaan.
Ik vraag U niet,
ze te sparen voor elk leed.
Wees Gij hun troost en
bemoediging
als zij eenzaam zijn en bang.
Blijf ze nabij
als het donker wordt in hun leven
en zij de weg niet meer weten
die leidt naar vrede.
Reik hun de hand
en open hun ogen
voor het beloofde land
hier en in den hoge.
In uw zegenende handen
leg ik de namen van mijn
kinderen,
Heer, onze God.
Uit: Als christenen samenkomen

# Trouw

'Trouw' is niet een eeuwig merkteken dat je bij je huwelijk mee-
krijgt; het is wel een blijvende gerichtheid op de toekomst.
Het is de vaste wil,
voor elkaar een goede toekomst
open te houden:
'de dag van morgen weze goed of
slecht, maar ik zal bij je zijn.'
In die zin is trouw niet iets wat je
gisteren was, maar wat je morgen
zal zijn.
Trouwen leer je een leven lang.

*Uit: IPB, Brieven aan gezinnen*

*Tot aan uw oude dag blijf Ik de-
zelfde, nog als gij grijs zijt zal Ik u
torsen, Ik heb het gedaan en Ik blijf
u dragen, Ik zal u torsen, Ik zal u
redden.*
Jes. 46,4

## ... *Tot de dood ons scheidt*

De boom op de foto is *dik* en *stevig*. Het is een eik. En onwillekeurig roept een dergelijke kloeke boom bepaalde woorden en beelden op, die je spontaan met een eik verbindt. Twee werden er hierboven al genoemd. Probeer eens om met je man of vrouw of met het hele gezin een spelletje te spelen: iedereen schrijft zo spontaan mogelijk de woorden op, die hem of haar bij het bekijken van de eik te binnen schieten.

Vele eigenschappen die je spontaan aan de eik toeschrijft, passen ook bij de trouw. Je moet het eens proberen.

In feite zijn de 'eik' en de 'trouw' oude bekenden van elkaar. Hun voorvaderen stammen zowat uit hetzelfde 'huis', zo blijkt althans uit de etymologische geschiedenis van beide woorden. Zij zouden beide teruggaan op het Indogermaanse 'drewo', wat boom, waarschijnlijk eik betekent. Men drukt er het stevige, het diepgewortelde mee uit. Geef toe, een goed beeld voor de trouw.

In de loop der jaren verandert een eik van uitzicht. Hij groeit, zijn stam wordt dikker, zijn gebladerte gevulder, zijn kruin dichter. Zo gaat het ook met de trouw. Ook zij groeit en wordt voller.

'Het begrip huwelijkstrouw wordt in zijn betekenis verschraald, daar waar enkel gelet wordt op wat buiten het huwelijk niet mag of niet zou mogen. Het krijgt alleen zijn volle betekenis in het licht van wat er binnen een huwelijk mogelijk wordt en tot leven gebracht kan worden. Trouw betekent vooral:

o dat de mogelijkheden die er in de levensgemeenschap van een huwelijk liggen, aangegrepen worden
o dat er uitwisseling en gesprek is
o dat man en vrouw veel met en voor elkaar doen
o dat man en vrouw elkaar helpen leven in steeds nieuwe situaties
o dat zij elkaar niet alleen nabij zijn, maar die nabijheid ook nog laten groeien.'

*Dieter Emeis*

'Heer, in uw Naam zegenen wij deze ringen.
Laat de gehuwden dit sieraad dragen en hun trouw bewaren als een kostbare parel.
Dat zij in uw vrede leven en het geluk vinden in hun liefde voor elkaar.'
*(Zegen bij de huwelijksviering)*

## Waartoe trouw in staat is...

Een hoge beambte viel bij zijn koning in ongenade. De koning liet hem hoog in de toren opsluiten. Op een nacht, bij helle maan, stond de gevangene op de tinnen van de toren en keek naar beneden. Daar zag hij zijn vrouw staan. Zij gaf hem een teken en raakte de muur van de toren aan. Gespannen keek hij toe om te zien wat zij aan het doen was. Maar hij begreep het niet en wachtte geduldig op wat komen zou.

De vrouw aan de voet van de toren had een insect gevangen dat verlekkerd was op honing. Zij bestreek de voelhorens van de kever met het zoete goedje. Aan het achterlijf van het diertje maakte zij een lange zijden draad vast en zette het dan met de kop naar omhoog op de torenmuur, precies onder de plaats waar zij boven haar man zag staan. De kever kroop langzaam de honinggeur achterna, steeds hogerop, tot hij ten slotte daar aankwam, waar de gevangen man stond. Deze was aandachtig blijven luisteren en toekijken en zag nu hoe het kleine dier over de rand kroop. Hij nam het behoedzaam op, maakte de zijden draad los en bevrijdde het insect. Hij haalde de draad langzaam en

55

voorzichtig in. Maar deze werd als-maar zwaarder. Blijkbaar hing er wat aan vast. En toen de man de zijden draad helemaal naar boven had getrokken, zag hij dat er een twijndraad aan vastgemaakt was. Ook deze draad werd zwaarder en aan het eind ervan was een al wat sterker bindtouw vastgemaakt. Langzaam en voorzichtig trok hij dat touw naar zich toe. Ook het touw werd zwaarder. En aan het eind ervan hield de man een sterk snoer in de handen. Hij trok het snoer omhoog en het gewicht ervan nam alsmaar toe. En toen hij het eind ervan in de hand hield, zag hij dat er een sterk kabeltouw aan vastgeknoopt was. Het kabeltouw maakte hij aan een torentinne vast. De rest van het verhaal is eenvoudig en vanzelfsprekend. De gevangene liet zich aan het touw naar beneden en was vrij. Hij liep met zijn vrouw zwijgend de stille nacht in en verliet het land van de onrechtvaardige koning.

# In goede en kwade dagen

## De mooiste dag van de week

De mooiste dag van de week, ver-telt een dertigjarige vrouw met twee kinderen, is als mijn man is gaan kegelen. De mooiste dag van de week is de woensdag. Dan wacht zij op het moment dat hij klaar is, de deur achter zich heeft dicht getrok-ken en het huis verlaten. Zij wacht tot beide kinderen in bed liggen en eindelijk ingeslapen zijn. En dan begint haar avond. Zij doet de staande lamp aan en legt haar pla-tenverzameling voor zich op de grond. Ze klapt het deksel van de platenspeler omhoog en speelt die platen, die haar man niet bevallen maar die zij zelf graag hoort. Op de mooiste dag van de week mag zij voor een paar uur zichzelf zijn.
Het is niet veel, een paar uur in de week, viermaal per maand, voor je-zelf te hebben, om helemaal jezelf te zijn.
Zij zegt het zonder bitterheid, het klinkt haast vanzelfsprekend. Het heeft zich zo ontwikkeld, zo is het gelopen, het huwelijk, het leven.
Het is niet zo dat zij erover zou denken hem te verlaten om een eigen leven te beginnen, waarin ze zichzelf kan zijn, of zich van hem te

laten scheiden. Nee, zover denkt ze niet, daarvoor is alles te vanzelfsprekend verlopen, te automatisch, alsof het zo zijn moest. Zij is ook niet verliefd geworden op een andere man, die haar zou bijgebracht hebben, dat zij en haar lichaam begerenswaardig zijn, dat haar kussen, haar huid hem opwinden, hem naar haar toedrijven. Alle tederheid en wellust zijn lang vergeten. Daarin heeft ze berust...

Voor haar man is de woensdagavond wellicht niet de mooiste dag van de week; daarvoor beleeft hij genoeg op zijn werk. Maar een mooie dag is het voor hem wel, zo vrij van de huiselijke drukte. Hij komt thuis, kusje links, kusje rechts, zoals het echtparen betaamt. 'Hoe is het gegaan vandaag?', de alledaagse vraag, die niet naar belangstelling klinkt. Zou hij werkelijk vertellen hoe het gegaan is, dan luistert ze toch niet.

Deze routinebelangstelling zal hem ook niet meer opvallen. Hij heeft er genoeg van telkens moe thuis te komen en meteen in beslag te worden genomen; en dan de kinderen die alleen nog door de TV rustig en stil zijn te krijgen. Het eerste flesje bier, 't volgende, slaapmiddel, dat de slaap met elke slok dichterbij brengt. Een leven, dat geen leven is. Geld verdienen, rekeningen betalen. Wat heeft het voor zin?! Bij het kegelen kan hij zich helemaal laten gaan, zich laten vollopen. Daar stelt niemand vragen, daar kwelt niemand hem. Daar is hij helemaal zichzelf, zegt hij. Daar is hij vrij. Daar neemt iedereen hem zoals hij is. Daar is hij de lieve, goede kameraad. Het is helemaal niet zo dat hij een enthousiaste kegelaar is. Ach nee, het zou best iets anders kunnen zijn. Maar daar is het gezellig, kameraadschappelijk. Slechts een paar uur in de week, van acht tot een. Eenmaal in de week, vier keer in de maand. Een beetje te weinig, maar toch. Hij klaagt niet en komt met zijn bezopen kop naar huis, waar het licht brandt, waar zijn vrouw nog bij haar dwaze grammofoonplaten zit. Hij weet zelf maar al te goed, dat hij niet zoveel had moeten drinken, want zijn lever is al gezwollen.

Eenmaal in de week voelen beiden zich vrij. Zij kunnen er niet over praten, berusten in dit automatisme, beschouwen het als vanzelfsprekend, het moet zijn zoals het is. Beiden zijn slachtoffer, naar buiten toch een heel gewoon echtpaar, zoals de meesten. Zonder crises, zonder conflicten, geen scheidingsvooruitzichten. Een echt harmonisch paar.

*Ernst Klee*

# Conflicten horen erbij

Waar mensen samenleven, ontstaan meningsverschillen en conflicten. Dat hoort bij het menselijk leven. Het is er een natuurlijk en wezenlijk aspect van.

Conflicten ontstaan meestal als verschillende wensen, belangen, houdingen of gewoontes tegen elkaar opbotsen. De ene maakt aanspraak op iets wat de andere niet geven wil. Of hij wil iets realiseren waaraan de ander niet kan meedoen. Ook in het huwelijk en het gezin gaat het om mensen die het niet in alles met elkaar eens zijn, maar zich toch op elkaar moeten afstemmen. Dat verloopt niet altijd zonder wrijvingen of spanning.

Conflicten gaan echter in tegen de menselijke behoefte aan harmonie, eenheid en vrede. En van het gezin wordt verwacht dat het wat ontspanning, wat tegengewicht biedt tegen de belasting en de spanning van het beroepsleven. Dus liever geen spanning, ergernis of strijd in het gezin. Omwille van de lieve vrede wordt zo menig conflict toegedekt.

Daarmee wordt het echter niet opgelost. Het wordt integendeel onderdrukt, afgeschoven, gebagatelliseerd, verdrongen. Maar onder de oppervlakte smeult het verder, tot het als een laaiende brand uitslaat. Een mens kan namelijk niet alle agressie, niet iedere teleurstelling blijven wegslikken... Eens loopt de emmer toch over.

Conflicten betekenen niet meteen dat je de partner verwerpt of dat het huwelijk gebroken is. Integendeel, zij zijn een kans tot bezinning en inkeer. Zij zijn voor de gehuwden een teken dat er iets niet helemaal klopt, dat iets ànders en beter moet gedaan worden. Conflicten houden op die manier een relatie levendig, omdat het leven nu eenmaal niet enkel harmonie en evenwicht is, maar ook spanning en strijd.

Liever een goede ruzie
dan een valse vrede.
*Mongools spreekwoord*

**Een conflict open en fair aanpakken betekent:**

*Open en ondubbelzinnig met elkaar praten*
Ook in moeilijke situaties is het beter elkaar onomwonden je mening te zeggen dan de problemen toe te dekken. Mimiek en gebaren verraden wel je stemming, maar ze zijn dubbelzinnig en kunnen aanleiding geven tot verdere misverstanden.

*Beweringen verantwoorden*
Bij conflicten wordt veel gezegd wat niet bewezen kan worden. Wie ongegrond veroordeelt dwingt de partner tot de tegenaanval.

*Achtergronden uitklaren*
De oorzaken van spanningen en conflicten kunnen in de relatie liggen en/of in een zakelijk iets. Ogenschijnlijk zakelijke conflicten camoufleren echter vaak problemen binnen de huwelijksrelatie zelf.

*Ergernis en agressie uitspreken*
Met ruzie gaan ook ergernis en agressie gepaard. Het is beter die uit te spreken, en wel op een manier die de ander niet kwetst.

*Elkaars draagkracht onderkennen*
Niemand is altijd aanspreekbaar. Er zijn uren en dagen waarop een partner een discussie niet meer kan verdragen. Als het gesprek verdaagd moet worden, geldt de stelregel: uitstel is nog geen afstel.

*Invloeden van buitenaf erkennen*
Een aantal moeilijkheden komen voort uit feitelijkheden waar je als gehuwde partners niet direct vat op hebt: werkloosheidssituatie en beperkt inkomen, te enge behuizing, moeilijke werkuren of werksituatie... Het is goed dit samen in te zien, zodat je elkaar niet de schuld geeft, maar de last samen draagt, er samen wat probeert aan te verhelpen als het kan.

*Elkaar kunnen vergeven*
Wie achteraf zijn ongelijk inziet of zijn ondoordachte woorden wil terugnemen, moet zich ook kunnen verontschuldigen. Degene die om verontschuldiging gevraagd wordt, moet ook kunnen vergeven. Beide zijn niet altijd gemakkelijk. Maar het biedt de mogelijkheid om opnieuw te beginnen en te veranderen.

## Met volle zeilen

'Ooit was het huwelijk een haven: sommige echtparen voeren zeker en met volle zeilen uit, anderen bleven voor anker liggen en verroesttten, nog anderen leden schipbreuk vóór de kust. Tegenwoordig is het een tocht op de open zee, zonder enige haven op de achtergrond; elk van de beide partners is tot waakzaamheid en diepgaande verantwoordelijkheid verplicht, als het schip so-wie-so wil blijven drijven'.

*Margret Mead*

# Als het huwelijk in crisis raakt

### Het gemorste

Lin-Yu was zeer arm. Het lukte hem nauwelijks, om het noodzakelijkste te verdienen. Wel had hij lang gestudeerd en bezat hij veel kennis, maar hij slaagde er niet in een baan te krijgen. Meestal had hij slechts het water dat Yun-Meng van de bron haalde en wat rijst. Dikwijls was zelfs dàt er niet. Lin-Yu hoopte. Hij geloofde in zichzelf. Yun-Meng was het wachten moe. Zij vroeg hem om haar vrij te laten, zodat ze een andere partner kon zoeken. Lin-Yu keek haar lang aan en zweeg. 'Je hoeft niet langer voor me te zorgen,' zei Yun-Meng. 'Het weinige, dat je met mij moet delen, heb je dan alleen.'
Lin-Yu hield heel veel van zijn vrouw. Hij kon niet besluiten om zich van haar te laten scheiden. Yun-Meng hield niet op, om haar vrijheid te vragen.
'Ik kan niet wachten tot jij eindelijk wat hebt bereikt. Wil jij me verhinderen een rijke man te vinden?' Haar woorden deden hem pijn. Tenslotte stemde hij met de echtscheiding in. Spoedig daarop lukte

het hem aanzien en rijkdom te verwerven. Hij vond een uitstekende baan en kon zijn bezit door een grote erfenis vermeerderen. Toen keerde Yun-Meng terug en vroeg hem haar weer als zijn vrouw op te nemen. Lin-Yu keek haar lang aan en zweeg. 'Ik ben nog steeds arm en alleen', zei Yun-Meng. 'Neem mij weer tot je.' Hij vroeg haar water uit de kruik op de grond te gieten. Yun-Meng vervulde zijn wens. Nu vroeg Lin-Yu haar het water weer op te nemen. 'Hoe kan ik dat water weer opnemen', vroeg Yun-Meng, 'als ik het eerst gemorst heb?' Lin-Yu knikte...

*Martha Solmar*

## Wat gehuwden kunnen doen

De oorspronkelijke betekenis van 'crisis' is: onderscheid of keerpunt. Het is een situatie waarin iets op een beslissende wijze verandert. 'Het staat op het scherp van het mes' zeggen we, en daarmee bedoelen we dat de situatie kritiek is. Niet iedere crisis in een mensenleven kent een dramatische afloop. Maar die keerpunten, die beslissende momenten in het leven, zijn er zeker. Denken we maar aan een ernstige ziekte of aan een moeilijke heelkundige ingreep.

Crisissen zijn er ook in ieder normaal huwelijk. De meeste daarvan kunnen door man en vrouw in een verhelderend gesprek met elkaar zelf opgelost worden. De oorzaak is dan dikwijls te zoeken in misverstanden, een lang opgekropt ongenoegen, onwilligheid tot gesprek, stresssituaties allerhande...

Crisissen kunnen echter ook diep ingrijpen en een bedreiging vormen voor het wezen van de huwelijksrelatie zelf. Wederzijdse verwijten, verdachtmakingen, beledigingen en vernederingen hebben dan een punt bereikt, waarop man en vrouw gewoon onbekwaam worden om nog met elkaar te spreken. In dat geval kan het alleen nog maar met de hulp van een derde, een vertrouwenspersoon, tot een gesprek komen. Ouders, broers of zussen, gemeenschappelijke vrienden of een priester kunnen dan de rol van gesprekspartner overnemen.

Wie daarin geen oplossing ziet of zijn situatie niet graag aan bekenden uit de doeken doet, kan ook altijd een beroep doen op een consultatiebureau voor levens- en gezinsmoeilijkheden. Daar bieden vakmensen in persoonlijke gesprekken met kennis van zaken informatie over mogelijke uitwegen uit de moeilijkheden. Samen met de betrokken man en vrouw zoeken zij oplossingen voor hun problemen en conflicten. Zij doen dat met alle nodige discretie. Hoe vroeger een paar bij dergelijk bureau aanklopt, hoe groter de kans is dat zij goed en snel geholpen worden.

Het adres van die consultatiediensten is allicht bekend bij de plaatselijke pastores. Je vindt ze ook in de telefoongids.

Leer ons, Heer, samen ootmoedig te zijn en elke avond, in ons samen bidden, de pijn te vergeven die we elkaar hebben aangedaan.
Geef ons de aandacht en de moed om door liefdevolle attenties ons tekort aan fijngevoeligheid te herstellen.

Help ons bij buren en vrienden door onze vriendelijkheid en dienstvaardigheid
getuigenis af te leggen van uw liefde.
Zend ons uw Geest, zodat ons gezin herschapen wordt tot een gemeenschap waarvan Gij de voorganger en het middelpunt zijt.
Amen.

## ... die zonder zonde is...

*Jezus echter begaf zich naar de Olijfberg. 's Morgens vroeg verscheen Hij weer in de tempel en al het volk kwam naar Hem toe. Hij ging zitten en onderrichtte hen. Toen brachten schriftgeleerden en Farizeeën Hem een vrouw die op overspel was betrapt. Zij plaatsten haar in het midden en zeiden tot Hem: 'Meester, deze vrouw is op heterdaad betrapt, terwijl ze overspel bedreef. Nu heeft Mozes ons in de Wet bevolen zulke vrouwen te stenigen. Maar Gij, wat zegt Gij ervan?' Dit bedoelden ze als een strikvraag in de hoop Hem ergens van te kunnen beschuldigen. Jezus echter boog zich voorover en schreef met zijn vinger op de grond. Toen ze bij Hem aanhielden met vragen, richtte Hij zich op en zei tot hen: 'Laat degene onder u die zonder zonden is, het eerst een steen op haar werpen.' Weer boog Hij zich voorover en schreef op de grond. Toen zij dit hoorden, dropen zij een voor een af, de oudsten het eerst, totdat Jezus alleen achterbleef met de vrouw, die nog midden in de kring stond. Nu richtte Jezus zich op en sprak tot haar: 'Vrouw, heeft niemand u veroordeeld?' Zij antwoordde: 'Niemand, Heer'. Toen zei Jezus tot haar: 'Ook Ik veroordeel u niet: ga heen en zondig van nu af niet meer.'*

*Joh. 8,1-11.*

## Scheiden

Wat ook de oorzaak ervan zij, het uiteenvallen van een huwelijk, dat eens hoopvol van start ging, is een zware belasting voor beide partners, maar vooral ook voor de kinderen. Niet zelden is het zonder meer een menselijke catastrofe.

Dergelijke ellendige ervaring kan weliswaar bijdragen tot de rijping van een mens en tot een nieuwe, betere start in zijn leven. Maar meestal worden echtgescheidenen gekweld door gevoelens van ontgoocheling, gelatenheid, zelfverwijt, of door een verminderd gevoel van eigenwaarde. De omgeving, die het uiteenvallen van een huwelijk dikwijls ongenuanceerd bekijkt als een moreel falen of als een teken van gebrek aan geestelijke rijpheid, versterkt die kwellende gevoelens nog. Zelfs onder christenen is dergelijk eigengerechtig oordelen wijd verbreid, hoezeer het ook in tegenspraak is met de woorden van de Heer (Mat. 7,1). Er moeten dan ook dringend begrip en christelijke solidariteit opgebracht worden voor diegenen, wier huwelijk met scheiding bedreigd of reeds uiteengevallen is. De gescheidenen wachten terecht op het meevoelende woord, de bruikbare raad en de voelbare hulp van de christelijke gemeenschap. Zij moeten zich aan- en opgenomen weten in de gemeenschap van hen die zelf van het woord van verge-ving leven en tot broederlijkheid verplicht zijn. Daarom moet ook aan echtgescheidenen om hun medewerking gevraagd worden in gezinskringen en -groepen van de parochie. Zij moeten raad en hulp krijgen bij hun problemen met de opvoeding van hun kinderen. Op bezinningsdagen en gezamenlijke weekends, in retraites en voordrachten ... moeten ook de bijzondere problemen van gescheidenen, inzonderheid ook de religieuze nood van vele echtgescheiden christenen, besproken worden. In noodgevallen moeten gescheiden medegelovigen ook de materiële steun van kerkelijke instellingen kunnen ervaren.

*Westduitse synode 1974*

---

Wij zullen er verder voor ijveren, dat in christelijke instellingen, organisaties en bewegingen, mensen die uit de echt gescheiden zijn en een nieuw huwelijk aangingen, niet automatisch aan de deur worden gezet. Voor deze kwestie, die soms erg principieel en door beide partijen soms erg onhandig werd aangepakt, moeten wij samen naar de beste oplossing zoeken. Wij vragen aan alle medegelovigen de barrières af te breken.

*Uit: IPB, Brieven aan gezinnen*

## '... over de dood heen'

**Ik blijf alleen achter...**

Goede Vader,
de mens die mij het liefste was
hebt Gij van mij weggenomen.
Wij hielden van elkaar
en gingen samen een deel van ons
leven.
Veel hebben wij met elkaar gedeeld,
vreugde en leed,
goede en kwade dagen.
Wij hebben het goed gehad samen,
al ging het niet altijd gemakkelijk.
Ik dank U daarvoor.
Mijn man/vrouw heeft nu als eerste
de eindstreep bereikt.
Ik blijf alleen achter.

Wees zijn/haar liefde en trouw indachtig
en geef mij de kracht en de moed
om verder te leven naar uw wil,
ook al valt mij dat soms zwaar.

'Wie van iemand houdt,
stelt voor altijd zijn hoop op hem.'

*Gabriel Marcel*

# Geboorte en doop

## Twee handen

Zei de kleine tot de grote hand:

Hé, grote hand, ik heb je nodig,
want bij jou ben ik geborgen.
Ik voel je hand
wanneer ik wakker word en
jij dan bij me bent,
wanneer ik honger heb en
jij mij voedt,
wanneer jij helpt als
ik een toren bouw,
wanneer ik met jouw hulp
mijn eerste pasjes zet,
wanneer ik bij je kom als
ik wat angstig ben.
Kom, blijf bij mij en hou me vast.

En zei de grote tot de kleine:

Hé, kleine hand, ik heb je nodig,
want jij hebt mij gegrepen.
Dat voel ik
als ik veel voor jou mag werken,
als ik speel en lach en dol met jou,
als ik met jou kleine,
wonderbare dingen nieuw ontdek,
als ik je warmte voel en van je hou,
en als ik merk hoe ik met jou
weer bidden kan en danken.
Kom, blijf bij mij en hou me vast.

*Naar Gerard Kiefel*

# Leven doorgeven...

In ieder paar leeft het sterke verlangen van het leven iets te maken, niet vruchteloos te zullen leven. Dat is merkbaar aan de vele plannen die zij samen maken, aan de werkzaamheden die zij ontplooien, aan de woning die zij samen vorm geven, aan hun inzet voor anderen.

Bij ieder paar duikt ook ooit het verlangen op niet meer alleen met zijn tweeën te zijn, een kind te krijgen en de liefde tussen man en vrouw zichtbaar en tastbaar te maken. Met andere woorden: het verlangen om letterlijk vruchten te dragen in kinderen. Dan duiken echter ook vragen op: hoe is het eigenlijk als je vader en moeder wordt? Verandert dat niet veel in je huwelijk en je beroepsleven? Zullen wij nog wel tijd hebben voor onszelf?

Sommige echtparen vragen zich af of zij zich wel een kind kunnen 'veroorloven'; hun economische situatie, de onzekere toekomst, de overbevolking en de honger in de wereld...

Is het niet beter om vrijwillig kinderloos te blijven?

Nog zwaarder wegen die vragen als ouders meer kinderen willen maar onzeker zijn omtrent het aantal en het juiste tijdstip. Binnen een verantwoordelijk ouderschap zijn dat ernstige vragen, zoals ook een tekst van het tweede Vaticaans concilie zegt:

De eigenlijke opdracht van een echtpaar is menselijk leven doorgeven en opvoeden. Daardoor zijn de echtgenoten medewerkers en als het ware vertolkers van de liefde van de scheppende God. Het is een opdracht waarvoor zij als mensen en als christenen verantwoordelijk zijn. Hun geloofsgehoorzaamheid en ontzag voor God vraagt erom samen tot een juiste beslissing te komen. Daarbij zullen ze rekening moeten houden met hun eigen welzijn en dat van reeds geboren en komende kinderen. Ook zal gelet moeten worden op de noodzakelijke voorwaarden die de tijd en de omstandigheden van leven met zich meebrengen, zowel geestelijk als materieel. Het gaat om het welzijn van het gezin, van de maatschappij en van de kerk. Uiteindelijk zijn het de echtgenoten zelf die ten overstaan van God de gewetensbeslissing nemen. Het is niet goed, zonder veel nadenken te werk te gaan. Beslissingen worden in geweten genomen. Leidraad daarin dient te zijn de goddelijke wet die kenbaar is in het leergezag van de kerk. Zij geeft er uitleg aan in het licht van het evangelie.

*Uit: De kerk in de wereld van deze tijd, art. 50. Vrije bewerking.*

66

*Kinderen hebben is:*
- *ervoor kiezen*
- *blij en dankbaar zijn om nieuw leven*
- *zorgen voor de komende generatie*
- *het leven waar je samen gelukkig mee bent, kunnen doorgeven*
- *meewerken aan menswording en er de last van dragen*
- *jonge mensen zowat 20 jaar bij je hebben, en er mee verantwoordelijk voor mogen zijn*
- *ze laten delen in de dingen waarvan je houdt en waarin je gelooft.*

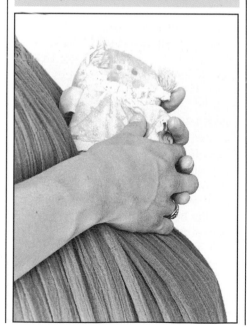

## Als je weet, dat je zwanger bent...

en een kind verwacht, dan wordt de tijd van het samen wachten niet alleen gevuld met gevoelens van geluk en vreugde, maar ook met onzekerheden en angsten. Hoe zal het kind eruit zien? Zal het gezond zijn? Wordt het een jongen of een meisje?

In de loop van die weken en maanden valt er heel wat te overdenken. Wat binnenin aan het groeien is, is een mens — reeds vanaf het moment van de conceptie.

De biologie leert ons dat in het organisme, in de cel, die ontstaat uit de vereniging van een mannelijke zaadcel en een vrouwelijke eicel, in aanleg reeds een nieuw mens geheel aanwezig is: hoe hij er zal uitzien, de kleur van zijn ogen... maar ook zijn talenten en bekwaamheden. Dit kan ouders tot verwondering brengen en ze dankbaar maken voor dit kostbare geschenk. Man en vrouw zouden samen 'zwanger' moeten zijn en zich voorbereiden op de wonderbare gebeurtenis van de geboorte.

Man en vrouw bereiden zich gedurende deze 9 maanden ook voor om ouders te worden voor dit kind. Immers, wanneer ouders een kind

verwachten is er ook een kind dat ouders verwacht. Ook bij een tweede of een volgend kind is dit belangrijk. Zij maken er plaats voor in hun hart, in hun woning en in de familie- en kennissenkring.

Ook ouders die een kind willen adopteren, maken in die zin een periode door van 'in verwachting zijn' en zich voorbereiden op het ouderschap.

Concreet kunnen man en vrouw zich voorbereiden:

o door samen te praten over wat zij voelen, ervaren en denken

o door samen een vormingsavond of voorbereidingscyclus te volgen voor ouders-in-spe

o door samen de kinderkamer in te richten en te zorgen voor het eerste kinderpakje...

o door samen een naam te zoeken voor het kind

o door het kiezen van peter en meter.

## Gebed voor ons kind

Wij willen dit kind.
Het komt niet zo maar, omdat wij toevallig
man en vrouw zijn.
Het komt omdat wij elkaar liefhebben.
En omdat wij hopen en geloven,
dat wij zo aan Gods plan meewerken.

Neen, ons kind is geen toeval.
We hebben erover nagedacht.
Het vraagt een grote verantwoordelijkheid.
Het mag er niet zijn voor onszelf.
Het moet mens zijn,
om in deze wereld iets goeds te brengen:
vrede, geluk en schoonheid.

Help ons, God onze Heer,
goede ouders te worden,
opdat wij dit kind mogen begeleiden
naar het geluk,
opdat wij het kunnen helpen
een goed mens te worden,
opdat het zou bijdragen tot een betere wereld.

*Uit: Jonggehuwden bidden*

## Het kind is er...

Een kind is 'ter wereld gekomen', zoals dat heet. De spanning, de ongemakken en de pijn van de geboorte zijn voorbij. Jullie dochtertje of zoontje is er. En je ondervindt al dadelijk dat het helemaal op je aangewezen is; het is een klein, hulpeloos en bij wijlen luidruchtig hoopje mens. Eigenlijk is het altijd, ook als het op de voorziene datum geboren wordt, een 'vroeggeboorte': het kwam veel en véél te vroeg op deze wereld om zonder hulp van anderen dit leven te bestaan. Om te kunnen overleven heeft het ons helemaal nodig: niet alleen onze lichamelijke zorg en nabijheid, maar vooral veel liefde, warmte en tijd.

Als ouders voel je bij die kleine boreling allicht vreugde, veel liefde, verwondering, trots ook, en een groot stuk verantwoordelijkheid; maar ook soms aarzelende onzekerheid, een beetje vrees, misschien wel angst... ? Je herkent in je kind jezelf, eigen goeie kanten, eigen zwakheden. Het kind draagt je naam; jullie leven en werken voort in hem. In je kind heb je een niet meer weg te cijferen reden om God te danken en om Hem te bidden het te zegenen en je te helpen om het groot te brengen.

## Een naam voor het kind

Een kind krijgt zijn familienaam mee bij de geboorte. Zijn voornaam krijgt het van zijn ouders. En met die voornaam gaat het door het leven. Ouders mogen verantwoordelijk zijn voor die naamgeving.
De betekenis van een eigen naam is:
Jij bent déze ene,
jij bent onvervangbaar.
Jij bent erkend en aanvaard
zoals je bent, zoals je heet.
Jij bent reeds iemand!
In het zoeken van een naam kunnen ouders soms geholpen zijn door zich af te vragen welke mensen, veraf of dichtbij, veel voor hen betekenen. Een naam is uiteraard nog geen levensprogramma maar hij kan wel veel laten zien van datgene wat ouders dromen en wensen.

(Verwijzingen naar naamdagen, heiligen en naamverklaringen vind je in de maandelijkse kalender verderop en in het alfabetisch namenregister op het eind van het boek.)

Andere interessante publikaties:
— *2000 doopnamen en varianten,* Brussel, Licap
— J. van der Schaar, *Woordenboek van voornamen,* Aula 176, Utrecht/Antwerpen: Spectrum

## Weer thuis ... als gezin!

Een kind, vooral als het een eerste kind is, betekent een mijlpaal, een keerpunt in het leven van de ouders. Terug thuis zijn, een gezin zijn... Het duurt wel enkele weken vooraleer ouders ten volle beseffen en beleven wat er hen overkomt: 'Ik ben moeder' - 'Ik ben vader' - 'Wij zijn een gezin geworden'.

Er zijn mooie momenten, waaraan je als ouder veel vreugde beleeft:
o Het eerste lachje van het kind.
o Het herkent je stem, je gezicht, en het ligt hoopvol te spartelen.
o Het volgt met zijn ogen bewegende dingen en probeert kleurige voorwerpen te grijpen.

Er zijn ook andere ervaringen:
'Kunnen we dit wel aan met z'n tweeën? Zal ik een goeie moeder zijn die kan troosten, helpen, verzorgen, genezen, opvoeden, die steeds klaar zal staan...?
Waarom word ik radeloos als mijn kindje blijft huilen, waarom kan ik het wel verwensen als het me 's nachts voor de vijfde keer uit mijn bed haalt? En opeens besef ik dat het gedaan is met de nachtrust, met de vrijheid, met doen en laten waar je zin in hebt. En dan verdring je weer die gevoelens want je wil geen slechte moeder zijn. Je houdt van dat kleine wezentje. Je zou er alles voor over hebben. Toch... voel ik me vreemd, zie ik er tegenop...'

## 'Wij delen de vreugde om het nieuwe leven ...'

De vreugde om de geboorte van je kind wil je delen met anderen, met ouders en broers en zussen, met vrienden en bekenden, met collega's op het werk.

Ieder kind is anders. Een geboortekaartje mag dan ook een 'persoonlijk gezicht' hebben: gegevens over de kleine, of een eerste fotootje van de nieuwe aardbewoner, of teksten die je aanspreken en die uitdrukking geven aan je wensen voor je kind.

— *Broertje of zusje (vader of moeder mag ook) zelf een kaartje laten ontwerpen. Drukker of fotokopieermachine doen de rest.*

— *Foto (laten) nemen van het gezin. Een duidelijk tekstje (laten) drukken op het kaartje.*

— *Geboortekaartje borduren. Eenvoudige kruissteekmotiefjes lenen zich daar prima toe. Borduren met twee of drie afgesplitste draadjes op een lapje borduurgaas en dit op een stukje karton plakken.*

## Enkele tekstjes...

Ieder kind komt met de boodschap op de wereld dat God nog niet ontmoedigd is over de mens.
*Tagore*

Ieder mens is een eigen land.
*Spreekwoord uit Tanzania*

Kinderen zijn gasten,
die naar de weg vragen.
*Uitspraak van een oude vrouw*

Hadde ik al de schatten
van de wereld,
ik gaf ze voor een kinderherte, ik.
*Guido Gezelle*

Nu je bij ons bent zullen we brood voor je halen om je te sterken voor je verdere reis.
*Naar Gen. 18,5*

Ik zal mijn naam over u uitspreken en u zegenen.
*Naar Num. 6,27*

Zie, in mijn handpalmen heb Ik u geschreven.
*Jes. 49,16*

Jezus zei: 'Laat die kinderen toch begaan en verhinder ze niet bij Mij te komen.
Want aan hen die zijn zoals zij, behoort het rijk der hemelen.'
*Mat. 19,14*

71

Hoe groot is de liefde die de Vader ons betoond heeft! Wij worden kinderen van God genoemd en we zijn het ook.

*1 Joh. 3,1*

Man en vrouw, zegt God:
Alles heb je gekregen:
cultuur, comfort, elkaar: leven!
Ik ben blij, zegt God:
je houdt niets voor jezelf,
je wil alles delen:
cultuur, comfort, elkaar: leven!
Nu ben je naar mijn beeld,
zegt God:
je leeft in liefde, vruchtbaar!

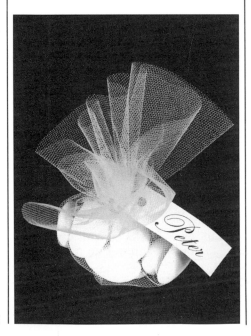

# Graag (meer) kinderen...

Toch is het huwelijk niet louter op de voortplanting gericht. Het onverbrekelijk verbond tussen twee partners en het welzijn van het kind vragen erom, dat ook de wederzijdse liefde van de echtgenoten harmonieus geuit wordt, groeit en tot volwassenheid komt. Daarom blijft, ook als de vaak vurige verwachting naar het kind wordt teleurgesteld, het huwelijk een vaste levensgemeenschap en behoudt het zijn waarde en onverbrekelijkheid.

*Uit: Vaticanum II, de kerk in de wereld van deze tijd, art. 50. Vrije bewerking*

### Ervaring van een paar

Je hebt erover gelezen, je hebt erover gehoord, je hebt het er zelfs vaak samen over gehad, en plots sta je in de situatie: wil je nog kinderen, dan zul je ze ergens anders moeten halen — adopteren — want een kind van ons beiden kan niet meer. Het moment waarop die werkelijkheid je — voorzichtig — door de dokter aan het verstand wordt gebracht, is er één van diepe ontreddering, grote pijn en stukgeslagen dromen. Wij hadden bovendien de dood van ons tweede kindje te verwerken, en we hadden reeds geprobeerd ons zelf te troosten met het vooruitzicht op een — zo vlug mogelijke — zwangerschap.

En dan denk je terug aan de luchtige maar toch gemeende gesprekken van vroeger: 'Als we d'er zelf geen kunnen krijgen, dan adopteren we maar een paar kinderen'. Alleen wist je dan niet dat het met zoveel pijn gepaard zou gaan. Toch wordt de hoop op een kind, langs adoptie om, plots een troost voor al het geleden verlies: je dode kind en de andere kinderen die je graag samen wou, maar die er nu niet meer zullen komen.

Dan begint het geloop en geschrijf naar mensen en instellingen van wie je verwacht dat ze je snel zullen helpen. Er worden immers toch zoveel ongewenste kinderen geboren, de tehuizen zitten overvol! Nu, vergeet het maar. Het is een ellendige weg, want overal zijn er wachtlijsten van vier en vijf jaar.

Mijn man en ik begrepen niet dat het zo moeilijk was, terwijl we met open hart en huis zaten te wachten. Wij begonnen ons beter te informeren en begrepen dat tien maal meer gezinnen een kind aanvragen dan er kinderen beschikbaar zijn. Want niet alle kinderen uit de tehuizen zijn adopteerbaar. De meesten hebben nog vader of moeder, die hoewel onbekwaam om ze op te voeden, toch nog veel van hen houden.

Wij wilden echter geen jaren wachten om ons gezin uit te breiden omdat wij al een dochtertje van tweeënhalf jaar hadden, wij zagen het niet zitten om ze tot haar zeven à acht jaar alleen op te voeden.

Bovendien waren we bang dat we 'gesettled' zouden geraken, en dat we na zoveel jaren niet meer de kracht en de openheid zouden hebben om een engagement met vreemde kinderen aan te gaan.

Om dit probleem te ontwijken, zijn we dan gaan zoeken naar kinderen die tijdelijke — of blijvende — opvang nodig hadden, zonder dat we ze konden adopteren.

Zo hebben we een vijftal keren een kind bij ons gehad: de meesten een paar maanden, eentje twee jaar en nog een ander vijf jaar. Twee jongetjes zijn bij ons geplaatst door de jeugdrechter (tien jaar geleden) en zullen waarschijnlijk voor altijd blijven.

Alhoewel wij in de zin van zo'n opvang geloven, was het steeds weer een zeer pijnlijke ervaring als deze kinderen naar hun ouders terug moesten, vooral als die niet zo'n positief ingestelde opvoeders waren. Steeds weer raakten we aan hen gehecht, waren we bezorgd om hen, en steeds weer werd deze band verbroken. Op een gegeven moment kon ik dat niet meer zo goed aan. We besloten om toch naar een organisatie voor adoptie toe te stappen.

We wisten dat we bij de adoptiewerken voor kinderen uit eigen land tegen een muur aanliepen en dus kozen we voor een buitenlands kind. Ook hierover dachten we lang na omdat we niet zo maar een kind uit zijn milieu wilden halen zonder dat we het konden garanderen dat zijn leven hier beter zou zijn dan ginder.

De aanvraag gebeurde in januari 1980. Veel papieren − veel instanties die hun zegje moesten hebben eer het officiële aanvraagdossier kon ingestuurd worden. Toen begon de lange wachttijd. Men had ons voorspeld dat het alles samen meer dan een jaar kon duren. Het werden 21 maanden tot aan de toewijzing van het kind en nog eens 18 maanden tot haar aankomst hier. Het grote enthousiasme was ondertussen wel tot normale proporties herleid zodat we de vreugdevolle maar moeilijke eerste dagen met haar goed aankonden.

Gelukkig was ze vrij gezond. Behalve een luizenkopje en wat wormen in de darmen, zag ze er letterlijk goed uit. Wat ons echter het meest vermoeide, waren de nachten. Zij scheen niet tot rust te komen, was overdag vinnig, leerde vlug praten, maar 's nachts hield ze ons uit onze slaap. Tot vier-, vijfmaal per nacht eruit en dat gedurende acht maanden − dat gaat je niet in de kouwe kleren zitten !

Gelukkig is nu ook die periode voorbij. Intussen heeft iedereen weer zijn plaats gevonden. Door de opvang van de andere kinderen

wisten we het reeds: pleeg- of adoptiekinderen zijn geen wondere wezens. Het zijn mensjes zoals alle andere; soms om je blauw te ergeren, soms om op te eten, dan weer om je d'r heel boos op te maken. Er is geen verschil tussen eigen en adoptiekinderen. Zij vragen zoals alle kinderen, zoals alle mensen, veel liefde, een groot hart en een warm nest om zich thuis in te voelen.

*Lieve Deranter-Deleu*

In Vlaanderen zowel als in Nederland bestaan verschillende speciale instellingen voor adoptie en pleegzorg. De pastores weten daar doorgaans wel naar te verwijzen.

## Wij laten ons kind dopen

'De doop van een kind in een christelijk gezin is niet zomaar een viering van de geboorte: men viert de opneming van het kind in de christelijke gemeenschap.
Wanneer kan het geloof beginnen in een mensenleven? Met een jaar of acht, wanneer het kind zich begint los te maken uit de eerste gebondenheid aan de ouders? Met twaalf jaar, als de kindertijd wordt verlaten? Of pas bij het begin der volwassenheid?
Wanneer begint de liefde in een mensenleven? Is dat aan te geven? Ook die moet gewekt worden en groeit ongemerkt in het eerste contact van ouders en kind. U kunt niet zeggen: 'Toen begon het kind van ons te houden.' Deze gedachte komt niet eens bij u op, want vanaf de geboorte is er immers al een menselijke verbondenheid, die bij het kind langzaam begint te dagen. U kunt niet dateren, wanneer uw liefde werkelijk voor het eerst beantwoord werd. Het begint dus toch eigenlijk bij het begin. Zo kan het geloof en al wat daartoe bijdraagt toch ook niet anders begin-

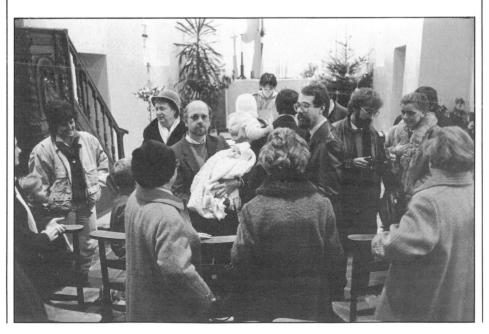

75

nen dan bij het begin.

Natuurlijk is het geloof van een volwassene anders dan van een kind. Zo is het ook met de liefde. Het zaad is de plant nog niet, de stengel is de bloem nog niet, de bloem is de vrucht nog niet en toch begint de plant bij het zaad dat in de aarde valt.'

*J.L. Klink*

*Misschien wil u uw kind laten dopen omdat u denkt,*
o *ons kind moet lid van de kerk worden;*
o *ons kind heeft de zegen van God nodig;*
o *ons kind moet verlost worden van de erfzonde;*
o *ons kind moet christelijk worden opgevoed;*
*of omdat u denkt,*
o *wij willen de geboorte vieren;*
o *ons kind mag later op school geen moeilijkheden ondervinden;*
o *wij willen oude familiegebruiken in ere houden.*

Misschien denkt u er ook over het kind nu nog niet te laten dopen, zodat het later zelf kan beslissen. Al vanaf de eerste eeuwen worden niet alleen volwassenen gedoopt die zelf gekozen hebben voor geloof in God en de weg van Jezus, maar ook hun kinderen.

Kinderen kunnen natuurlijk niet zelf kiezen voor het geloof en daarmee voor het doopsel. Wel kunnen ze samen met de ouders le-ven in geloof in God en met hen het geloof beleven en ontdekken. Ouders willen hun kinderen een goede toekomst bieden. Later kunnen ze die bij het vormsel bevestigen met hun eigen ja-woord.

Met de doop verklaren de ouders het geloof aan het kind te zullen voor-leven en het in geloof op te voeden.

## Wanneer dopen?

1. In de meeste gevallen wordt het kind in de eigen parochie gedoopt, enkele weken of maanden na de geboorte.

2. Soms gebeurt het nog wel dat de baby gedoopt wordt in de kraamkliniek, enkele dagen na de geboorte.

3. Sommige ouders stellen bewust het doopsel van hun kind uit tot een latere leeftijd. Zij wensen dat hun kind het doopsel meer persoonlijk mee kan vieren.

4. Een aantal ouders laten hun kind (nog) niet dopen. Ze voelen zich te weinig christelijk om hun kind als gedoopte op te kunnen voeden.

## *Uitnodiging voor een doopgesprek*

*Beste Ria en Joost,*

*Jullie wensen Stefan te laten dopen. Dat is een belangrijke beslissing. Jullie verwachten dat dit doopsel zal bijdragen tot zijn geluk, dat hij daardoor de beste kansen zal krijgen om uit te groeien tot een mens, die helemaal zichzelf kan worden, die fijn kan omgaan met anderen, die hartstochtelijk van de natuur zal houden en God bovenal kan beminnen.*

*Je kind zijn eerste schreden helpen zetten op de weg van het christelijk geloof is een hele opgave, zeker in deze tijd. Als jullie dat goed vinden, zou ik dan ook graag eens komen praten over de betekenis van het doopsel, voor Stefan én voor jullie zelf. Misschien kunnen we dat combineren met de voorbereiding van de doopviering. Dan kunnen we meteen ook de keuze bespreken van bijbelteksten, gebeden, liederen, symbolen en muziek. Ik loop in de komende dagen wel eens langs, dan maken we een afspraakje voor dat gesprek.*

*Ik weet niet hoe het komt, Joost en Ria, maar bij iedere geboorte overvalt mij steeds weer die geheimzinnige zekerheid dat het leven een mysterie is, een wonderbaar gebeuren, dat ons kleine verstand te boven gaat. Ik voor mij betrek het op God, onze Vader. Ik hoop dat zijn zegen op Stefan moge rusten. 'Laat de kinderen tot Mij komen', zei Jezus destijds. En dàt zullen wij binnenkort in het doopsel van Stefan fijn vieren.*

*Jullie pastoor*

## Peter en meter

Het peterschap ontstond bij de eerste christenen, in de oerkerk, toen vooral volwassenen gedoopt werden. De peter stelde zich aansprakelijk voor de volwassen dopeling, en leidde hem in de gemeente in.

Bij de kinderdoop nemen peter en meter samen met de ouders de taak op zich het kind op zijn levensweg in geloof te begeleiden. Peter en meter geven ook uitdrukking aan de bereidheid van de christelijke gemeenschap om het kind op te nemen.

Het peterschap kan waargenomen worden door iedereen die katholiek is en de sacramenten van doopsel, eucharistie en vormsel ontvangen heeft. Peter en meter moeten niet te oud zijn, zodat ze hun taak als dusdanig relatief lang kunnen waarnemen.

Samen met een katholiek kan ook een protestants christen als doopgetuige optreden.

## Verloop van de viering

### Onthaal

Begroeting aan de ingang van de kerk en naamgeving:

Op de grote momenten van het leven wordt de mens altijd onthaald aan de ingang van het kerkgebouw.

Ouders, ieder mens draagt een naam bij God en bij de mensen. Welke naam hebt gij voor uw kind gekozen?

N.

Deze naam zal geschreven staan in de palm van Gods hand.

Zoals de ouders het leven schenken aan het kind, zo geven zij het ook een naam. Die naam zal voor altijd gelden: voor God en voor de mensen.

Daarna vraagt de bedienaar naar de motivering van de ouders om hun kindje te laten dopen.

Deze dialoog moet spontaan gebeuren. In enkele zinnen kan worden samengevat wat in voorafgaande doopgesprekken aan de orde kwam.

De bedienaar wijst de ouders op hun verantwoordelijkheid. Zij verbinden zich ertoe hun kind in het geloof op te voeden en het te leren leven naar Gods geboden.

Herhaaldelijk zal in de loop van de doopselliturgie gewezen worden op de grote verantwoordelijkheid van de ouders die voor hun kindje het doopsel vragen.

Hij vraagt ook aan peter en meter of zij bereid zijn de ouders in die taak bij te staan.

Peter en meter zijn hier samen met de bedienaar de allereerste getuigen en vertegenwoordigers van de grote kerkgemeenschap. Dit gebeuren overstijgt immers de grenzen van het gezin.

## Woorddienst

In een geschikte ruimte nemen allen nu plaats voor een korte woorddienst:
schriftlezing, eventueel zang en korte toespraak, eindigend met de voorbede, de aanroeping van de heiligen en het gebed onder handoplegging opdat het kind sterk en weerbaar mag worden, gevrijwaard voor het kwaad.

Bij elke sacramentele viering gaat een woorddienst vooraf. Het geloof is toch de vrucht van de verkondiging en sacramenten kan men enkel vanuit het geloof verstaan en beleven.

Wat bij de doop van volwassenen een radicaal afzweren is van het kwaad, is hier bij het kinderdoopsel een gebed onder handoplegging opdat dit kind altijd sterk mag staan in de strijd tegen alles wat het van God zou vervreemden.

## Aanroeping over het water

De bedienaar prijst God, de Heer, om het water en om zijn levenskracht, verwijzend naar het scheppingsverhaal toen Gods Geest als een storm over het water joeg, naar de zondvloed, naar de doortocht door de Rode Zee en naar het water van de Jordaan waarin Jezus gedoopt werd en naar het water en bloed dat uit de zijde vloeide van de Gekruisigde.

Dan gaat de bedienaar verder:
*Zie naar uw volk dat hier voor U bij de doopvont staat*
*en open voor hen de bron van leven.*
*Stort in dit water de Geest uit van uw eengeboren Zoon.*
*Laat dit kind dat geschapen is naar uw beeld,*
*door het water van de doop*

Zoals het grote lofgebed dat in de eucharistieviering over brood en wijn wordt uitgesproken of in de paasnacht over het nieuwe licht, zo wordt ook hier over het water een groot zegengebed of lofprijzing uitgesproken. De Schepper wordt geloofd om de natuurlijke levenskracht van het water, de Verlosser

*vrij zijn van alle kwaad.*
*Maak het tot kind van uw volk, herbo-*
*ren uit water en heilige Geest.*
*God, onze Heer, wij vragen U:*
*laat door uw Zoon de levenskracht van*
*de heilige Geest als een storm over dit*
*water gaan,*
*zodat allen die door de doop samen*
*met Christus zijn begraven, ook met*
*Hem uit het graf zullen opstaan en met*
*Hem leven...*

wordt gedankt omdat Hij het water heeft geheiligd tot teken van heil en nieuw leven.

## Verzaking en geloofsbelijdenis

*Belooft gij u te allen tijde te verzetten*
*tegen kwaad*
*en onrecht, tegen de bekoring van zonde*
*en belooft gij uw kind naar best vermo-*
*gen*
*op te voeden in de geest van het evan-*
*gelie ?*

Het wordt de ouders, peter en meter en allen op het hart gedrukt het kind gelovig op te voeden. Het nieuwe leven dat het hier in de doopvont ontvangt, moeten zij onder hun hoede nemen. Hun eigen doopsel indachtig, worden allen uitgenodigd hun doopbeloften opnieuw uit te spreken en hun geloof te belijden.

De ouders antwoorden bijvoorbeeld:

*Ja, ik beloof voor dit kind te getuigen*
*van Gods goedheid en liefde en al het*
*mogelijke te doen om het op te voeden in*
*het geloof.*

De bedienaar zegt:

*Gelooft gij in God, Schepper...*
*in Jezus Christus...*
*in de heilige Geest ?*

De ouders antwoorden bevestigend of zeggen een geloofsbelijdenis op.

Het kind wordt gedoopt op grond van het geloof van de ouders en toch gaat dit doopsel de hele kerk aan. Daarom wordt uitdrukkelijk de band gelegd met het geloof van de kerk.

De bedienaar neemt alle aanwezigen tot getuigen van deze belijdenis, en zegt dan:

*Wilt gij dus dat N. wordt gedoopt in het geloof van de kerk dat wij zo juist beleden hebben ?*

De ouders antwoorden bevestigend.

Hier wordt heel duidelijk de band gelegd tussen de geloofsbelijdenis van de ouders en het feit dat hun kindje nu gedoopt wordt.

**Doopsel**

**N., ik doop u
in de naam van de Vader
en de Zoon
en de heilige Geest.**

Het doopsel kan door onderdompeling of door begieting gebeuren. De moeder houdt het kind boven de doopvont of haalt het kind weer uit het water als het wordt ondergedompeld.

## Zalving

*De almachtige God... zalft u met het chrisma van het heil. Daardoor behoort gij tot het volk van God en wordt gij voor altijd lidmaat van Christus, die gezalfd is tot priester, koning en profeet.*

De zalving met geurende olie duidt op de innerlijke zalving met de heilige Geest. Deze zalving wijst al vooruit naar de voltooiing van het doopsel in het vormsel.

## Het witte kleed

*N., gij zijt een nieuwe mens geworden, met Christus zijt gij bekleed. Dit is vandaag uw feestkleed. Draag het, al de dagen van uw leven, als een teken van uw waardigheid, zonder vlek of rimpel, tot in het eeuwig leven...*

Het witte doopkleed wordt nu opgelegd. Soms draagt het kindje dit kleed reeds op voorhand. Alleszins wordt herinnerd aan het woord van de apostel: 'Wie in Christus is gedoopt, is met Christus bekleed'.

## De doopkaars

*Ontvang het licht van Christus... Dan zal uw kind dat door Christus verlicht is, door het leven gaan als een kind van het licht...*

De vader ontsteekt de doopkaars aan de brandende paaskaars. Die kaars is het symbool van de verrezen Christus, het licht van de wereld. Ook de leerlingen van Christus moeten het licht zijn van de wereld.

## Effeta

*Onze Heer Jezus Christus opende de oren van wie niet kon horen en de ogen van wie niet kon zien.*
*Hij maakte de tong los van wie niet kon spreken en genas de lammen die niet konden gaan.*
*Moge Hij u geven dat gij het horen en zien spoedig machtig zijt; dat gij oog krijgt voor zijn wonderdaden en met*

Jezus ging al weldoende rond, genas blinden, doven, stommen en lammen. Wij roepen Hem aan opdat ook dit kind spoedig mag leren zien en horen, gaan en spreken, en vooral oor en oog mag krijgen voor Gods wonderdaden en woorden, dat het de weg mag gaan die terugleidt naar zijn oorsprong, de god-

*geloof zijn woord kunt beluisteren; dat gij vol vreugde zijn wegen gaat en de heerlijkheid moogt belijden van zijn Naam, al de dagen van uw leven.*

delijke Schepper, en er vreugde mag in vinden zijn lof te verkondigen.

## Het Gebed des Heren

*Onze Vader...*

Eventueel stelt men zich nu in een kring op rond het altaar om er met alle aanwezigen het gebed des Heren te bidden. Dit gebed verwijst al naar de eucharistie en naar de eerste communie.

## Slotzegen

Nadat het doopsel ingeschreven is in het doopboek, worden tenslotte de moeder, de vader en alle aanwezigen door de priester gezegend.

83

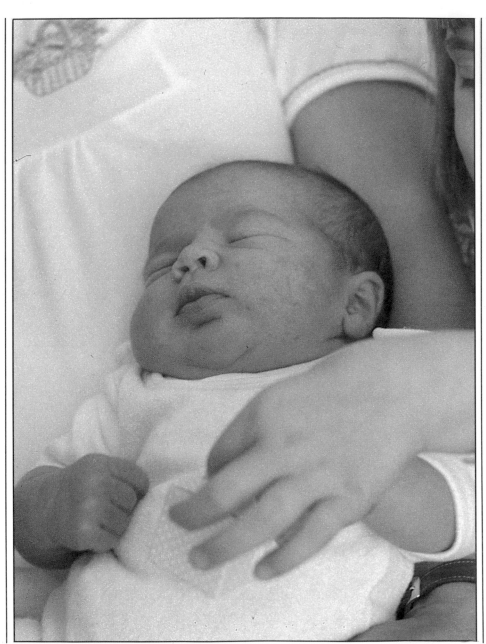

## Andere elementen voor een doopviering

In een doopviering kunnen gemakkelijk ook volgende elementen ingebouwd worden:

### 1. Een bloem voor moeder.
Op het ogenblik dat de doopkaars overhandigd wordt aan de vader geeft men ook een bloem aan de moeder.
*'Wij hopen dat er altijd meer bloemen om deze kinderen heen zullen zijn, dan stokken en geweren.'*

### 2. Neerleggen van een sleutel bij de dopeling.
Sluit aan bij het verhaal van de uittocht uit Egypte. De sleutel is hierbij het symbool van de toegang tot het beloofde land.

### 3. Overreiken van een kinderbijbel.
Hierbij leest de voorganger de tekst: 'In het begin was het woord van God... het licht scheen in de duisternis' (zie Klink, *Kinderbijbel*, blz. 1). Hij drukt tevens de hoop uit dat de ouders hun kind vaak uit dit boek zullen voorlezen.

### 4. Besprenkeling met water.
Alle aanwezigen worden door de voorganger met water besprenkeld: water maakt ons fris en blij.

### 5. Het kind doorgeven.
Dit heeft geen diepgaande betekenis en is eerder speels bedoeld. Het kind wordt er wel door uit de anonimiteit gehaald: de gemeenschap toont haar interesse voor het kind.

### 6. Boek met wensen.
Men laat gedurende de viering kaartjes rondgaan waarop iedere aanwezige een wens mag schrijven voor het kind.

### 7. Voorlezen van de Rechten van het Kind.
Opkomen voor de rechten van 'het kind' in het algemeen, past volledig in het opzet van de viering.

### 8. De kus.
De ouders kussen hun kindje en daarbij zegt de voorganger: *'Ontvang je kind, omhels het met liefde. Bewaar deze woorden in je hart en wees gelukkig met elkaar'.*

### 9. Kaarsen.
Naast het overhandigen van de doopkaars — of in plaats daarvan — kan aan enkele of aan alle aanwezigen een kaars gegeven worden. De symboliek van 'Jezus, Licht voor ons allen', is hierbij duidelijk.

### 10. Een plant of boompje voor de ouders.
Aan de ouders wordt een plant (van lange levensduur) of een klein boompje aangeboden door de voorganger als herinnering aan de doop. Bij het einde van de viering giet de voorganger het resterende

doopwater rond de stam: '*Dat het kind mag groeien als deze plant, overgeleverd aan onze zorgen, maar met eigen leven, geworteld in de geheimvolle aarde*'.

*11. Getuigenis door ouders.*
Ouders kunnen aan het woord komen in een persoonlijk getuigenis over hun bedoeling met de doop.

## De rechten van het kind

1. Ieder kind, zonder enig onderscheid naar ras, huidkleur, godsdienst of wat dan ook, heeft aanspraak op de volgende rechten.

2. Ieder kind moet zich gezond kunnen ontwikkelen. Bij zijn opgroeien moet in de eerste plaats gelet worden op het belang van het kind zelf.

*Dat ieder kind mag rekenen op ons.*

3. Ieder kind heeft het recht te behoren tot een bepaald volk. Het kan nooit vanaf zijn geboorte statenloos, dus rechteloos gehouden worden.

4. Ieder kind heeft, samen met zijn moeder, recht op bijzondere zorg en bescherming.

*Dat ieder kind mag rekenen op ons.*

5. Ieder kind, dat lichamelijk of geestelijk achter is bij andere kinderen, heeft recht op speciale behandeling.

6. Ieder kind dient met liefde te worden omgeven. Nooit mag men het in zijn jonge jaren scheiden van zijn moeder.

*Dat ieder kind mag rekenen op ons.*

7. Ieder kind heeft recht op kosteloos lager onderwijs. Het dient volop gelegenheid te krijgen zich te ontspannen en te spelen.

8. Een kind behoort altijd tot de eersten die hulp krijgen.

*Dat ieder kind mag rekenen op ons.*

9. Ieder kind moet worden beschermd tegen verwaarlozing en wreedheid.

10. Ieder kind dient grootgebracht in een geest van verdraagzaamheid, vrede en vriendschap tussen alle mensen.

*Dat ieder kind mag rekenen op ons.*

Dat ie-der kind mag re-ke-nen op ons.

# Het leven met kinderen

## Stilletjes opstaan, niemand wekken... en de wereld gaan ontdekken

Een kind wil op ontdekkingsreis. Er is immers zoveel te zien in de bonte, boeiende wereld van de grote mensen. Een kleine Christoffel Columbus hoort de roep van de veelbelovende verten...

Kijk eens aan: een schoen om aan te likken, een tafel om op te klauteren, een kamerplant om op te eten, een gordijn om lekker aan te schommelen... En kan je met een natte dweil soms niet de meubels schoonvegen?

Het kind weet ook al gauw dat de interessantste dingen daar gebeuren waar niemand je kan zien: achter de deur, in de kast, onder de tafel... En de moeders die hun bengel vantussen de inhoud van de vuilnisbak hebben opgevist, zullen ook wel niet op één hand te tellen zijn.

Columbus wil nu eenmaal alles, en alles even goed onderzoeken.

En al lijkt zijn vorsende bezigheid soms gewoon maar spel, voor hem gaat het om echte arbeid waardoor hij de nodige kennis moet verwerven. Gelukkig begrijpen de meeste ouders dat wel. In het beste geval kruipen zij ook eens op handen en voeten door het huis om de dingen vanuit zijn oogpunt te bekijken: een overhangend tafellaken, grappig glimmende vazen, leuke draaiende en schuivende dingetjes aan de stereotoren, gekke potjes en flesjes, wiebelende staandertjes, zeven sleutels...

**Waarom zou een knie geen paard mogen zijn?**

Waarom zou een knie geen paard
mogen zijn,
met vader als koetsier?
Waarom zou een paard geen knie
mogen zijn,
de knie van een officier?
Waarom zou een knie geen schip
mogen zijn,
met vader als Piet Hein?
Waarom zou een schip geen knie
mogen zijn,
de knie van een kapitein?
Waarom zou een knie geen fiets
mogen zijn,
met vader is alles te doen?
Waarom zou een fiets geen knie
mogen zijn,
de knie van een kampioen?

## *Uit het dagboek van een tweejarige*

Donderdag, 8.10 u. Eau de Cologne op vloerkleed gesprenkeld. Ruikt lekker. Mama boos. Eau de Cologne is verboden.
8.45 u. Aansteker in koffie gegooid. Klappen gekregen.
9.00 u. Ben in keuken geweest. Ben eruit gegooid. Keuken is verboden.
9.15 u. In papa's werkkamer geweest. Eruit gevlogen. Werkkamer is verboden.
9.30 u. Sleutel van kast getrokken. Ermee gespeeld. Mama wist niet meer waar hij was. Ik ook niet.

Standje gekregen.
10.00 u. Rode viltstift gevonden. Vloerkleed bijgekleurd. Is verboden.
10.20 u. Breinaald uit breiwerk getrokken en mooi krom gebogen. Tweede breinaald in sofa gestoken. Breinaalden zijn verboden.
11.00 u. Moest melk drinken. Wilde water! Woedend geschreeuwd. Klappen gekregen.
11.10 u. Broek nat. Klappen gekregen. Natmaken verboden.
11.30 u. Sigaretten gebroken. Zit tabak in. Smaakt niet goed.
11.45 u. Duizendpoot achtervolgd tot gat in de muur. Daar keldermot gevonden. Zeer interessant, maar verboden.
12.15 u. Kak gegeten. Smaakt apart, is verboden.
12.30 u. Salade uitgespuugd. Is niet te vreten. Uitspugen is verboden.
13.15 u. Middagdutje in bed. Niet geslapen. Opgestaan en op kussen gezeten. Kou gekregen. Kou krijgen is verboden.
14.00 u. Nagedacht. Vastgesteld dat alles verboden is. Waarom leven wij eigenlijk?

Ikke, Valentijntje

*Helmut Holthaus*

## Broers of zussen

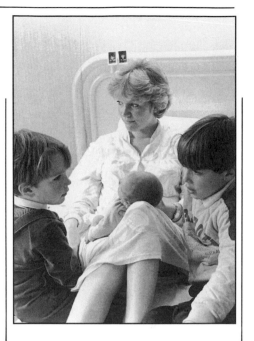

Een broertje of zusje bijkrijgen, speelt voor kinderen in deze leeftijdsfase een grote rol.

Plots gaat alle aandacht (enkel nog) naar de baby. Het oudere kind kan zich snel aan de rand gedrongen voelen, als het niet meer in het middelpunt staat.

In die situatie is het belangrijk aan het oudere kind duidelijk te maken waarom vader en moeder nu meer met de kleinste bezig zijn. Het is belangrijk het bij het verzorgen, voeden en naar bed brengen te betrekken en het te vertellen over zijn eigen eerste levensmaanden: 'Kijk eens, zo deden wij ook met jou, toen je klein was'. Op die manier wordt het makkelijker om de nieuwe 'concurrent' als broer of zus aan te nemen.

Met meer kinderen in een gezin samenleven en opgroeien, biedt eigen kansen en mogelijkheden voor de ontwikkeling van die kinderen.

Dat wil geenszins zeggen dat een enig kind al van het begin af aan minder kansen zou hebben. Een enig kind krijgt misschien wel méér aandacht van zijn ouders en ondervindt minder drukte. Alleen ervaren deze kinderen minder van het geven en nemen in het leven en missen zij soms erg de aanwezigheid van andere kinderen.

Ouders van een enig kind moeten er op letten dat zij niet overbeschermend optreden. Zij moeten ervoor zorgen dat hun huis een 'open deur' heeft, dat hun kind dikwijls en graag andere kinderen mee naar huis brengt of dat het veel met vriendjes of kinderen uit de buurt speelt en daar ook eens rustig kan blijven overnachten.

## Het is een prettige ervaring

o niet alleen in een kamer te moeten slapen, maar samen met broer of zus
o veel met elkaar te kunnen spelen
o een grote zus te hebben die al verhaaltjes kan voorlezen
o een geheimpje te delen en het lekker niet aan de ouders te verklappen.

## Zo leert het kind

o dat het leuker is als je met velen samen een spelletje speelt
o dat het belangrijk is met andere kinderen en met hun zwakheden rekening te houden en hen te helpen
o dat je aan elkaar iets kan uitlenen en het samen delen
o dat je een ruzie moet uitspreken en er een oplossing voor moet zoeken.

# Een gehandicapt kind

'... Misschien had ik mezelf te veel voorgenomen, toen ik enige tijd geleden Alexandra, mijn tienjarige mongoloïde zusje meenam naar mijn studentenkamer. Zo konden mijn ouders er eens alleen tussenuit.

Het waren zware dagen. Niet omdat mijn kamer te klein was, of omdat ik met dat kind zat opgescheept. Wel omwille van de reacties van de omgeving.

Ik had besloten om duidelijk te laten blijken dat ik achter mijn zusje sta, dat ik me niet schaam voor haar, dat ik ze niet verberg. Het resultaat was echter vreselijk teleurstellend. Ik had duidelijk mijzelf overschat en moest tot het einde van mijn krachten gaan. Het leek wel spitsroedelopen als mensen ons blijkbaar geïnteresseerd en nieuwsgierig nakeken; als zij hun hoofd omdraaiden en meelijdende blikken niet konden verbergen; als zij, getroffen en onzeker, de stap vertraagden. Ik had het gevoel dat ik met een brandmerk rondliep, met het herkenningsteken van een uitgestotene. Langzaam ging ik begrijpen hoe die mensen zich moeten voelen, die er niet zo uitzien of zich niet zo gedragen als de zogenaamde doorsnee-burger. Mensen, die niet zo kunnen leven, niet in staat zijn tot de prestaties die de huidige samenleving van ons verwacht...

In de weken daarna ging ik de voorbije tien jaar van mijn leven met andere ogen zien. Mijn broer en ik waren tien en twaalf jaar oud toen Alexandra geboren werd. We waren te jong om te begrijpen welke veranderingen dat in ons gezin zou teweeg brengen. Wij kregen in één zin te horen wat er met ons zusje aan de hand was. Maar dat was dan ook alles: het thema werd voor de rest in een compleet stilzwijgen gehuld. Het werd gewoon taboe.

Wel zagen wij dat Alexandra het middelpunt van het gezinsleven werd. Mijn ouders concentreerden hun liefde en zorgen alleen op haar. En wat ik toen niet inzag, weet ik nu: ik voel(de) me door hen verlaten, ik ben/was jaloers op Alexandra. Ik kon dat toen niet aan mijn ouders vertellen (zal ik het wel ooit kunnen?) want net zo min als zij had ik geleerd om over mijn gevoelens te praten. Ik heb hen integendeel dikwijls verwijten gemaakt omdat zij hun lichamelijke en geestelijke gezondheid op het spel zetten, omdat zij door de zorgen voor Alexandra, nooit meer aan zichzelf toe kwamen, omdat zij geloofden dat het leven voor hen geen mooie kanten meer had. Misschien wilde ik ze zo alleen maar duidelijk maken dat ook ik door hen als belangrijk wilde gezien worden, dat

het te veel van mij gevraagd was jarenlang de rol van grote, verstandige, sterke zus te spelen?!

Misschien heb ik die rol dan toch op mij genomen om zo de erkenning en de welwillendheid van mijn ouders te verkrijgen?...

Ik ontdek steeds meer hoezeer mijn ouders, vooral mijn moeder, in de voorbije jaren geleden moeten hebben; hoeveel energie ze geïnvesteerd hebben in hun houding ten opzichte van de buitenwereld voor hun mentaal gehandicapt kind Alexandra...'

*Je bent niet lijk d'anderen*

*Je bent guitig*
*Je bent wild*
*Je bent nooit*
*rustig of stil*
*Je loopt en je rent*
*de kamer door*
*Je weet niet*
*dat je iedereen stoort.*

*Je bent niet lijk d'anderen,*
*Maar je bent toch lief*
*En kon ik je veranderen*
*misschien deed ik het niet*
*Je vraagt ons veel zorgen*
*Het leven gaat slecht*
*Je denkt nooit aan morgen,*
*Maar je bent zo oprecht*
*Want jij hebt een hart*
*van zilver of goud*
*Jij bent het kind*
*Waar ik zoveel van houd!*

*Wim Dobbeleers*

## Kinderen veranderen je leven

Kinderen hebben vergt een reorganisatie van je leven vanaf het moment dat je met hen samen bent.
— Ze vragen van je tijd:
Kinderen willen niet steeds alleen spelen, zij willen dat hun ouders met hen spelen en tijd voor hen hebben — tijd om te smoezen, tijd om verstoppertje te spelen, tijd om te spelen en te zingen, tijd om te vertellen en voor te lezen, om te knutselen en te werken, tijd voor verkleed-partijen en om andere rollen te spelen, tijd om... en steeds gaat die tijd veel te snel voorbij.
— Ze vragen van je ruimte:
De baby vraagt plaats voor zijn wieg, zijn luiertafel, zijn kinderwagen. Later komt de box, het speelgoed. Maar daar blijft het niet bij. Elke leeftijd en elk karakter drukt zijn stempel op de inrichting van het huis... het is ook hun huis. De vijfjarige vraagt een even eervolle plaats voor zijn zelfgeplukte veldbloemen als voor de bloemen uit de tuin of van de bloemist. Het creatieve kind vraagt een verf- of kleihoekje waar het aan zijn trekken kan komen en... ook rommel achterlaat.
De negenjarige zoon of dochter wil het gezin verrassen met zelfgebak-

ken koekjes en zet de hele keuken overhoop.
De tiener wil een hoekje om naar eigen smaak in te richten of om eens alleen te zijn.

## Leuke dingen om samen met kinderen te doen

Grote feesten zoals Pasen en Kerstmis, en de eigen feest- en verjaardagen van de kinderen worden in het gezin intensief voorbereid en gevierd. Er wordt dan geknutseld en versierd, gekookt en gebakken. Spelletjes worden uitgezocht en uitnodigingen gemaakt. Zeker met de verjaardagen van de kinderen moeten ouders heel wat fantasie aan de dag leggen.
Moeilijker is het om kinderen bezig te houden op een regenachtige middag, tijdens een autorit of op vervelende momenten waarop ze blijkbaar slechts één vraag kennen: 'Mama, waarmee moet ik nù spelen?' Voor die gelegenheden komt een ideeënkoffer aardig van pas.
In deze koffer zitten altijd: schaar, lijm, vouwblaadjes, piepschuimbolletjes, stof- en wolresten, kaarsewas, boetseerklei, kleine kartonnen doosjes, w.c.-rolletjes en nog veel meer.

o Leer zelf wat vouwtechnieken om van papier vliegtuigen, schepen, bekers en andere dingen te maken.
o Van natuurlijk materiaal zoals denneappels, eikels, kastanjes, wortelen, appelen, zijn met weinig hulpmiddelen dieren te maken.
o Vele dingen gooien wij weg als waardeloos afval. Toch is er vaak iets moois mee te maken: collages, figuren, fantastische gedrochten...
o Het eigen huis met alledaagse situaties op een stuk karton schilderen. Met eenvoudige regels kan daaruit al gauw een dobbelspel gemaakt worden, bijvoorbeeld een soort ganzenbord.
o Een verhaal voorlezen, er het nodige materiaal bij zoeken of bouwen en het dan met elkaar naspelen. Of slechts het begin van het verhaal voorlezen en zelf het einde bedenken.
o Uit grote kartonnen dozen ontstaat al gauw een huis of een burcht, die nog beschilderd en van binnen ingericht kan worden. Vanzelf komen er dan nog andere invallen, dingen die men met het kartonnen huis kan spelen.

# Spelletjes voor een verjaarpartijtje

### Koekhappen

Materiaal: een touw en snoepgoed dat je eraan kan hangen (bonbons, chocolade...).
Het touw wordt precies zo hoog gespannen, dat de kinderen er slechts springend — met de handen op de rug — met de mond bij kunnen. Aan het touw hangt het snoepgoed, dat de kinderen al springende met de mond moeten snappen. Je kan het touw ook aan een eind vasthouden en het op en neer laten gaan.

### Grappige koppen

Materiaal: opgeblazen ballonnetjes, gekleurd papier, scharen, boomschors, vilt, stof- en wolresten, lijm...
De opgeblazen ballonnetjes moeten in grappige gezichten veranderd worden. De kinderen maken de gezichten, door uit het voorhanden materiaal ogen, neuzen, oren en haren te maken en deze erop te plakken. De koppen die klaar zijn kunnen dan op kokertjes gezet worden.

### Vingerhoed, waar ben je?

Materiaal: 1 vingerhoed.
Iedereen gaat de kamer uit. Zonder iets van plaats te veranderen, wordt de vingerhoed ergens zichtbaar neergezet. De kinderen komen weer binnen en gaan zoeken. Wie de vingerhoed gezien heeft, gaat stilletjes zitten zonder iets te zeggen. Hij mag vooral niet naar de vingerhoed kijken. De laatste geeft

een onderpand of mag de volgende keer de vingerhoed ergens neerzetten.

### Dieren raden

Materiaal: karton met dieren erop getekend.
Twee kinderen staan tegenover elkaar met de handen op de rug. Op hun rug wordt een kaart met een dierfiguur bevestigd. De kinderen moeten dan, beide voeten dicht bijeen, om elkaar heen huppen en proberen te ontdekken, welk dier op de kaart van de ander getekend is.

### Ballon-bal

Materiaal: opgeblazen ballon en reserve-ballons.
Twee partijen proberen de ballon met de vlakke hand in het kamp van de tegenpartij te slaan. Er kan ook met doelen gespeeld worden, bijvoorbeeld 2 dozen of prullemandjes. Het wordt pas echt spannend als beide partijen zonder doelman spelen.

Het valt me moeilijk, Heer,
een goed humeur te hebben.
Zonet nog vond ik in het bad
drie en een half paar vuile sokken.
En hoe vaak heb ik het de kinderen al gezegd!
Maar steeds vergeten zij het weer.
Natuurlijk kan ik hen begrijpen.
Er komt zoveel op hen af:
het huiswerk — de andere kleine verplichtingen — en af en toe moeten zij toch wat spelen ook.
Niettemin moeten zij een en ander leren,
onder andere waar de vuile sokken horen...
Heer, geef mij geduld.
Maar laat mij ook standvastig blijven.
Dikwijls vraag ik mij af of dit wel mijn kinderen zijn
en niet die van iemand anders.
Help mij, dat ik hen zie
zoals ze werkelijk zijn.
En geef mij sterkte.
Amen.

*Jo Carr/Imogene Sorley*

# Met kinderen leren geloven

## Grondhoudingen

Wellicht voor de eerste keer in de geschiedenis van de kerk, maken wij mee hoe de generatie van ouders die voorgaat, niet in staat lijkt om het geloof door te geven aan de generatie die volgt. Dit is nog nooit eerder gebeurd. Er zijn wel altijd kinderen geweest die het geloof van hun ouders niet volgden. Maar het massale onmachtsgevoel bij de ouders, zoals we dat nu kennen, is nog nooit zo groot geweest. Achtergrond daarvan is natuurlijk dat onze samenleving en cultuur niet meer zo christelijk zijn als dat eens het geval is geweest. Het geloof wordt bij wijze van spreken niet meer door de muren uitgeademd en doorgegeven. Integendeel, bij geloofsopvoeding gaat het momenteel om een persoonlijk getuigen van man tot man, van ouder tot kind.

De situatie is vergelijkbaar met die van de eerste christenen: ook toen werd het geloof binnen de gezinnen doorgegeven van persoon tot persoon, of het werd niet doorgegeven.

Pasklare recepten om met kinderen te leren geloven zijn er niet. Binnen een gezin zijn er echter wel grondhoudingen, die de geloofsvorming kunnen bevorderen.

## Durven dankbaar en ontvankelijk in het leven staan

Heel onze maatschappij is zo ingesteld op prestatie en rendement dat de spontane verwondering en openheid van een kind snel verstikt dreigen te raken. Ouders kunnen die dankbare openheid bij hun kinderen bevestigen. Zij kunnen hen laten aanvoelen dat er meer is dan wat wij zelf in handen hebben.

## Met anderen omgaan als gelijken

Alle mensen zijn kinderen van God, zijn broer en zus voor elkaar. Maar als wij binnen en buiten ons gezin niet echt ieder mens in zijn eigenheid proberen te aanvaarden, dan is het moeilijk voor een kind om te geloven dat wij bij elkaar horen.

## Als een goede vader en moeder voor kinderen zorgen

Als een kind liefde en warmte mag ondervinden bij zijn ouders, als het aanvaard wordt met zijn goede en slechte eigenschappen, als het uitgedaagd wordt om het beste van zichzelf te geven, dan zal het naar God leren kijken als naar een goede Vader.

## Luisteren naar je kinderen

Vele kinderen zoeken contact met hun ouders. Zij willen met hen praten, hen vertellen waarmee ze bezig zijn. Als er naar hen geluisterd wordt, is de kans groot dat geloofsopvoeding aansluit bij hun echte vragen.

Deze vier grondhoudingen zijn ervaringen die kleine kinderen moeten meegemaakt hebben. Want alle woorden over God vallen in de leegte en zullen niet begrepen worden, als kinderen geen minimum aan levenservaring hebben waarop die woorden kunnen inwerken.

*'Gij zijt het zout der aarde. Maar als het zout zijn kracht verliest, waarmee zal men dan zouten? Het deugt nergens meer voor dan om weggeworpen en door de mensen vertrapt te worden.' Mat. 5,13.*

## Over Jezus vertellen

Na de dood en de verrijzenis van Jezus hebben de eerste christenen aan allen die het horen wilden verteld wat Jezus gedaan en gezegd had.

Die verhalen werden eerst mondeling en daarna schriftelijk doorverteld.

We vinden ze vandaag in het Nieuwe Testament. Die boodschap van Jezus schonk vele mensen diepe vreugde en goede moed om christelijk te leven.

Ook vandaag voeden ouders hun kinderen gelovig op als zij over Jezus vertellen en samen met hen trachten te leven zoals Jezus heeft voorgedaan.

Het avondeten van het gezin of het slapengaan van het kind is een geschikt ogenblik voor de ouders om een bijbels verhaal te vertellen, in hun eigen woorden, uit een goede en aangepaste kinderbijbel.

Wat elke vader en moeder graag aan hun kind zullen vertellen is het verhaal van Jezus die de kinderen omarmde en zegende.

## Jezus zegent de kinderen

*De mensen brachten kinderen bij Hem met de bedoeling dat Hij ze zou aanraken.*
*Maar bars wezen de leerlingen ze af. Toen Jezus dat zag zei Hij verontwaardigd: 'Laat die kinderen toch bij Mij komen en houd ze niet tegen. Want aan hen die zijn zoals zij behoort het Koninkrijk Gods. Voorwaar, Ik zeg u, wie het Koninkrijk Gods niet aanneemt als een kind, zal er zeker niet binnengaan.'*

*Daarop omarmde Hij ze en zegende hen, terwijl Hij hun de handen oplegde.*

*Mc. 10,13-16*

### Goede kinderbijbels

Goede kinderbijbels, met fijne tekeningen en frisse bijbelliederen, zijn belangrijke hulpmiddelen voor de geloofscommunicatie tussen ouders en kind.
Voorlezen en luisteren,
bijbelse tekeningen bespreken,
samen zingen,
verstevigen de geloofsband in het gezin.
Soms kan het kind uitgenodigd worden het bijbels verhaal mooi uit te tekenen.

### Enkele goede kinderbijbels voor 6-8-jarigen

*T. RATERING-van ZIJL,* Bijbelverhalen door kinderen zelf in te kleuren. Boxtel, K.B.S., vanaf 1982. Reeds verschenen deeltjes: Zacheüs-Bartimeüs-Zacheüs - Het kerstverhaal - De wijzen uit het oosten.

*K. EYKMAN*, Hoor eens even: verhalen van Jezus, voor kleuters bewerkt, Ede, Uitgeverij Zomer/ Keunig, 1982.

Wat de bijbel ons vertelt, met tekeningen van Kees de Kort. Serie uitgegeven door Nederlands Bijbelgenootschap, Haarlem/Belgisch Bijbelgenootschap, Brussel: o.m. Jezus komt in de wereld, 1984; Jezus en Jeruzalem, 1984; Met God op weg, 1985.

*D.A. CRAMER-SCHAAP*, Bijbelse verhalen voor jonge kinderen, Amsterdam, Uitg. Ploegsma, 1984 (25).

# Hoe te bidden met onze kinderen

Voor kinderen is belangrijk dat zij de echtheid ervaren van het bidden van hun ouders. Ouders moeten eerlijk bidden zoals ze zijn, niet als kinderen, niet kinderachtig, maar uit eigen volwassen geloven waarin twijfel en hoop naast elkaar bestaan. Wil bidden echt zijn, dan moet het niet té veel gebeuren. Ook hier is het de overdaad die schaadt. Bidden mag wel regelmaat worden maar geen sleur. Eén vast ogenblik op de dag als allen samen zijn — bijvoorbeeld na het avondmaal — is te verkiezen boven een reeks van vluchtige momenten, die weinig bijdragen aan echte opvoeding tot bidden.

Tijdens de maaltijd komt van alles ter sprake: belevenissen van de kinderen, ervaringen van de ouders, en soms dwars door dat alles heen het wereldnieuws van radio of TV. Na de maaltijd zou men er zich kunnen aan wennen om samen te proberen een ogenblik echt stil te zijn. Zo'n intense stilte mag gerust even duren. Het kan een oase worden in ons jachtige bestaan, waarin we ons even voor Hem willen plaatsen. Soms zal het met kinderen niet lukken. Op andere ogenblikken kunnen zij er zeer gevoelig voor zijn.

Vanuit deze stilte, waarin we ons een ogenblik voor God plaatsen, kunnen vader of moeder met eigen woorden een kort gebed zeggen vanuit wat ze die dag hebben ervaren. Zij kunnen ook aansluiten bij het gesprek aan tafel, bij het wereldnieuws dat emoties wekt, bij verhalen of vragen van de kinderen. Daarna kunnen zij hun kinderen uitnodigen om op hun manier in een kort gebed aan te sluiten.

Een gebed kan ook volgen na de voorlezing van een verhaal. Of in plaats van een gebed kan men samen een lied zingen, uit een parochiebundel, aansluitend bij tijd of feest van het jaar. Ouders en kinderen kunnen in een gesprekje mensen en situaties aandragen, die zij in hun gebed willen betrekken.

Bij dit alles blijft van belang — dat we onze vragen en noden niet van ons àf bidden naar God toe. Bidden mag geen vlucht worden voor eigen verantwoordelijkheid. Maar staande voor Hem met ons lief en ons leed, vragen wij Hem en onszelf biddend wie wij zijn voor Hem en wie wij kunnen zijn voor elkaar.

De verschillende vormen van gebed hangen sterk samen met de sfeer in het gezin, de mate van openheid tussen ouders en kinderen, de schroom om gevoelens voor elkaar te uiten, de ervaring dat men daarin veilig is bij elkaar, de moeite die men samen voor het gebed wil opbrengen.

Algemene regels bestaan hiervoor niet. Ieder gezin zal hierin een eigen weg moeten vinden met de nodige afwisseling, en ook: met vallen en opstaan.

*Uit: Wim Al, Bidden met onze kinderen*

# De kinderen kunnen loslaten

Kinderen van om en bij de vier jaar willen niet meer de hele dag binnen blijven bij vader en moeder. Zij willen naar buiten, 'met de andere kindjes spelen'; zij willen een eigen vriendje of vriendinnetje hebben.

En geef toe, ouders zijn dan wat fantasieloze wezens, die niet weten wat lekker spelen is en die geen flauw benul hebben van wat je allemaal met modder, kleine spinnen, spijkertjes, klimrekken, lollies, kartonnen dozen, lijmklodders en viltstiften kunt aanvangen...

Wat niet wil zeggen dat, als kinderen samen spelen, alles zomaar rimpelloos verloopt. Er is nogal wat verschil tussen het spelletje thuis en de soms ruwe spelregels binnen een groepje kinderen, alleen al wat de atmosfeer betreft. En het kind zal moeten leren rekening houden met andere kinderen, ook als dat wederzijds niet zonder moeilijkheden gaat.

In deze periode zullen de ouders hun kind geleidelijk aan wat meer los moeten laten en het bij zijn eerste verkenningspogingen ondersteunen.

De kleuterschool speelt daarin een belangrijke rol. Daar beleeft een kind wat het is, in een groep met

andere kinderen samen te zijn, te spelen en te spreken. En voor een enig kind is het belangrijk in de kleuterschool met andere kinderen te ruziën, te delen, zich aan te passen, vragen te stellen, goede maatjes te worden.

Langzaam aan zal het kind steeds grotere stukken weg van en naar de school alleen durven en kunnen gaan, fier, zonder vader of moeder. Als het van school thuiskomt, wil het zijn belevenissen vertellen. Het is belangrijk om daar dan geïnteresseerd naar te luisteren.

Een gesprekje met de kleuterleidster is voor de ouders altijd meegenomen. Je kan er van gedachten wisselen over de ervaringen met je kind, bijvoorbeeld over de godsdienstige opvoeding.

Dergelijke gesprekken kunnen voor ouders nuttig zijn voor de omgang met hun kind thuis. Zij ontdekken (nieuwe) spellen, werkmaterialen en boeken, die ook in het gezin aardig van pas kunnen komen.

Een volgende belangrijke stap voor het kind is die naar de 'grote school'. Daar wordt het op de weg gezet die leidt naar kennis en prestatie: spaar en leer, presteer maar wat, dan heb je, kan je, ben je wat. Vraag is, of dit wel de enig juiste instelling is ten aanzien van het leven en van de kinderen.

De eerste schooldag leidt op die manier vragen in, die de ouders later steeds nadrukkelijker zullen moeten stellen. Hoe waarderen wij de prestaties en de vrije ontplooiing van ons kind? Stellen wij belang in zijn algehele ontwikkeling, of enkel in zijn schoolresultaten? Mag het kind zijn eigen weg gaan?...

## Laat je je kindertijd niet afpakken

Lieve kinderen, laat je je kindertijd niet afpakken. Kijk, de meeste mensen leggen hun kindertijd af, als een oude hoed. Ze vergeten die als een telefoonnummer dat niet meer bestaat. Zij zien hun leven als een lange worst die ze langzaam opeten. En wat opgegeten is, bestaat niet meer.

Van lager tot hoger onderwijs wordt er je gevraagd om 'goed te werken op school'.

En als je tenslotte bovenaan de ladder geraakt bent, zaagt men de overbodig geworden onderste treden door. En daar sta je dan. Je kan niet meer terug.

Maar moet je in het leven niet net als in een huis, trap op, trap af kunnen gaan ? Wat is de mooiste eerste etage zonder de kelder met zijn heerlijk ruikende vruchten en zonder benedenverdieping met knerpende deur en snerpende bel ?

Toch leven de meeste mensen zo ! Zij staan op de hoogste trede, zonder trappen en zonder huis, en doen gewichtig.

Vroeger waren ze kinderen, nadien werden ze volwassen, maar wat zijn ze nu ?

Alleen diegene die volwassen wordt en kind blijft, is echt mens.

Begrijp je dat ? Eenvoudige dingen zijn immers zo moeilijk te begrijpen. Maar doe niet te veel moeite. De raad die ik geef is niet voor luie, maar voor al te ijverige mensen bestemd. En die moeten dan ook goed luisteren.

Het leven is immers meer dan huiswerk maken. De mens moet leren, alleen de beesten blokken. Ik spreek uit ervaring. Ik was als kleine jongen goed op weg om een blokbeest te worden. Dat ik het toch niet werd, verwondert mij nu nog. Het hoofd is niet het enige lichaamsdeel. Wie het tegendeel beweert, liegt. En wie deze leugen gelooft, zal er niet goed vóórstaan, ook al is hij voor alle examens geslaagd. Je moet ook kunnen springen, dansen, turnen en zingen, anders ben je, met je hoofd vol wetenschap een kreupele en verder niets ! Lach de dommen niet uit ! Zij zijn niet dom uit vrije wil of om jou te plezieren. En sla niemand, die kleiner en zwakker is dan jijzelf. Wie dat niet begrijpt, met die wil ik niets te maken hebben. Ik wil hem dan alleen een beetje waarschuwen. Want niemand is zo verstandig en zo sterk, dat er geen mensen zijn die verstandiger en sterker zijn dan hij. Hij moet dus oppassen: ook hij is, verhoudingsgewijs, zwak en een echte domkop.

*Erich Kästner*

# Eucharistie vieren

Het is een wonder gebeuren! Mensen die samenkomen rond hun verrezen Heer. Mensen die geloven dat Jezus van Nazaret gestorven is, maar uit de doden is opgestaan. En die deze verrijzenis dankbaar willen gedenken. Samen het leven, het volle leven willen vieren, zoals Hij het vroeg. Samen willen leven zoals Hij het deed.
Een wonder gebeuren.

*Zelf heb ik immers van de Heer de overlevering ontvangen die ik u op mijn beurt heb doorgegeven, dat de Heer Jezus in de nacht waarin Hij werd overgeleverd, brood nam en na gedankt te hebben, het brak en zeide: 'Dit is mijn lichaam voor u. Doe dit tot mijn gedachtenis'. Zo ook na de maaltijd de beker, met de woorden: 'Deze beker is het nieuwe verbond in mijn bloed. Doe dit, elke keer dat gij hem drinkt, tot mijn gedachtenis'.*
*1 Kor. 11,23-25*

## Met andere woorden...

**Wat betekent het wanneer wij zeggen...**

*Wij gaan te communie*
Communie (Latijn: communio) betekent letterlijk 'gemeenschap'. 'Wij gaan te communie' wil dus zeggen: wij gaan naar de gemeenschap, naar de gemeenschap met Jezus en zijn kerk.
'Wij ontvangen de communie' wil zeggen dat je gemeenschap uiteindelijk niet zelf kan maken, je kan ze niet afdwingen. Een christen gelooft integendeel dat de gemeenschap met God en met de mensen hem geschonken wordt en fundamenteel een gave is.

*Wij gaan naar de kerk*
Zo zeggen de meeste christenen als zij naar de mis gaan.
Kerk krijgt vooral daar gestalte

waar christenen vierend samen zijn rond de verrezen Jezus. Zodoende viert de christengemeenschap haar herkomst, de plaats waar zij staat en haar toekomst. De eucharistieviering is in die zin zowat het kernstuk van christelijk leven, het sterkste teken van kerkgemeenschap.

Jammer is het dat christenen van verschillende confessie naar verschillende kerken gaan en op verschillende wijzen eucharistie vieren. Zowel voor katholieken als voor protestanten, voor orthodoxen als voor anglicanen, is het moeilijk te begrijpen dat het sacrament van gemeenschap bij uitstek, de communie, een teken van scheiding geworden is.

Vanuit de hoop dat iedereen dezelfde gemeenschap en dezelfde viering bedoelt met de uitdrukking: 'Wij gaan naar de kerk', wordt gewerkt aan de oecumene, de eenheid van de kerken.

## Wij vieren eucharistie

Weer wordt, met andere woorden, dezelfde viering bedoeld.

'Eucharistie' is een Grieks woord en betekent dankzegging. En inderdaad, op een heel bijzondere manier staat de christen dankbaar in het leven. Hij is dankbaar voor zijn leven en voor de wereld waarin hij staat.

Dankbaar voor de goedheid en de trouw van God, voor de gelovige gemeenschap rond Jezus van Nazaret. Dankbaar voor de hoop en het vertrouwen die hij put uit het besef dat er altijd Iemand is die hem bemint.

'Zeggen wij dank tot de Heer, onze God'. Zo begint de priester het grote dankgebed. En in de kerk antwoorden de aanwezigen: 'Hij is onze dankbaarheid waardig'.

## Wij gaan naar de mis

Mis (van het Latijnse missa) betekent letterlijk zending. 'Ite, missa est', zei de voorganger destijds aan het eind van de mis. Vandaag: 'Ga nu allen heen in vrede'.

Oorspronkelijk noemde men dan ook slechts het laatste deel van de eucharistieviering 'missa'. Het is pas sedert de 5de eeuw dat de hele viering zo genoemd wordt.

## Wij vieren het avondmaal

Vooral binnen de Reformatorische Kerken wordt de eucharistieviering zo genoemd. Met die benaming wordt de oorsprong van de eucharistie aangegeven: het avondmaal dat Jezus vóór zijn lijden en sterven met zijn apostelen hield en waarbij Hij zei: 'Doe dit tot mijn gedachtenis'.

Eens, lang geleden,
is de mens begonnen met zaaien
en maaien,
met dorsen en malen,
en hij bakte het eerste brood,
om goed van te eten
en dan weer verder te gaan.
Eens, lang geleden,
is de mens begonnen met
planten en sproeien,
met plukken en persen,
en hij vulde de eerste beker
met wijn,
om goed van te drinken
en dan weer verder te gaan.

Eens, lang geleden,
is een mens begonnen met
zoeken en vinden,
met geven en delen,
en hij nam het brood en de
beker en werd de eerste die zei:

brood met anderen gedeeld
en wijn voor anderen
geschonken,
om mens van te worden
en dan weer met velen verder
te gaan.

Eens, ooit, nog hoeveel eeuwen
kan het duren,
zullen wij leven,
voorgoed en zonder angst,
van geven en ontvangen,
van aanzien en beminnen,
en voor het eerst zullen wij
weten,
dat liefde is gedeeld en
leed vergeten,
dat de hemel de aarde is,
om zo maar eindeloos verder
te gaan.
*Uit: Jan van Opbergen, Verhalen*
*voor de zevende dag*

105

## Niet aan dezelfde tafel

o Op school mag Jantje niet naast Liesje zitten. Want, zegt Jantjes moeder: Liesjes moeder is een slons en Liesje liegt en jokt. Al wat zij te bieden heeft zijn... luizen.

o Sorry, maar dàt soort mensen zullen we bij ons thuis nooit uitnodigen. We gaan er ook nooit heen. Je gaat er gewoon niet mee aan één tafel zitten. Hij is een bedrieger, niet zuiver op de graat.
En er wordt verteld dat hij onlangs enkele dagen opgesloten zat. En zij is aan de fles...
Vriendschap? Lief zijn voor elkaar? Ons best. Maar er zijn grenzen...

o Werkgeversorganisaties willen niet met vakbonden aan dezelfde tafel. Zij vinden dat de vakbondseisen inzake werkgelegenheid niet in overeenstemming te brengen zijn met de noodzakelijke maatregelen voor het herstel van het concurrentievermogen.

o Regeringsleiders willen niet aan dezelfde tafel met terroristen en hooligans,
blank wil niet met zwart,
rijk wil niet met arm,
Noord niet met Zuid,
Oost niet met West,
binnen- niet met buitenlanders,
mannen niet met vrouwen,
linksen niet met rechtsen,

hetero's niet met homo's,
en vice niet met versa...

En zelfs al zouden ze het wél willen, dan staan er dikwijls wetten in de weg en praktische bezwaren...

### Roeping van Matteüs

*Toen Jezus vandaar verder ging, zag Hij iemand aan het tolhuis zitten die Matteüs heette, en Hij zei tot hem: 'Volg Mij'.*
*De man stond op en volgde Hem. Terwijl Hij nu in diens woning aan tafel aanlag, kwamen ook vele tollenaars en zondaars met Jezus en zijn leerlingen aanliggen. Toen de Farizeeën dat zagen, zeiden ze tot zijn leerlingen: 'Waarom eet uw Meester met tollenaars en zondaars?' Hij hoorde dit en zei: 'Niet de gezonden hebben een dokter nodig, maar de zieken'.*
*Ga heen en leer wat het zeggen wil: 'Ik wil liever barmhartigheid dan offers'. Ik ben niet gekomen om rechtvaardigen te roepen, maar zondaars'.*
*Mat. 9,9-13*

God, onze Vader,
wij danken U
met geheel ons hart
voor Uw zoon Jezus.
Hij was een vriend
voor al wie ongelukkig was.
Hij at met allen,
die hem nodig hadden,
met zondaars
en met hen
die van God niet wilden weten.
Want Hij had hen allen lief
en wilde
dat niets hen scheidde.
Wij bidden U,
goede Vader,
zegen ons aan Uw tafel
en maak,
dat wij als vrienden
samenblijven.

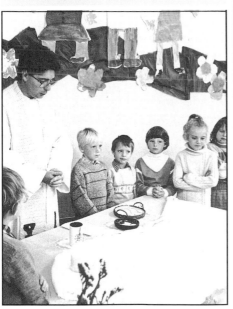

# De eucharistie

De uiterlijke vorm van de heilige
mis is in de loop van de tijd steeds
weer veranderd. Maar in de kern is
ze gebleven zoals ze altijd was: gedachtenis aan het leven, sterven en
de opstanding van Jezus Christus.
Dat vieren we als het geheim van
ons geloof:
*Heer Jezus, wij verkondigen uw dood
en wij belijden tot Gij wederkeert, dat
Gij verrezen zijt.*
Tegenwoordig worden er twee
hoofddelen onderscheiden in de
heilige mis: de woorddienst en het
vieren van de eucharistie.

## 1. De opening

Bij het begin van de mis begroet de
priester de gelovigen en leidt de
dienst in. In de inleiding ligt de ene
keer het accent op de boetedoening
en de vergeving, een andere keer op
het vreugdevolle en het feestelijke.
Daarna volgt een gebed.

## 2. De woorddienst

Op zon- en feestdagen zijn er twee,
maar soms ook drie lezingen. De
eerste tekst is er een uit het Oude
Testament, dan een uit een brief

van het Nieuwe Testament of uit de Handelingen van de apostelen en tenslotte als hoogtepunt een tekst uit een van de vier evangeliën. Daarbij staan de gelovigen. Zij drukken zo uit dat het de Heer, onze God, is die tot ons spreekt. De preek sluit erop aan om het woord van God te helpen begrijpen in onze huidige situatie.

Na de preek belijdt de gelovige gemeenschap haar geloof (Credo). Hierop volgen de voorbeden, waarin vragen ten aanzien van kerk en wereld, zorgen en noden van de gelovige gemeenschap aan God voorgelegd worden.

## 3. Eucharistieviering

*Voorbereiding van de offergaven*

De eucharistieviering begint met de voorbereiding van de offergaven op het altaar. Brood (hosties), wijn en water worden door misdienaars of de gelovigen naar het altaar gebracht. Daarmee wordt tot uitdrukking gebracht, dat met deze gaven, ieder zichzelf wil aanbieden. In deze zin moet ook de collecte opgevat worden, die in veel kerken naar het altaar wordt gebracht.

*Gezegend zijt Gij, God, Heer van al wat leeft. Uit uw milde hand hebben wij het brood ontvangen. Aan U dragen wij op de vrucht van de aarde, het werk van onze handen. Maak het voor ons tot brood van eeuwig leven.*

*Gezegend zijt Gij, God, Heer van al wat leeft. Uit uw milde hand hebben wij de beker ontvangen. Aan U dragen wij op de vrucht van de wijngaard, het werk van onze handen. Maak het voor ons tot bron van eeuwig leven.*

*Gebeden bij de gaven*

*Eucharistisch gebed*

In het eucharistisch gebed worden deze gaven tot veel grotere gave van God aan ons. De offergedachte, die in alle godsdiensten te vinden is, wordt omgekeerd: het is niet de mens die God een offer brengt, maar het is God die zich in liefhebbende toewijding aan de mens geeft. Voor ons is Hij in Jezus Christus mens geworden tot aan de dood, de dood aan het kruis. Het eucharistisch gebed is vooral een dankgebed. Het gaat terug tot het avondmaal zelf. 'Hij nam...' (voorbereiding van de gaven), 'Hij dankte...' (offerande) 'en gaf het aan zijn leerlingen' (communio).

Het eucharistisch hooggebed begint met de samenspraak tussen priester en gelovigen:

*De Heer zal bij u zijn.*
*De Heer zal u bewaren.*
*Verhef uw hart.*
*We zijn met ons hart bij de Heer.*
*Brengen wij dank aan de Heer onze God.*
*Hij is onze dankbaarheid waardig.*

Dit is mijn lichaam... Dit is mijn bloed! Als de priester deze consecratiewoorden zegt, spreekt, volgens de overtuiging van de kerk, Christus zelf. In de gedaante van brood en wijn komt Christus zelf aanwezig. In het midden van het eucharistisch gebed belijdt de gemeente biddend en prijzend:
*Heer Jezus, wij verkondigen uw dood en wij belijden tot Gij wederkeert, dat Gij verrezen zijt.*

### Communie

Na het eucharistisch gebed wordt het onzevader gebeden. Daarbij kunnen de gelovigen elkaar, als teken van vrede, de hand geven. Bij bijzondere gelegenheden, zoals een huwelijk of op Witte Donderdag, wordt ook de kelk bij de communie uitgereikt. Dat dit — tenminste in de katholieke kerk — niet altijd gebeurt, heeft praktische redenen. Maar of het nu in de vorm van brood of van wijn is, de wezenlijke gave is de Heer zelf. Hij geeft zichzelf aan ons tot spijs. In de communie worden wij tot het lichaam van Christus, tot gemeenschap van christenen. Wij worden kerk.

### 4. Wegzending

Na een afsluitend gebed zegent de priester de aanwezige gemeenschap en zendt hen weg met de vreugdevolle woorden: '*Ga nu allen heen in vrede*'. Allen antwoorden: '*Wij danken God*'.

## Kindvriendelijke liturgie

In de eucharistievieringen kan speciale aandacht gegeven worden aan kinderen. Verschillende vormen zijn daarbij mogelijk.

— *kindermissen:* alle aandacht gaat naar de kinderen. Liederen, lezingen, de bezielende rol van de priester, worden duidelijk afgestemd op de kinderen. Zij nemen actief deel aan de viering door symbolische en verhalende handelingen.

— *gezinsmissen:* voor de kinderen is dit de meest natuurlijke vorm van eucharistie vieren. Doordat de eucharistie gevierd wordt in de vertrouwde sfeer van het gezin, hebben zij er heel wat aan. In de voorbereiding en de uitwerking van dergelijke gezinsmissen worden zoveel mogelijk ouders en kinderen actief betrokken.

– *kindernevendienst:* is een woorddienst voor kinderen in een afzonderlijke ruimte rond het thema van het zondagsevangelie.
In de gebedscultuur van de kinderen zijn deze nevendiensten een belangrijk moment. Na de woorddienst sluiten ze aan bij de gezamenlijke viering.

# Het feest van de eerste communie

Beste Linda en Henk,

Binnen enkele weken starten we in onze parochie met de voorbereiding op de eerste communie. Ook jullie dochtertje Sofie nodigen wij van harte daarop uit. Het feest van de eerste communie moet voor haar een heuglijke dag kunnen worden. Want van dan af zal zij ten volle kunnen deelnemen aan de viering van de eucharistie. Zij wordt daarmee helemaal in onze kerkgemeenschap opgenomen. Sofie zal dan delen in de gemeenschap van de christenen met elkaar en met Jezus Christus. Dat willen wij op de eerste-communiedag — jullie in je gezin, wij allen samen in de kerk — vieren.
Als naar gewoonte zullen er ook dit jaar enkele gezinscatechisten in kleine groepjes met de kinderen een aantal weken samenkomen. Op een eenvoudige manier zullen zij de betekenis van de eucharistie uitleggen en de kinderen helpen zich er echt in thuis te voelen.
Wij hopen bovendien dat jullie, ouders, ook zelf zult meehelpen bij de voorbereiding van je kind op haar eerste communie. Spreek

thuis, op jullie eigen manier, met haar over de eucharistie. Er bestaan fijn verzorgde eerste-communie-boekjes die je daarbij kunnen helpen. In die boekjes staat duidelijk aangegeven welke gesprekjes de parochiale catechisten met de eerste-communicantjes kunnen voeren en welke activiteiten de ouders zelf met hun kind kunnen doen.

Ook in het godsdienstonderricht op school worden de kinderen flink voorbereid. In de eerste twee leerjaren worden zij goed vertrouwd gemaakt met enkele boeiende bijbelverhalen over Jezus en over het belang van het gebed en de naastenliefde. De onderwijzers leren aan de kinderen hoe de eucharistieviering is opgebouwd en welke de voornaamste gebeden zijn.

Om de voorbereiding op de eerste communie zo goed mogelijk te verzorgen, is er een fijne samenwerking nodig tussen ouders, gezinscatechisten en onderwijzers. Daarom, beste Henk en Linda, nodigen wij ook jullie uit op enkele 'oudergesprekken', waarin we samen zullen overleggen hoe de catechetische voorbereiding vanuit het gezin, de parochie en de school het best kan verlopen. We willen vooral met de ouders bespreken hoe zij zelf hun kind mee kunnen helpen voorbereiden en hoe wij allen samen de eigenlijke eerste-communieviering zelf het best gestalte kunnen geven. Een kind zal name-

lijk de eucharistieviering maar echt belangrijk gaan vinden als het ziet dat ook de grote mensen, en dan vooral zijn ouders, er veel waarde aan hechten.

Wij zien met vreugde uit naar de eerste samenkomst en rekenen vast op een prettige samenwerking.

Met hartelijke groeten.

## De weken vóór het feest

### Tijd nemen om samen te eten

Zelden heeft een mens tegenwoordig de tijd voor een rustig en uitgebreid ontbijt, middag- of avondmaal. We zijn gehaast, dit of dat moet nog gedaan worden, de ene moet hierheen, de andere daarheen...
Samen voor het eten zorgen. Ieder gezinslid kan helpen: koken, de tafel dekken, de tafelversiering, het gebed bij het eten, de tafel afruimen...

### Met kinderen iets ondernemen

Een 'ongewone' wandeling, in de loop van het weekend: een avond- of nachtwandeling om duisternis en licht te beleven; een morgenwandeling om stilte en groeiend leven waar te nemen; een verkenningstocht om planten en dieren te leren kennen...

### Verhalen vertellen

Het kind 's avonds een verhaal voorlezen of vertellen. Dat kunnen sprookjes, zelfbedachte vertellingen, bijbelse verhalen of heiligenlevens zijn.
Tips voor goede kinderboeken vind je onder meer in de plaatselijke bibliotheek of in de boekhandel.

### Kinderen willen vertellen

Veelal luisteren wij niet of hebben wij geen tijd als een kind iets wil vertellen dat voor hem belangrijk is. - Tijd nemen om te luisteren, en met het kind te spreken over wat het die dag beleefd en gedaan heeft. Ook kleinigheden ernstig nemen, de goede dingen beklemtonen; als er wat tegenviel of ontgoochelde, moed geven en troosten.

### Met kinderen bidden

Samen met het kind 's morgens en 's avonds een kort gebedje zeggen. Zo wordt op een sprekende wijze de band gelegd tussen God, ons geloof in Hem, en wat er die dag gebeurt.

### Een dag van dankbaarheid

Een dag lang aandacht hebben voor de vele grote en kleine vanzelfsprekendheden, die helemaal niet zo vanzelfsprekend zijn, en daarvoor de andere danken. 's Avonds eens samen nagaan waarvoor we allemaal dankbaar mogen zijn en wie we daarvoor kunnen danken.

### Met anderen delen

De eigen tijd met anderen delen. Samen bezoekjes afleggen, met de kleinere kinderen spelen. Speelgoed en boeken die nog in goede staat zijn wegschenken. Een spaarpotje aanleggen voor een project in de derde wereld. Een zieke bezoeken.

## Een kerkwandeling

Samen met het kind, of liefst met de groep kinderen die hun eerste communie zullen vieren, eens door de kerk wandelen, antwoorden op hun vragen en voeling krijgen met de sporen van het geloof van vorige generaties. Waarom bouwen mensen kerken? Wat staat er in een kerk? Een kruisbeeld – een altaar – een biechtstoel – een doopvont – een paaskaars – een kruisweg – misschien ook een preekstoel. Wat betekenen de kleuren die gebruikt worden voor de misgewaden? Een gezamenlijk gebed of lied kan het kerkbezoek afronden.

## Brood bakken en delen

Wij kunnen tracteren op iets wat we zelf gebakken hebben.

## Ideeën die sfeer brengen

Met het hele gezin kan werk gemaakt worden van de voorbereiding van het feest.
o Een schilderij rond 'maaltijd vieren' maken op een groot blad papier of op de ruit (met vingerverf of speciale verf).
o Kaartjes en/of menu's zelf maken, bijvoorbeeld met gedroogde bloemen, een tekening van het kind, een naaiwerkje, een plakwerk, een foto van het kind, een linodruk...
o Een bloemstukje maken, waarin ook graankorrels zijn verwerkt.
o Voor iedere genodigde een bloem (bijvoorbeeld een geplooid servet) of een kruisje (in gips) klaar leggen.
o Een persoonlijk gebed opstellen.
o Een blad versieren waarop elke genodigde een wens voor het kind kan schrijven.

## Stokbrood bakken

Als we een open plek hebben om een vuurtje te maken, dan kunnen we daarop stokbrood bakken. Dat is

het plezierigst als je 't met velen samen doet. Uit de bereide deeg worden kleine ballen (ongeveer 5 cm diameter) gevormd. Die spiets je op lange, puntige stokken, om er dan een vorm aan te geven die wat meer op een broodje lijkt. Het brooddeeg netjes boven de gloed, maar niet in de vlammen, houden en de stok draaien. Bij het draaien er op letten dat het brood zo gelijkmatig mogelijk bruin wordt.

## Stokbrood - recept

*Ingrediënten*
500 gr. tarwemeel
1 pakje gist
een snuifje suiker
een snuifje zout
30 gr. boter
melk
(eventueel kleine stukjes ui of wat komijnzaad toevoegen).

*Bereiding*
Alle ingrediënten met elkaar vermengen (de werking van de gist moet je er wel eens in een of ander kookboek op naslaan) zodat er een goed gekneed deeg ontstaat, dat echter niet te vast mag zijn.

Verdere ideeën vind je vooral in de hoofdstukken 'Advent en Kerstmis', 'Vasten en Pasen' en bij de 'Gebruiken door het jaar'.

## *Hoe kan het feest van de eerste H. Communie gevierd worden?*

Het feest van de eerste communie is in eerste instantie het feest van het kind en moet daarom vooral aan de behoeften en wensen van het kind tegemoet komen en niet alleen aan die van de ouders.

o Dat begint met de vraag: wie nodigen we uit? Wie wil het kind en wie willen de ouders uitnodigen? Dat kan ook de vraag doen opkomen: zullen we allen tegelijk op het communiefeest uitnodigen of zullen we vrienden en familieleden door de week of op een volgende zondag vragen? We kunnen deze feestdag dan als een gezinsfeest vieren, eventueel slechts samen met peter en meter en de grootouders. Wat denken de kinderen er zelf van?

o Ook wat het eten betreft. Waar willen we warm eten, thuis of in een restaurant? Zijn daar speelmogelijkheden voor de kinderen? Wat zullen we eten? Niet alles wat de volwassenen bijzonder lekker vinden, zijn de lievelingsspijzen van de kinderen.

o Er zijn veel leuke spelletjes, die zowel de volwassenen als de kinderen graag spelen. Ook het feest van de eerste H. Communie wordt door zulke spelen niet ontheiligd, integendeel.

Hierbij kunnen broers en zussen ingeschakeld worden, bijvoorbeeld voor het maken van een kwis of van een opdrachtenspel...

o Aan alle gasten kan in de uitnodiging gevraagd worden om een foto van hun kindertijd, eventueel van hun eerste communie mee te brengen. Die foto's worden bij elkaar gelegd of aan de wand geprikt en van een nummer voorzien. Allen raden wie er op de foto staat.

o Ouders, grootouders, peter en meter en de gasten vertellen, wat zij zich nog heel goed herinneren van die dag en wat er toen anders was dan nu.

## Communiekleding

Het is een mooi en oud gebruik, dat de jongens en de meisjes op de dag van hun eerste communie feestelijk gekleed zijn. Dat betekent niet, dat zij er moeten bijlopen als kleine volwassenen. De kleding moet er veel meer op wijzen, dat het vandaag een feestdag is.

## Communiekaars

De communiekaars is net als de doopkaars een teken van het licht, dat door Jezus in de wereld en in ons leven is gekomen. Het is daarom zinvol om de doopkaars bij de eerste communie opnieuw aan te steken. De kaars kan met een fris takje en witte strikken versierd worden. De volgende jaren kan ze bij bijzondere gelegenheden weer aangestoken worden, om aan deze feestdag te herinneren, bijvoorbeeld met Pasen, bij de verjaardag of het vormsel...

## Geschenken

Een klein geschenk, met liefde uitgezocht, kan dit feest beter onderstrepen, dan een duur cadeau.
Bijvoorbeeld:
o een kandelaar voor de communiekaars
o een kinderboek
o een geïllustreerde bijbel
o een plaat of cassette met godsdienstige kinderliederen
o een kruisbeeld
o een uitnodiging voor een speelmiddag
o een te-goed-bon voor een gezamenlijk bezoek aan het circus of de dierentuin...
o een poëzie-album, waarin alle gasten hun naam schrijven
o een groot wisselraam, waarin foto's ter herinnering aan de eerste communie kunnen worden ingeraamd
o een bijdrage voor de kinderen in de derde wereld, die zelden of nooit iets cadeau krijgen.

## De dag loopt ten einde

Het is goed om aan het eind van de dag met het kind even terug te kijken.
Wat was er fijn vandaag?
Wat was er niet zo leuk?
Wie willen wij, als dank voor deze dag, in ons gebed bijzonder vernoemen? Je zou ook kunnen danken voor de feestelijke eredienst.

## Kindercommunie

### Blij en dankbaar

Heer Jezus Christus,
U houdt van kinderen.
U stelt ze tot voorbeeld
aan uw beste vrienden
want aan hen behoort
het rijk der hemelen.
Wij zijn blij en dankbaar
dat N. voortaan mag aanzitten
aan uw tafel,
samen met ons.
Laat het geloof van N.
en van alle kinderen
voor ons een weldaad zijn.
Blijf bij ons gezin.
Houd de liefde en het geloof
levend in ons midden
en laat ons met vertrouwen
verder gaan
op de weg die voor ons ligt.

In 1910 sprak paus Pius X zijn voorkeur uit voor de vervroegde kindercommunie.
Op de leeftijd van om en bij zeven jaar, soms iets vroeger, soms iets later, wordt het kind geacht onderscheid te kunnen maken tussen eucharistisch brood en gewoon lichamelijk voedsel.
Het komt vooreerst de ouders toe, stelde paus Pius X, hun kind tot de eerste communie toe te laten.
Als zij oordelen dat hun kind communierijp is, mogen zij, na een persoonlijke voorbereiding aan huis, hun kind naar de heilige communie leiden.
Zij brengen dan de parochiepriester daarvan op de hoogte.
In Vlaanderen en in Nederland bestaat de gewoonte dat alle kinderen tussen in hun zevende of achtste jaar samen met anderen in de parochie plechtig hun eerste communie vieren.
De voorbereiding van de kinderen gebeurt door de parochiepriester en/of de catechisten, de leerkrachten en de ouders.
Tijdens ouderavonden wordt besproken hoe de ouders actief hun kind kunnen voorbereiden.
Meestal worden de kinderen ook in de klas voorbereid door de leerkrachten.

# Bevrijding tot nieuw leven

**Biechten? Daar kom ik niet meer aan toe...**

... Ik weet niet waarom ik wel zou biechten. Iemand doodgeslagen heb ik niet. En had ik het wél gedaan, dan zou biechten mij toch niet verder kunnen helpen. Waarom zou je overigens nog biechten vandaag de dag? Ik bedoel het toch goed?

... Als ik iets misdaan heb, dan vind ik dat ik dat zelf weer in orde moet brengen... Waarom moet ik dat dan nog eens aan een priester in een biechtstoel gaan vertellen? Die is maar een mens zoals ik.

... Ik heb nogal wat negatieve herinneringen aan dat biechten. Ik zei steeds weer hetzelfde bij de 'belijdenis der zonden'. En wat hielp het tenslotte allemaal? Ik viel toch steeds terug...

Nochtans is er vandaag de dag bij vele mensen een sterke schulderva-ring.

o Sommigen bepalen goed en kwaad vooral aan de hand van de wet. Velen van hen biechten nog. En toch missen zij iets van het mysterie van Gods liefde...

o Anderen meten schuld uitsluitend af aan de zelfontplooiing. Wat mij, en eventueel anderen, echt 'deugd' doet is goed, de rest is kwaad.

o Door heel wat mensen wordt kwaad gezien als een sociaal en structureel verschijnsel. Meewerken aan het instandhouden van het kwaad in onze maatschappij is schuldig.

# Schuld en verzoening in het gezinsleven

## Schuldig mogen zijn

Pieter heeft met zijn katapult de voorruit van vaders auto stukgeschoten. Hij is bang dat zijn ouders erachter.

## Begrip verwachten

Al twee dagen gaan ze elkaar uit de weg. Een banale ruzie waarbij geen van beiden wou toegeven. Gisteren probeerden ze het nog:
— Dàt moet je toch zeker toegeven... ?
— Ik hoef helemaal niks toe te geven!
Sindsdien zwijgen ze.

## Niet te snel oordelen

's Middags aan tafel: 'Ik heb eigenlijk tegen niemand iets, behalve
— tegen Paul, die mij bij de directeur in een slecht daglicht ging stellen,
— tegen mevrouw Debandt, die duidelijk niet van kinderen houdt,
— tegen meneer Schepers, die altijd dronken is,
— tegen die dwaze Sofie...'

## Mee lijden en mee blij zijn

Ann is veertien en laat zich door vader niet zeggen hoe laat ze vanavond weer thuis moet zijn. Vader buldert, Ann huilt en rent het huis uit. Moeder en de kleine Wouter zien hulpeloos toe. De hele stemming is grondig bedorven. De volgende dag praten vader en Ann de zaak uit en de sfeer thuis is voor iedereen weer goed...

Heer,
wij zijn van U
met al ons kwaad,
op uw barmhartigheid
vertrouwen wij.
Neem ons op in de
gemeenschap van uw geliefden.
Behandel ons niet
zoals wij verdienen,
maar schenk ons vergeving,
opdat wij mogen
delen in uw geluk
door Jezus Christus, onze
Heer.

*Uit: Nader bij u*

## Gandhi en zijn vader

Mahatma Gandhi, geboren in 1896, was een groot politicus van India. Door geweldloos verzet bevrijdde hij zijn land uit de Engelse koloniale overheersing. In 1948 stierf hij als gevolg van een aanslag.
In één van zijn boeken vertelt hij een jeugdherinnering. Vijftien jaar oud pleegt hij een diefstal. Om een schuld te betalen aan zijn oudere broer, verkoopt hij een gouden armband. Zijn vader komt erachter.

'Dat was meer dan ik verdragen kon. Ik besloot nooit meer te stelen. Ik maakte plannen om het bij mijn vader op te biechten. Maar ik durfde er niet over te beginnen. Niet dat ik bang was dat hij me zou slaan. Ik kan me niet herinneren dat hij één van ons ooit geslagen heeft. Ik was bang hem verdriet te doen. Maar ik voelde wel dat ik dat moest riskeren. Er was geen verklaring mogelijk zonder bekentenis.
Tenslotte besloot ik mijn bekentenis op papier te schrijven, deze aan mijn vader te geven en hem vergiffenis te vragen. Ik bekende niet alleen mijn schuld maar vroeg ook om een verdiende straf... Ik bezwoer ook nooit meer te zullen stelen.
Ik trilde op mijn benen toen ik mijn vader de bekentenis gaf. Hij was toen ziek en lag op bed. Ik gaf hem mijn brief en ging tegenover zijn bed zitten.

Hij las de brief en begon te huilen, de tranen liepen over zijn wangen en maakten het papier nat. Even deed hij zijn ogen dicht om na te denken en toen verscheurde hij het papier.
Om te kunnen lezen was hij overeind gekomen. Maar nu ging hij weer liggen. Ook ik huilde. Ik kon zien hoeveel pijn het mijn vader deed. Ik zie het nog allemaal precies voor me. Die tranen van liefde zuiverden mijn hart en wisten het kwaad weg dat ik had gedaan. Alleen wie zoveel liefde ondervonden heeft, weet wat het is... Ik had gedacht dat hij kwaad zou worden, me uit zou schelden, zich voor het hoofd slaan. Maar hij was zo wonderlijk rustig. Ik denk dat dit kwam door mijn eerlijke bekentenis.'

## De gelijkenis van de goedheid van de vader voor zijn beide zoons

Men heeft deze gelijkenis het evangelie in het evangelie genoemd, omdat ze de kern van de blijde boodschap in een verhaal vertelt.

*Bisschop Wilhelm Kempf*

*Hij sprak: 'Een man had twee zoons. Nu zei de jongste van hen tot zijn vader: Vader, geef mij het deel van het bezit waarop ik recht heb. En hij verdeelde zijn vermogen onder hen. Niet lang daarna pakte de jongste zoon alles bij elkaar en vertrok naar een ver land. Daar verkwistte hij zijn bezit in een losbandig leven. Toen hij alles opgemaakt had, kwam er een verschrikkelijke hongersnood over dat land en hij begon gebrek te lijden. Nu ging hij in dienst bij één der inwoners van dat land, die hem het veld in stuurde om varkens te hoeden. En al had hij graag zijn buik willen vullen met de schillen die de varkens aten, niemand gaf ze hem. Toen kwam hij tot nadenken en zei: Hoeveel dagloners van mijn vader hebben eten in overvloed, en ik verga hier van de honger. Ik ga weer naar mijn vader en ik zal tegen hem zeggen: Vader, ik heb misdaan tegen de hemel en tegen u; ik ben niet meer waard uw zoon te heten, maar neem mij aan als één van uw dagloners.*

*Hij ging dus op weg naar zijn vader. Zijn vader zag hem al in de verte aankomen, en hij werd door medelijden bewogen; hij snelde op hem toe, viel hem om de hals en kuste hem hartelijk. Maar de zoon zei tot hem: Vader, ik heb misdaan tegen de hemel en tegen u; ik ben niet meer waard uw zoon te heten. Doch de vader gelastte zijn knechts: Haal vlug het mooiste kleed en trek het hem aan, steek hem een ring aan zijn vinger en trek hem sandalen aan. Haal het gemeste kalf en slacht het; laten we eten en feestvieren, want deze zoon van mij was dood en is weer levend geworden, hij was verloren en is teruggevonden. Ze begonnen nu feest te vieren. Intussen was zijn oudste broer op het land. Toen hij echter terugkeerde en het huis naderde, hoorde hij muziek en dans. Hij riep één van de knechts en vroeg wat dat te betekenen had. Deze*

*antwoordde: Uw broer is thuisgekomen en uw vader heeft het gemeste kalf laten slachten, omdat hij hem gezond en wel heeft teruggekregen. Maar hij werd kwaad en wilde niet naar binnen. Toen zijn vader naar buiten kwam en bij hem aandrong, gaf hij zijn vader ten antwoord: Al zoveel jaren dien ik u en nooit heb ik uw geboden overtreden, toch hebt gij mij nooit een bokje gegeven om eens met mijn vrienden feest te vieren. En nu die zoon van u is gekomen die uw vermogen heeft verbrast met slechte vrouwen, hebt ge voor hem het gemeste kalf laten slachten. Toen antwoordde de vader: Jongen, jij bent altijd bij me en alles wat van mij is, is ook van jou. Maar er moet feest en vrolijkheid zijn, omdat die broer van je dood was en levend is geworden, verloren was en is teruggevonden.'*

*Luc. 15,11-32*

## Protesteert de oudste zoon niet terecht?

'Dat is niet eerlijk', zegt de oudste zoon, die altijd thuis is gebleven. Ook ons gevoel komt in opstand. Want wat wij juist en rechtvaardig noemen, is doorkruist, als maatstaf onbruikbaar geworden, achterhaald.

### De jongste zoon

Hij heeft geen zin meer om thuis te blijven. Hij loopt weg, leeft een losbandig leven, vergooit het geld van zijn vader en denkt niet aan de dag van morgen. Maar ééns raakt het geld op. De zogenaamde 'vrienden' hebben hem verlaten. Het gaat hem zeer slecht. Tenslotte ziet hij geen uitweg meer. Hij besluit naar huis terug te keren.

### De vader

Als hij zijn zoon ziet, reageert hij als iemand, die zijn kind eindeloos liefheeft. Zoals een vader. Hij loopt zijn zoon tegemoet, omarmt hem, geeft hem een nieuw kleed en viert met hem de terugkeer. Want, dat is zijn enige verklaring: 'mijn zoon was dood en leeft weer: hij was verloren en is teruggevonden.'

### De oudste zoon

Dat juist ergert de oudste zoon. Hij voelt zich bedrogen en onrecht aangedaan. Hij is altijd thuis gebleven, heeft zijn vader geholpen en heeft zo zijn liefde feitelijk verdiend. Nu komt zijn broer, de nietsnut, en zijn vader vindt er niets beters op dan het mestkalf te slachten.
Nee vader, dat gaat te ver, dat is onrechtvaardig... En als jullie dat feest willen vieren, dan zonder mij!...

### De vader

En wat doet de vader? Net zomin als hij zijn jongste zoon vergeten kon, kan hij over het hoofd zien dat zijn oudste zoon nu buiten blijft staan, zonder aan het feest deel te nemen. Weer gaat hij naar buiten, zijn zoon tegemoet. Hij luistert naar zijn verwijten. Hij vraagt hem ook blij te zijn en mee te vieren.

**En wij?**

Neemt de oudste zoon de uitnodiging aan? Gaat hij mee naar het feest? Wij krijgen het niet te horen. Hier houdt het verhaal op. De toehoorders van Jezus — en wij zelf — bevinden ons plotseling midden in de gebeurtenissen. Zijn ook wij de thuisblijvers, die een fatsoenlijk leven leiden, die zich niets te verwijten hebben? Hoe gedragen wij ons tegenover onze medemensen, als zij zich ergens schuldig aan gemaakt hebben? Misschien hebben wij de kracht ze te helpen en ze te vergeven, als zij erom vragen. Maar met hen blij zijn? Met hen feest vieren? Ja, de lieve God is 'onrechtvaardig' naar menselijke maatstaven. Zijn liefde laat zich niet begrenzen. Dat is het geluk voor de mens.

## Het witte lint aan de appelboom

Eens zat ik tijdens een treinreis naast een jongeman, wie het duidelijk aan te zien was dat hij iets op het hart had. Hij vertelde, dat hij een vrijgelaten gevangene was op weg naar huis. Zijn veroordeling had schande over zijn familie gebracht. In de gevangenis hadden ze hem nooit bezocht en ook maar sporadisch geschreven. Ondanks dat hoopte hij dat ze hem vergeven hadden. Om het ze echter makkelijker te maken, had hij ze in een brief voorgesteld hem een teken te geven waaraan hij duidelijk kon weten hoe ze tegenover hem stonden. Als ze hem vergeven hadden, zouden ze in de appelboom bij de kleine boerderij vooraan in het dorp een wit lint aanbrengen. Als zij hem echter niet meer thuis wilden hebben, zouden ze niets doen. Dan zou hij in de trein blijven zitten en verder rijden. God weet waarheen. Toen de trein zijn geboorteplaats naderde, werd de spanning voor de jongeman zo groot, dat hij niet meer uit het raam durfde te kijken. Een andere reiziger verwisselde met hem van plaats en beloofde hem op de appelboom te letten. Meteen daarop legde hij de jonge ex-gevangene een hand op de arm. 'Daar is hij', fluisterde hij, en hij kreeg tranen in de ogen: alles was in orde. De hele boom hing vol witte linten.

Op dat ogenblik verdween alle bitterheid die het leven van de jongeman had vergiftigd.

'Het was alsof ik een wonder had beleefd', vertelde de man later. Misschien was het er ook wel een.

*Naar John Kord Lagemann*

# De tien geboden van God

*Ik ben Jahweh uw God, die u heb weg-
geleid uit Egypte, het slavenhuis. Gij
zult geen andere goden hebben, ten koste
van Mij. Gij zult geen godenbeelden
maken, geen afbeelding van enig wezen
boven in de hemel, beneden op aarde of
in de wateren onder de aarde. Gij zult
u voor hen niet ter aarde buigen en hun
geen goddelijke eer bewijzen; want Ik,
Jahweh uw God, Ik ben voor hen die
Mij haten, een jaloerse God die de
schuld van de vaders wreekt op hun
kinderen, tot het derde en vierde geslacht, maar voor hen die Mij liefhebben en mijn geboden onderhouden een
God die goedheid bewijst tot aan het
duizendste geslacht. Gij zult de naam
van Jahweh uw God niet lichtvaardig
gebruiken; want Jahweh laat degenen
die zijn naam lichtvaardig gebruiken,
niet ongestraft.
Denk aan de sabbat: die moet heilig
voor u zijn. Zes dagen zult gij werken
en alle arbeid verrichten. Maar de zevende dag is de sabbat voor Jahweh uw
God. Dan moogt gij geen enkele arbeid
verrichten: gij zelf niet, uw zoon niet,
uw dochter niet, uw slaaf niet, uw
slavin niet, uw dieren niet, zelfs niet de
vreemdeling die bij u woont. In zes
dagen immers heeft Jahweh de hemel,
de aarde, de zee met al wat er in is,
gemaakt. Maar de zevende dag heeft
Hij gerust en zo de sabbat gezegend en
tot een heilige dag gemaakt.
Eer uw vader en uw moeder. Dan zult
gij lang leven op de grond die Jahweh
uw God u schenkt. Gij zult niet doden.
Gij zult geen echtbreuk plegen. Gij
zult niet stelen. Gij zult tegen uw
naaste niet leugenachtig getuigen. Gij
zult uw zinnen niet zetten op het huis
van uw naaste: gij zult uw zinnen niet
zetten op de vrouw van uw naaste, niet
op zijn slaaf, zijn slavin, zijn rund of
zijn ezel, op niets wat hem toebehoort.*
Ex. 20,2-17

# De tien geboden —
opnieuw doordacht

## 1. De andere goden

*Ik ben de Heer, uw God, die u uit de
gevangenschap heeft geleid naar een
land vol leven en vrijheid. Daarom
zult gij naast mij geen andere goden
vereren.*

Deze 'andere goden' hebben veel
namen: succes, carrière, macht,
geld, hobby, schoonheid, seks, ido-
len, verslaving... maar ook wetenschap, techniek, bijgeloof...
Al deze dingen kunnen de mens zo
fascineren, dat hij ze tot zijn goden
verheft, en er zich aan onderwerpt.

## 2. In de naam van God

*Ik ben de Heer, uw God, die u zijn
schepping heeft gegeven, die zich aan u*

*heeft geopenbaard. Daarom zult gij mijn naam niet misbruiken.*

Iedere dag wordt de naam van God misbruikt. 'In de naam van God' worden oorlogen gevoerd, mensen onderdrukt en het milieu verwoest. Jezus werd 'in de naam van God' aan het kruis geslagen. Al te gemakkelijk verontschuldigen wij ons met 'God heeft het zo gewild'. Het tweede gebod betekent: 'Misbruik uw macht niet uit naam van God!'

## 3. Zondag

*Ik ben de Heer, uw God, die niet wil dat gij u overwerkt. Heilig daarom de zondag, opdat ge ook de andere dagen heiligt.*

De zondag vieren bevrijdt de mens van alleen maar werken. Halt houden, afstand nemen, uitrusten, tijd maken voor God en voor zichzelf, blij zijn, feestvieren, genieten, bedanken... dat kan de zondag zijn. Een beetje de vriendelijkheid van God smaken.

## 4. Jong en oud

*Ik ben de Heer, uw God, op wie ge kunt bouwen, of ge nu jong zijt of oud. Eer daarom uw vader en uw moeder, eer uw kinderen.*

Oud zijn betekent in de ogen van velen: achterblijven, een last zijn, afgeschreven, eigenzinnig zijn. Jong zijn daarentegen: open staan, dynamisch, levensblij en modern zijn.
Ouderen, denk eraan: je was ook eens jong.
Jongeren, denk eraan: je wordt ook eens oud.

## 5. Medemensen

*Ik ben de Heer, uw God, die u en uw medemensen naar zijn beeld heeft geschapen. Eerbiedig daarom uw leven en dat van uw medemensen.*

Het leven wordt bedreigd door honger, ziekte en oorlog, maar ook door afgunst, onverbiddelijke hardheid en wraakzucht.
'Bemin je naaste zoals jezelf', is de oproep, maar ook het voorbeeld van Jezus Christus.

## 6. Trouw

*Ik ben de Heer, uw God, die u voor eeuwig trouw heeft beloofd. Wees daarom trouw in uw liefde, want gij zijt tot onherroepelijke liefde in staat.*

Liefde wordt verwerkelijkt in trouw. Jezelf trouw blijven, jezelf niets voorspiegelen, je eigen standpunt verdedigen, voor jezelf opkomen en tevreden zijn met jezelf. De ander trouw zijn en jezelf aan hem toevertrouwen, steeds in dialoog blijven, zacht voor hem zijn en vol belangstelling. Trouw geeft aan de liefde tijd om te groeien.

## 7. Eigendom

*Ik ben de Heer, uw God, die alles geschapen heeft wat gij en uw medemensen nodig hebt om te leven. Daarom zult gij uw medemensen niet bestelen.*

'Iemand bestelen' betekent evenzeer: hem oplichten, hem uitbuiten, hem een passend loon onthouden, hem ontzeggen wat nodig is voor een menswaardig bestaan; aan je eigen bezit vastzitten, niet kunnen delen, niet kunnen weggeven.
Ook kan het ene volk het andere bestelen, het beroven van zijn grondstoffen, van zijn bezittingen, van zijn intellect...

## 8. Waarheid

*Ik ben de Heer, uw God, die u het vermogen gegeven heeft om te spreken. Daarom zult ge niet leugenachtig tegen uw naaste getuigen.*

'Dat is een eerlijk mens' – omdat zij meent wat zij zegt, doet en is.
'Dat is een eerlijk mens' – omdat hij open is; hij zwijgt als woorden de waarheid geweld zouden aandoen; hij brengt vertrouwen onder de mensen.

## 9. en 10. Vrijheid

*Ik ben de Heer, uw God, die u een vrije wil gegeven heeft. Daarom zult gij uw zinnen niet zetten op de vrouw van uw naaste noch op zijn bezit.*

Er wordt naar het zesde en het zevende gebod verwezen, geboden die hier nog aangescherpt worden. Niet alleen de echtbreuk zelf, maar ook de ontrouw van het hart is zondig. Niet alleen de diefstal zelf, maar ook de bedoeling om te stelen is een goddeloze daad. De vrijheid van de mens, zijn mogelijkheid om te willen of eventueel niet te willen, wordt hier tot maatstaf van zijn gelijkenis met God.

Augustinus zegt het eenvoudig zo:
ama et fac quod vis,
bemin en doe dan wat je wil.

## Wij vieren onze verzoening

De kerk biedt ons vele mogelijkheden om ons met God en de mensen te verzoenen en om vergeving voor onze zonden te ontvangen en te vieren.

o *Als we ons met elkaar verzoenen.*
Als we een ruzie bijleggen, het onrecht dat wij deden herstellen, ons oprecht verontschuldigen voor een begane fout... Eigenlijk is de wil tot verzoening met de medemens de voorwaarde voor de verzoening met God. 'Hebt ge iets tegen iemand, terwijl ge staat te bidden, vergeef het dan, opdat ook uw Vader in de hemel u uw tekortkomingen moge vergeven' (Mc. 11,25).

o *Als we ons iets ontzeggen voor anderen.* Als we ons eigenbelang of onze grillen en nukken opzij zetten om anderen te helpen. In een gezin heeft men daar bijna noodgedwongen en dagelijks de kans toe. 'De liefde bedekt tal van zonden' (1 Petr. 4,8).

o *Als we in het onzevader bidden:* 'Vergeef ons onze schuld, zoals ook wij aan anderen vergeven'.

o *Als we in de Schrift lezen.* Daarom bidt de priester na het evangelie: 'Mogen door de woorden van dit evangelie onze zonden worden uitgewist'.

o *Als we bij het begin van de eucharistieviering onze schuld belijden* en als de priester bidt: 'Moge de almachtige God zich over ons ontfermen en onze zonden vergeven'.

o *Als we een boeteviering bijwonen.* Schuldig worden en vergeving krijgen zijn niet alleen aangelegenheden van het individu met 'zijn' God. Ze gaan ook de kerkelijke en menselijke gemeenschap aan.

o *Als we gedoopt worden.*
Het doopsel is het eerste sacrament van de verzoening, het intreden in een leven in gemeenschap met God en de kerk.

o *Als we de ziekenzalving ontvangen.* Ons hart wordt weer gezond en dit geeft nieuwe levensmoed.

o *Als we het biecht- of boetesacrament ontvangen.* In ons leven worden we begeleid door het steeds aanwezige aanbod van God tot inkeer en verzoening.

# Korte geschiedenis van het boetesacrament

Een terugblik op de bewogen geschiedenis van de kerk toont ons dat de uiterlijke vorm van de biecht al vaker veranderd is. De bedoeling is echter altijd dezelfde gebleven: viering van het feest van de terugkeer tot nieuw leven, verzoening met God en de kerk.

o In de eerste eeuwen van het christendom werd de biecht maar zelden, waarschijnlijk maar één keer in het leven, ontvangen. Voorwerp van de sacramentele vergeving waren vooral zonden als geloofsafval, moord en echtbreuk, stilaan ook andere zware zonden, vooral als het publieke karakter er van grote ergernis in de gemeente veroorzaakte. De zondaar moest zijn grote zonde, zijn doodzonde, tegenover de bisschop bekennen en werd daarbij voor 40 dagen uitgesloten van het ontvangen van de communie. Gedurende die tijd bad de gemeente voor hem. Aan het einde van de boetetijd werd hij met een verzoeningsfeest weer in de gemeenschap opgenomen.

o In de zesde eeuw ontstond de gewoonte, ook niet publieke en minder zware zonden, persoonlijk tegenover de priester te bekennen. De vrijspraak werd door de priester aan de biechteling individueel meegedeeld. Ook de opgelegde boete werd persoonlijk volbracht. De priester was tot geheimhouding verplicht ('biechtgeheim'). Deze nu nog gebruikelijke vorm van het sacrament maakt duidelijk, dat niet slechts 'openbare zondaars' het sacrament van de biecht ontvangen, maar iedere christen, die zich schuldig heeft gemaakt. Daardoor wordt duidelijk dat Jezus Christus en zijn kerk op ieder tijdstip onvoorwaardelijk tot verzoening bereid zijn.

o Deze verandering in de biechtpraktijk had tot gevolg, dat de andere vormen van verzoening en zondevergeving op de achtergrond werden gedrongen. Wie te communie wilde gaan, ging vooraf biechten (ongeveer sinds de 13de

eeuw). Veel ouders en grootouders herinneren zich nog van vroeger de jaarlijkse of maandelijkse biecht met het ontvangen van de communie in de daarop volgende zondagsmis. Op de andere zon- (en weekdagen) gingen de gelovigen wel naar de mis, maar niet te communie.

o In de laatste tientallen jaren zijn de gelovigen zich weer bewust geworden dat het ontvangen van de communie wezenlijk behoort tot de deelname aan de eucharistieviering. De schuldbelijdenis aan het begin ervan of een andere vorm van zondevergeving stelt ze hiertoe in staat. De sacramentele viering van de verzoening in de biecht heeft nu net als vroeger een bijzondere betekenis voor alle gelovigen, omdat ze daar de bevrijdende en troostende kracht van de verzoening persoonlijk kunnen ervaren.

## Een ethiek van het hart

De klassieke moraal heeft bij het bepalen van de zonde een veel te statische kijk aangehouden. Zonde is niet in eerste instantie een momentopname. 'Als de dood ons trof in een toevallig ogenblik van doodzonde, waren we voorgoed veroordeeld...' Geef toe, als God liefde is, kan dat toch niet!

Vandaag heeft de kerk een meer dynamische visie op onheil en op heil. De fundamentele vraag is: welke is mijn levensrichting? Leef ik naar Christus toe — met vallen en opstaan — of gaat mijn leven de andere richting uit, van Christus, van de liefde en van de gelovige gemeenschap weg? Het geïsoleerde 'vallen en opstaan' krijgt daardoor een andere betekenis.

Dit geldt voor iedere zonde: is het een zwakheid in een leven met heel veel goede wil, waar men echt trouw probeert te zijn of situeert het feit zich op een dalend traject? De verkeerde daad alleen zegt dus niet alles. Iemand met vijf talenten die zich installeert op de weg van het gemakkelijke en eigenlijk naar de letter nog min of meer correct handelt, kan veel zondiger zijn dan iemand die met twee talenten van heel ver komt, maar alles doet wat hij kan, ook al is er op zijn uiterlijk gedrag nog heel wat aan te merken. Dit is een andere soort ethiek. In plaats van de wetsethiek komen we nu bij een hartsethiek, die veel meer rekening houdt met de fundamentele gezindheid.

Dit schept een veel ruimer perspectief voor een mensenleven. Het maakt het echter niet eenvoudiger. De Bergrede met de zaligprijzing van de zuiverheid van hart, de absolute eerlijkheid, de geweldloosheid, de vrijwillige armoede, komt nu veel centraler te staan. Maar het is een heel hoge berg. En toch is dit de authentieke bijbelse geest: perspectieven uitbouwen.

De grootste zonde is: niet meer willen groeien, denken dat er geen verdere bekering meer nodig is, zich tevreden stellen met wat men bereikt heeft, zich neerleggen bij een wettelijk minimum. Dat alles betekent eenvoudig dat je nog geen enkel besef hebt van de liefde. Wie vindt dat hij zijn vriend genoeg bemint, bemint hem eigenlijk al niet meer. 'De maat van de liefde is mateloos', schreef Charles de Foucauld.

*Kristiaan Depoortere*

# Het boetesacrament vandaag

## Gemeenschappelijke boeteviering

Boetevieringen zijn gezamenlijke vieringen zonder privé-belijdenis en zonder absolutie door de priester als voorganger van de gelovige gemeenschap. Ze zijn niet strikt een sacrament. Wel zijn het gezamenlijke levensrevisies: we plaatsen ons samen onder het Woord van God en laten ons door Hem en door elkaar bevragen.

Dergelijke diensten richten de aandacht vooral op de *sociale en kerkelijke dimensie* van de zonde. Dit is het kwaad dat niemand van ons 'begint', maar dat wij allen bestendigen en aanwakkeren. Het is een heel goede gelegenheid tot gewetensvorming en *bewustwording*. In de afwisseling van bijbellezing, het aanbrengen van symbolen, in zang, voorbeden en duiding ontmoeten we de barmhartige, vergevende God en krijgen we duidelijker inzicht in onze persoonlijke deelname aan het kwaad. In de traditie van de kerk worden deze diensten vergevend genoemd voor kleine 'dagelijkse' zonden. Vergeving van zware zonden is enkel mogelijk in een persoonlijke biecht.

## Gemeenschappelijke biechtviering

Een biechtviering is een gezamenlijke liturgie met gelegenheid tot (korte) individuele belijdenis en persoonlijke absolutie. Ze is de andere helft van het biechtgesprek (zie verder) en heeft de voordelen van de boeteviering (zie boven).
De geloofslijn van een dergelijke viering is erg zinvol. We starten bij het 'Wij, zondaars' en trekken de bewustwording en het berouw door tot 'ook ik, zondaar'. We nemen de verantwoordelijkheid op ons voor het kwaad waar wij achter hebben gestaan, dat we lieten gebeuren of dat we hebben gestimuleerd. We bekennen dat we medeschuldig zijn aan het kwaad in de wereld. En tenslotte ontvangen we in de *persoonlijke absolutie* de vergiffenis voor ons aandeel in dat kwaad.
In vele parochies worden vooral in de advent of in de vastentijd boete- of biechtvieringen gehouden.

## Het biechtgesprek

Het biechtgesprek of de persoonlijke verzoening kan plaatsvinden in een nevenruimte van de kerk, of bij de priester thuis. Velen vinden de sfeer van een gesprek persoonlijker en vertrouwelijker.
In de loop van het onderhoud met de priester belijdt de biechteling zijn schuld en toont hij zijn bereidheid om het weer goed te maken.

De priester spreekt de absolutie uit en legt de biechteling daarbij de handen op.

## De biecht in de biechtstoel

... is wellicht de bekendste vorm van de biecht. Vooral in oude kerken vind je prachtige, imponerende biechtstoelen.
De priester handelt in naam van Christus en in naam van de kerkelijke gemeenschap. Na de belijdenis van de zonden spreekt hij een kort woord van verkondiging, waarop een gesprek kan volgen. Dan legt hij een penitentie op, waardoor de boeteling zijn bereidheid om het weer goed te maken kan uitdrukken. Daarop spreekt hij het genade-oordeel uit:
'God, de barmhartige Vader, heeft de wereld met zich verzoend door de dood en de verrijzenis van zijn Zoon. Hij heeft de heilige Geest uitgestort tot vergeving van de zonden. Hij schenke u door het dienstwerk van de kerk vrijspraak en vrede. En ik ontsla u van uw zonden in de naam van de Vader en de Zoon en de heilige Geest.'

## Verzoening staat voorop

Welke vorm van biecht de christen ook kiest, hij hoeft er niet bevreesd voor te zijn daarbij iets verkeerds te doen. Wanneer hij ernstig de verzoening met Jezus en zijn kerk zoekt, zal iedere priester hem daar graag bij helpen. Dat geldt zowel voor kinderen, die dit sacrament voor de eerste keer ontvangen, als voor jongeren en volwassenen, die al sinds lang niet meer aan de biecht waren toegekomen.

God, onze Vader, wij danken U
omdat Gij ons op ieder
ogenblik verwacht
en uitkijkt naar de minste blijk
van onze goede wil.
Wij danken U omdat Gij
niet enkel een gevende,
maar ook een vergevende God
zijt.

Geef ons de moed
om telkens weer op weg te gaan
vanuit ons egoïsme naar
dienstbaarheid,
vanuit onze zelfzekerheid
naar geloof en vertrouwen.
Doe ons de vreugde ervaren
van het nieuwe begin.
Laat ons leven vanuit uw
barmhartigheid.

En maak ons mild voor elkaar,
onze eigen zwakheid indachtig.
Laat ons met ieder mens het
feest van uw barmhartigheid en
uw vreugde vieren.
Laat ons elkaar vasthouden,
geïnspireerd door de boodschap
van Jezus Christus.

*Paul Schruers*

# Gewetensvorming met kinderen

Lien zegt: 'Die halfjaarlijkse bezoekjes aan haar moeder, dienen enkel nog om haar *geweten* te sussen'.
'Die heeft zeker een slecht *geweten*', zeggen we over iemand die vaak schrikt of erg zenuwachtig is.
Van binnen uit voelen we wanneer we iets goed gedaan hebben. We zijn dan tevreden, blij met onszelf. Maar meer nog worden we bewust van ons geweten wanneer we niet tevreden zijn over wat we deden of niet deden. We voelen dan dat we te kort schoten, dat we iemand in de kou lieten staan. En achteraf weten we heel duidelijk: ik had dat niet moeten doen, of ik had mijn eigen mening toch moeten inbrengen, moeten zeggen dat ik niet akkoord ging. 'Ik had erbij moeten zijn om te steunen, te delen, solidair te zijn, ons samen te verzetten'.
Ons geweten stelt ons in staat goed en slecht van elkaar te onderscheiden. Wat echter goed en slecht is en daardoor tot maatstaf van de gewetensbeslissing wordt, dat onderkent de mens op grond van zijn opvoeding, zijn ervaring, zijn inzichten. Een geweten wordt gevormd, het groeit en verfijnt.

131

Je kan dat het best vergelijken met de spraakontwikkeling. Ieder gezond mens is het spraakvermogen meegegeven. Maar welke taal hij zal spreken, hoe hij zich zal uitdrukken, hangt hoofdzakelijk af van wat hij als taal in zijn onmiddellijke omgeving hoort.

Zo ook worden onze inzichten, ons oordeel over wat goed en kwaad is, meebepaald door onze onmiddellijke omgeving, door de tijd waarin we leven, de gemeenschap, de cultuur die we beleven. En een kind ervaart wat goed en slecht is eerst bij zijn ouders. Als zij bewust evangelische waarden voorleven, als God en de naaste daadwerkelijk een plaats in hun leven innemen, dan zal dat een grote invloed hebben op de gewetensvorming van hun kinderen. In deze gewetensvorming zijn bepaalde fasen te onderscheiden.

## 1. Kinderen richten zich naar het gedrag van hun ouders

Het kind ervaart al vroeg dat een bepaald gedrag bij zijn ouders instemming vindt en vreugde oproept en een ander gedrag afkeuring en boosheid. Het ene is goed en het andere is slecht. Het kind richt zijn gedrag dan naar de onmiddellijke reactie van zijn ouders. Wat lof en bevestiging met zich meebrengt, wordt behouden; wat op weerstand of afkeuring stuit, wordt opgegeven als de 'verleiding van het verbo-

dene' voorbij is. Het kinderlijke geweten gaat eenvoudig na: wat is toegestaan en wat is verboden?

## 2. Kinderen leren waarden en normen die hen voorgehouden worden eigen maken of afstoten

De ruimten waarin het kind beweegt worden groter. De speelplaats, de straat, de jeugdvereniging zijn nieuwe belevingsvelden. Soms hoor je kinderen zeggen: 'Mijn mama wil niet dat ik met mijn mooie schoenen in de plassen loop', of 'mijn mama ziet het toch niet'. 'Mijn papa is boos als ik te laat thuis kom', of 'ik blijf liever nog wat spelen'. Kinderen herinneren zich wat vader en moeder goed of slecht vinden, ze leren dat sommige dingen thuis niet, maar bij vriendjes thuis wel mogen. Ze zien dat volwassenen en leeftijdgenootjes andere waarden belangrijk vinden, andere normen hanteren. Ze leren dat wat zij graag doen niet altijd overeenkomt met wat hun ouders of vriendjes graag hebben. Dat geeft conflicten.

Als ouders geven we onze kinderen te weinig kansen tot gewetensvorming, wanneer we hen blijven verplichten, blijven straffen, conflicten met machtsmiddelen blijven onderdrukken. Wanneer we hopen dat onze kinderen christelijke waarden overnemen, ook zonder onze aanwezigheid of dwang, dan moeten we onze handelingen en wensen verantwoorden, hen inzicht geven in onze motieven, ons geloven proberen uit te spreken.

## 3. Kinderen nemen beslissingen naar eigen inzicht

Argumenten, gesprekken geven kinderen inzicht; hun kleine ervaringen worden getoetst aan ervaringen van anderen, van mensen dichtbij en ver weg. Zij worden stilaan bekwaam om hun eigen levenssituatie te toetsen aan die van anderen. Zo komen zij langzamerhand tot een persoonlijke levensnorm. Voor een christen is die persoonlijke en vrije gewetensbeslissing het belangrijkste richtsnoer bij zijn handelen. In de groei daar naar toe kan het kind veel nut hebben van een ruim gezicht op landen en culturen, op de geschiedenis van mensen en volkeren. Getuigenissen en confrontaties over godsdienst en geloof, over opvattingen en meningen kunnen het helpen om tot een meer verantwoorde keuze te komen voor eigen normen en opvattingen, eigen waardenbeleving en godsdienst. Het kan leren rekening houden met anderen. Of, zoals in het evangelie, leren kiezen voor zwakken, voor de 'minsten van de Mijnen', voor God.

## Een zegen in de avondrust

Kinderen houden van een vast ritueel bij het slapengaan. Vader of moeder leest een verhaal voor, stoeit nog wat met het kind, dekt het toe, legt pop of beertje goed, geeft nog een zoen, een kruisje, wenst goeienacht... Avond aan avond vrijwel hetzelfde. Zo hebben kinderen het graag.

Fijn is ook als het kind de kans krijgt om eens rustig zijn hart te luchten als dat nodig is. Ging er wat fout vandaag? Heeft het pijn? Of was er ruzie met broer of zus, met een vriendje? Deed het wat verkeerd? Vindt het dat jammer? Of vindt het zich onrechtvaardig behandeld door vader of moeder, door de juf of de meester? Is het misschien gewoon stout, wat tegendraads, niet wetend wat met zichzelf aan te vangen?

Als vader en moeder dan de nodige rust vinden om het wat op te vangen, het te troosten, te vergeven, moed te geven, als zij het rustig op zijn plaats kunnen zetten, het wat uitleg weten te geven, om wat begrip kunnen vragen of zich waar nodig weten te verontschuldigen, is dat een ware zegen voor het kind. Een zegen in de avondrust, die de hele dag goedmaakt.

## Voorbereiding op de eerste biecht in gezin en parochie

Sinds het decreet van Pius X in 1910 was het een vaste gewoonte dat de kinderen vóór hun eerste communie ook te biecht gingen. Het decreet bepaalde: 'De leeftijd van onderscheid zowel met betrekking tot de biecht als tot de heilige communie is die, waarop het kind zijn verstand begint te gebruiken, dit wil zeggen rond het zevende jaar, soms iets eerder, soms ook iets later. Op die leeftijd begint de verplichting, aan de twee voorschriften van biecht en heilige communie te voldoen'. Die verplichting, zo bepaalt het decreet nader, valt 'allereerst terug op degenen, aan wier zorg het kind is toevertrouwd, dat is op de ouders, op de biechtvader, op de opvoeders en op de pastoor'.

In de loop van de jaren zestig kwam in België en Nederland daarin een hele verandering. Meer en meer werd de eerste biecht na de eerste communie geplaatst en kende de schoolcatechese een geleidelijke voorbereiding, gespreid over verschillende leerjaren, op de eerste biecht; bijvoorbeeld allereerst deelname aan niet-sacramentele boetevieringen, daarna viering van het sacrament van de biecht, met persoonlijke belijdenis en absolutie, in het kader van een gemeenschappelijke viering, ten slotte mogelijkheid om persoonlijk te biechten naast deelname aan gemeenschappelijke biechtvieringen. De persoonlijke zondebelijdenis van de kinderen geschiedde ook niet langer meer in de biechtstoel. De priester tracht nu van deze ontmoeting een persoonlijk gesprek te maken; hij ontvangt de kinderen in een aangepaste ruimte en onderhoudt zich met het kind. De biechteling bekent op zijn eigen manier zijn tekortkomingen en de priester bidt om Gods vergeving en roept op tot evangelisch leven.

*Hoe kunnen de ouders bijdragen tot de biechtopvoeding van hun kinderen?*

— Het belangrijkste is wellicht het scheppen van een sfeer van verzoening en 'nieuwe kansen' in het eigen gezin. Als ouders hun kind zijn gevoelens van spijt laten uitspreken en het vergiffenis schenken, maken zij Gods verzoening zichtbaar en tastbaar. En waarom zouden de ouders zelf ook hun tekorten tegenover hun kind nu en dan eens niet durven verwoorden?
— Het kind ervaart het best de waarde van parochiale boete- en biechtvieringen als het samen met zijn ouders er aan kan deelnemen.
— 'Bedgesprekjes' van moeder en/of vader vóór het slapengaan

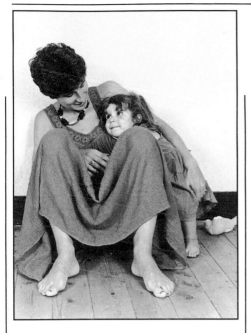

beleven de kinderen als heerlijke momenten. Soms kan het kind daarin ook 'even verwoorden' waar het mee zit en kunnen de ouders, met of zonder kinderbijbel, spreken over Gods menslievendheid...

## Schuldbelijdenis voor volwassenen

Mijn Heer en mijn God, ik betreur al mijn zonden uit liefde tot U.
Het spijt me dat ik uw goedheid niet beantwoord heb, en mijn naasten te kort heb gedaan.
Uit dit berouw wil ik herleven, nu en eeuwig met U.

Heer Jezus, Gij hebt de ogen van de blinden geopend en de zieken genezen.
Gij hebt de zondares vrijgesproken en Petrus — na zijn verloochening — weer in uw liefde opgenomen.
Luister naar mijn bidden:
vergeef me al mijn zonden,
wek in mij uw liefde weer tot leven,
opdat ik in broederlijke eensgezindheid kan leven en uw heil verkondigen aan alle mensen.

Gedenk uw barmhartigheid, Heer, uw altijd geschonken ontferming.
Herinner U niet het kwaad dat ik deed maar denk aan mij met erbarmen omdat Gij goed zijt, Heer.

God, ontferm U over mij in uw barmhartigheid.
Wend uw ogen af van mijn gebreken, scheld mij al mijn schulden kwijt.
Schep in mij een zuiver hart, mijn God,
geef mij weer een vastberaden geest.

## Schuldbelijdenis voor kinderen

Ik heb soms veel moeite om (vul zelf in: b.v. om anderen niet uit te sluiten).
Dat ga ik veranderen.
(Zeker nu het Pasen/Kerstmis wordt.)
Heilige Geest, sta me bij.

Ik wil voortaan
mijn gebed beter verzorgen.
Ik zal nu en dan eens
mijn ogen sluiten
en tot God bidden.
Gods Geest woont in mij.

Soms heb ik geen helpende hand uitgestoken
als er iemand om vroeg.
Ik heb daar spijt over.
Ik wil morgen,
ook ongevraagd,
'de voeten van de ander wassen'.
Naar het voorbeeld van Jezus.

God, ik ben blij
dat U mij vergiffenis schenkt.
Nu voel ik mij weer in staat
om mijn ouders en vrienden
echt lief te hebben
zoals U ons liefhebt.

## Ik ben een al-te-arm-mens

Op een nacht hoorde Bake lawaai in de buurt... 'Er zijn weer buffels gestolen', werd er geroepen en een inlander had het spoor gevonden... De Indo en Bake besloten om onmiddellijk de dieven na te zitten... Ze volgden de sporen... en op de heuvel aangekomen, hoorden ze de zoete en dunne klanken van een inlandse fluit... 'Zie je hem? De buffel met de kerel op zijn rug? Hij fluit om de andere mee te krijgen' (...).

Bake nam zijn geweer en knalde de dief, die op de buffel zat, neer... Toen ze bij de buffels kwamen, schrokken ze: 'Och God, och God... Si-Bengkok!' zegde de Indo. Bake kon geen woord uitbrengen. Hij was een en al wroeging en medelijden voor de stervende knaap. En hij gevoelde duidelijk en diep dat hij in dat arme wezen ook zichzelf kwaad had gedaan, – kwaad dat in der eeuwigheid niet meer goedgemaakt kon worden (...).

Toevallig kwam een kar aanrijden. Ze vroegen de voerder de gewonde naar de fabriek te brengen. Bake nam plaats op de kar met Si-Bengkok op zijn schoot. De Indo reed er naast, Bakes paard aan de teugel voerend... Hij stelde voor vooruit te rijden en de dokter te waarschuwen...

Bake vroeg:
'Heb je pijn, Si-Bengkok?'

De bleke lippen trachtten te bewegen. Hij raadde het: 'Niet zo erg'. 'Houd maar moed. Ik breng je bij de dokter. Ken je me?'

Hij bracht zijn gezicht boven de flauwe ogen, die in het licht der flambouw staarden. Ze rezen langzaam naar hem op.

'Weet je wie ik ben, Si-Bengkok?'
De jongen bracht er de woorden uit: 'Ja, heer.'

Bake tastte naar de hand, die koud in het koele gras lag, en hield ze in zijn warme, vaste greep.

'Hoe kon je dat toch doen, Si-Bengkok?'

Hij had iets heel anders willen zeggen, zijn hart was vol zelfbeschuldiging en tederheid en beklag, maar hij vond geen woorden in zijn ontroering, en werktuiglijk zei hij: 'Hoe kon je dat toch doen?' En schaamde zich nog voor hij het had uitgesproken.

Si-Bengkok bewoog een paar maal de lippen – eindelijk kwam het er uit, nauwelijks hoorbaar:
'Ik ben een al-te-arm-mens...'

Het ging Bake door de ziel. Hij besefte, wat hij nog nooit had bedacht, de nood van dat hulpeloze wezentje, dat hij aan zijn lot had overgelaten om te verhongeren in het stof waarin het rondkroop als een vleugellam, half-vertrapt insekt. Die niets heeft en niets kan verdienen en van niemand iets krijgt, hoe doet die om het leven te behouden?

Hij voelde zijn keel dichtgeknepen

137

bij de gedachte hoe Si-Bengkok van hem het bittere beetje had verwacht dat hij nodig had voor zijn onschuldig leven, en hoe hij had geweigerd, erger dan geweigerd, vergeten in de haast en de hebzucht van zijn jacht achter de rijkdom aan.

'En nu heb ik hem doodgemaakt omdat hij een mondjesmaat afknabbelde van wat ik te veel heb, zo maar stuk gebroken, zo'n aardig zieltje, dat daar in dat arme kleine lichaam zat te zingen als een leeuwerik in zijn kooi...'

'Wel zoet op de fluit spelen, zodat wie het hoort tevreden wordt van hart...'.

Met tranen in de ogen boog hij over Si-Bengkok heen, hem zachtjes over het haar strelend.

'Je blijft nu bij mij, Si-Bengkok, altijd, altijd! Je zult een goed leven hebben, als de dokter je eerst maar weer beter heeft gemaakt, een heerlijk leven, zoals je het zelf maar wenst. En voor je ouders zullen we ook zorgen. Is dat goed?'

Het duurde een wijle voor Si-Bengkok er het antwoord uit kon brengen.

'Het is goed, heer.'

Toen lag hij weer stil.

'Misschien wordt hij werkelijk wel beter...' trachtte Bake te denken. 'Als we maar eerst thuis waren!'

Langzaam kraakte de kar voort. Er kwam geen einde aan die eentonige bomenrij langs de weg, die stam voor stam voorbij schoof. De karrevoerder was weder begonnen te neuriën. Het scheen of de trage deun de tijd zelf langzamer maakte. Telkens weer, als een oneffenheid van de weg de kar deed opschokken, boog Bake zich bezorgd over de gewonde. Maar hij scheen geen pijn te voelen van de stoot: hij kreunde zelfs niet meer.

'Hij zal bewusteloos zijn,' dacht Bake.

Hij trok zijn jas uit en spreidde ze over het lijdelijke lichaam. Maar de hand die hij in de zijne hield werd al kouder.

De walmende fakkel op de kar ging uit.

Hij zat in het donker. In de zwartblauwe hoogten boven zijn hoofd tintelden de sterren. Geheel werktuiglijk keek hij ernaar; zijn gedachten waren als verstijfd.

Dat duurde làng zo.

De kar gaf een plotselinge stoot. Hij schrok op. Si-Bengkoks hoofd was van zijn knieën gegleden.

'Je hebt je toch geen pijn gedaan?' Er kwam geen antwoord. Bezorgd bukte hij over het bleke gezicht.

Tussen de grashalmen en de verwelkende varens lag het stil. De ogen, waarop het sterrenlicht zo vreemd schitterde, waren gebroken.

*Uit: Augusta De Wit, Orfeus in de dessa.*

# Vormsel
## verantwoordelijk leven

o Misschien hebben de kinderen tot nog toe maar weinig moeilijke vragen gesteld.
Toch zullen die er komen.

o Wie ben ik ?
o Wie mag mij graag ?
o Waarom leef ik ?
o Wat zal ik worden ?
o Welke kant zal het met mij opgaan ?

Veel heb ik,
veel wil ik nog graag hebben,
maar hoe meer ik heb,
des te groter wordt mijn verlangen.
Waarom ben ik nooit tevreden ?
En wat als ik alles heb,
o iemand die mij mag,
o een beroep dat mij bevalt,
o wat tijd voor mijzelf,
o voldoende geld om me wat te kunnen veroorloven ?

Velen zeggen: 'In het leven moet je pakken wat je krijgen kunt'. Maar is dat geen zelfmisleiding ?

**Een leerling aan een beroepsopleiding schrijft:**

Ik ben een goedkope arbeidskracht,
ik word uitgebuit,
mijn werk staat mij dikwijls tegen.
Mijn ouders, mijn leraren,
de geestelijken in de kerk,
de werkgever,
niemand begrijpt me goed.
Ze hebben allemaal wat op mij aan te merken
en laten mij niet doen
wat ik wil.
Er zou eigenlijk iemand moeten zijn,
die mij niet uitbuit,
iemand,
die mij begrijpt,

139

iemand,
die mij ernstig neemt,
iemand,
die mij mijn vrijheid gunt,
iemand,
die mij blij maakt....

**Als christen...**

Als christen geloof ik in een leven,
waarin er meer is dan disco, seks en
auto.
Maar *geloof* ik echt?
Waarom *geloof* ik eigenlijk?
Misschien
uit gewoonte
of
omdat ik bang ben voor de dood
of
alleen voor het geval dat?
of
omdat mijn ouders mij dwingen
of
omdat preken mij angst aanjagen?
of
om mijn ziel te redden
of
omdat ik beter wil zijn dan de anderen?
*Andreij M. Sinjawskij*

*Jouw vragen zijn
ook mijn vragen*

Ook wij, ouders, hebben geen kant
en klare antwoorden.
Ook wij, ouders, hebben angsten,
zorgen en verlangens:
hoe zal het verder gaan met onze
kinderen?

Hebben wij in de opvoeding alles
goed gedaan?
Wat doen we, als de kinderen het
huis uit zijn?
Heb ik nog zeker werk?
En als een van ons ziek wordt?
De levenssituaties van ouders en
opgroeiende kinderen vertonen
veel overeenkomsten.
Jongeren in de puberteit vragen
voor het eerst ernstig naar het
waarom en het waartoe van hun
leven.
Ouders op middelbare leeftijd vragen opnieuw: waarvoor heb ik tot
nog toe geleefd?
Waarvoor dienen al onze inspan-
ningen en ons comfort?
Hoe gaat mijn levensweg verder
met mijn partner, in mijn beroep,
met de kinderen?
In hetzelfde gezin zijn twee generaties met dezelfde vragen bezig.
Het is goed als ook ouders bekennen, dat ze vragen hebben.

## Lieve kinderen,

Iemand zei eens:
'Ouders die vandaag de dag geen problemen hebben met hun kinderen, zouden eigenlijk een soort luxetaks moeten betalen. De problemen horen er tegenwoordig immers gewoon bij'. Voor veel ouders kunnen deze woorden een troost zijn.

Dat wil niet zeggen dat jullie, de kinderen, de enige verantwoordelijken zijn voor die problemen. Wij beseffen best dat ook wij jullie heel wat last bezorgen.

Maar heb geduld met ons. Laat ons wat tijd om onze weg te vinden. Vaak zijn het alleen maar angst en zorgen om jullie die ons bezighouden. En ook wel een stuk verantwoordelijkheidsbesef zolang jullie nog bij ons zijn.

Wij beseffen heel goed dat jullie ons leven niet zullen copiëren. Wij ondervinden trouwens hoe moeilijk het voor ons is om onze ervaringen door te geven.

Wat ons echter vooral zwaar valt is het besef dat wij afscheid zullen moeten nemen. Wij houden immers van jullie. En datgene waarvan je houdt, wil je ook graag behouden. Maar jullie gaan langzaamaan je eigen weg; je wordt zelfstandig. En zo hoort het ook. Alleen moeten wij daar stilaan aan wennen en zal het ons wel wat tijd kosten om te leren jullie los te laten.

Maar wees gerust, het loopt wel los met ons. Wij hebben tenslotte ook nog elkaar.

## Lieve ouders,

Ik stel mij de laatste tijd nogal wat vragen. Onder meer of jullie wel beseffen dat ik maar voor een beperkt aantal jaren bij jullie ben en dat ik niet jullie eigendom ben. Je bezit mij niet zoals een ding dat je koopt en dat je houdt zolang je dat fijn vindt.

Naarmate ik ouder word zullen jullie wel zien dat ik anders ben dan je gewenst had. Ik zal een ander soort leven leiden, een vreemd leven, dat niet gelijkt op dat van jullie.

Wees dan mijn vrienden, die mij nemen zoals ik ben. Hou van mij, aanvaard mij, ga een eind met mij mee. Heb vooral vertrouwen in mij: het goede dat ik bij jullie zag, zal ik proberen uit te dragen, op mijn eigen manier.

Laat mij vrij zijn, vader, moeder. Dan kan ik beter mijzelf zijn. Dan zie ik ook duidelijker jullie en krijg ik beter vat op mijn leven.

## Ouders en jongeren zoeken antwoorden

Aan alle kanten klinken stemmen. Neonlichten en glimmende sterren wijzen richtingen aan, verlichten of verblinden. Sterren op de vlag van de USA, een rode ster op het vaandel van de USSR, een krans van gele sterren op de vlag van de UNO, rocksterren, filmsterren, Mercedessterren op de weg...
een ster boven Betlehem...
Stemmen, lichten, sterren. Duizend wegen leiden hierheen, daarheen. Alle spreken ons toe, stellen een manier van leven voor, doen beloften, werven en vragen om onze aandacht.
Waar zullen we heen gaan? Naar welke stemmen zullen wij luisteren? Bij wie zullen wij ons aansluiten?

### Jezus Christus zegt

*Ik ben de weg, de waarheid en het leven.*
*Joh. 14,6*
*Ik ben gekomen, opdat zij leven zouden bezitten, en wel in overvloed.*
*Joh. 10,10*

### Eindelijk iemand, die zegt

Eindelijk iemand, die zegt:
'Zalig de armen!'
en niet:
wie geld heeft, is gelukkig!

Eindelijk iemand, die zegt:
'Bemin uw vijanden!'
en niet:
sla je concurrenten neer!

Eindelijk iemand, die zegt:
'Zalig, die vervolgd worden!'
en niet:
pas je aan elke situatie aan!

Eindelijk iemand, die zegt:
'De eerste moet de dienaar van allen zijn!'
en niet:
laat zien wie je bent!

Eindelijk iemand, die zegt:
'Wat baat het de mens als hij de hele wereld kan bezitten!'
en niet:
het belangrijkste is vooruit te komen!

Eindelijk iemand, die zegt:
'Wie in Mij gelooft, zal leven in eeuwigheid!'
en niet:
wat dood is, is dood!

*Martin Gutl*

**Jezus, iemand die mij verstaat...**

- iemand, die mij ernstig neemt
- iemand, die mij vrij laat
- iemand, die mij opnieuw laat beginnen
- iemand, die...

## Gods geest over Jezus Christus

Jezus heeft in zijn leven laten zien wie God voor ons is en hoe God voor ons is.

Hij is een God, die een verbond met de mensen aangaat. Hij houdt van ons, Hij gaat graag met ons om, Hij vergeeft ons, Hij schenkt ons de kracht altijd weer opnieuw te beginnen. In zijn geest kunnen wij leven.

Jezus wordt de 'Christus' genoemd, omdat hij met Gods geest gezalfd is. 'Christus' betekent 'gezalfd zijn' of 'bezegeld zijn'. Zalving of bezegeling betekent ook 'overdracht van volmacht'.

*De geest van Jahweh, mijn Heer, rust op mij, want Jahweh heeft mij gezalfd. Hij heeft mij gezonden om de armen het blijde nieuws te brengen, om te verbinden wier hart gebroken is, om aan gevangenen vrijlating te melden, en aan de geboeiden de terugkeer naar het licht: om een jaar van Jahweh's genade te melden.*

*Jes. 61,1-2*

De evangelist Lucas vertelt hoe het openbaar optreden van Jezus begint. Hij gaat naar de gebedsdienst in de synagoge van Nazaret waar

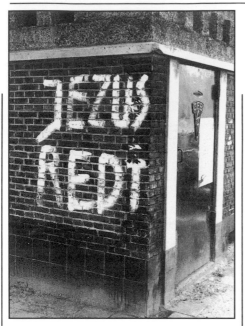

Hij is grootgebracht. Daar houdt Hij zijn eerste onderrichting:

*'Zij reikten Hem de boekrol van de profeet Jesaja aan. Hij opende de rol en vond de plaats waar geschreven stond: De geest des Heren is over mij gekomen, omdat Hij mij gezalfd heeft.*
*Hij heeft mij gezonden om aan armen de Blijde Boodschap te brengen, aan gevangenen hun vrijlating bekend te maken, en aan blinden, dat zij zullen zien; om verdrukten te laten gaan in vrijheid, om een genadejaar af te kondigen van de Heer.*
*Daarop rolde Hij het boek dicht, gaf het terug aan de dienaar en ging zitten. In de synagoge waren aller ogen gespannen op Hem gevestigd. Toen begon Hij hen toe te spreken: 'Het Schriftwoord dat gij zojuist gehoord hebt, is thans in vervulling gegaan'.*

Luc. 4,16-21

## Vier scenes uit het leven van Jezus

*En Hij gaf opdracht dat het volk zich zou neerzetten op het gras. Hij nam de vijf broden en de twee vissen, sloeg de ogen ten hemel, en nadat Hij de zegen had uitgesproken, brak Hij de broden die Hij aan zijn leerlingen gaf en de leerlingen gaven ze weer aan het volk. Allen aten tot ze verzadigd waren en aan overgebleven brokken haalde men nog twaalf volle korven op. Het waren ongeveer vijfduizend mannen die hadden gegeten, vrouwen en kinderen niet meegerekend.*

Mat. 14,19-21

Bij het vertrek uit Jericho gingen vele mensen met Hem mee. Er zaten twee blinden langs de weg, die, horend dat Jezus voorbijging, luidkeels begonnen te roepen: 'Heer, Zoon van David, heb medelijden met ons !' Jezus bleef staan, riep hen bij zich en vroeg: 'Wat wilt ge dat Ik voor u doe ?' Zij zeiden: 'Heer, open onze ogen.' Jezus had medelijden met hen en raakte hun ogen aan. Terstond konden zij zien en sloten zich bij Hem aan.
Mat. 20,29-30, 32-34

Men kwam een lamme bij Hem brengen, die door vier mannen gedragen werd. Toen Jezus hun geloof zag, zei Hij tot de lamme: 'Mijn zoon, uw zonden zijn u vergeven. Ik zeg u, sta op, neem uw bed mee en ga naar huis.' Hij stond op, nam zijn bed en voor aller ogen ging hij onmiddellijk naar buiten. Iedereen stond er versteld van, en ze verheerlijkten God en zeiden: 'Zoiets hebben wij nog nooit gezien.'
Mc. 2,3.5.11-12

Bij zijn aankomst bevond Jezus dat Lazarus al vier dagen in het graf lag. Hij sprak: 'Waar hebt gij hem neergelegd ?' — Jezus begon te wenen. Hij riep met luider stem: 'Lazarus, kom naar buiten !' De gestorvene kwam naar buiten, voeten en handen met zwachtels omwonden en met een zweetdoek om zijn gezicht. Jezus beval hun: 'Maak hem los en laat hem gaan.'
Joh. 11,17. 34-35. 43-44

# Christenen – bezield met de geest van God

In het vormsel worden ook wij als christenen, dat wil zeggen als gezalfden en bezegelden, opnieuw gesterkt met de geest van God. Wij stemmen bewust in met hetgeen door de doop met ons gebeurd is. De mededeling van de geest van God begon destijds met het joodse pinksterfeest, waarop de leerlingen van Jezus weer allen waren verzameld.

## Nederdaling van de heilige Geest

*Toen de dag van Pinksteren aanbrak, waren allen bijeen op dezelfde plaats. Plotseling kwam uit de hemel een gedruis alsof er een hevige wind opstak en heel het huis waar zij gezeten waren, was er vol van. Er verscheen hun iets dat op vuur geleek en dat zich, in tongen verdeeld, op ieder van hen neerzette. Zij werden allen vervuld van de heilige Geest en begonnen in vreemde talen te spreken, naargelang de Geest hun te vertolken gaf. Nu woonden er in Jeruzalem Joden, vrome mannen, die afkomstig waren uit alle volkeren onder de hemel. Toen dat geluid ontstond, liep het volk te hoop en tot zijn verbazing hoorde iedereen ze spreken in zijn eigen taal. Zij waren buiten zichzelf en zeiden vol verwondering: 'Maar zijn al die daar spreken dan geen Galileeërs? Hoe komt het dan dat ieder van ons ze hoort spreken in zijn eigen moedertaal? Parten, Meden en Elamieten, bewoners van Mesopotamië, van Judea en Kappadocië, van Pontus en Asia, van Frygië en Pamfylië, Egypte en het gebied van Libië bij Cyrene, de Romeinen die hier verblijven, Joden zowel als proselieten, Kretenzen en Arabieren, wij horen ze in onze eigen taal spreken van Gods grote daden.' Allen waren buiten zichzelf, wisten niet wat ervan te denken en zeiden tot elkaar: 'Wat zou dit betekenen?' Maar anderen zeiden spottend: 'Ze zijn zich aan zoete wijn te buiten gegaan.'*

*Hand. 2,1-13*

## Om de tekst te begrijpen

*Wind* wordt in de bijbel gebruikt als symbool van de ervaring van de aanwezigheid van God.

*Vuur* wordt in het bijbelse spraakgebruik gezien als levenschenkend element, dat verteert en omvormt.

*Pinksteren* is het joodse feest van de eerste oogst. De joden vieren op dit feest ook de afkondiging van de wet op de Sinaï.

*Zoete wijn* was een bijzonder sterke drank, waarvan men in een roes raakte. Vaak was die wijn met kruiden en honing vermengd.

*In vreemde talen spreken* is een spreken in religieuze extase, dat niet als een menselijk spreken wordt gezien, maar als van hemelse oorsprong. In plaats van woorden worden geluiden gebruikt, die verstaan en geduid kunnen worden.

# Gevormd met Gods kracht - de heilige Geest

## Ik geloof in de heilige Geest

Ik geloof,
dat hij mijn vooroordelen kan afbreken.
Ik geloof,
dat hij de sleur kan doorbreken.
Ik geloof,
dat hij mijn onverschilligheid kan overwinnen.
Ik geloof,
dat hij mij vindingrijk in de liefde kan maken.
Ik geloof,
dat hij mij kan waarschuwen voor het kwaad.
Ik geloof,
dat hij mij moed tot het goede kan geven.
Ik geloof,
dat hij mijn droefheid weet om te buigen.
Ik geloof,
dat hij mij liefde voor het woord van God kan geven.
Ik geloof,
dat hij mijn minderwaardigheidsgevoelens kan wegnemen.
Ik geloof,
dat hij mij kracht kan geven in mijn lijden.
Ik geloof,
dat hij mij een broeder kan geven,

die mij steunt.
Ik geloof,
dat hij mijn wezen kan doordringen.

*Karl Rahner*

*De vrucht van de Geest is liefde, vreugde, vrede, geduld, vriendelijkheid, goedheid, trouw, zachtheid en ingetogenheid.*
*Gal. 5,22-23*

## Gevormd worden op twaalfjarige leeftijd betekent:

o dat een gedoopte
o op een belangrijk ogenblik, namelijk in de aantrekkelijke maar ook moeilijke overgangsperiode van het basis- naar het middelbaar onderwijs, van de kinder- naar de adolescentiejaren,
o opgeroepen wordt verbonden te blijven leven ('communio') met God en met de mensen, naar het voorbeeld van Jezus.
o Voor deze opgave wordt hij opnieuw toegerust met de gave van de heilige Geest.
o In de vormselviering zal hij zijn geloof meer bewust en persoonlijk belijden
o temidden van de kerkgemeenschap en ten overstaan van de bisschop of zijn afgevaardigde.

*Een uitnodiging om zich voor te bereiden op het vormsel*

Met deze brief nodigen wij je uit.
Een uitnodiging kan je aannemen of afwijzen.
Een uitnodiging waarvoor, zal je vragen.

*Voor het vormsel*
Vormsel heeft te maken met je geloof, met je leven in de kerk, met je taak in de wereld.
Toen je gedoopt werd, hebben je ouders, je peter en meter gezegd: wij geloven, en wij willen dat ook ons kind een christen wordt.
Nu ben je oud genoeg om zelf en persoonlijk te zeggen: ik geloof, ik wil leven als christen.
Het moet je eigen wens zijn het vormsel te ontvangen.
De voorbereiding daartoe gebeurt in groepen met jongeren van je eigen leeftijd en met volwassen gesprekspartners.

*Je pastor*

# Vormsel

Het nieuwe leven, dat de christen in het doopsel ontvangt, moet groeien en zich ontwikkelen. Bij een kind gebeurt dat vooral door aan het geloofsleven in het gezin en de parochie deel te nemen en daarin mee te geloven.

Maar er komt een dag dat het voor de jonge mens niet meer voldoende is om te zeggen: dat doen mijn ouders ook zo. Hoe ouder hij wordt, des te meer zal hij eigen stappen in het geloof zetten. Hij moet stilaan zelf beslissen welke weg hij inslaat, welk levensprogramma hij kiest, welk doel hij zich stelt.

Je wordt niet als christen geboren; je moet christen worden.

## De leeftijd bij het vormsel

Belangrijker dan een bepaalde leeftijd is de persoonlijke levens- en geloofssituatie. Als het vormsel ook betekent een bewust instemmen met een christelijk leven, dan moet het op een leeftijd worden toegediend waarop de jongere begint zelfstandiger en verantwoordelijker mee te beslissen over zijn levensweg. Normaal gesproken kan dat nauwelijks vóór zijn twaalfde

jaar. In een aantal parochies wordt het vormsel op een latere leeftijd gevierd.

## Voorbereiding op het vormsel

De eigenlijke voorbereiding gebeurt thuis, door samen dag aan dag te leven in Gods geest. Dat is althans het ideaal. In de praktijk ligt dat wel eens anders. Dikwijls is het vormsel voor de jongere het eerste contact met kerk en gelovigen sinds de eerste communie.

De directe voorbereiding op het vormsel vindt best plaats in kleine groepjes van meisjes en jongens, die in de loop van de laatste twee jaar of gedurende het laatste jaar vóór het vormsel geregeld samenkomen onder leiding van volwassen christenen.

Gesprekken en gezamenlijke activiteiten zijn een hulp om de vragen en de problemen van het eigen leven beter te begrijpen, ze te verstaan vanuit het geloof in Christus en ermee te leren omgaan. Tegelijkertijd wordt daardoor een hechtere band aangegaan met gelovige christenen en met de parochie. Men kan niet alléén christen zijn, maar slechts in gemeenschap met anderen.

## De begeleider van een groepje vormelingen

In opdracht van en namens de parochie stellen zich geloofwaardige mannen en vrouwen beschikbaar als gesprekspartners voor de groepjes jongens en meisjes. Aan hen zullen de vormelingen kunnen ervaren hoe ook in onze tijd, met zijn vele verschillende levensopvattingen, christelijk geleefd kan worden. Een goede relatie is daarbij belangrijk. Deze mannen en vrouwen zijn als gewone, 'alledaagse' christenen, wellicht geloofwaardiger dan de pastor, van wie nogal eens te vanzelfsprekend wordt verondersteld, dat hij ambtshalve het geloof verkondigt. De begeleiders van de vormselgroepjes ontmoeten elkaar regelmatig om gezamenlijk het samenkomen met de groepjes voor te bereiden. Samen met de jongens en meisjes gaan ze op weg en komen zo ook zelf tot een vernieuwde beleving van hun christenzijn.

## De peter of meter van de vormeling

De peter/meter is de persoonlijke begeleider en helper van de vormeling. Het kan de dooppeter of -meter zijn. Maar het kan ook elke andere volwassen christen zijn, die zelf gevormd is. Voor de vormeling is de peter/meter voortaan helper en gesprekspartner. Het peterschap van een groepje vormelingen kan ook waargenomen worden door iemand die het groepje heeft begeleid.

## De bedienaar van het vormsel

De toediening van het vormsel is in eerste instantie een taak van de bisschop. Het vormen door de bisschop maakt duidelijk, dat de afzonderlijke christen bij de gehele kerk behoort en laat zien, dat die christen verantwoordelijkheid draagt in de kerk en in de wereld. Omdat de bisschoppen vanwege de grootte van hun diocees niet regelmatig in elke parochie kunnen komen, wordt ook aan andere priesters van het bisdom de opdracht verleend het vormsel toe te dienen.

## De vormselviering met de parochie

Omdat doopsel, vormsel en eucharistie als inwijdingssacramenten bij elkaar horen, wordt het vormsel toegediend tijdens een eucharistieviering. Het vormsel betekent een definitieve opname in de plaatselijke kerk. Het is dus niet alleen een feest van jongeren met hun ouders en meter of peter. Door de deelname van de parochie moet duidelijk worden, dat het vormsel de christen op een nieuwe wijze met de kerk verbindt en in de wereld zendt. Ten opzichte van de parochie spreekt de vormeling zijn bereidheid uit mee te werken in de kerk en een christelijk leven na te streven. Deze opdracht kan hij des te beter vervullen naarmate hij zich meer gedragen en gesteund weet door de gemeenschap van gelovigen.

## Jongerengroep

Wellicht is het mogelijk de bijeenkomsten van de gevormden met de vormselcatechisten ook na het vormsel voort te zetten. In elk geval moet de parochie in contact blijven met de jonge christenen. Dat lukt het best via jongerengroepen, ontmoetingsplaatsen en in de vrije tijd. Hier kunnen de jongeren elkaar deelgenoot maken van hun leven, erover nadenken, praten en het vieren. Uit dergelijke ontmoetingen ontstaan veelal vriendschappen, die zich over een belangrijk deel van het leven uitstrekken.

In heel wat parochies in Vlaanderen bestaat er een 'plus dertien-werking': na hun vormsel blijven jongeren elkaar ontmoeten en bespreken zij hoe ze zich als gelovigen verder kunnen ontwikkelen.

## De liturgie van het vormsel

Het vormsel wordt in de regel tijdens de eucharistieviering toegediend, maar kan ook als aparte cultus-viering plaats hebben. Aan het eigenlijke vormen gaan vooraf: de woorddienst, het voorstellen van de vormelingen aan de bisschop (of aan de betreffende bedienaar van het vormsel) en de vernieuwing van de doopbeloften.

De eigenlijke toediening van het vormsel begint met het gebed van de bisschop.

Hij strekt de handen uit over de vormelingen en vraagt voor hen de gave van de H. Geest:
'Almachtige God,
Vader van onze Heer Jezus Christus,
door de doop uit water en heilige Geest
hebt Gij deze jongens en meisjes tot nieuw leven gewekt
en bevrijd uit de macht van het kwaad.
Zend over hen uw heilige Geest, de trouwe helper.
Geef hun de geest van wijsheid en inzicht,
de geest van raad en sterkte,
de geest van vroomheid en liefde,
en vervul hen van eerbied voor uw heilige Naam.
Door Christus onze Heer.

Dan volgt de zalving met chrisma-olie. De bisschop noemt de naam van de vormeling, maakt met chrisma een kruisteken op diens voorhoofd en zegt:
'Ontvang het zegel van de heilige Geest, de gave Gods.'
De gevormde antwoordt: 'Amen.'
Tijdens de zalving leggen peter en meter of de ouders de rechterhand op de schouder van de vormeling. Na de vredewens en de voorbeden volgt dan de eucharistieviering.

### Zendingswoord

Meisjes en jongens,
jullie ouders, peters en meters,
heel de parochiegemeenschap en ik zelf
verwachten veel van jullie in de toekomst.
Wij hopen dat jullie als gevormde, jonge christenen
actief blijft deelnemen
aan het leven van deze kerkgemeenschap.
Daar komt tot volle ontplooiing
wat jullie vandaag beloofd hebben.
Moge Gods Geest die je vandaag ontvangen hebt,
je sterken in het geloof,
je begeleiden in de liefde
en je vervullen met hoop.
Daartoe zal ik jullie allen de zegen geven...

## Sacramentele tekenen van het vormsel

De woorden en handelingen bij de toediening van een sacrament zijn zichtbare, uiterlijke tekenen. Zij zijn tekenen van hetgeen God voor ons en met ons doet. Wat de woorden en de handelingen bij het vormsel betekenen, dat gebeurt ook in ons.
De belangrijkste tekenen bij het vormsel zijn:
– *handoplegging*
– *zalving*
– *bezegeling*

### Handoplegging

Als ik iemand de hand op de schouder leg, wil ik hem tonen, dat ik hem nabij ben, dat hij op mij kan rekenen. Als vader of moeder hun kind de hand opleggen, dan laten zij daarmee zien, dat zij hun kind aannemen en beschermen.
In het Oude Testament betekent het opleggen van de handen bovendien de zegen van God doorgeven. In het Nieuwe Testament lezen we hoe Jezus de kinderen de handen oplegt en ze zegent (Mc. 10,16).
Door het opleggen van de handen werd in de oude kerk ook de volmacht tot belangrijke taken doorgegeven. Dat gebeurt heden bijvoorbeeld nog bij de wijding tot diaken of priester.
Met de handoplegging bij het vormsel door de bisschop wordt uitgedrukt:
– *God beschermt je*
– *God zegent je en is je nabij*
– *God geeft je de opdracht als christen te leven.*

### Zalving

Een tweede sacramenteel teken van het vormsel is de zalving met chrisma. Chrisma is een mengsel van olijfolie en balsem en wordt op Witte Donderdag door de bisschop gewijd. De zalving is allereerst een teken van heiliging en sterking. Op wonden wordt zalf gedaan om ze te doen genezen. Al in het Oude Verbond was de zalving een teken voor het meedelen van de Geest van God. Koningen, priesters en profeten werden dus gezalfd. Gods Geest moest hun de kracht geven het volk te leiden volgens de wil van God. Zo wordt ook Jezus in het Nieuwe Testament de 'Christus', dat wil zeggen de Gezalfde genoemd.

'Gezalfde' betekent in het Grieks 'Christos', in het Hebreeuws 'Messias'. In de loop van de tijd werd deze eretitel voor Jezus tot een eigennaam: 'Jezus Christus'.

Bij het doopsel wordt men door de zalving tot christen. De zalving bij het vormsel drukt uit dat de jonge christen nu zelf op eigen verantwoordelijkheid, de eerste zalving in het doopsel gestand doet en beaamt.

*En God zelf is het, die ons samen met u in Christus bevestigt en die ons heeft gezalfd. Hij is het, die op ons zijn zegel heeft gedrukt en ons de Geest als onderpand heeft gegeven.*

2 Kor. 1,21-22

### Bezegeling

In het vormsel zegt de bisschop: 'Ontvang het zegel van de heilige Geest, de gave Gods'.

Daarbij maakt hij een kruisteken op het voorhoofd van het kind, zoals destijds ook de priester, de ouders, de peter en de meter bij het doopsel deden. Vele ouders geven hun kind ook later nog vaak een kruisje, bij het naar bed gaan of als het voor een tijdje van huis gaat. Zij laten daarmee zien dat zij in en door hun persoonlijk leven de zegen van God willen doorgeven.

In de bezegeling komt de onverbrekelijke trouw van God tot uitdrukking. Zoals een zegel het ge-

153

schrevene bekrachtigt, het vrijwaart van vervalsing, de echtheid ervan garandeert en de ongeschondenheid ervan bewijst, zo stelt God zich garant voor ons; Hij beschermt ons en maakt zich waar door de Geest, die Jezus ons gezonden heeft.

Paulus schrijft in de brief aan de Efesiërs:

*In Christus zijt ook gij, nadat gij het woord der waarheid, het evangelie van uw heil, hebt aanhoord, in Hem zijt ook gij tot het geloof gekomen, verzegeld met de heilige Geest der belofte, die het onderpand is van onze erfenis, tot verlossing van Gods eigen volk, en tot lof van zijn heerlijkheid.*

*Ef. 1,13*

Het christelijk leven dat wij met het doopsel hebben aangenomen, wordt door het vormsel bezegeld en bekrachtigd.
God neemt zijn toezegging niet terug.
Dat is overigens de betekenis van het gezegde dat het vormsel een 'onzichtbaar merkteken' geeft.
Daarom kan het, zoals het doopsel, slechts eenmaal in het leven ontvangen worden.

# Het feest thuis

De viering thuis is vooral een zaak van de gevormden zelf. Het vormsel is tenslotte hun engagement, het is hun feest. Met ouders, broers en zussen dient dan ook tijdig afgesproken te worden:
– Wie nodigen wij uit? (persoonlijke vrienden, familie...)
– Hoe richten wij een gezamenlijk etentje in? (liever eenvoudig en thuis dan in een restaurant).
– Wat doen we na het eten?
– Wat doe ik met de cadeaus?
Misschien kan in het vormselgroepje afgesproken worden dat de vormelingen geld dat ze zouden cadeau krijgen, afstaan om een project in de parochie of in de derde wereld te ondersteunen.
Zinvolle geschenken kunnen zijn: een kruisbeeld, een bijbel, een herinnering, een boek over of beeld van de patroonheilige, een boek met een bezinningstekstje voor elke dag...
De groep van de vormelingen zal van tijd tot tijd daarna nog samenkomen. In elk geval zou samen met de groepjes en hun catechisten het vormsel gevierd moeten worden. De ideeën hiervoor kunnen de gevormden zelf leveren.

# Goede kinderbijbels

**Voor 9-11-jarigen**

*Jörg ZINK,* Al ben ik een ezeltje... De bijbel verteld, Hilversum, Gooi en Sticht, 1981.

*K. EYKMAN - B. BOUWMAN,* Woord voor woord. Kinderbijbel. Oude en Nieuwe Testament, Ede/ Antwerpen, Uitg. Zomer en Keunig, 1984 (3).

Bijbel voor de basisschool, Antwerpen, Patmos, 1982.

*Joanna KLINK,* Bijbel voor de kinderen (met zingen en spelen) — (2 delen: O.T. en N.T.), Baarn, Uitg. Het Wereldvenster.

**Voor 11-13-jarigen**

*Mathilde ROOLFS,* Verhalen over God, de mensen en de wereld. Tora en profeten, Amersfoort, Uitg. A. Roelofs, 1984 (2).

*Olav van OUTRYVE,* Bijbel voor de jeugd. Het Oude Testament, 1983; Het Nieuwe Testament, 1986, Averbode, Altiora.

*Joanna KLINK,* Het huis van licht; 3 Delen, Kampen, Uitg. Kok, 1984-1985.

*D. STEINWEDE* (een reeks boekjes, vert. uit het Duits), Boxtel, K.B.S., Brugge, Emmaüs, vanaf 1978: Pinksteren, Schepping, Wonderen, Jezus van Nazaret, Pasen, Kerstmis met Lucas, Over God, Paulus van Tarsus.

## Na het vormsel is het niet afgelopen

Misschien vraag je je af wat het vormsel eigenlijk in je leven bewerkt heeft. Je bespeurt geen veranderingen bij jezelf. En na het vormsel voel je je niet anders dan ervóór...

Ook heb je soms het gevoel iets bijzonders te moeten doen. Je wil dat het anders wordt op school, bij het werk, met je vriend of vriendin, met het eeuwige geruzie thuis, met de oorlog in de wereld...

Ook Jezus heeft niet heel de wereld in beweging gebracht. Hij heeft niet eens de grote volksmassa's kunnen bezielen. Slechts een kleine groep mensen hoorde bij Hem en ging met Hem mee. Maar Hij had aandacht voor de nood, het lijden en de zorgen van elke mens die Hij toevallig tegenkwam: onderweg ontmoette Hij een zieke, een vrouw die water ging halen, een zondares, een ontevreden belastinginspecteur, kinderen. Het waren geen grote dingen, geen grote daden.

### Roeping

Roeping is een wonder gebeuren. God zelf roept mensen in zijn dienst. Hij roept wie Hij wil als christen, priester, kloosterling, leek. En toch is roeping meestal niet zo'n uitzonderlijk gebeuren. God gebruikt mensentaal en gewone gebeurtenissen om iemand in zijn dienst uit te nodigen. Hij roept via medemensen.

Hij roept mensen via bekende stemmen en gewone gebeurtenissen, middenin het dagelijkse leven. Het gezin heeft daarin een belangrijke plaats. God nodigt mensen uit via de liefde van hun ouders, broers en zussen, via iedere plaats waar mensen in liefde samen zijn.

### Ik kan de hand van Jezus zijn:

- als ik vooroordelen niet zomaar aanneem
- als ik er aandacht voor heb hoe mensen buiten spel worden gezet
- als ik bereid ben mij in het leerlingenparlement of in de jeugdvereniging voor anderen in te zetten
- als ik de moed heb voor mijn overtuiging uit te komen en anderen dat recht ook geef
- als ik de tijd neem naar iemand te luisteren, ook als ik hem lastig vind
- als ik thuis probeer de opvattingen van mijn ouders te begrijpen
- als ik .....

## Afscheid van het kinderlijk geloven

Jonge mensen hebben het moeilijk om bij het zien van alle ellende in de wereld te geloven in een 'lieve God, die alles zo prachtig bestuurt'...
Ook ervaren zij dat het bijbelverhaal over het ontstaan van de wereld blijkbaar niet te rijmen valt met de natuurwetenschappelijke kennis daarover...
Zij horen veel, weten veel. En steeds weer duiken nieuwe vragen en twijfels bij hen op.
Is dat ongeloof? Allicht niet. Eerder een crisis die te vergelijken is met het breken van de stem in de puberteit. Al mag je die vragen en problemen toch ook weer niet te snel afdoen. Want zitten veel ouders ook niet met gelijksoortige vragen? En misschien hebben zij die tot nu toe wel verdrongen of verzwegen, uit angst of onzekerheid?
Voor hen zouden de vragen van de jongeren best wel eens een goede gelegenheid kunnen zijn om het eigen geloof ter sprake te brengen, om er met elkaar over te praten, zich samen te bezinnen en te informeren.

### Ongeloof uit protest

De machtspositie en de invloed van de kerk, het optreden van paus en bisschoppen, de ongeloofwaardigheid van sommige pastores, de schijnheiligheid van sommige christenen of van zogenaamd 'vrome kerkgangers'... Jonge mensen raken er wel eens op uitgekeken. Is dàt nu het geloof? Is dàt de kerk zoals Jezus ze gewild heeft?
Algemene, sloganmatige kritiek is goedkoop en niet gerechtvaardigd. Maar er is ook gefundeerde, terechte kritiek. En die kan vernieuwend werken voor het eigen geloven en voor het leven van de kerk.

### Leven zonder God

Jongeren en volwassenen ontmoeten tegenwoordig in hun kennissenkring mensen, zelfs goede vrienden, voor wie God niets betekent en die toch tevreden zijn met wat ze hebben en wat ze zijn. Die mensen vormen een bijzondere uitdaging voor het geloof: het christendom is blijkbaar niet meer zonder concurrentie.
Meer dan ooit moeten christenen in deze tijd hun geloof voor zichzelf en voor anderen rechtvaardigen.

### Waarom dan geloven?

Het gesprek daarover tussen ouders en jongeren kan beiden helpen.

Belangrijk voor zo een gesprek bij de ouders:
— vertrouwen hebben in de eigen opvoeding
— niet te vlug het gevoel hebben iets verkeerds te hebben gedaan
— eigen vragen durven stellen
— zich de eigen jeugd herinneren
— vragen van de jongeren ernstig nemen
— gebruik maken van gunstige gelegenheden voor een gesprek
— de moed hebben om eigen teleurstellingen en vreugden te vertellen;

bij de jongeren:
— stilstaan bij eigen vragen en problemen
— niet te snel antwoorden overnemen, maar zelf ervaring opdoen
— zich verplaatsen in de levenssituatie van de ouders
— houding en opvattingen van de ouders eerlijk beoordelen
— in gesprekken bereid zijn om alles te vertellen wat nodig is
— goed nadenken over het belang van eigen vragen.

## Wat blijft ?

Wat blijft er ons nog als onze kinderen hun eigen weg beginnen te gaan ?
Ons woord blijft: de deur staat altijd voor je open als je naar huis komt.

Ons vertrouwen blijft: dat hebben zij het hardste nodig als wij denken dat het er niet meer is.
Ons gebed blijft: het slaat nog bruggen, waar die schijnbaar verdwenen waren.
De betrouwbare goedheid van God blijft, die hen leidt zoals Hij ons heeft geleid.
'Hemel en aarde vergaan. Mijn woord blijft in eeuwigheid', zegt Jezus Christus. Wie zich zorgen maakt over kinderen, vindt hier, als alles op instorten staat, de vaste grond waarop hij met hen verbonden kan blijven.

*Jörg Zink*

*Lankmoedigheid — goedheid — liefde*

*zijn gaven van heilige Geest. Zij dragen bij tot een goede omgang met elkaar.*

*Eén gram voorbeeld is meer waard dan 50 kilo mooie woorden.*
*Franciscus van Sales*

## Hoe men iemand bekeert

Martin Buber vertelt in de 'Chassidische vertellingen' de volgende geschiedenis:
Een vader bracht zijn zoon bij de rabbi en klaagde, dat hij bij het leren geen doorzettingsvermogen bezat. 'Laat hem even hier', zei rabbi. Zodra hij met de jongen alleen was, ging hij liggen en drukte de jongen aan zijn borst. Zwijgend hield hij hem zo tot de vader kwam. 'Ik heb zijn geweten toegesproken', zei hij, 'voortaan zal het hem niet ontbreken aan doorzettingsvermogen'. De jongen werd rabbi — en als hij deze gebeurtenis vertelde, voegde hij er aan toe: 'Toen heb ik geleerd, hoe men iemand bekeert'.

## Zo kunnen zij veranderen

Bij Marc Twain kwam ooit een zeventienjarige, die zei: 'Ik kan niet meer met mijn vader overweg; hij begrijpt niets van de moderne ideeën. Wat moet ik doen ? Ik loop weg van huis'. Marc Twain antwoordde: 'Jonge vriend, ik kan je goed begrijpen. Toen ik zeventien was, was mijn vader net zo onontwikkeld. Het was niet om uit te staan. Maar je moet geduld hebben met lui van die leeftijd. Zij ontwikkelen langzamer. Na 10 jaar, toen ik 27 was, had hij zoveel geleerd, dat ik al heel verstandig met hem kon praten. En nu ik 37 ben — of je het geloven wilt of niet — ga ik naar mijn oude vader als ik raad nodig heb. Zo kunnen ze veranderen !'

## Omgaan met jongeren - ervaringen van ouders

Je kind wordt veertien...
en als je er vroeger geen tijd voor had dan wordt de komende tijd moeilijk !

Wees niet verbaasd als er nu vaker conflicten komen — die zijn noodzakelijk.

Geloof niet dat alleen jouw kinderen moeilijk doen. Andere ouders hebben dezelfde problemen.

Help ervoor zorgen dat er op je parochie gespreksmogelijkheden zijn voor die problemen.

Blijf rustig. De religieuze opstandigheid van je kind is niet tegen God gericht, maar tegen jou.

Jij bent de toetssteen, waaraan je kind zich stoot, maar je bent niet zijn vijand.

Ook de grootste meningsverschillen horen thuis op een gezamenlijk platform: samenhorigheid, liefde, vertrouwen, openheid.

Ook je kinderen hebben soms verstandige meningen en waardeoordelen, die je kan overnemen.

Meningsverschillen sluiten niet uit dat je voor elkaar bidt.

Toon belangstelling voor de interesses, de mode, de vrienden van je kind. Maar stel je niet aan. En laat zijn of haar dagboek dicht.

Probeer niet een harmonische relatie van je kind af te kopen.

Kinderen zijn dikwijls als een spiegel. Zij gaan met jou om zoals jij met je partner omgaat.

# Ziek zijn

Wie geleden heeft
kan begrijpen.
Wie gewond werd
kan genezen.
Wie geleid werd
kan richting geven.
Wie gedragen is
zal kunnen dragen.

*Martin Gutl*

Ieder mens wil leven, wil gelukkig zijn. Onbezorgde levensvreugde is de diepste wens. Wij verzetten ons tegen alles wat daartegen ingaat. God wil onze vreugde. Hij heeft zijn Zoon gezonden, die ons eeuwig leven belooft en een boodschap van vreugde meedeelt:

*Jezus trok rond door geheel Galilea, terwijl Hij als leraar optrad in hun synagogen, de Blijde Boodschap verkondigde van het Koninkrijk en alle ziekten en kwalen onder het volk genas. Zijn faam ging uit over geheel Syrië en men bracht allen tot Hem die er slecht aan toe waren, die door velerlei ziekten en pijnen gekweld werden, bezetenen, lijders aan vallende ziekte en lammen. En Hij genas ze.*

Mat. 4,23-24

Ondanks dit alles kent het leven toch niet alleen maar blije momenten. Het levensgeluk wordt voelbaar bedreigd, als er langdurige of zelfs ongeneeslijke ziektes optreden.

## Door een ziekte wordt alles heel anders

Als iemand ziek is, voelt hij meer dan op andere momenten hoezeer hij van anderen afhankelijk is.
Ziekte plaatst de mens in een heel nieuwe situatie: hij is
o weggerukt uit zijn gewone omgeving
o afgesneden van de dagelijkse omgang met medemensen
o niet in staat zijn werk te doen
o veroordeeld tot nietsdoen
o aangewezen op de hulp van anderen
o geconfronteerd met de broosheid en de kwetsbaarheid van het leven.
Meer dan medische verzorging heeft hij dan menselijke nabijheid nodig. Hij verlangt naar mensen die bij hem zijn, die hem in zijn angst niet alleen laten, die zijn pijn verlichten, die hem helpen zijn ziekte niet enkel te dragen, maar ook positief te aanvaarden. In die menselijke nabijheid ervaart de zieke iets van Gods liefde, groeit in hem het vertrouwen dat God van hem houdt en doet hij nieuwe krachten op om ja te zeggen tegen het leven. De ziekte kan zo ook tot dieper inzicht leiden. Zij kan de mens helpen, het wezenlijke en blijvende in zijn leven te ontdekken.

## Uit gesprekken met zieken

o Dat ik hier lig, heeft me helemaal uit mijn gewone doen gebracht. Ik ben nog nooit ziek geweest. Eigenlijk verzet ik me daartegen. Ik doe steeds mijn best om niets te laten zien. Maar dan merk ik dat dit eenvoudig niet gaat. En dan denk ik bij mezelf, misschien is deze ervaring voor mij juist heel belangrijk...

o Hoe lang zal ik hier nog moeten liggen? Als er geen eind in zicht is, verliest een mens zijn geduld. Ik ben het zat, ik heb gewoon geen zin meer...

o Het ergste voor mij is, dat ik steeds hulp nodig heb. Voor elke kleinigheid moet ik iemand vragen. Dat vind ik heel moeilijk. Uitgerekend ik, die nooit een ander nodig had...

o Ik vind het fijn, dat zoveel mensen me komen opzoeken. Het gepraat van sommigen werkt me op de zenuwen. Maar er komen anderen die ik helemaal niet had verwacht. Zo leer je de mensen ook eens van een heel andere kant kennen...

o Ik heb moeten ervaren, dat het leven ook zonder mij verder gaat.

Eerst dacht ik dat de wereld stil zou blijven staan. Maar ik heb geleerd om ook eens een ander de verantwoordelijkheid te laten. Dat maakt me rustig en gelaten...

o Ik denk dat het er ernstig voor me uitziet. Ze beuren me hier allemaal op en doen wat ze kunnen. Maar ik merk zelf, wat er aan de hand is... Op de een of andere manier moet ik er zelf mee klaar zien te komen, maar toch heb ik angst voor de waarheid...

o Als iemand me dat van tevoren gezegd had !... Ik kan het niet verdragen, hier te liggen terwijl anderen van het leven genieten. Ik had zoveel plannen. Zou dat nu allemaal voorbij zijn ? En welke zin heeft dit alles ? Ik begrijp het niet. Waarom moest dit juist mij overkomen ?

o Sinds mijn kindertijd heb ik me niet meer zo intens met God beziggehouden. Ik had daarvoor ook nooit tijd of ik beeldde mij in, dat het zonder Hem ook ging. En toen was plotseling alles anders...
Ik heb weer leren bidden.

*Maar zij, die bouwen op Jahweh,*
*vernieuwen hun kracht en*
*slaan hun vleugels als adelaars uit;*
*zij lopen en worden niet moe,*
*zij rennen en raken niet uitgeput.*
Jes. 40,31

## 'De last heeft me sterk gemaakt'

Door de oase liep een man, Ben Sadok genaamd. Hij was zo zwartgallig van karakter, dat hij niets moois en gezonds kon zien, zonder het te verwoesten.
Aan de rand van de oase stond een jonge palmboom in volle groei. Dat ergerde de man. Hij nam een zware steen en legde die midden in de kruin van de jonge palm.
Deze schudde en boog en probeerde de last af te werpen, maar tevergeefs. De steen zat te vast in zijn kruin.
De jonge boom groef zich dieper in de grond en zette zich schrap tegen de stenen last. Zijn wortels staken uiteindelijk zo diep, dat ze de verborgen waterader van de oase bereikten en de stam groeide zo hoog, dat de kruin boven elke schaduw uitkwam. Water uit de diepte en zon uit de hemel lieten de jonge boom uitgroeien tot een koninklijke palm. Na jaren kwam Ben Sadok terug om zich te verkneukelen in de boom die hij bedorven had. Hij zocht tevergeefs.
Toen boog de trotse palm zijn kruin, toonde de steen en zei: 'Ben Sadok, ik moet je bedanken. Jouw last heeft me sterk gemaakt.'
*Uit Afrika*

## Jezus ontmoet zieken

De Schrift ziet in de ziekte een teken van de onvolmaaktheid van deze wereld.
Wij leven inderdaad niet in een paradijs. En ook Jezus maakte van onze wereld geen paradijs. Hij ontmoette wel de mensen, ook de zieken, en wilde hen helpen, hen dichter bij het heil brengen.

Jezus ontmoet de zieke mens. Hij die 'uit den hoge' komt, zet zich helemaal beneden, naast de zieke, in de vernedering van de angst, de pijn, de rouw, het alleen-zijn, gescheiden van de ongestoorde levensvreugde, van het onbezorgde geluk van het menselijke samenzijn.
De zieke strekt de handen uit, hoopvol, vertrouwend. Jezus staat dicht bij hem en legt hem de hand op: een teken van liefde, aanvaarding, genezing.
Jezus wil mensen genezen, opdat ze zouden kunnen zien, horen, spreken, lopen, leven...
Maar door zijn nabijheid schenkt Hij ook meer dan dat: Hij wil bemoedigen en kracht geven. Hij neemt niet ieder lijden op zich, maar helpt ons, zodat wij het kunnen dragen.

Je door Hem laten genezen betekent: je door Hem nieuw laten maken, een nieuw mens worden. 'Je geloof heeft je gered'.

Gebed van een zieke jongeman:
Help mij, Heer.
Het is net of ik in een doos zit die met touwen is dichtgebonden.
Help me de touwen door te knippen.
Help me het deksel op te tillen en gooi het weg zodat ik eruit kan stappen.

# Als iemand in ons gezin ziek wordt

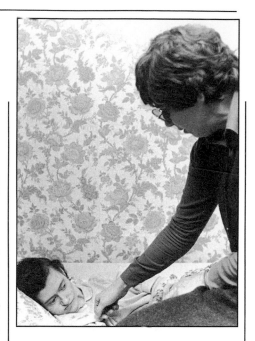

## Erbij zijn

Niet iedere ziekte is even erg. Daarom is het dikwijls al genoeg, als we een zieke helpen om zich niet te vervelen. Met hem praten, de nieuwtjes van de dag vertellen of iets voorlezen. Vooral voor een ziek kind moeten we tijd vrijmaken om te spelen of een verhaaltje te vertellen.
De zieke vreest vooral het alleen-zijn. Daarom is het belangrijkste wat we voor hem kunnen doen, bij hem te zijn, zijn hand vast te houden, zijn gezicht en haar te strelen, een vriendelijk woord te zeggen.
Kleine attenties zijn daarbij dikwijls een grote steun. Wij kunnen het kussen opschudden, zijn voorhoofd en lippen betten, zijn voeten verwarmen. Doen wat nodig is of wat de liefde ons ingeeft.

## Kunnen luisteren

Het doet een zieke deugd over zijn pijn en angst te praten en begrip te ondervinden. Dan is luisteren belangrijker dan spreken. Als wij met hem praten, moeten wij hem die dingen vertellen, die hem goed doen en moed geven. Wij moeten tegen hem zeggen, dat we bij hem zijn en hem willen helpen. Hem laten weten wat hij voor ons betekent, wat hij voor ons en voor anderen gedaan heeft, hem aan belangrijke en vrolijke dingen herinneren en hem daarvoor bedanken.

## De waarheid zeggen

De vraag of en wanneer we met de zieke zullen spreken als zijn situatie onrustwekkend wordt, is moeilijk te beantwoorden. Er bestaat ook geen algemene regel voor. Omzichtigheid en menselijk invoelingsvermogen zijn daarbij doorslaggevend. De zieke voelt meestal zelf wel hoe het met hem gesteld is. Met hem over zijn zorgwekkende toestand praten, betekent nog niet dat we alle hoop de bodem inslaan. Wij kunnen hem beter helpen om de angst voor het sterven te verlichten door te vertrouwen op Gods liefde.

### Een thuis-gevoel verzekeren

Bij zware ziekte zal opname in het ziekenhuis vaak onvermijdelijk zijn. Dan is het belangrijk dat we de zieke nabij blijven. Wij moeten al het mogelijke doen om zijn omgeving zo vertrouwd mogelijk te maken. Vooral als hij gaat sterven, mogen we hem niet meer alleen laten. Als het maar enigszins mogelijk is, zou hij thuis moeten kunnen sterven. De noodzakelijke verpleging kan het gezin wel te zwaar belasten, maar met de hulp van verpleegdiensten kan dat verholpen worden. Niet alleen voor de zieke, maar ook voor ons zelf zijn ziekte en sterven zware maar rijke levenservaringen.

## Gouden wenken bij het bezoeken van zieken

o Doe niet te zelfverzekerd bij een eerste bezoek.
o Vraag of je gelegen komt en zeg meteen dat je ook een nieuwe afspraak kan maken.
o Trek je jas uit, ook al blijf je niet lang.
o Praat niet te veel met andere bezoekers.
o Zijn er meer bezoekers, zit dan allen aan dezelfde kant van het bed.
o De beste plaats om te zitten is halverwege het bed; zorg ervoor dat de zieke niet tegen het licht in moet kijken.
o Regelmatige korte bezoekjes zijn beter dan eenmalige lange.
o Kan je niet komen, laat het dan aan de zieke weten. Hij beleeft de tijd ànders.
o Bedwing je nieuwsgierigheid en stel geen onkiese vragen.
o Spreek zo weinig mogelijk over de buitenwereld (tenzij de zieke er zelf om vraagt).
o Weet dat echte troost betekent: het verdriet toelaten en het zelfs laten loskomen.
o Zoek niet naar lijdensmodellen en vergelijk de ene zieke niet met de andere.
o Verberg je niet achter goedkope bemoediging, maar erken je machteloosheid en durf ze uit te spreken.

o Bij het aanreiken van religieuze zingeving, doe je er goed aan afstand te nemen van je eigen zekerheden.

o Zwijg eens enkele minuten.

o Je bent geen arts. Stel geen diagnoses.

o Rook niet (zelfs al rookt de zieke).

o Laat je persoonlijke problemen achterwege.

o Heeft de zieke al enkele keren de ogen gesloten, ga dan weg. Je bent misschien de tiende bezoeker die dag.

o Na een (zware) operatie kun je het best enkele dagen wachten alvorens op bezoek te gaan; geef voorrang aan de familie.

o Komt de zieke weer naar huis, gun hem dan wat tijd om te wennen. Vraag aan de familie welke de beste bezoekuren zijn.

o Wees niet verrast bij gevoelens van opstandigheid, depressie of woede. Elkaars gevoelens delen is dikwijls de beste steun.

o Praat een zieke over persoonlijke problemen, wacht dan niet lang met een volgend bezoek.

o Zoals de arts is de bezoeker gebonden aan het beroepsgeheim.

o Een ziekenbezoek aan huis is tevens een familiebezoek. Geef eens een attentie aan de familie, aanhoor de klachten en help waar het kan.

o Wees omzichtig met geschenken. Het beste geschenk ben jijzelf.

o Wie binnenkomt en zegt dat hij niet veel tijd heeft, blijft beter weg.

o Affectieve benadering kan als het gemeend is. Sentimentaliteit is iets anders.

o Durf het aan om in het ziekenhuis voor de rechten van de patiënt op te komen.

o Help het verplegend personeel waar dat kan (kussen opschudden, net houden van de kamer...).

o Kom na een lange afwezigheid toch terug. De zieke zal het wel begrijpen.

o Ook in het ziekenhuis mag een zoen er geen zijn van dertien in een dozijn.

o Eerbiedig de privacy van de andere patiënten in de kamer.

o Zeg nooit dingen die je niet meent. Lieg nooit, verbloem niet.

o Een ziekenkamer is geen speeltuin voor kleuters en peuters.

o Iedere slogan is een luchtballon.

o Laat je in met 1 zieke (niet met 10).

o Wijs onkiese bezoekers discreet terecht.

o Aan een ziekbed ben je altijd leerling, nooit leermeester.

*Jean-Pierre Goetghebuer*

*Waar Hij maar binnenkwam, in dorp of stad of gehucht, legde men de zieken op de pleinen en smeekte Hem, of ze tenminste de zoom van zijn kleed mochten aanraken. En allen die dit deden, werden gezond.*
*Mc. 6,56*

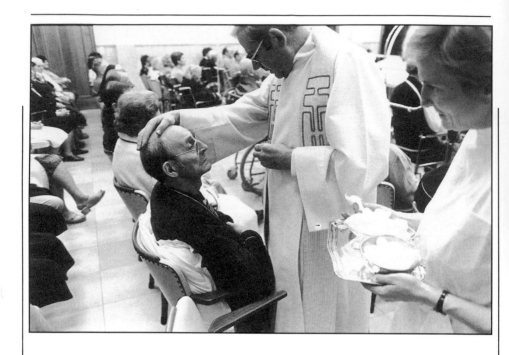

Wist je reeds
dat de nabijheid van een mens
je gezond, ziek,
levend of dood kan maken?
Wist je reeds
dat de nabijheid van een mens
je goed, slecht,
treurig of blij kan maken?
Dat het wegblijven van een mens
je kan laten sterven,
dat het komen van een mens
je kan laten leven?
Dat de stem van een mens
iemand kan leren horen
die voorheen doof was?
Wist je reeds
dat het woord of het handelen
van een mens
iemand kan leren zien
die voorheen blind was,
die niets meer zag,
die het niet meer zag zitten

met zijn leven in deze wereld?
Wist je reeds
dat tijd hebben voor een mens
meer is dan geld,
meer is dan medicijnen,
soms zelfs meer is dan een
prachtig geslaagde heelkundige ingreep?
Wist je reeds
dat luisteren naar mensen
wonderen doet?
Dat betoonde genegenheid
overvloedig rendeert
en geschonken vertrouwen
honderdvoudig op jezelf terugkeert?
Wist je dat alles reeds?
En wist je dan ook reeds
dat de weg van het weten
over de woorden naar het doen
onnoemelijk lang is?
*Wilhelm Willms*

## De ziekenzalving
## Een sacrament
## voor de levenden

*Is iemand onder u ziek?*
*Laat hij de presbyters van de gemeente*
*roepen;*
*zij moeten een gebed over hem uitspre-*
*ken en hem met olie zalven in de naam*
*des Heren.*
*En het gelovige gebed zal de zieke red-*
*den en de Heer zal hem oprichten.*
*En als hij zonden heeft begaan, zal het*
*hem vergeven worden.*
*Jak. 5,14-15*

De ziekenzalving is allereerst bedoeld voor hen die ziek zijn. Te lang
hebben wij ze beschouwd als het
middel bij uitstek om de dood in te
luiden. De zieke vraagt echter om
verlichting en opwekking.
In zijn ziekte kan hij zich door
de zalving verbonden voelen met
Jezus.
De ziekenzalving mag daarom niet
uitgesteld worden tot de laatste
ogenblikken van het leven. Het is in
de regel geen sacrament van stervenden.
Zij is bestemd voor alle zwaar
zieken, ook voor hoogbejaarde personen die de last van hun ouderdom
dragen. Of voor personen die zich
moeten voorbereiden op een zware
operatie.
Zij kan ook herhaald worden, bij-

voorbeeld wanneer een zieke na de
eerste zalving weer beter is geworden.
Zij staat echter niet los van alle andere zorgen en attenties waarmee
de zieke in het gezin of in het
ziekenhuis wordt omgeven. De
blijken van meeleven, bezoeken en
bloemen, maar ook de toegewijde
zorg van gezinsleden, geneesheer
en verplegend personeel zijn de allereerste tekenen van Gods goedheid en bezorgdheid. Zij vertolken
het heil dat God elke mens wil aanbieden. De Heer zelf is in dat alles
aanwezig. 'Ik was ziek en gij zijt Mij
komen bezoeken' (Mat. 25,30).

Hoe goed is het voor mij,
met U te leven, Heer,
en in U te geloven.
Hoe goed is dat voor mij!
Wanneer ik twijfelend niet
meer verder kan,
met mijn verstand geen uitweg
weet,
wanneer de slimsten zelfs niet
verder zien dan tot de avond
van de dag
en niet meer weten
wat ook morgen dient gedaan...
Dan geeft Gij mij, onwrikbaar
vast,
de zekerheid, dat Gij er zijt
en er voor zorgen zult
dat mij niet alle wegen naar het
goede versperd zullen geraken.
*Alexander Solzjenitsyn*

169

## De viering aan huis

Een zieke die niet bedlegerig is, kan in de kerk gezalfd worden, omringd door familieleden en vrienden. Meestal zal de ziekenzalving thuis of in het ziekenhuis plaatsvinden. In dat geval wordt bij het ziekbed een tafeltje geplaatst met een brandende kaars en wat wijwater. De ziekenzalving gebeurt bij voorkeur in aanwezigheid van de familieleden en vrienden. Het is uiterst zinvol dat allen samen met de zieke de heilige communie ontvangen.

### Mogelijk verloop

Begroeting door de voorganger:
Vrede aan dit huis en aan al zijn bewoners.
De voorganger biedt de zieke en de andere aanwezigen wijwater aan en besprenkelt ook de kamer met wijwater. Hij herinnert daarbij aan het doopsel.

Openingswoord

Allen:

Ik belijd voor de almachtige God,
en voor u allen,
dat ik gezondigd heb
in woord en gedachte,
in doen en laten,
door mijn schuld, door mijn schuld,
door mijn grote schuld.
Daarom smeek ik de heilige Maagd Maria,
alle engelen en heiligen,
en u, broeders en zusters,
voor mij te bidden tot de Heer,
onze God.

Priester:

Moge de almachtige God
zich over ons ontfermen,
onze zonden vergeven
en ons geleiden tot het eeuwig leven.

Allen:

Amen.

Als de zieke dat wenst kan hij of zij een persoonlijke schuldbelijdenis uitspreken en het boetesacrament ontvangen.

Iemand leest een stukje uit de Schrift:

*Toen Hij in Kafarnaüm aangekomen was, kwam een honderdman naar Hem toe die zijn hulp inriep met de woorden: 'Heer, mijn knecht ligt verlamd in mijn huis en lijdt vreselijk pijn'. Hij sprak tot hem: 'Ik zal hem komen genezen'. Maar de honderdman antwoordde: 'Heer, ik ben het niet waard dat Gij onder mijn dak komt; maar een enkel woord van U is voldoende om mijn knecht te doen genezen. Want al ben ik zelf een ondergeschikte, ik heb weer manschappen onder mij; en tot de één zeg ik: ga, en hij gaat; en tot een ander: kom, en hij komt; en aan mijn*

*knecht: doe dit, en hij doet het'. Toen Jezus dit hoorde, stond Hij verwonderd en zei tot hen die Hem volgden: 'Voorwaar, Ik zeg u: Bij niemand in Israël heb Ik een zo groot geloof gevonden. Ik zeg u, dat velen uit het oosten en het westen zullen komen en met Abraham en Isaäk en Jakob zullen aanzitten in het Rijk der hemelen; maar de kinderen van het Rijk zullen buitengeworpen worden in de duisternis; daar zal geween zijn en tandengeknars'. En tot de honderdman sprak Jezus: 'Ga, zoals gij geloofd hebt, geschiede u'. En op datzelfde ogenblik werd de knecht gezond.*
Mat. 8,5-13

Andere mogelijkheden:
Jak. 5,13-18;
Joh. 12,1-8;
Ps. 139;
Ps. 71.

Daarna bidden allen samen een litaniegebed:

*Voorganger:*

Biddend komen wij tot U, God,
om geloof en overgave,
om een geest die niet uitgeblust wordt
bidden wij.
Uw geest, God, uw aanwezigheid
kunnen wij niet missen.

Allen:

Heer, onze Heer, ontferm U over ons.

*Voorganger:*

Uw scheppend woord, God, bidden wij af over onze zieke(n);
uw woord is altijd herscheppend.
Geef onze zieke(n), ons allen,
nieuw leven bij U.

Allen:

Heer, onze Heer, ontferm U over ons.

*Voorganger:*

In vertrouwen op U, God,
in liefde,
ook in leed met elkaar verbonden
bidden wij om rust en vrede,
om een hart dat niet wanhoopt,
om geloof in de toekomst.
U bent toch onze God,
onze Schepper.

Allen:

Heer, onze Heer, ontferm U over ons.

De voorganger legt de zieke in stilte de handen op, spreekt een gebed uit over de olie en zalft hem op voorhoofd en handen. Hij zegt daarbij:
Moge onze Heer Jezus Christus
door deze heilige zalving
en door zijn liefdevolle barmhartigheid
u bijstaan met de genade
van zijn heilige Geest.

Zieke:

Amen.

*Voorganger:*

Moge Hij u van zonden bevrijden,
u heil brengen en verlichting geven.

Zieke:

Amen.

De voorganger bidt nog een gebed:

Heer Jezus, Zoon van God, Verlosser van de wereld,
Gij hebt in uw lijden onze kwalen
en onze smarten gedragen.
Wij bidden U voor uw dienaar
(dienares) N. die ernstig ziek is.
Hij (zij) is door U verlost en mag
hopen op uw heil.
Sterk hem (haar) in die hoop en
steun hem (haar) naar lichaam en
ziel.

Allen:

Onze Vader ...

Ten slotte wordt eventueel de
heilige communie uitgereikt of
plaatst men brood en wijn op de
tafel voor de eucharistieviering.

# De ziekencommunie

## *Het brood dat uit de hemel is neergedaald*

De gemeenschap die de kerk is,
wordt niet verbroken door menselijk lijden, ziekte of ouderdom. Wie
jarenlang zijn plaats innam in de
zondagse eucharistieviering, moet
zich ook vanuit de eenzaamheid van
een ziekenkamer of een bejaardentehuis met diezelfde kerkgemeenschap verbonden weten.
Vanaf de oudste christelijke tijden
bestaat in de kerk de traditie de
communie te brengen naar de
zieken. Deze goede gewoonte moet
bewaard worden. Vooral op zondag
is het aangewezen dat men aan zieke
en bejaarde mensen die niet meer
naar de zondagsmis kunnen komen,
de gelegenheid aanbiedt te communiceren.
In dat geval vraagt men aan één van
de parochiepriesters om na de zondagse hoogmis de communie te
brengen. In afspraak met de
priester kunnen ook leken — bijvoorbeeld één van de familieleden
— na de zondagsmis de communie
meedragen naar een zieke.

## De communie aan huis

Op een tafeltje bedekt met een wit-linnen doek, staat een brandende kaars en wat wijwater (herinnering aan het doopsel) met palmtak.

## Verloop van de zieken-communie

Na de begroeting, het aanbieden van wijwater aan de zieke en aan de andere aanwezigen, bidden allen samen een schuldbelijdenis.
Eventueel ontvangt de zieke het boetesacrament.
Iemand van de aanwezigen leest vervolgens een stukje uit de heilige Schrift (op zondag bij voorkeur het evangelie van de dag). Op sommige plaatsen overhandigt men soms ook — bijvoorbeeld op een hoogdag — de tekst van de homilie uit de zon-dagsviering aan de zieke.
Allen bidden samen het Gebed des Heren.
Na de uitreiking van de communie bidt de bedienaar nog een slotgebed en spreekt een zegenwens uit. Allen die in de ziekenkamer aanwezig zijn, kunnen samen met de zieke communiceren indien zij dat wensen.

## Bij ziekte

God, Gij kent mijn leven
en ziet mij in mijn ziekte.
Ik vertrouw U alles toe:
mijn zorgen,
mijn thuis,
mijn toekomst.
Laat mij spoedig weer gezond worden
als dit goed is voor mij.
Geef mij de kracht om te dragen
wat mij op de schouders wordt gelegd.
Uw wil zij de leidraad van mijn leven.

### Anastasis

Nederdaling ter Helle
Moskou 1550

Laat deze ikoon rust en verinner-lijking worden,
want ze is de paasikoon bij uitstek.
Geen Christus met een overwin-ningswimpel en wachters, door angst neergeworpen op de grond.
Maar een verrijzenisikoon, in de buik van de aarde,
in het hol van kwaad en onrecht,
daar waar het leven een hel is.
Ingetrapt liggen de deuren van de Hades,
kruiselings onder zijn voeten.
Lichtend nieuw staat Hij in de blauwe mandorla, symbool van de kosmos,

de graven gaan open,
mensen doet Hij weer leven.

Het was de derde dag.
Hij daalde af:
zijn tedere kracht
verbrijzelt de poorten van de hel.
Een afgrond stroomt vol licht.

Reikhalzend kijken ze uit
naar zijn komst
Adam, Eva, koningen en profeten,
gezalfden van een oud verbond.

En de velen aan de overzijde
van tijd en licht
stemloos, verdrukt, naamloos, gevangen,
mensen hunkerend naar bevrijding.

Een hand grijpt een hand
een arm tilt op
een gebaar van teder nabij zijn
een ogenblik
een vogelvlucht
een vergezicht
een droom
een lied van hoop klinkt op
daar waar geen leven meer is.

Drie dagen kan het lijken alsof God
afwezig is,
maar de derde dag is Hij daar.
Voortaan weten we dit onfeilbaar
zeker.
Hij die op de Sinaï gezegd had:
'Ik zal er zijn voor u'
liet ook vandaag de rechtvaardige
Jezus niet in de steek.

Wij begrepen:
zo is Jahweh, vandaag, weer opnieuw
een God van mensen,
die onder alle omstandigheden
trouw
blijft en redt en toekomst geeft
ook daar waar alles schijnbaar
dood loopt.

Maar ook dit begrepen we:
de gekruisigde Jezus,
de Man vermoord om zijn gerechtigheid,
Hij had gelijk.
Elk woord dat Hij gesproken had,
was getuigenis
van de grenzeloze liefde van de
Vader.
Hij had gelijk te geloven
in een dienstbaarheid
die gaat tot het uiterste.
Zijn liefdedienst was niet vergeefs.

# Oud worden

## Het mooiste gelaat

Ik kijk zo graag
het gelaat van mijn moeder aan.
Haar gelaat
omkranst met fijne
bijna witte haren;
een gelaat
waarin te lezen staat
dat haar dagen zwaar
maar niet zonder vreugde waren.

Haar gelaat
dat vreugde en leed
doorgroefden;
met wakkere ogen
voor wie begrip of troost
behoefden.

Ik kijk zo graag
het gelaat van mijn moeder aan
waaruit de jeugd zo langzaam
is geweken
dat het is alsof wij haar altijd
rijp en oud
hebben geweten.
*Christa Peikert-Flaspöhler*

Wat een oudere
zittende ziet,
merkt een jongere
staande nog niet.

*Uit Nigeria*

## Tussen grote ouders en kleinkinderen

Laatst ging ik met mijn tweejarig zoontje en mijn moeder naar de kerk. De kleine huppelde lustig aan mijn ene hand, terwijl mijn moeder steun vond aan mijn arm. En plots werd ik me heel bewust dat ik in geen enkele andere levensfase zo echt tussen de beide generaties, tussen jong en oud in sta. Voor beide ben ik mee verantwoordelijk. Ik ontloop hun vragen en problemen niet, maar ook in hun geluk en hun vreugden deel ik.

Mijn moeder is niet alleen 'omaatje lief', mijn vader meer dan opa. Hoe gelukkig zij ook zijn met de kleinkinderen, hun grootste zorg blijft toch uitgaan naar mij, hun kind. En ze vinden het fijn als ik hen vader en moeder noem. Ze zijn blij als ik tijd voor hen heb, hen opbel of hen een brief schrijf. En zij betekenen ook heel wat voor mij... Maar hoe lang zal ik ze nog bij me hebben ? Ik weet het niet.

Ik weet wel dat zij van mij geen dankbaarheid verlangen. Ik zou hen overigens maar weinig kunnen teruggeven voor wat ik van hen ontvangen heb.

# Waar zal ik wonen ?

### Bij mijn kinderen...

'Bij mijn kinderen wonen is heel mooi. Mijn kleinkinderen komen me vaak bezoeken. Er is wel altijd iemand. Ik verveel me nooit. Soms krijg ik het echter heel moeilijk, als ik zie wat de jongelui zoal doen. Dan moet ik oppassen dat me geen kwade opmerkingen ontglippen, anders komt er makkelijk ruzie.'

### In het bejaardentehuis...

'In het begin viel me het leven in het tehuis met alleen maar oude mensen moeilijk. Ik was veel alleen. Ondertussen heb ik hier vrienden gevonden met wie ik heel wat kan ondernemen. Nu ga ik ook geregeld naar mijn kinderen. Het samen-zijn verloopt veel harmonischer dan vroeger, toen wij elkaar dagelijks zagen.'

### Alleen...

'Ik ben blij, dat ik nog in mijn eigen huis kan wonen. Voor de schoonmaak komt mijn dochter, die net om de hoek woont. Daar ga ik ook elke dag naar toe om eens onder de mensen te zijn en te kunnen praten.'

Niet altijd verloopt het samenleven van oude en jonge mensen zonder problemen. Levensomstandigheden en de woonsituatie zijn er dikwijls de oorzaak van dat er een gespannen verhouding ontstaat tussen bejaarden en volwassen kinderen.

## Gaat het ook zonder moeder ?

Toen ze net getrouwd waren was het heel eenvoudig geweest. Haar moeder had hen bij zich in huis genomen. 'Maken jullie je geen zorgen, ik heb maar een kleine kamer nodig en jullie krijgen de hele woning voor jezelf,' had ze gezegd.
De eerste jaren was het zo gebleven. Moeder kookte voor hen, moeder waste, moeder gaf hen ook het geld voor hun eerste auto. Mettertijd groeiden hun inkomen en hun wensen. Het oude huis van moeder werd te klein en was niet modern genoeg voor de jongelui. Haar kookkunst bood niet genoeg afwisseling. Man en vrouw overlegden met elkaar: zij waren nu zeven jaar getrouwd en verdienden ondertussen goed hun brood. Toen ze op zekere avond bij hun moeder aan tafel zaten, zei Willem: 'Moeder, wij hebben de kans een eigen woning te kopen.' Moeder verbleekte en trilde over haar hele lichaam, maar zei geen woord. 'Begrijp me goed, moeder, het gaat niet alleen om het huis. Maar stilaan

## Grootouders...
## van onschatbare waarde

wordt het te veel voor jou. Wij zien dat je ogen 's avonds dichtvallen van vermoeidheid. Of als wij gasten hebben en je hiernaast slaapt, sturen wij ze dikwijls vroeger weg, om je niet te storen. Dan hoef je met niemand meer rekening te houden en je kunt gaan slapen als je wilt.'
'Nu ja', zei moeder en diende het avondeten op. Zij at maar heel weinig die avond: het brood bleef haar in de keel steken. Maar zij deed alsof ze blij was en liet de kinderen vertellen, hoe ze hun nieuwe woning wilden inrichten: een werkkamer, een slaapkamer en een kleine logeerkamer, als er iemand zou willen blijven slapen. 'Voor als je 's avonds eens niet naar huis zou gaan', zeiden ze. 'Je ziet, overal is voor gezorgd!'
Moeder glimlachte en liet ze hun vreugde. Zij wilde geen last bezorgen, maar gemakkelijk en tactvol zijn...

Veel grootouders hebben de tijd en de rust om voor hun kleinkinderen te zorgen. Velen beweren voor hun eigen kinderen niet zoveel tijd gehad te hebben als voor hun kleinkinderen. Voor de kleinkinderen is deze ervaring van onschatbare waarde. De ouders en andere volwassenen in hun omgeving zijn dikwijls volledig in beslag genomen door de drukte van hun werk en de activiteiten van alledag. Zij hebben niet zelden te weinig tijd voor de kinderen om met hen te spelen, naar hen te luisteren, er voor hen te zijn. Grootouders zijn dikwijls al bevrijd van het dwingende werk van alledag. Zij bieden de kinderen een beschutte levensruimte, waarin ze zich kunnen ontplooien. Deze levensruimte omvat geduld en liefde en de kinderen rustig laten begaan. Dit alles moet voor de opvoeding hoger ingeschat worden dan het gevaar van verwenning door de grootouders. Bovendien belichamen de grootouders de familietraditie. Zij kunnen de kinderen vertellen wie tante Inge was en waarom Hans woont, wat zij vroeger heeft gedaan en waarom hij zo'n aanzien geniet in de familie. Zij kunnen uitleg geven bij de oude

foto's uit het familiealbum en alles in boeiende verhalen tot leven brengen. Zij zijn het, die de kinderen inwijden in de sprookjeswereld en de oude levenswijsheden, die hen bijbelverhalen vertellen en oude volksliederen zingen. Zij leren ze de traditionele gebruiken kennen.

De relatie tussen grootouders, hun kinderen en kleinkinderen is echter niet altijd probleemloos. Dikwijls komt het tot spanningen, vooral tussen ouders en grootouders. Zij hebben bijvoorbeeld verschillende opvattingen over opvoeding van de kinderen. Ouders reageren nogal geërgerd als zij de grootouders te toegeeflijk vinden. Ook over kleding en eetgewoonten komt het wel eens tot spanningen. Maar vooral de religieuze opvattingen en het persoonlijke geloofsleven qua gebed en kerkbezoek geven dikwijls aanleiding tot meningsverschillen en tot pijnlijk zwijgen. Zeker als de grootouders de kleinkinderen, tegen de zin van hun ouders in, aansporen tot gebed en kerkbezoek. Dergelijke spanningen wegen tegenwoordig nog zwaarder door omdat de grootouders dikwijls zelf nog maar 50 of 60 jaar zijn en nog actief midden in het leven staan. Zij hebben dan uiteraard nog niet de rust en de gelatenheid van de pensioenleeftijd, zodat zij het ook daardoor soms moeilijk hebben om rustig en vlot met hun kleinkinderen om te gaan. Bovendien wonen ze vaak nog ver van hun kleinkinderen vandaan.

Ondanks al deze moeilijkheden kan de positieve betekenis van de grootouders als mede-opvoeders niet overschat worden.

## Mijn laatste oma

Nu is mijn laatste oma dood
en niemand weet hoe ik haar mis
want ik houd me nog altijd groot
net als op haar begrafenis.

Toen zei die man 'Ja volgt u mij'
het was nog koud. Het was nog
vroeg.
Ik zag er ook wel mensen bij
die hadden geen verdriet genoeg.

Zondags ging ik naar oma toe
en alles mocht er op zo'n dag
ze werd nooit mopperig of moe.

Ze lachte om alles wat ik deed
ik maakte deeg, ik maakte brood,
ik maakte koek.
Soms had ik me zo gek verkleed
dan deed ze 't bijna in.haar broek.

Ik klom ook nog wel eens op haar
schoot
dan was ik zogenaamd weer klein
nu is mijn laatste oma dood
nooit kan ik meer een kleuter zijn.

Haar leuke huis blijft wel bestaan
het krijgt natuurlijk nieuw behang
ik durf er nu niet meer naar toe te
gaan
al duurt de zondag nog zo lang.

Wanneer de meester in de klas
absolute stilte wil
dan denk ik hoe mijn oma was
en dan word ik vanzelf wel stil.
*Willem Wilmink*

Vader in de hemel,
wij danken U voor onze
kleinkinderen.
Door hen werd ons leven
rijker,
onze vreugde groter.
Wij willen ze met geduld op
hun weg begeleiden.
Wij bidden U,
schenk ze uw zegen
en help ze te leven
in geloof in U.
Amen.

'Ik kwam tot ongeloof, niet omwille
van het conflict met de dogma's,
maar door de onverschilligheid van
mijn grootouders.'
*Jean Paul Sartre*

# Jong en oud, één wereld?

Het beeld van onze samenleving is sterk bepaald door de dynamische stijl van de jeugd. Reclame en publiciteit geven daar op een indrukwekkende wijze blijk van. 'Oud' slaat niet aan, 'oud' verkoopt niet...

## Vragen aan de jonge generatie

o Ken je oudere mensen in je omgeving? Welk contact heb je met hen? Hoe praat je met hen?
o Wat weet je van het leven van je ouders? Hoe denken zij over hun kindertijd en hun jeugd?
o Wat lees je over oude mensen in kranten en tijdschriften?
o Zou je — als je oud bent — willen leven zoals je ouders of grootouders nu?

## Wij worden ook eens oud...

Wanneer heb je beseft dat je ouder wordt?
o toen je bij de ontmoeting met vrienden altijd de oude verhalen opnieuw vertelde?
o toen je bij het balspel merkte dat je buiten adem was?
o toen je op je verjaardag vaststelde dat de jaren steeds sneller voorbij gaan?
o toen je in de tuin van je ouders de noteboom zag, die je zelf geplant had?
o toen je in de overlijdensberichten op de leeftijd begon te letten?

## Vragen aan de oudere generatie

o Wat vind je van de huidige generatie? Hoe praat je over hen?
o Welke indruk maakt je leven op de jonge generatie?
o Wat lees je in tijdschriften of in kranten over de jeugd?
o Wat weet je van het schoolleven van de kinderen van tegenwoordig, wat van de jeugdigen in hun opleiding of van de jonge werklozen?
o Hoe open ben je ten opzichte van jonge mensen? Doe je moeite om met hen in gesprek te komen?

## Rust en onrust

### Wensen voor de pensioen-leeftijd...

o Eindelijk het hele jaar door vakantie hebben.
o Mijn eigen baas zijn.
o Na een zwaar arbeidsleven van de welverdiende rust genieten.
o Veel tijd voor de kleinkinderen hebben.
o Door de hele wereld reizen.
o Nog een keer opnieuw beginnen.

### Angsten voor de pensioen-leeftijd...

o Wat wordt er van mijn werk?
o Ik verlies de regelmaat in mijn leven.
o Velen sterven vrij slag na hun pensionering.
o Alleen nog maar thuis zitten.
o Geen contact meer met de collega's.
o Ook tot de afgedankten behoren.

## En als het dan zover is...

### 'Ik weet met mijn tijd geen raad'

Ik weet niet goed wat ik met al mijn vrije tijd moet doen. Tot nu toe werd mijn tijdsindeling door mijn werk bepaald: opstaan, het huis uitgaan, middagpauze, vrije tijd, slapen gaan.

### 'Ik verlies mijn vrienden'

Sinds ik niet meer ga werken, mis ik het gesprek met de vertrouwde collega's. De laatste jaren hebben we zoveel moeilijkheden samen gedeeld. Wie heb ik nu nog?

### 'Ik krijg het deksel op de kop'

Tegenwoordig zit ik dagenlang thuis en heb niets belangrijks te doen. Ik wil er weer eens uit. Met de collega's praten, over politiek en sport discussiëren, weer eens andere lucht inademen.

### 'Ik heb nu nog minder tijd dan voorheen'

Van de ene dag in de andere te leven heeft me in het begin ziek gemaakt. Daarom ben ik begonnen om me elke keer iets voor te nemen voor de volgende week. Zodoende kan ik me ergens op verheugen.

'Ik heb nieuwe/oude bekenden gevonden'

Plotseling had ik tijd om oude vriendschappen nauwer aan te halen. Ik kon op bezoek gaan en ook eens langer dan een weekend blijven. Oude bekenden zijn ondertussen nieuwe vrienden geworden.

'Nu kan ik meer ondernemen'

Eindelijk heb ik nu ook door de week en overdag tijd om iets te gaan doen: fietsen, tuinieren, naar de bioscoop gaan... De regelmatige uitstapjes doen me deugd en laten me van mijn pensioen genieten.

'Wat ben ik nog waard?'

Jarenlang vond ik voldoening in mijn beroep. Daar kon ik iets presteren, daar vond ik bevestiging en niet alleen in de vorm van loon. Wie vertelt mij tegenwoordig wat ik waard ben?

'Ze hebben me nog nodig'

Laatst heb ik voor de bejaardenclub van onze parochie een uitstapje georganiseerd. Allen hebben me achteraf gezegd, dat het geslaagd was. Dat doet me echt deugd.

Gebed van een slak

Gij weet, Heer,
dat ik niet van de vlugste ben,
ik draag mijn huis,
kom traag vooruit,
moet lang nadenken over de weg.
Mijn ogen zien niet verder
dan tot de volgende grashalm.
Wellicht ben ik dikwijls
aan U voorbijgekropen
zonder U te herkennen.
Vergeef het mij, Heer,
Gij, die de slijmsporen op de weg telt.
En laat ook de lastdragers
en de langzamen,
op hun tijd,
aankomen bij U.

# Een testament maken

Soms staan we voor onaangename verrassingen bij het overlijden van een persoon die ons dierbaar is.

Iemand zorgt jarenlang voor een persoon, zonder dat familie of vrienden van deze laatste iets van zich laten horen.

Wanneer die persoon dan overlijdt, gaat de hele nalatenschap echter naar de familie. En diegene die al de zorg en kommer gedragen heeft, blijft in de kou staan.

Dergelijke toestanden kunnen vermeden worden door het maken van een testament. Een testament maken is juist de mogelijkheid gebruiken om rechtsgeldig over het lot van je goederen te beschikken na je overlijden. Wanneer er bij overlijden geen testament is gemaakt, is de wettelijke erfopvolging van toepassing. Dit houdt in dat de langstlevende echtgeno(o)t(e) en de kinderen op de eerste plaats staan om te erven.

## België

De echtgeno(o)t(e) en de kinderen kunnen nooit volledig onterfd worden; zij zijn immers reservataire erfgenamen. Zij hebben steeds recht op een bepaald voorbehouden gedeelte van het nagelaten vermogen.

Het burgerlijk wetboek voorziet drie vormen van testament.

o *het eigenhandig testament*
Het volstaat plaats en datum te vermelden en eigenhandig de laatste wilsbeschikking te schrijven en te ondertekenen.

o *het authentiek of notarieel testament*
Het testament voor de notaris is een authentieke akte waarbij de erflater zijn testament dicteert aan de notaris in aanwezigheid van een tweede notaris of twee getuigen. De erflater dient enkel te tekenen met de getuigen en de notaris.

o *het internationaal testament*
Het internationaal testament wordt op internationaal vlak erkend (Verdrag van Washington 26 oktober 1973). Het testament wordt schriftelijk gemaakt, maar moet niet noodzakelijk door de erflater zelf geschreven zijn. De erflater verklaart in tegenwoordigheid van twee getuigen en van een persoon die bevoegd is om in deze op te treden, dat het stuk zijn testament is en dat hij de inhoud ervan kent. De erflater en ook de bevoegde persoon (notaris) tekenen het testament en de bijgevoegde verklaring. De datum van het testament is die van de ondertekening.

In België zijn bevoegd om inzake

internationale testamenten op te treden:
– op het Belgisch grondgebied, de notaris;
– ten opzichte van de Belgische onderhorigen in het buitenland, de diplomatieke en consulaire ambtenaren met notariële bevoegdheid.

## Nederland

In tegenstelling tot België kan de langstlevende echtgeno(o)t(e) worden onterfd: hij/zij heeft dan geen recht op een gedeelte van de nalatenschap.

Het burgerlijk wetboek voorziet vier vormen van testament:

o *het eigenhandig testament*
De uiterste wil moet eigenhandig geschreven, ondertekend (niet gedateerd) en bij een notaris, in tegenwoordigheid van twee getuigen, worden gedeponeerd. De notaris maakt onmiddellijk een akte van bewaargeving op, die door hem met de erflater en de getuigen wordt getekend.

o *het authentiek of notarieel testament*
Is het meest voorkomende. Het is een uiterste wil, die bij openbare akte ten overstaan van een notaris in tegenwoordigheid van twee getuigen moet opgemaakt worden.

o *het besloten of geheim testament*
Moet door de erflater zelf getekend, maar niet eigenhandig geschreven en gedagtekend worden. Het stuk moet gesloten aan een notaris in tegenwoordigheid van vier getuigen aangeboden worden. Van de verklaring van de erflater dat het stuk zijn uiterste wil bevat, maakt de notaris de zogenaamde akte van superscriptie op. Ook deze akte moet door erflater, getuigen en notaris worden ondertekend.

o *de onderhandse verklaring*
Moet door de erflater geheel geschreven, gedagtekend en ondertekend worden (in de praktijk spreekt men van codicil).

Het Haags Verdrag van 5 oktober 1961 heeft het mogelijk gemaakt dat een Nederlandse onderdaan die zich in een vreemd land bevindt, rechtsgeldig bij eigenhandig testament kan beschikken. Dergelijk testament is niet alleen geldig naar de vorm, maar ook conform met de wet van de woonplaats of de gewone verblijfplaats van de erflater. Omdat onder sommige omstandigheden de door de wet voor geldigheid van een testament gevorderde formaliteiten te omslachtig zijn, laat de wet in bepaalde gevallen een eenvoudiger vorm van uiterste wil toe (de zogenaamde noodtestamenten).
Zowel in Nederland als in België is een testament steeds te herroepen. Men kan er zoveel maken als men wil. Het laatste testament geldt.

## Ook een 'testament'...

Veel kan ik voor jou, je vrouw en je kinderen niet meer doen. Enkel nu en dan een kleinigheid: een boodschap in de stad of in het voorjaar en de zomer het onkruid wieden in de tuin, of me met de kinderen bezighouden, als het niet te druk wordt. Ik weet dat ik jullie af en toe op de zenuwen werk, met mijn ziekte, mijn gepraat, mijn oud-worden. Je hadt me kunnen laten opnemen, toen moeder drie jaar geleden stierf. Je hadt me in een bejaardentehuis kunnen onder-brengen. Zelfs een duur tehuis hadden we makkelijk kunnen be-talen. Je hebt het niet gedaan. Jullie hebben me thuis opgenomen. Je hebt er niet veel woorden aan vuil gemaakt, het was voor jullie van-zelfsprekend. Ook ik ben geen man van veel woorden, maar ik beloof mijn best te doen om jullie niet tot last te zijn. Ik weet dat hoe ouder ik word, hoe moeilijker dit mij zal vallen. Maar toen je vrouw, op de eerste avond dat ik bij jullie thuis was, zei: 'Zo, opa, nu blijf je voor altijd bij ons', wist ik dat ik een nieuwe thuis had, dat ik aanvaard was en genegenheid zou ontvangen tot op mijn laatste levensdag. En als je later – misschien ook wel binnen heel korte tijd — dit testament opent en deze brief erbij vindt, zal je weten, dat ik jullie dank: jou, je vrouw en je kinderen voor de nieuwe thuis, de nieuwe geborgen-heid, die jullie me gegeven hebben. Want wat jullie me gegeven hebben kan ik niet in woorden uitdrukken, maar je moet weten, dat ik iedere dag met jullie, als een kostbaar en mooi geschenk heb ervaren. Bedankt. Bedankt voor alles...
*Je vader.*

## Aanleiding tot vreugde

De feestelijke gebeurtenissen in het leven van oude mensen bieden een bijzondere gelegenheid om de hele familie nogmaals bij elkaar te laten komen. Op belangrijke feestdagen, zoals 'ronde' verjaarda-gen, kunnen buiten de naaste fami-lie, zoals grootouders, ouders en kinderen, ook grootooms en groottantes en verdere verwanten uitgenodigd worden. Kinderen er-varen daarbij dat ze tot een grote familie behoren, die in vreugde en verdriet samen blijft.

**Bij de verjaardag van de groot-ouders**

*Wij hebben elkaar veel te vertellen*

We hebben elkaar in lange tijd niet gezien. Er wordt over de ver-bouwing van het huis verteld, over de schoolproblemen van de kinde-ren, over tante... die er vandaag niet bij kon zijn en... Vertellen is een belangrijk programmapunt op oma's verjaardagsfeest.

*Wij bekijken oude foto's*

Foto's van vroeger hebben een eigenaardige aantrekkingskracht. Alles ziet er zo anders uit: de mode, de auto's, de gezichten. 'Wij hadden tegen de verjaardag in de familie navraag gedaan en mooie, oude foto's verzameld. Enkele daarvan hadden we bij de fotograaf tot dia's laten maken. We beleefden er veel deugd aan samen die dia's te bekijken. Er werden daarbij veel oude verhalen opgehaald. Andere foto's hadden we zo bij elkaar gestoken, dat we van iedereen een kinderfoto hadden plus een van de laatste jaren. Raden welk kindergezicht bij wie past, was niet altijd even gemakkelijk!'

*Wij spelen oude spelletjes*

Wij hebben aan oma gevraagd wat de kinderen vroeger graag speelden. Zij heeft er lang over moeten nadenken, maar enkele spelen kon ze zich nog herinneren. De ouderen kenden er ook nog die voor ons nieuw waren. Zij legden ons de spelregels uit en wij hebben enkele spelen uitgeprobeerd.

*Wij luisteren naar een wensconcert*

Bij de voorbereiding van het feest hadden wij gevraagd, wie welke muziek graag hoort. De meest voorkomende fragmenten namen we op een cassette op, zodat we ze op het verjaardagsfeest konden afdraaien.

*Ook de kleintjes dragen iets voor*

De laatste dagen voor de verjaardag hebben de jongste kleinkinderen iedere dag hun spreuk of hun versje uit het hoofd opgezegd, zodat ze bij opa niet zullen stotteren. Het driejarige kleindochtertje kent het volgende al:
> Mijn opa is een schat,
> een lieve, lieve schat,
> daarom geef ik hem een zoen,
> een echte zoen is dat.

En broertje van vijf krijgt al een langer versje over de lippen:
> Opaatje lief,
> al ben ik nog maar klein,
> ik wil op deze mooie dag
> uw liefste vriendje zijn.
> Moge God, de Heer, u geven
> een gezond en héél lang leven.

187

## 'Als jij dat graag hebt, liefste...'

Gisteren heb ik een écht echtpaar gezien. Hij was over de tachtig. Zij nauwelijks iets jonger. Een beetje buiten adem tornden ze tegen de straathelling op. Hij had spierwit haar. Zij had blauwe ogen, met rimpeltjes om te zoenen. Hij leek last te hebben van astma. Zij van reuma. Ze keken niet naar de stroom, niet naar de prachtige gebouwen. Ze keken naar elkaar en hielden stevig elkaars hand vast.

Ik ben zeker dat ze een hele bende kleinkinderen en achterkleinkinderen moesten hebben. Dat zij een hele reeks miseries, zorgen, ruzies en verzoeningen hadden meegemaakt. Met spaarzame woorden wellicht, maar met de wil om bij elkaar te blijven en ook de wil om met elkaar te sterven. Je kunt daar om glimlachen. Maar er is veel liefde nodig om bij zichzelf te zeggen: 'Ik zou met haar, met hem willen doodgaan,' en zich eindelijk veilig te voelen.
Haar blauwe ogen zaten nog vol vragen.
Hij hield haar bij de hand alsof hij ze tegen alles wou beschermen: het oud-worden, de aftakeling, de eenzaamheid, de dood.

Ik heb hun niet durven vragen of ook zij destijds elkaar verscheurd, uitgekafferd, verraden hebben. Ik heb hem niet durven vragen of hij haar op een of andere morgen ineens minder mooi, minder begeerlijk, minder verleidelijk had gevonden dan die of die andere. Ik heb haar niet durven vragen of zij hem een maniak„ een knorpot, een kletsmajoor of een baasspeler had gevonden.
Of zij hem op de zenuwen had gegeven met haar breiwerk, haar confituur, haar gepraat en haar eeuwig rommelen in de kasten.
Of hij haar tot wanhoop had gebracht met zijn kruiswoordraadsels, zijn opscheppen met heldendaden uit de oorlog, zijn postzegels en zijn branie. Ik heb hun niet durven vragen hoe vaak hij bij het weggaan de deur hard had dichtgeslagen, hoe vaak zij gehuild had, hoe vaak hij haar gezegd had: 'Je begint dik te worden...', hoe vaak zij hem toegeroepen had: 'Je houdt niet meer van me zoals vroeger'. Ik heb ze niet gevraagd hoe vaak ze op het punt hadden gestaan te scheiden, elkaar te vernietigen, elkaar te gaan haten misschien.

Wat komt het er trouwens op aan? Ze waren daar, nog altijd daar, nog altijd samen. Een kneep, een systeem, een mirakel-recept voor een mirakel-liefde bestaat niet. Alleen de liefde bestaat: met haar revoltes, haar dode ogenblikken, haar schaduwzijden en haar crisis-momenten, waarvan men alleen kan hopen dat het groeicrisissen zullen zijn. Een met littekens gemerkte liefde, aangrijpender misschien door al die verwondingen dan een liefde die niet geleden, niet gewaagd, niet gebotst zou hebben. Ik heb hun ook niet durven vragen: 'Hoe hebben jullie het klaargespeeld?' Wie zou zoiets durven vragen.

Toen ze twintig waren heeft zij hem wellicht gezegd: 'Gaan we samen dansen?' En heeft hij geantwoord: 'Als jij dat graag hebt, lieveling'. Als ze dertig was: 'Gaan we naar de zee?' — 'Als jij dat graag hebt, lieveling'. Later nog: 'Gaan we de kinderen eens opzoeken?' — 'Als jij dat graag hebt'.

Daar, in de straat, waar ik woon, met haar neusje om stortvlagen op te vangen en haar helderblauwe blik scheen ze te zeggen: 'Gaan we samen tot het einde van het leven?' En de wijze waarop hij haar hand vasthield scheen te antwoorden: 'Als jij dat graag hebt, liefste'...

*Simonne Conduché*

## Uit de eucharistievering bij een gouden huwelijksjubileum

### Enkele voorbeden

Wij danken U voor de 50 jaren van vriendschap die N. en N. werden geschonken. Voor hen in het bijzonder vragen wij op deze dag om een diepe genegenheid voor elkaar, die dagelijkse bezorgdheid om elkaars geluk die Jezus ons leerde. Laat ons bidden...

Wij spreken voor U, God, onze bezorgdheid uit om al die mannen en vrouwen die hun eens gegeven woord vergeten zijn. Schenk hun hart weer de warmte van het eerste uur; laat geen van hen verloren lopen in eenzaamheid of verbittering en bespaar hen de verdachtmaking en beschuldiging van hun omgeving. Laat ons bidden...

### Enkele teksten

De maat van ons leven is zeventig jaar, of als wij heel sterk zijn tachtig. Het meeste daarvan is nog kwelling en zorg, en snel komt het uur van vertrekken.
*Naar Ps. 90,10*

Laat heel ons leven gelukkig zijn. Vergeld nu met vreugde de dagen van leed, de jaren dat het ons slecht ging.
*Naar Ps. 90,15*

**Een slotgebed**

God onze Vader,
50 jaar geleden
hebben deze twee mensen
zich met elkaar verbonden
onder uw ogen.
U liet hen uitgaan naar een nieuw
leven.
Nu staan zij weer vóór U
en danken U
voor het lief en leed
dat zij samen beleefden,
voor het zoete en bittere
dat hun gezamenlijk lot was.
Aan veel ervaring rijker, Vader,
gaan zij nu weer de toekomst tegemoet.
Maar laat het dan voelbaar zijn
dat U uw handen over hen
houdt uitgestrekt.
Blijf hen boeien
met liefde zonder eind.

Schenk hun de goede Geest
van Jezus Christus,
Hij die met ons is
tot in eeuwigheid.
Amen.

Van ons twee
gaat maar één
naar de uitvaart
van de ander.
En wij belazeren
elkander:
wat wordt die oud!
kijk eens hoe grijs!
denkt d'ander van de één
en hij vergeet
dat even 'wijs'
gedacht wordt
door de ander.
Hoe schrander!
Het schrikt wel af
maar 't doet geen kwaad
er zo eens op te zinnen;
want bij een graf
is het te laat
om echt nog te beminnen,
dan is de één
die overblijft:
alléén.
En
van ons twee
gaat maar één
naar de uitvaart
van de ander!
*Fons Robberechts*

# Sterven en dood

## De dood heeft vele namen

Vroeger werd de dood dikwijls als een personage voorgesteld, een menselijk skelet met een zeis. Misschien wilde men daarmee duidelijk maken, dat de dood geen algemene, vreemde macht is, noch een of ander noodlot, maar een gebeurtenis, die ieder mens persoonlijk aangaat. We zijn bang door de dood getroffen te worden of met de dood te maken te krijgen.

De dood komen we echter in velerlei gestalten tegen. Met veel gezichten en veel namen treft zij de mensen in verschillende situaties:

— Judith, 24 jaar, gestorven bij een verkeersongeval, op reis naar Spanje.

— Thomas, 9 jaar, stierf aan een ongeneeslijke ziekte.

— Trees, 36 jaar, pleegde zelfmoord door een overdosis slaaptabletten.

— Jef, 46 jaar, klapt op het werk in elkaar: hartinfarct.

— Roos, 20 jaar, dood gevonden na het spuiten van heroïne.

— Paul, 34 jaar, na een lang verblijf in het ziekenhuis aan kanker gestorven.

— Maria, 81 jaar, na een gevuld leven en een kort ziekbed gestorven.

## *De dood roept veel vragen op*

Zo zeker als we weten dat we allemaal eens zullen moeten sterven, zo onzeker maakt ons ieder sterfgeval, iedere dood, die wij meemaken.

Steeds blijven wij ons afvragen:
— hoe kan God dit toelaten?
— waarom moest hij plotseling en zo jong sterven?
— waarom heeft zij zelfmoord gepleegd?
— hoe moet het nu verder zonder vader?
— wat heeft het leven nog voor zin zonder ons kind?
— is er leven na de dood?
— waar blijven de doden?
— waar vind ik troost...?

Veel mensen hebben angst voor de dood, kunnen geen doden zien. Zij willen zelfs de dood van een van hun naaste verwanten niet meemaken. Anderen vermoeden dat de dood niet het laatste woord kan hebben in het leven. Het kan toch niet allemaal voor niets geweest zijn: alle liefde, alle vreugde, alle moeite, alle leed, al het goede, alle moeilijkheden, alle hoop en alle verlangen.

Christenen vertrouwen op het woord van Jezus Christus: Ik ben de verrijzenis en het leven. Wie in Mij gelooft, zal leven, ook al is hij gestorven.

*Joh. 11,25*

## Jezus stierf

De kerk zegt in haar geloofsbelijdenis:
*Ik verwacht de opstanding van de doden en het leven van het komend rijk.*

'Troost' betekent oorspronkelijk 'verdrag' of 'verbintenis'. Het hangt in betekenis nauw samen met de woorden 'trouwen' en 'trouw'.

*Broeders, wij willen u niet in onwetendheid laten over het lot van hen die ontslapen zijn: gij moogt niet bedroefd zijn, zoals de andere mensen, die geen hoop hebben. Wij geloven immers dat Jezus is gestorven en weer opgestaan; evenzo zal God hen die in Jezus zijn ontslapen levend met Hem meevoeren. Troost elkander dan met deze woorden.*
*1 Tess. 4,13-14. 18*

## Egidius, waer bestu bleven?

Egidius, waer bestu bleven?
Mi lanct na di, gheselle mijn.
Du coors die doot, du liets mi tleven.

Dat was gheselscap goet ende fijn:
Het sceen teen moeste ghestorven sijn.
Nu bestu in den troon verheven,
Claerre dan der sonnen scijn;
Alle vruecht es di ghegheven.

Egidius, waer enz.

Nu bidt vor mi, ic moet noch sneven
Ende in de weerelt liden pijn.
Verware mijn stede di beneven
Ic moet noch zinghen een liedekijn.
Nochtan moet emmer ghestorven sijn.

Egidius, waer enz.

193

## Enkele voorbeelden

Anton, de wereld was voor jou te hard. Je hebt gezocht — ononderbroken — naar al wat echt is, waar en mooi.
Een bos tulpen, je gitaar, je vriendelijkheid deden ons soms hopen dat het beter ging.

Nu staan we machteloos.
We hebben je niet begrepen.
We hebben het niet aangekund met jou die harde weg van het leven te gaan.

We vertrouwen je toe aan Iemand die onnoemelijk veel van mensen houdt, hoe ze ook zijn:
arm, bespot, rechteloos, zoekend.

We danken je om alles wat je ons gaf.

---

Wij danken haar die blijft voortleven in elk van ons: zij heeft ons graag gezien en zich helemaal aan ons gegeven.

Wij danken God, onze Vader, voor haar schoonheid en haar adel, voor haar diep geloof en
haar groot vertrouwen.

Wij danken U, die uw medeleven hebt betoond: U bent voor ons een onmisbare steun.

Je bent de weg ten leven gegaan,
die smalle en steile weg
door weinigen gezocht en gevonden,
van de ontlediging en de dagelijkse dood.
Zo ben je tot vervulling gekomen.

Je ziekte heeft je verder ontledigd,
tot er niets anders meer overbleef
dan machteloosheid en lijden.
En van onze tafel ben je opgestaan,
niet als een conviva satur,
een verzadigd gast,
maar na een laatste bittere beker.

Zalig jij die vertrouwd hebt,
ook in het donkere dal van de dood.
op je Herder, die je roept, die je leidt
naar de wateren van het leven.

## Het mosterdzaadje

Er bestaat een oud Chinees verhaal over een vrouw wier enige zoon stierf. In haar verdriet ging ze naar een heilige man toe en zei: 'Over welke gebeden, welke magische bezweringen beschikt u om mijn zoon weer levend te maken?' In plaats van haar weg te sturen of met haar te gaan praten zei hij tegen haar: 'Breng me een mosterdzaadje uit een huis dat nooit verdriet heeft gekend. Dat zullen we gebruiken om het verdriet uit uw leven te verdrijven.' De vrouw ging meteen op pad, op zoek naar dat magische mosterdzaadje. Eerst kwam ze bij een prachtig herenhuis. Ze klopte op de deur en zei: 'Ik zoek een huis dat nooit verdriet heeft gekend. Ben ik hier aan het goede adres?' Ze zeiden tegen haar: 'U bent beslist aan het verkeerde adres hier,' en begonnen alle tragische gebeurtenissen op te sommen die hen de laatste tijd overkomen waren. De vrouw zei bij zichzelf: 'Wie is beter in staat om deze arme, ongelukkige mensen te helpen dan ik, die zelf ongelukkig ben?'

Ze bleef een poosje om hen te troosten, en ging toen verder op haar speurtocht naar een huis dat nooit verdriet had gekend. Maar waar ze ook kwam, in krotten of paleizen, ze kreeg het ene verhaal na het andere te horen over droefenis en ongeluk. Uiteindelijk ging ze zo op in het steun bieden aan anderen die verdriet hadden geleden, dat ze haar speurtocht naar het magische mosterdzaadje vergat, zonder ooit te beseffen dat het inderdaad het verdriet uit haar leven had verdreven.

*Harold Kushner*

## Ik mis mijn man zielsveel...

Een jaar na ons huwelijk werd ons zoontje geboren. Reeds enkele weken later kwam aan het licht dat mijn man een hersenabces had waarvoor een operatie nodig was. Die verliep vrij vlot, maar achteraf bleek bestraling nodig. Hoewel het niet hoefde verwoord te worden, wisten mijn man en ik vanaf dat moment dat het onmiskenbaar ging om een geïnfecteerde hersentumor waarvan de prognose niet voorspelbaar, maar in elk geval negatief was. Dit veranderde evenwel niets aan onze levenswijze in de negatieve zin van het woord. Integendeel, we waren heel gelukkig samen, we leefden heel intensief, diepgelovig, dankbaar voor elke dag die ons als gezin gegund werd, verenigd met ons kind, een geschenk van God.

De gezondheidstoestand van mijn man bleef vrij behoorlijk en stabiel gedurende 18 maanden.

Toen ons tweede kindje op komst was, bleek een nieuwe ingreep nodig. Het herstel verliep nogmaals vrij vlot. Helaas, weerom enkele maanden later, moest mijn man een derde maal geopereerd worden. Thans echter zonder resultaat, zonder hoop op herstel. Medisch was de zaak onherroepelijk verloren. We stonden machteloos. Er bleef ons alleen over pijn en last te verzachten.

Toen op zekere dag onze pastoor heel toevallig op bezoek kwam, zei ik hem waar wij voor stonden. Eerst leek hij het niet goed te begrijpen. En toen het echt tot hem doordrong, vroeg hij of mijn man niet graag regelmatig wilde communiceren. Dit werd enthousiast onthaald. Ikzelf mocht dagelijks de heilige communie in de kerk ophalen om samen met mijn man thuis te communiceren.

Het werd een vreugdevol en zeer verrijkend gebeuren. Mijn man en ik hebben dagelijks samen gebeden en gevierd rond de Heer.
Hand in hand hebben we gebeden, soms met de tranen in de ogen. Ook al rebelleerde ik soms, we hielden stand en soms wees mijn man mij zelfs terecht. Feit is dat we leerden enorm te vertrouwen in en op elkaar en op God. Angst en onzekerheid weken dan uit mijn hart, want op die ogenblikken van intens gebed bij het delen van het brood, zinderde in ons het zo toepasselijk lied:

*'Want in wijn en in brood*
*kom ik los van de dood,*
*reikt de hemel de aarde de hand.'*

We hielden dan ook elkaars handen stevig vast. Waar twee mensen samen zijn, is God in hun midden...

Hemel en aarde waren in elkaar verstrengeld. Zo is mijn man, na drie jaar ziekte, op eenendertigjarige leeftijd naar de hemel gegaan. Hij is thuis in ons midden gestorven, met een glimlach op de lippen. Ik mis mijn man zielsveel; de kinderen weten dat. Zij missen hun vader eveneens mateloos veel. Ze verlangen naar hem en kijken vol respect naar hem op. Samen rouwen we om hem.

# Hoe kan men stervenden troosten ?

Hij had pijn, de man, veel pijn, ondraaglijke pijnen. Hij lag op zijn bed en kon zich nauwelijks bewegen. De ziekte had hem te pakken. Hij leed aan kanker en was bang om te sterven. Hij streed en verzette zich en wou het niet opgeven. En toch wist hij: alles is voorbij; er is geen redding meer. Wat hem zo bang maakte, kwam steeds dichter bij. Het was als een groot zwart gat, waarin hij zou verdwijnen tegen wil en dank. En hij begon te huilen. Hij wilde niet in dat gat. En hij huilde en huilde maar door, drie dagen lang. Zijn vrouw en zijn zoon maakten dit allemaal mee. Het was verschrikkelijk.
Maar na drie dagen hield hij plots op; hij werd rustig.
Wat was er gebeurd ? In zijn vertwijfeling had hij met de handen om zich heen geslagen. En daarbij had hij met zijn hand het hoofd van zijn zoon geraakt. Die was stiekem in de sterfkamer geslopen. De jongen nam de hand van zijn vader en hield ze tegen zich aangedrukt.
Op dat moment zag de stervende zijn zoon en kreeg medelijden met hem. Hij keek naar zijn vrouw, die ook binnen was gekomen, en zag de

tranen die haar over de wangen biggelden. En hij had medelijden met haar.

Hij wou het hun zeggen: ik heb medelijden met jullie, maar hij kon niets meer zeggen. Hij wist: als ik gestorven ben, zal alles makkelijker voor hen zijn. Hij dacht: Ik wil het doen, ik wil sterven.

Toen was hij opeens stil en heel rustig geworden.

Zo eenvoudig, dacht hij. En de pijn? Die hield op. Waar was de angst gebleven? En de dood, waar was die? De angst was weg. De dood had geen macht meer over hem. Twee uur later was hij gestorven.

*Leo Tolstoi*

Doodzieke mensen kunnen hun situatie op heel verschillende manieren beleven. Enkele daarvan komen ook in het verhaal van Leo Tolstoi voor. Als wij daar weet van hebben, kunnen we stervenden beter begrijpen en ze ook beter behulpzaam zijn.

## 1. Verdringing, afwijzing, zich in zichzelf terugtrekken

De stervende vermoedt dat de dood niet ver af meer kan zijn, maar hij verdringt deze gedachte steeds opnieuw. Meer en meer wijst hij andere mensen af, laat de familie nog wel toe, maar sluit zich ten slotte helemaal in zichzelf op.

## 2. Ergernis, protest, wantrouwen

Deze gevoelens zijn gericht tegen de familie, maar ook tegen de dokters, die naar het aanvoelen van de zieke 'meer weten, dan ze zeggen'. Hij wordt wantrouwig wanneer zijn familieleden, uit medelijden, elk van zijn wensen vervullen. Hij verzet zich tegen zijn ziekte die hij niet kan aanvaarden.

## 3. Er wordt onderhandeld over de levenskansen

Dikwijls wordt de stervende plots weer vertrouwelijk. In schijnbaar goede stemming, soms zelfs grappig, onderhandelt hij met de arts over zijn levenskansen. Hoelang het nog kan duren, hoeveel weken hij hem nog te leven geeft...

## 4. Depressief en zonder weerstand

De stervende geeft zich zelf op. Hij heeft geen levenskracht en geen levensmoed meer. Hij wil niet meer. De gevolgen zijn vaak slapeloosheid en gemis aan zelfverzorging.

## 5. Acceptatie van het sterven, overgave, rust

Deze toestand leidt dikwijls tot bewusteloosheid. Er is geen verzet meer tegen de dood. Sterven wordt niet meer als lijden gezien.

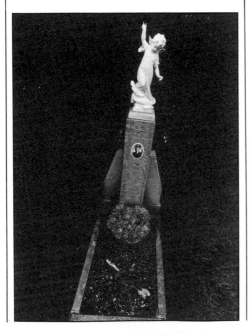

## *Hoe kunnen we een stervende helpen ?*

o De stervende bijstaan, hem vooral niet alleen laten. Hij moet de trouw, de betrouwbaarheid van God concreet kunnen ervaren in mensen die hem bijstaan tot in de dood.

o Deze bijstand kan voelbaar tot uitdrukking gebracht worden, als ik de hand van de stervende vasthoud of mijn hand als teken van zegen op zijn hoofd leg. Juist de stervende heeft een grote behoefte aan tastbare geborgenheid en genegenheid.

o Het gehoor van de stervende blijft vaak tot in de bewusteloosheid bewaard. Dit is belangrijk te weten in verband met onze gesprekken aan het sterfbed.

Zolang de stervende zelf nog kan praten, zouden we hem moeten laten uitspreken, ook zijn ergernis, zijn moedeloosheid en zijn angst. Die moeten we hem niet uit het hoofd praten, maar ze met hem delen. We moeten een priester roepen, als de stervende dat zelf wenst of als wij uit ervaring weten, dat hij dit zou wensen. Wij kunnen ook met en voor hem bidden. Als wij bidden, bekennen wij dat wij niet alleen zijn, maar dat God bij ons is.

## Gebeden uit de Heilige Schrift

*Of wij leven of sterven, Hem behoren wij toe.*
Rom. 14,8

*Tot U, Heer, stijgt mijn verlangen.*
Ps. 25,1

*De Heer is mijn licht en mijn heil.*
Ps. 27,1

*Moest ik gaan door het dal van de schaduw des doods, kwaad zou ik niet vrezen. Want naast mij staat Gij.*
Ps. 23,4

*Lofzang van Simeon*

*Uw dienaar laat Gij, Heer,
nu naar uw woord in vrede gaan:
mijn ogen hebben thans uw Heil
aanschouwd
dat Gij voor alle volken hebt bereid;
een licht dat voor de heidenen
straalt,
een glorie voor uw volk Israël.*
Luc. 2,29-32

*Vader, als Gij wilt, laat dan deze beker Mij voorbijgaan. Maar toch: niet mijn wil, maar uw wil geschiede.*
Luc. 22,42

Tot U, Heer, neem ik mijn
toevlucht, stel mij toch nimmer
teleur.
Gij zijt rechtvaardig, red en bevrijd
mij,
luister en kom mij te hulp.
Wees mij een vluchtoord, een veilige
plaats;
mijn rots en mijn burcht zijt Gij
altijd geweest.
Want Gij, mijn God, Gij zijt mijn
verwachting,
mijn hoop zijt Gij, Heer, sinds mijn
vroegste jeugd.
Vanaf de moederschoot steun ik op
U,
Gij waart mijn beschermer vanaf
mijn geboorte, op U heb ik altijd
vertrouwd.
Voor velen ben ik een teken
geworden, omdat Gij mij krachtig
gesteund hebt.
Mijn mond was vervuld van uw lof,
U prees ik van vroeg tot laat.
Verwerp mij nu niet in mijn
ouderdom,
laat mij niet los, nu mijn krachten
bezwijken.
Van jongsaf heb ik het ondervonden,
en nu nog prijs ik uw daden.
Ook als ik oud en grijs ben
geworden,
verlaat mij dan niet, mijn God.
Zolang ik uw macht nog
verkondigen kan,
uw kracht aan allen die na mij
komen;
Uw goedheid, mijn God, die
hemelhoog reikt,
uw grootheid, die niemand kan

evenaren.
Gij hebt mij dikwijls en zwaar
beproefd;
Gij zult mij weer levensmoed
schenken,
mij opheffen uit deze afgrond.
Vermeerder het aanzien dat ik geniet
en geef mij opnieuw uw steun.
Dan zal ik bij harpspel uw trouw
bezingen,
met citerspel Israëls Heilige loven.
Mijn lippen zullen U jubelend eren,
mijn geest zingt voor U, die mij hebt
verlost,
mijn tong zal steeds uw
rechtvaardigheid prijzen.
Naar psalm 71

# Het Viaticum
## Sacrament voor de stervenden

Het is een goede gewoonte om aan een stervende nog de gelegenheid te geven te communiceren. Die laatste communie wordt viaticum, 'reisvoedsel', genoemd: de stervende krijgt reisvoedsel mee voor zijn overgang uit dit leven naar het 'Rijk der hemelen'. Zo krijgt hij deel aan het mysterie van de dood van Jezus en zijn overgang naar de Vader.
Als dit mogelijk is hernieuwt de stervende zijn geloofsbelijdenis.
Deze laatste communie moet niet nodeloos worden uitgesteld. Het is goed als de zieke nog met volle bewustzijn kan communiceren.

## Het viaticum aan huis

- Worden in gereedheid gebracht: een tafeltje met witlinnen doek, een brandende kaars en wijwater (met palmtak).
- Bij voorkeur wordt het viaticum uitgereikt tijdens een eucharistieviering en nuttigt de zieke de communie onder de vorm van brood en wijn.

## Verloop

- Begroeting en aanbieden van wijwater aan de zieke en aan de andere aanwezigen.
- Gezamenlijk bidden van een schuldbelijdenis.
- Eventueel ontvangt de zieke het boetesacrament.
- Een van de aanwezigen leest een stukje uit de Heilige Schrift.
- Eventueel hernieuwt de zieke zijn geloofsbelijdenis.
- Voorbede.
- Het gebed des Heren.
- De communie wordt uitgereikt aan de zwaar zieke en eventueel ook aan de andere aanwezigen. Tot de zieke zegt de bedienaar: 'Lichaam van Christus.
Moge Hij u behoeden en u geleiden tot het eeuwig leven.'
Als de zieke geen vast voedsel meer kan innemen, kan de communie ook worden uitgereikt onder de gedaante van wijn.
- Slotgebed en zegenwens.

# Als iemand gestorven is...

o Roep je de huisarts van de zieke of de arts van wacht die de doodsoorzaak vaststelt en de overlijdensakte opstelt (als dat niet in het ziekenhuis gebeurt).

o Licht je de pastoor in en maak je met hem een afspraak, waarin je onder andere de datum voor de uitvaartliturgie en de begrafenis kunt vastleggen.

o Neem je contact op met een begrafenisondernemer. Met hem kun je alle praktische en concrete dingen regelen.
Laat je echter niet alles uit handen nemen! Overleg de bijzonderheden met een familielid of een goede vriend.
Als gelovige christen wil je aan het sterven van een familielid ook de uitdrukking geven, die bij zijn en jouw geloofsovertuiging past. Dit gebeurt niet alleen door te zorgen voor een christelijke begrafenis, maar ook in het overlijdensbericht, het gedachtenisprentje, de dankzegging, het kranslint en de vormgeving van de grafsteen.

## Symbolen

Bij de vormgeving van een overlijdensbericht, een doodsprentje, een dankkaartje... kan gebruik gemaakt worden van een aantal christelijke symbolen voor de dood.

*Kruis* — Grondsymbool van het christendom. Het kruis, waaraan Jezus stierf, is het teken bij uitstek van het heil dat ons is aangezegd.

*Aar* — Teken van vruchtbaarheid en verrijzenis. 'Wat gezaaid wordt in vergankelijkheid, verrijst in onvergankelijkheid'
(1 Kor. 15,42).

*Lam* — Teken van Christus, die zichzelf geofferd heeft. Een beeld van de verrezen Heer, die zijn volk deelachtig maakt aan zijn heerlijkheid.

*Kroon* — Teken van de overwinning over de dood. 'Wees getrouw tot de dood en Ik zal u de kroon des levens geven'
(Apok. 2,10).

*Licht* - Symbool voor Christus, dikwijls in de vorm van de paaskaars of van de zon. 'Ik ben het licht van de wereld. Wie Mij volgt, dwaalt niet rond in de duisternis, maar zal het licht van het leven bezitten' (Joh. 8,12).

*Hand* — Teken van de Schepper, van de Voltooier. 'De hand van Jahweh is geheven, de hand van Jahweh toont zijn macht. Mij wacht niet de dood — ik mag leven' (Ps. 118,16-17).

Deze symbolen kunnen ook aangebracht worden op de grafsteen.
Een tekst uit de bijbel, getuigenissen van christenen of woorden van de liturgie kunnen het symbool verduidelijken.

## Uit de Heilige Schrift

*In uw hand beveel ik mijn geest,*
*Gij, Heer, die mijn verlosser wilt zijn,*
*Gij, die een God zijt van waarheid.*
*Ps. 31,6*

*Wie in de Zoon gelooft, heeft het eeuwig*
*leven.*
*Joh. 3,36*

*Ik ben gekomen, opdat zij leven zouden*
*bezitten, en wel in overvloed.*
*Joh. 10,10*

*Ik ben de verrijzenis en het leven.*
*Wie in Mij gelooft, zal leven, ook al is*
*hij gestorven.*
*Joh. 11,25*

*Als de graankorrel niet in de aarde valt*
*en sterft, blijft hij alleen; maar als hij*
*sterft, brengt hij veel vrucht voort.*
*Joh. 12,24*

*Hoe waar is dit woord: Als wij met*
*Hem gestorven zijn, zullen wij met*
*Hem leven.*
*2 Tim. 2,11*

*Dit zijn de dingen waarvan de Schrift*
*zegt: Geen oog heeft ze gezien, geen oor*
*heeft ze gehoord, geen mens kan het zich*
*voorstellen, al wat God bereid heeft*
*voor die Hem liefhebben.*
*1 Kor. 2,9*

*Hij zal alle tranen van hun ogen af-*
*wissen en de dood zal niet meer zijn;*
*geen rouw, geen geween, geen smart zal*
*er zijn, want al het oude is voorbij.*
*Apok. 21,4*

*Zalig de doden die in de Heer sterven.*
*Apok. 14,13*

*Ons vaderland is in de hemel.*
*Fil. 3,20*

## Getuigenissen van christenen

Verrijzen is ons geloof,
weerzien onze hoop,
gedenken onze liefde.
Uit Gods hand ontving ik mijn
leven,
onder Gods hand leef ik mijn leven,
in Gods hand geef ik mijn leven
terug.
Jullie, die mij zo liefgehad hebben,
let niet op het leven dat ik afgesloten heb, maar op het leven dat ik
begin.
*Augustinus*

Onrustig is ons hart, o Heer, tot het
rust in U.
*Augustinus*

Ik sterf niet, ik treed het leven
binnen.
*Teresa van Lisieux*

Wie Pasen kent, kan nooit wanhopen.
*Dietrich Bonhöffer*

Vader, ik begrijp U niet, maar ik
vertrouw op U.
*M. Basilea Schlink*

Onze doden horen tot de onzichtbaren, maar niet tot de afwezigen.
*Johannes XXIII*

## Kransen en linten

De krans is een uitdrukking van
geloof.
Als de krans van een lint wordt
voorzien, zal de tekst kort zijn en
iets wezenlijks inhouden. Op de
ene kant van het lint kan bijvoorbeeld staan:
*Uit dankbaarheid*
*In liefde en trouw*
*In vertrouwen op God*
*Leef in Christus*
*In geloof in het*
*eeuwige leven.*

Aan de andere kant komt dan de
naam.

## De dodenwake

In veruit de meeste gevallen worden overledenen niet meer thuis of
in de kerk opgebaard. De familieleden krijgen dikwijls enkel de mogelijkheid tot een kort bezoek aan
een mortuarium. Een stil gebed
herinnert daarbij aan een vroeger
gebruikelijke dodenwake door de
familie met vrienden en buren aan
de baar van de overledene gehouden.
Tegenwoordig wordt dikwijls op de
avond vóór de uitvaart een gebedswake gehouden. Het secretariaat
van de parochie kan bijvoorbeeld
de buren over de dood berichten en
ze uitnodigen tot een gezamenlijk
gebed bij de overledene thuis of in
de kerk.

*Gebeden uit een dodenwake*

Heer God, nu dit hart dat zo
van het leven en van de
mensen
heeft gehouden
stil gevallen is,
bevelen wij deze mens in uw
handen.
Wij geloven dat zijn (haar)
naam
geschreven staat in de palm van
uw hand, en dat Gij hem (haar)
kent.
Wij bidden U: roep deze mens
ten leven, vergeef hem (haar)
wat hij (zij) misdeed, en laat
hem (haar) delen in de
onbegrensde vreugde die Gij
voor hem (haar) hebt
weggelegd in Christus Jezus
onze Heer. Amen.

Heer onze God,
door uw woord hebt Gij de
wereld tot leven geroepen.
Gij hebt gezegd: 'Er zij licht',
en er was licht.
Laat onze hoop niet bezwijken
voor de duisternis van de dood.
Maar roep uw Licht in ons hart
te voorschijn.
Dan zullen wij als uw Zoon
Jezus Christus niet sterven,
maar leven voor altijd.

Vertrek nu, christen mens, uit
deze wereld, in de naam van
God,
de almachtige Vader,
die u geschapen heeft;
in de naam van Jezus Christus,
de Zoon van de levende God,
die voor u geleden heeft en
gestorven is;
in de naam van de H. Geest,
die in u is uitgestort
bij het doopsel en vormsel.

Heden zij uw plaats in de
vrede en uw woning in het
heilige Sion bij God, samen
met de Heilige Moeder Gods,
de Maagd Maria, met de heilige
Jozef, en de H... uw patroon,
met alle engelen en heiligen
van God.

Dierbare broeder (zuster),
ik beveel u aan bij de

almachtige God;
ik vertrouw u toe aan Hem
die u geschapen heeft:
keer terug tot uw Schepper
die u uit het stof van de aarde
heeft gevormd.
De Heilige Maria, de engelen
en alle heiligen mogen u
tegemoet komen bij uw
heengaan uit dit leven.

Christus, die voor u gekruisigd
is,
moge u bevrijden.
Christus, die voor u heeft
willen sterven,
moge u begeleiden.
Christus, de Zoon van de
levende God,
moge u een plaats geven in zijn
paradijs.

Hij, de ware Herder, moge u
herkennen als één van zijn
schapen.
Hij moge u vrijspreken van al
uw zonden en u opnemen
onder zijn uitverkorenen.
Moogt gij uw Verlosser zien
van aangezicht tot aangezicht
en God aanschouwen in de
eeuwen
der eeuwen. Amen.
*(vrij naar een tekst van paus
Leo de Grote)*

# De kerkelijke uitvaart

De overledene wordt naar zijn
laatste rustplaats begeleid. Afhankelijk van de plaatselijke situatie
worden verschillende gebruiken in
ere gehouden, die ook in de uitvaartliturgie opgenomen worden.

*Een eerste mogelijkheid*

In het sterfhuis of in het mortuarium begint de priester met de
opening van de viering. Daarop
volgt de eucharistieviering en ten
slotte de begrafenis.

*Een tweede mogelijkheid*

De uitvaartdienst begint met de
eucharistieviering in de kerk.
Daarna volgt een woorddienst in
het mortuarium van het kerkhof of
in het crematorium en ten slotte de
begrafenis.

*Een derde mogelijkheid*

Er vindt een woorddienst plaats in
het mortuarium of in het crematorium. Daarop volgt de begrafenis of
de crematie.

Als diegenen die afscheid komen
nemen bij het graf verzameld zijn,

bidt de gebedsleider (priester of diaken):

'Heer Jezus, in uw verrijzenis is voorgoed duidelijk geworden dat God trouw blijft aan wat Hij met de mensen begonnen is. In U heeft God getoond dat Hij ons niet voor de dood maar voor het leven heeft bestemd. Wij bidden U: laat deze dierbare overledene vandaag nog binnentreden in uw Rijk. Toon hem (haar) uw gelaat en laat hem (haar) delen in uw vreugde. Gij die leeft en heerst in eeuwigheid'.
Het graf wordt dan met wijwater besprenkeld (en eventueel ook bewierookt). Daarbij zegt men:
'Heden zij uw verblijf in de stad van vrede en uw woning in het heilige Sion'.

De gebedsleider maakt met de rechterhand een kruisteken over de kist:

'Ik teken uw lichaam met het teken van het heilig kruis, opdat het op de dag van het oordeel mag verrijzen en het eeuwig leven bezitten'.

Waar dit de gewoonte is, strooit de priester of diaken een weinig aarde uit over de kist met de woorden:

'Uit aarde, Heer, hebt Gij de mens gemaakt en hem een lichaam bereid: doe hem verrijzen op de jongste dag'.

En nadat het lichaam aan de aarde is toevertrouwd:

'Heer onze God, Gij zijt een God van liefde en trouw. De naam van elke mens staat geschreven in de palm van uw hand.
Wij bidden U voor deze dierbare overledene, van wie wij het lichaam toevertrouwen aan het graf. Laat hem (haar) voor eeuwig delen in uw liefde. Door Christus onze Heer'.

Er kan een voorbede toegevoegd worden. Alle aanwezigen bidden dan het Onze Vader. De priester besluit de viering met een gebed en de zegen.
Op vele plaatsen is het gebruikelijk daarna bloemen of aarde in het graf te gooien. Ook kan men dan de familie zijn deelneming betuigen.

*Uit: De orde van dienst voor de uitvaartliturgie*

## Crematie

Oorspronkelijk was het cremeren de christenen niet toegestaan. Het werd namelijk in de tweede helft van de negentiende eeuw ingevoerd om te protesteren tegen de verrijzenis. In 1964 heeft de kerk dit verbod opgeheven, omdat de crematie nauwelijks nog een anti-kerkelijk karakter heeft en in de grote steden meer en meer plaatsvindt. Sindsdien kan er ook een kerkelijke uitvaartliturgie plaatsvinden voor een crematie of bij de bijzetting van de urn. Meestal valt de viering samen met de crematie omdat de bijzetting van de urn vaak veel later gebeurt en zonder medewerking van de kerk wordt voltrokken. Als de kerkelijke viering pas bij de urnbijzetting aan het graf gehouden wordt, verloopt ze zoals een begrafenis.

## Deelneming

Met mensen die iets voor je betekenen, ga je doorgaans ook graag om. Met iemand graag omgaan betekent hem graag mogen, ook, en misschien vooral, als hij treurt om de dood van een geliefde. Juist dan heeft hij je hulp nodig.
Dat kun je het best uitdrukken door een bezoek te brengen aan de familie van de dode. Vooral na de begrafenis kan dat erg belangrijk zijn. Want juist dan wordt het verlics van de overledene dikwijls erg pijnlijk ervaren.

De na(ast)bestaanden dan een helpende hand toesteken of ze een kaart of brief zenden met liefst een persoonlijke tekst erop, kan van onschatbare waarde zijn.
Wie niet gemakkelijk persoonlijke gevoelens verwoordt, of wat verder van de betreffende familie afstaat, kan gebruik maken van teksten als:

Wij bidden voor N., in geloof dat God zijn/haar leven uit de dood verheft.
En met de wens dat God u sterkte en liefde schenkt in deze moeilijke tijd, bieden wij u onze innige deelneming aan in uw lijden...

Wij delen in uw verdriet en durven erop vertrouwen dat God niets van dit liefdevolle leven verloren zal laten gaan...

## Dankbetuiging

Ze moet eenvoudig van vormgeving zijn. Een gedachtenisprentje kan er bijgevoegd worden.
De dankbetuiging kan als volgt luiden: 'In deze dagen van leed was het voor ons een grote troost niet alleen gelaten te worden. Allen die ons persoonlijk, in het bijzonder door deelname aan de uitvaartdienst, getoond hebben hoe zeer zij onze smart met ons meedragen, danken wij oprecht...
In deze dagen van rouw heeft u ons door uw deelname getroost. Wij danken u daarvoor.'

RUSTPLAATS VAN

## De nagedachtenis van de overledene

De verbondenheid met de doden kan voor ons, levenden, een hulp zijn. Zij helpt ons om verkeerde maatstaven in ons leven te doorzien en veel te relativeren wat ons misschien ál te belangrijk leek.

Ieder mens betreurt doden aan wie hij bijzonder veel te danken heeft: ouders, grootouders, leraren, priesters, buren, vrienden.

Op de verjaardag van de sterfdag kan in het gebed van de familie de dode herdacht worden. Misschien kan men hiervoor zijn doopkaars of paaskaars aansteken en zijn foto erbij neerzetten.

Veelal wordt de familie uitgenodigd voor een eucharistieviering (jaargetijde).

## Door de rouw heen

Juist dan, wanneer een geliefde gestorven is, lijken wij ontroostbaar en in rouw verstard. Wij kunnen en hoeven de rouw ook niet te verdringen, we mogen hem doorleven.

### Mijn leven stokte

De dood van iemand kan ons verlammen.

Heel het leven wordt ineens leeg, alle ruimtes zijn levenloos, alles wordt koud en stom. Dit duurt meestal totdat de begrafenis voorbij is. Dan keert het dagelijks leven weer terug, maar wie is begaan met mijn wonden ? Niets laten merken ? Alle contacten afbreken ? Nu heb ik iemand nodig die bij me is. Mensen, die me bijstaan in mijn rouw.

*'Zeven dagen en zeven nachten zaten ze bij hem op de grond zonder een woord te zeggen; want ze zagen hoe groot zijn lijden was.'*
*Job 2,13*

## Mijn levenswil is gebroken

Dikwijls weet ik niet meer hoe het verder zal gaan. Ik ben prikkelbaar, onrechtvaardig en ook zeer gevoelig. Het leven schijnt elke zin verloren te hebben. Ik ben er voor mezelf en voor de anderen te veel. Dikwijls voel ik me hulpeloos en onmachtig. Maak mezelf en anderen verwijten, dat wij niet genoeg voor hem gedaan hebben. Nu komt het erop aan een nieuwe orde te scheppen in mijn verwarring. Dit lukt best in dialoog met een geliefd mens, bij wie ik me kan uitspreken. Met hem kan ik mijn verdere stappen in het leven bespreken.

## Mijn leven opnieuw inhoud geven

Heeft de rouw zijn tijd gehad? Langzamerhand keren het leven en de levensmoed weer. De overledene is nu op een nieuwe manier nabij. Ik kan opnieuw ja zeggen tegen het leven.

*Alles heeft zijn uur, alle dingen onder de hemel hebben hun tijd. Er is een tijd om te huilen en een tijd om te lachen. Een tijd om te zoeken en een tijd om te verliezen.*
*Pred. 3*

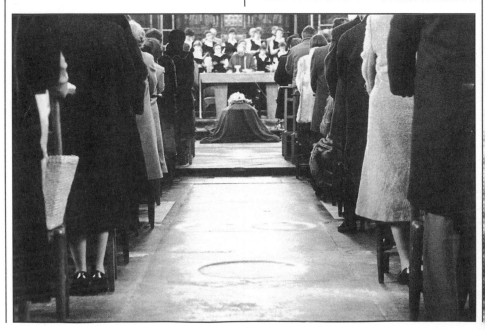

## Hoe kinderen zich de dood voorstellen

o Ik weet hoe het gaat, als je sterft: je vliegt dan heel hoog en dan begin je te verbranden.
Nee, je bevriest — dan is het heel koud.
*Een gesprek tussen twee kinderen*

o Dood zijn is slapen, maar zonder snurken... Worden wij allemaal standbeelden als wij dood zijn?
*Jongen, 4 jaar*

o Wat doet God met iemand, als hij dood is, eet hij hem dan op? Wij eten toch ook dode kippen op!
*Jongen, 4 jaar*

o Vroeger dacht ik altijd, dat als we sterven, God een dier van ons maakt en als we opnieuw sterven worden we een plant.
*Meisje, 8 jaar*

o Och, mensen sterven niet echt, want ze krijgen kinderen en die krijgen ook weer kinderen en zo gaat hun leven eigenlijk altijd verder.
*Jongen, 6 jaar*

o Waarom ben je zo treurig? Opa komt toch in de hemel, daar heeft hij geen pijn meer en is nooit ziek. En daar is ook nooit oorlog.
*Meisje, 4 jaar*

Een kind tot ongeveer 3 jaar, heeft geen precieze voorstelling van de dood van een mens. Het merkt slechts dat de dode er niet meer is. Maar dikwijls denkt het, dat hij ooit weer terugkomt.
Pas op de kleuterschool begrijpen de kinderen langzamerhand, wat dood zijn betekent. De dood is bij hen met oud-worden verbonden. Alleen oude mensen sterven. Als een kind door een ongeluk sterft begrijpen ze dit nauwelijks. Kinderen kunnen daarover vrij gevoelloos praten. Het schokt de ouders dikwijls te horen, hoe nuchter de kinderen op deze leeftijd over de dood spreken.
Later, rond het begin van het zesde levensjaar, vragen de kinderen: Waar zijn de doden? Wat gebeurt er, als je sterft?
Pas als ze acht of negen zijn, ervaren kinderen het ook gevoelsmatig, als iemand sterft. Zij worden treurig en huilen als zij de dood van een familielid, een vriend of een klasgenootje vernemen.

## *Met kinderen over de dood praten*

### De dood van grootmoeder

's Avonds zitten de kinderen bij hun moeder. 'Oma lag in de kist, die met de auto is weggereden. Waar hebben ze haar naar toe gebracht?' vraagt Robert. 'Naar het mortua-

rium bij het kerkhof. Daar blijft de kist staan tot grootmoeder begraven wordt.'
'In die enge kist, mama? En als ze wakker wordt, hoe komt ze er dan uit?' – 'Zij is dood. De dokter heeft het ook gezegd. We zien ze hier nooit meer terug.' 'Waar gaat ze dan naar toe?' – 'Naar opa, op het kerkhof'. – 'In de grond, in een groot gat?' – 'Vraag toch niet zoveel', bromt Otto. 'Laat hem', zegt moeder, 'oma komt in de grond, dat is het beste. Als iemand dood is, lost zijn lichaam zich op, hij wordt weer tot aarde.' – 'En oma?'
'Oma ook. Maar wat oma was, leeft verder. Zij heeft zeer veel van je gehouden en dat zal nooit verloren gaan. Alles wat zij geweten, gedacht en geloofd heeft, zal nooit verloren gaan.'
'Blijft het in de lucht?'
'Dat weet ik niet, maar ik kan me niet voorstellen, dat er iets verloren gaat. Wij huilen alleen maar, omdat wij iemand verloren hebben, die wij liefhebben. Wij kunnen oma niet meer aanraken, niet meer zien en niet meer horen, niet meer kussen.'
'Gaat zij naar onze lieve Heer, zoals een engel?' 'Dat weet ik niet, ik geloof dat God haar opneemt. Hoe weet ik niet, maar ik weet, dat ze voor altijd in vrede blijft.' – 'Wat is vrede? Een plaats waar je niet ziek wordt, waar je nooit meer bang bent? Net als wanneer ik slaap?' 'Nee, dat geloof ik niet.' 'Misschien een slaap zonder dromen?' – 'Nee,

dat geloof ik ook niet', antwoordt moeder. 'Eigenlijk kan men beter maar meteen dood gaan, als alles er zo mooi is. Waarom ben ik dan op de wereld?' bromt Otto. 'Om gelukkig te zijn, lief te hebben, teder te zijn, te groeien, veel van de natuur te genieten, veel te leren, om te helpen. De dood hoort bij het leven. Geboren worden is de eerste stap naar de dood. Wij weten niet hoeveel stappen het zullen zijn naar de dood toe. Maar als we geen angst hebben en denken aan een ander land, waarnaar we onderweg zijn, leven we beter.' – 'Ben je daar zeker van, mama?' 'Ik geloof dat het zo is.' – 'Weet je dat allemaal zo precies?' vraagt Otto. 'Nee, zo precies weet ik dat niet. Maar ik vertel jullie wat ik erover denk.'
*Antoinette Becker*


Het doet ons zelf en de kinderen geen deugd, als wij vermijden met hen over sterven en dood te praten. Voor kinderen heeft de dood in eerste instantie niets verschrikkelijks. Zij kunnen de dood nog zien als iets vanzelfsprekends. Ouders moeten deze kans benutten en daarbij hun eigen schuwheid en onzekerheid overwinnen; ze helpen daarmee hun kinderen in hun latere ontwikkeling. Ze zullen daardoor minder onder verkeerde angst en radeloosheid lijden, als ze het sterven van iemand meemaken. Kinderen geloven ook niet dat met de dood alles voorbij is. Wat moet je echter zeggen, als iemand gestorven is? Als een jongere sterft, is het dikwijls voldoende aan het kind de doodsoorzaak mee te delen. Het is een ongeluk geweest of hij was zo ziek dat de dokter hem niet meer beter kon maken.

En wat te antwoorden, als de kinderen vragen: Waar is opa nu? Als christenen kunnen we zeggen dat hij bij God is. Daarbij hoeven we niet te verzwijgen, dat ook wij volwassenen ons moeilijk kunnen voorstellen, hoe het leven na de dood er uitziet. Wij kunnen niet op alles een antwoord geven. Dat hoeft trouwens ook niet.

## Hoe jongeren over de dood denken

Ik stel mij de dood als iets verschrikkelijks voor. Je ligt in een bed, of ergens anders, sluit plots de ogen en leeft niet meer. Je weet niet hoe het na de dood zal zijn. Of je dan toch nog ergens anders verder leeft. Als ons lichaam verrot is, leven we misschien wel voort in een ander lichaam en kunnen we de anderen ongemerkt gadeslaan.
Je kunt ook niet weten, of de wereld nog wel voortbestaat als je zelf dood bent. En hoe die er dan zal uitzien.
*Silvia, 12 jaar*

In het begin toen mijn vader overleden was, had ik het gevoel, dat in de volgende zin wordt uitgedrukt. 'Waarom zou ik me nog aan mensen hechten, het schept alleen maar eenzaamheid.'
Nu is dat een beetje over. Maar ten opzichte van de dood heb ik nog altijd een gevoel van onverschilligheid. Tenslotte moet iedereen sterven, vroeg of laat.
*Luc, 15 jaar*

Ik vind het erg dat sommigen zo lichtzinnig en oppervlakkig over de dood kunnen praten. Wij leven in een welvaartmaatschappij, waarin iedereen het beste voor zijn eigen leven zoekt. Ik betwist het recht daartoe niet. Maar voor sommigen zou het goed zijn mochten zij zelf eens rechtstreeks met de dood te maken krijgen, als een soort straf. Dan zouden ze er misschien ernstiger en eerlijker tegenover staan.

Ik wil niemand leed en ellende toewensen omdat ik nu zelf mijn moeder verloren heb. Maar bij de dood van iemand die veel voor je betekende, blijf je stilstaan.

Je wordt er in zekere zin meer mens door. Je ziet dan dat het leven meer is dan plezier maken en het beste zoeken voor jezelf. Je gaat de alledaagse en niet-alledaagse dingen tegen een diepere achtergrond zien. En dat kan wel eens nuttig zijn.

*Vanessa, 21 jaar*

Vele jongeren willen niet aan de dood denken. Dikwijls praten ze zeer koel en afstandelijk over het sterven en de dood van een familielid. Maar dikwijls verbergen ze, achter deze zakelijkheid, onzekerheid en angst. Sterft er namelijk een vriend of een jongere waarmee ze een bijzonder goede relatie hadden, dan kunnen ze ook sterk meeleven, treuren en huilen. Soms komt dan zelfs de gedachte op dat ze zelf ook niet meer verder kunnen leven. Zo pijnlijk kan de dood ze beroeren. Doodsverlangen en weemoed kunnen een gevoelige jonge mens zwaar teneerdrukken. Hetzelfde kan overigens gebeuren, als hij

een grote ontgoocheling in de vriendschap oploopt.

Ouders kunnen in zo'n situatie niet meer doen dan het leed te delen: er te zijn, te luisteren en het ernstig op te nemen.

Heer,
ik begrijp de dood niet,
ook niet als ik een dode zie.
Ik weet dat ik ook zal sterven,
ooit, wie weet wanneer...
maar die gedachte laat mij koud,
is nog inhoudloos voor mij.
En ik ben ook bang om ze te begrijpen.
Uw woord belooft eeuwig leven
aan hen die op U hopen.
Dat begrijp ik evenmin.
Maar ik wil graag hopen,
ik wil graag vertrouwen,
ik wil graag geloven,
ik wil graag leven!
Heer, uw wil geschiede.

## Leren sterven, bewuster leren leven

*Leer ons zo onze dagen te tellen dat ons wijsheid des harten gewordt.*
Ps. 90,12

## Wat het leven zin geeft, geeft ook zin aan de dood

De manier waarop wij tijdens ons leven met de dood omgaan, is ook een getuigenis van onze opvatting over het leven. Bekijken we al het voorbije als treurig, als een niet in te halen gemis, of zien we ook de kansen van het nu en de toekomst?

215

Afscheid nemen
is met zachte vingers
wat voorbij is
dichtdoen
en verpakken
in de goede gedachten
ter herinnering...
is verwijlen bij een brok leven
en stilstaan op de pieken
van pijn en vreugd...

Afscheid nemen
is met dankbare handen
weemoedig meedragen
al wat waarde is
om niet te vergeten...
is moeizaam de draden losmaken
en uit het spinrag der belevenissen
loskomen
en achterlaten
en niet kunnen vergeten...
Leven is
– vanaf zijn geboorte –
voortdurend afscheid nemen.
Loshaken
om voort te gaan.
Zichzelf verliezen
om zich te vinden.
Het risico nemen
van de graankorrel
om vruchten voort te brengen.
Afscheid nemen
is het moeilijkste
in het leven.
Men leert het nooit.

Gelovigen nemen nooit afscheid
van het Leven.
*Ward Bruyninckx*

# Feesten en vieringen van het leven
## — sacramenten —
## vieringen van het geloof

Het woord 'feest' is afgeleid van het Latijnse woord 'festum'; het betekende in het dagelijks leven van de Romeinen een dag pauze voor het werk en de rechtsspraak. Deze dag was aan een religieus feest gewijd. Daarmee hangt ook het woord 'viering' nauw samen, eveneens een woord uit het Latijn: 'feriae'. Festum en feriae hebben als gemeenschappelijk grondwoord 'fesua', wat heiligdom betekent. Feest en viering zijn nauw verbonden met het heilige. In het Engels heet een feestdag dan ook 'holyday', dit wil zeggen heilige dag.

## Dat moet gevierd worden...

zeggen we bij een onverwacht weerzien, na een geslaagd examen, bij een jubileum...
Met anderen vieren wij graag onze verjaardag, eventueel onze naamdag, onze huwelijksdag of de dag van onze priesterwijding.
Kerstmis en Pasen moeten gevierd worden.
De doop van een kind, het huwelijk

van een paar en ook de begrafenis van iemand worden 'gevierd'.
Het vieren is de mens eigen.
Bepaalde gebeurtenissen in het leven, haltes op de levensweg, bijzondere dagen en tijden door het jaar worden in alle culturen gevierd. Zo nu en dan moeten wij tot rust komen; wij kunnen niet zo maar alles in het leven van alledag laten verzinken, we mogen niet alles op zijn beloop laten. Zo nu en dan moeten wij stil staan bij het leven en feest vieren.

o Het leven vieren met mezelf om weer te weten vanwaar ik kom, waar ik in het leven sta en waar ik naar toe ga.

o Een feest vieren met anderen omdat ik hun waardering en het samenzijn met hen niet kan missen en omdat ook zij niet kunnen zonder waardering en zonder samenzijn.

o Een feest vieren met God omdat Hij het antwoord is op de vragen van mijn leven en de geschiedenis van de wereld kan oriënteren.

## Samen de weg van het leven gaan

Bij familiefeesten nodigen we graag onze ouders en grootouders, ooms, tantes en goede bekenden uit: mensen met wie wij ons verbonden weten. Bij dergelijke feesten wordt van vroeger verteld, het eigen levensverhaal komt tot leven en is aanwezig. 'Weet je nog, toen...?' Wij bladeren dan in het fotoalbum, kijken naar dia's of naar films van vroeger.

Maar we denken ook aan de toekomst.

Het kind, dat jarig is, of het bruidspaar wensen wij geluk en zegen toe voor de toekomst. Zo zijn op elk echt feest het verleden en de toekomst aanwezig en we beleven het heden intensiever en voller.

Feesten doen wij altijd samen met anderen, nooit alleen. Wij 'bewandelen' een stuk van onze levensweg, gaan samen met anderen op weg.

## Samen het leven vieren

Om een vlieger hoog in de lucht te laten klimmen moet je hem voldoende bot vieren. Het bot is het touw waaraan je de vlieger oplaat, en vieren is meer touw geven.

Ook bij een feest wordt er (bot) gevierd, wordt er touw en ruimte gegeven aan de gevierden, aan de bijzondere momenten van het leven, aan het leven zelf. Feesten en vieren is ruimte maken. Het leven vieren is er zoveel mogelijk ruimte voor maken.

Zo opgevat, veronderstelt een feest een diep ja tegen een hechte, gezamenlijke hoop in het leven. En een huwelijk kunnen wij pas dan echt vieren, als wij diezelfde hoop kunnen stellen in het leven van het huwende paar.

In die zin is ook de rouw een viering: wij geven het leven een ruimte, die niet afgesloten wordt door de dood. Wij vieren het leven over de dood heen.

*Gij moogt niet bedroefd zijn zoals de andere mensen, die geen hoop hebben.*
*1 Tess. 4,13*

219

## Geen feest zonder God

De filosoof Josef Pieper schrijft: 'Er bestaat geen feest zonder goden — of het nu carnaval is of een huwelijksfeest'. Goed eten, voldoende drinken, luidkeels zingen en uitgelaten dansen horen bij een echt feest. Uit de sleur van het dagelijks leven stappen, misschien ook eens 'uit zijn rol vallen' en de gebruikelijke omgangsvormen omkeren — dat kan alleen als we ons op iemand durven verlaten, die ons vasthoudt en draagt, die de loop en de toekomst van het leven en de wereld garandeert. Anders zou elk feest een bedrieglijke illusie zijn ten aanzien van het lijden en de ellende in de wereld.

Als christenen geloven wij, dat ons leven en de geschiedenis van deze wereld door God gedragen worden en tot een goed einde gevoerd. Christus zegt:

*Ik wil, dat zij het leven zullen bezitten en wel in overvloed.*
*Joh. 10,10*

## Sacramenten - vieringen van het geloof op belangrijke momenten van het leven

### Sacrament

Sacrament komt van het Latijnse 'sacramentum' dit wil zeggen 'onverbrekelijke bezegeling'.
Jezus Christus wordt het 'oer-sacrament' van God genoemd, omdat in Hem de liefde van God voor de mens onverbrekelijk zichtbaar en definitief is geworden.
De kerk wordt 'grond-sacrament' genoemd, omdat in haar gemeenschap deze menslievendheid van Jezus zichtbaar en beleefbaar zal blijven. Dat gebeurt in de kerk vooral door het vieren van de 7 sacramenten: doopsel, vormsel, biecht, eucharistie, ziekenzalving, huwelijk, priesterwijding.
Het getal 7 kan ook symbolisch verstaan worden: symbool voor de hechte verbintenis van God met de wereld.
Samengesteld uit 3, als het getal van God (Drieëenheid) en 4, het getal van de wereld (bijvoorbeeld de 4 elementen: vuur, water, lucht en aarde; de 4 windrichtingen).

### Levensvragen

Geboorte, volwassen worden, schuld, ernstige ziekte, dood, huwelijkssluiting en priesterwijding zijn gebeurtenissen, die betekenis hebben, waarbij we stil staan en ons opnieuw moeten oriënteren.

Het leven zelf geeft hier geen antwoord op de vragen, die bij dergelijke gelegenheden opkomen.

Loont het wel de moeite in deze wereld op te groeien en te leven?

Hoe gaan wij om met onze schuld?

Kan ik mijzelf duurzaam toevertrouwen aan een mens?

Kan ik mezelf duurzaam toevertrouwen aan de dienst van God in zijn kerk?

Is er hoop en troost ook bij ernstige ziekte, ja zelfs tot in de dood toe?

## De oriëntatie die Jezus Christus biedt

In dergelijke situaties vertrouwen wij, christenen, op God. In Jezus Christus heeft God voor iedereen zijn goedheid en menslievendheid zichtbaar gemaakt. Jezus Christus legt de kinderen de handen op en zegent ze. Daarmee laat Hij zien: Ik houd van jullie! Ik laat jullie nooit alleen! Wee degenen, die het verkeerd met jullie voor hebben! De schuldige vrouw, die echtbreuk gepleegd heeft, reikt Hij de hand. Bruidsparen verzekert Hij: jullie zijn in staat elkaar onherroepelijk lief te hebben! Zieken legt Hij troostend de handen op. Doden raakt Hij aan en wekt ze op tot nieuw leven.

Sociaal, politiek en ook religieus benadeelde mensen brengt Hij samen aan een maaltijd en deelt met hen het eten

Bij het laatste avondmaal deelt Hij zichzelf mee in het teken van brood en wijn. Tot op heden is dat de viering van de liefdevolle gemeenschap van God met alle mensen. In Jezus Christus kunnen de mensen de liefhebbende, genezende, mededeelzame en gemeenschapsstichtende hand van God tastbaar ervaren. Daarom noemen wij Jezus Christus het oersacrament.

## De uitgestrekte handen van de kerk

De kerk als de voortlevende Christus strekt in de sacramenten van het doopsel, het vormsel, de biecht, de communie, de ziekenzalving, het huwelijk en de priesterwijding de liefhebbende handen van Jezus Christus uit. Zij brengt tot ontmoeting met Jezus Christus zelf; zij nodigt uit zich aan zijn handen toe te vertrouwen.

In de levensgemeenschap van de kerk, in haar bediening en viering van de sacramenten moet in belangrijke situaties van het leven de goedheid en menslievendheid van God ervaarbaar worden.

## De grenzeloze goedheid van God

Dat de goedheid van God grenzeloos is, betekent dat God met zijn liefde de mensen niet uitsluitend in de kerk en haar sacramenten ontmoet. Veeleer geldt, dat Gods wegen talrijk en verscheiden zijn. Zo kunnen mensen al iets ervaren van die goedheid en menslievendheid van God, waar hen zelf vergeving geschonken of hoop wordt geboden.

In het leven van de kerk en vooral in het vieren van de afzonderlijke sacramenten worden de goedheid en de genade van God ervaarbaar. Wat anders vormeloos, naamloos en onzeker zou blijven, krijgt hier gestalte en zekerheid.

## Sacramenten zijn vieringen van het geloof

Zoals alle andere vieringen en feesten, geven ook de sacramenten volop ruimte aan het leven en openen zij nieuwe perspectieven... Zij zetten ons op weg en verwijzen ons naar het volle leven, dat ons door God in zijn goedheid en liefde wordt aangereikt. Wie een doopsel of een huwelijk binnen de kerkgemeenschap viert, wil zich hiermee verlaten op die allesomvattende liefde van God.

Het is dus verkeerd aan de sacramenten een magische kracht toe te dichten. Zij zijn wel tekenen van Gods onverbrekelijke trouw, maar als er bij ons geen bereidheid is ons leven evangelisch uit te bouwen en ons op Jezus, op God te richten, dan missen zij elke kracht. Sacramenten veronderstellen die bereidheid; zij veronderstellen met andere woorden dat wij geloven. Het zijn wezenlijk vieringen van het geloof. En ook al verandert de vorm waarin zij aangeboden worden wel eens in de loop der tijden, zij blijven dat geloof veronderstellen. Zij helpen ons onze zending naar de wereld, onze verantwoordelijkheid in deze maatschappij, op een bijzondere wijze te beleven. Zij blijven ons herinneren aan die zending en aan onze verantwoordelijkheid als christenen, als kinderen van éénzelfde, goede Vader. Het zijn kansen om die Vader te ontmoeten en om elkaar als zijn kinderen, als broeders en zusters te blijven ontmoeten.

## Christus wordt zichtbaar in tekenen en woorden

Dergelijke ontmoetingen met Christus in de sacramenten brengt de kerk tot uitdrukking door elementaire dingen van ons leven: water, brood, wijn, olie, de handen opleggen, ja zeggen. Door de woorden, die het vieren van de sacramenten begeleiden, worden deze tekenen ondubbelzinnig als tekenen van de liefde van Christus verklaard. De vieringen en de woorden veranderen de tekenen en maken ze werkzaam.

Zo kan een boeket rozen, in de winkel gekocht, tot teken van liefde of van vereniging worden, als ik ze schenk met woorden of een gebaar van liefde.

Zo kan water een teken worden van nieuw leven, brood een teken van de gemeenschap van Jezus met de mensen of van de gemeenschap van mensen onderling. Werkzame tekenen van Gods liefde.

## Vieringen van het geloof in het dagelijks leven: sacramentaliën

Als gelovigen vieren wij niet alleen belangrijke levensmomenten zoals geboorte, huwelijk of dood. Ook in gewonere levenssituaties is er plaats voor de goedheid van Jezus en zijn kerk: wanneer wij een nieuwe woning inzegenen, de vruchten van de aarde zegenen, wanneer wij beelden of kruisen, auto's of velden zegenen, wanneer een nieuwe kerk gewijd wordt, wanneer de zieken gezegend worden tijdens een Lourdesbedevaart, wanneer wij naar Taizé trekken... Ook bij die gelegenheden geven wij vierend uiting aan ons bewustzijn dat Gods hand op ons rust.

Dergelijke kleine vieringen noemen wij sacramentaliën. Zij zijn het 'kleingeld' van de sacramentaliteit, de 'uitlopers' van de grote sacramentele vieringen. Zij mogen verschillen van streek tot streek, volgens gebruiken en leefgewoonten.

## Vieren kan zó

Vele gezinnen hebben nogal wat moeite bij het organiseren van een feest. Feesten is geen gewoonte meer. Door het kleine aantal kinderen zijn feesten als doopsel, eerste communie, huwelijk... dikwijls slechts eenmalige gebeurtenissen in een gezin. Een enig kind maakt uiteraard geen feest mee van broertjes of zusjes. Bovendien ontbreken in vele gezinnen de grootouders; zij zouden door hun aanwezigheid en door hun verhalen de feestelijke traditie in ere kunnen houden.

Toch blijft het gezin een plaats, waar je verwacht dat de feestelijkheid, die kleur geeft aan het leven, aan bod kan komen. Je leeft er immers dag aan dag dicht bij elkaar, en er is dikwijls voldoende reden om samen blij te zijn en om dat te vieren. Welaan dan...

## De ruimte feestelijk versieren

Al onze zintuigen willen aangesproken worden. Een mooi gedekte tafel, bloemen, guirlandes en kaarsen geven het geheel een feestelijk en aantrekkelijk karakter. De wijze waarop de kamer versierd is, verraadt al iets van de aard van het feest. Zo herken je met Kerstmis in het kaarslicht en in de geur van de kerstboom reeds iets van de warmte en de geborgenheid van het samen-

zijn. De guirlandes en de kleurige glitter van carnaval zetten een mens er toe aan zich eens uitgelaten te laten gaan.

## Iets feestelijks aantrekken

Velen vinden aangepaste kledij bijzaak. En toch kan je daarin ook uitdrukken dat je afstand wilt nemen van de routine van alledag: de losse kleding, waarin je de boel de boel laat, de verkleedpartijtjes van de kinderen waarmee ze in een andere rol kruipen...

Aan vele kinderen ontgaat het feestelijke karakter van het weekend, omdat het de enige keer in de week is dat ze hun ouders in... werkkledij zien.

## Samen eten

Weinig dingen brengen mensen zo dicht bij elkaar als samen eten. Het eten brengt ons samen aan één tafel. Het geeft ons de tijd om met elkaar te genieten.

Wie herinnert zich niet de vermaning: 'Je praat niet met je mond vol'. Maar precies het tegendeel zou waar moeten zijn: vertel aan tafel over je vreugde, over je zorgen. De gemeenschap aan tafel is geen zwijggenootschap, maar een club-van-wat-zeg-je-me-daar!

## Verhalen vertellen

Elk feest leeft van de vertelling. In verhalen wordt het leven doorgegeven. In wat hun grootouders en ouders vertellen, proeven kinderen vanwaar zij komen en wat er hun leven mee bepaald heeft. In sprookjes en wondere geschiedenissen worden de dromen en de hoop levendig gehouden. En ge-

loofsgeschiedenissen, bijbelse verhalen en heiligenlegendes kunnen richting aan het leven geven.

## Zingen en dansen

Het leven wordt niet alleen met woorden gevierd. Vreugde en verdriet doorzinderen ons hele lichaam, in al zijn leden en zinnen. Samen zingen, samen dansen is heerlijk, is een taal waarin wij onze hoop en ons geloof in het leven (bot)vieren.

## Samen spelen

Zeker in het spel zijn ouders en kinderen partners en kan er geen sprake zijn van boven- en ondergeschiktheid. Dan gelden alleen de regels van het spel en zijn de dagelijkse wederzijdse verplichtingen voor even opzij geschoven.

## De grote verbondenheid

Een feest in het gezin is dikwijls een gelegenheid om gastheer en gastvrouw te spelen. Kinderen nodigen hun vriendjes en vriendinnetjes uit op hun verjaardags- of naamfeest, of bij hun eerste communie. Ouders nodigen verwanten, vrienden en bekenden uit op een bijzondere huwelijksverjaardag. Feesten scheppen met andere woorden verbondenheid, niet alleen binnen het gezin, maar ook naar buiten toe, met anderen. Zeker voor christenen geldt dat. De 'huiskerk', die het gezin is, zal zich altijd weer verbonden weten met de grote kerk, met de parochie. In de mate dat de gezinnen thuis echt tot vieren kunnen komen, zullen zij ook in staat zijn mee te vieren in de grote gemeenschap. De grote vieringen in de parochie laten ons aanvoelen dat wij in ons gezin niet op een eilandje leven met onze hoop, onze verlangens en onze angsten. Die vieringen zijn uitingen van het geloof en de hoop, die ons met alle christenen verbinden.

225

# de dag
# de week

# Thuis zijn

**Paus Johannes XXIII aan zijn ouders**

'Nadat ik uw huis op ongeveer tienjarige leeftijd verlaten had, heb ik veel boeken gelezen en vele dingen geleerd, die u mij niet kon leren. Maar de weinige dingen, die ik bij u thuis geleerd heb, zijn de mooiste en belangrijkste gebleven. Zij hebben steeds gediend als basis voor alles, wat ik later geleerd heb, omdat er warmte en liefde mee gemoeid waren.'

## Herinneringen

*Als ik aan mijn thuis denk, zie ik meer dan muren en kamers. Herinneringen komen dan boven:*

- de zorgzame handen van mijn ouders voelen
- een bed hebben
- mijn benen uitstrekken
- een plaats hebben aan tafel
- een plek hebben om van te houden
- weten waar je wat te eten kunt vinden
- een kerstboom optuigen
- gestreeld worden

*Maar ook...*

- mogen huilen, je zegje mogen doen
- gewoon jezelf zijn
- niets te hoeven

Hoe ouder ik word, des te vaker denk ik aan **een** thuis. Mijn groei naar volwassenheid was een moeizame weg.
Ik hield het in het huis van mijn ouders niet uit. Ik zocht eigen wegen, zocht vrienden, mensen met wie ik wilde leven; bouwde mijn eigen toekomst op, trouwde, vond een beroep, een huis. Ik maakte **mijn** eigen thuis.

## Waarom er geen oorlog kan komen

Toen de oorlog tussen de beide buurstaten onvermijdelijk was geworden, stuurden de vijandelijke veldheren verspieders uit om te ontdekken, waar men het buurland het best kon binnenvallen. En toen de verkenners terugkeerden, brachten ze allen ongeveer hetzelfde verslag aan hun meerderen uit: er was maar één plaats aan de grens, waar je het andere land kon binnenvallen. Maar daar, zeiden ze, woont een brave kleine boer in een huisje samen met zijn lieftallige vrouw. Zij houden van elkaar en men zegt, dat het de gelukkigste mensen op aarde zijn. Zij hebben een kind. Als wij nu over hun terrein het vijandelijke gebied binnenvallen, dan zouden we hun geluk verstoren. Er kan dus geen oorlog komen.
Dat zagen de veldheren ook in, of ze het nu leuk vonden of niet. En de oorlog bleef uit, zoals iedereen zal begrijpen.
*Ernst Penzoldt*

Muren beschermen...
Deuren en vensters openen...

## De tafel brengt bijeen...

Bij ons thuis zijn de rustige momenten soms schaars. Iedereen heeft wel altijd wat om handen: klussen, studie, vergaderen, spelen, handwerken...
Maar binnen die drukte blijven een aantal dingen erg belangrijk. Als er bijvoorbeeld gasten zijn, dan staan die in het centrum van de belangstelling; dat is een afspraak van het hele gezin.
En wat ons ook erg dierbaar is, dat is onze grote tafel. Wij houden eraan zoveel mogelijk, rustig, samen te eten. Als wij daarin slagen, dan is dat een heerlijk moment van de dag. En dan wordt er gelachen, gehuild ook soms, geruzied, wel eens gezwegen, veel verteld...

De tafel heeft vele betekenissen: Tafelgesprek, tafelen, tafeltjedek-je, tafelrede, tafelgebed, tafellaken, tafeldrank, scheiding van tafel en bed, heilige tafel, rooktafel, salontafel, de benen onder tafel steken, open tafel houden, rondetafelconferentie...

De ouders zijn in een kleiner huis gaan wonen − alle kinderen zijn nu toch de deur uit. Zij hebben alles verkleind: kleinere kasten en rekken, minder kamers, minder bedden...
Alleen... de grote tafel is gebleven. Die hebben ze meegenomen. 'Die blijft voor ons belangrijk. Zoveel is eraan gebeurd!'
Ze blijft een uitnodiging voor de kinderen...

## Vergeet de gastvrijheid niet

*De broederlijke liefde hoort bij de dingen die altijd moeten blijven. En vergeet de gastvrijheid niet; door haar hebben sommigen zonder het te weten engelen onthaald.*
*Hebr. 13, 1-2*

Zó begroet een kloostergemeenschap in Frankrijk haar gasten:

*U bent naar ons toegekomen — wees welkom.*
*De communauteit van St.-Maur is blij u een rustpauze op uw reis te mogen bieden.*
*Maar wil niet enkel ontvangen van ons, die hier in de abdij samenleven.*
*Laat ons ook delen in uw leven, in wat u weet, in wat u hoopt.*
*Schenk ons gemeenschap met u als tegengave voor het samenzijn met ons.*
*Moge onze ontmoeting hier ertoe leiden dat wij met elkaar spreken en met elkaar delen.*
*Dat wensen wij en niets anders.*
*Voor u zal de abdij van St.-Maur dat zijn, wat wij er samen van maken.*

## Inhuldiging van een nieuwe woning

De inhuldiging van een nieuwe woning is een echt familiefeest. Er wordt samen gegeten en gedronken, gebeden en gezongen. Vrienden en familieleden brengen een geschenk.
De zegening van een woning is een oud christelijk gebruik. Jezus gebood zijn leerlingen vrede te wensen aan ieder huis dat ze binnengingen en aan de bewoners ervan (Luc. 10,5). Precies om deze vrede van de Heer bidden wij als de woning ingehuldigd wordt.

### 1. Openingswoord

Een huis begint met liefde, niet met mortel en stenen. De liefde maakt de mensen tot gemeenschap, het huis tot een thuis. De thuis van de christen is een kerk in het klein. De kerk is het huis van God, de gemeenschap gekenmerkt door 's Heren werkzame en liefhebbende aanwezigheid. Dat de kerk reeds begint in het huis, wordt betekend door het kruis. Zo georiënteerd is de woonst van de christenen een huis van gebed.
Hier kan men een psalm of lied zingen.

## 2. Lezing uit de heilige Schrift

*Je leest best een tekst die je samen kiest, waar je zelf wat aan hebt.*

## 3. Toespraak van de priester

## 4. Wijding van het kruisbeeld

Almachtige eeuwige God,
overal zijt Gij aanwezig;
Gij heerst er persoonlijk
en verricht er uw werk.
Verhoor ons gebed:
bescherm dit huis en zijn bewoners.
De kracht van het heilig kruis moge
de werking van de boze overwinnen, zodat de Geest hier kan brengen een sfeer van zelfvergeten
dienstbaarheid en de blijdschap van
de kinderen Gods.
Door Christus onze Heer.
Amen.

## 5. Huiszegen

Wij bidden U, God, almachtige Vader, voor dit huis:
voor allen die er wonen en voor hen
die hier gastvrijheid genieten.
Geef hen alles wat goed voor hen is.
Laat uw zegen als een weldaad over
hen neerdalen;
laat uw genade over hen komen als
een vruchtbare dauw.
Luister naar de stem van hun hart en
vervul hun diepste verlangens.
Geef hun op deze aarde reeds een
voorsmaak van uw Koninkrijk.
Maak van dit huis een gezegende

plaats, zoals Gij door uw aanwezigheid het huis van Abraham, Izaäk en
Jacob hebt willen zegenen.
Stel uw engelen als een wacht over
dit huis en over allen die hier wonen, door Jezus Christus, onze
Heer.
*Rituale Romanum*

## 6. Slotgebed

Heer, heilige Vader,
wij vragen U:
help ons deze woning te maken tot
een thuis. Laat het de uiting zijn van
ons geloof en de belijdenis van ons
vertrouwen dat wij bouwen op de
Heer...
Maak het tot een teken van de opdracht die Gij ons hebt gegeven in
de schepping. Leer ons met allen die
in dit huis gastvrijheid zullen vinden, woorden van vriendschap te
spreken, en ook het brood van uw
liefde te breken met hen die geen
thuis kennen.
Kom en blijf met ons en zegen allen
die wij in onze gemeenschap met U
willen dienen.
Door Jezus Christus onze Heer.
Amen.

Als kinderen van eenzelfde Vader,
als leden van de grote mensenfamilie durven wij nu zeggen:
Onze Vader... (samen).

Zo zegene u
de almachtige God, de Vader,
de Zoon, en de heilige Geest.
Amen.

## Vrijheid

In het eigen huis heerst enkel de wet die de mens zelf stelt, een oikonomia (huis-wettelijkheid) die de vrijheid als norm heeft en inhoud. Het huis met zijn schikking, zijn inwendig uitzicht, zijn singulier karakter, ontvangt in zich de voortdurende neerslag van deze vrijheid. In die neerslag wordt de vrijheid tot een objectieve gewoonte. Het eigen huis is deze gewoonte zelf, het maakt de vrijheid spontaan en gemakkelijk, het ontneemt de mens grotendeels de noodzakelijkheid van een voortdurende keuze, voorkomt hem in de keuze van zijn verrichtingen, en biedt hem wat gekozen zal worden reeds aan voordat aan een keuze gedacht wordt. De zetel nodigt hem uit om te rusten als hij vermoeid is, het vuur om zijn handen te warmen, de lamp om te lezen, de dis om de maaltijd te gebruiken, de klok herinnert hem eraan dat hij naar zijn werk wil gaan of dat de tijd gekomen is om te rusten.
*Uit: Libert Vander Kerken, Een filosofie aan het wonen.*

Mensen die een zegen uitspreken of vragen om een zegen, moeten waarachtig zijn. Zij zullen zich inzetten om het goede dat zij wensen aan de ander ook in daden om te zetten. Zegenen betekent ook: oproepen tot verantwoordelijkheid, trouw, plichtsbesef. Wie een auto laat zegenen, neemt zich voor veilig en voorzichtig te rijden.

Een priester die een zieke zegent, moet ook in zijn omgang een zegen zijn voor die zieke. Ouders die hun kinderen zegenen, bijvoorbeeld door ze een kruisje te geven voor het slapengaan, zijn een zegen voor hun kinderen.

Deze vorm van zegenen heeft alles te maken met ons scheppingsgeloof. 'God zag dat het goed was', zegt de bijbel. Zegenen is in zekere zin dit woord van God herhalen, beweren dat God goed is. Wie de dingen zegent, zegt dat ze goed zijn, omdat ze van God komen en door Hem bestemd zijn tot heil van de mensen.

# Kerngebeden van ons geloof

## Het kruisteken

In de naam van
de Vader
en de Zoon
en de heilige Geest.
Amen

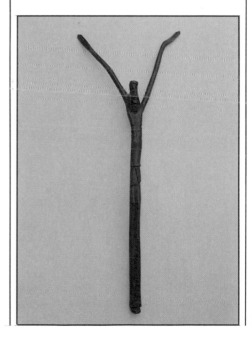

## Het onzevader

*In Vlaanderen*

Onze Vader die in de hemelen
zijt,
geheiligd zij uw Naam.
Uw Rijk kome.
Uw wil geschiede op aarde als
in de hemel.
Geef ons heden ons dagelijks
brood.
En vergeef ons onze schulden,
gelijk ook wij vergeven
aan onze schuldenaren.
En leid ons niet in bekoring,
maar verlos ons van het kwade.
Amen.

*In Nederland*

Onze Vader die in de hemel
zijt;
uw naam worde geheiligd;
uw rijk kome;
uw wil geschiede op aarde zoals
in de hemel.
Geef ons heden ons dagelijks
brood;
en vergeef ons onze schuld,
zoals ook wij aan anderen
hun schuld vergeven;
en leid ons niet in bekoring;
maar verlos ons van het kwade.
Amen.

*Oecumenische versie*

Onze Vader die in de hemel
zijt,
Uw naam worde geheiligd,
Uw koninkrijk kome.
Uw wil geschiede, op aarde
zoals in de hemel.
Geef ons heden ons dagelijks
brood.
En vergeef ons onze schulden
zoals ook wij onze schuldenaars
vergeven.
En leid ons niet in verzoeking,
maar verlos ons van de boze.
Want van U is het koninkrijk
en de kracht en de heerlijkheid
in eeuwigheid.
Amen.

# Het weesgegroet

*In Vlaanderen*

Wees gegroet, Maria, vol van genade, de Heer is met u; gezegend zijt gij boven alle vrouwen
en gezegend is de vrucht van uw lichaam, Jezus.
Heilige Maria, Moeder Gods, bid voor ons, arme zondaars, nu en in het uur van onze dood.
Amen.

*In Nederland*

Wees gegroet, Maria, vol van genade.
De Heer is met u.
Gij zijt de gezegende onder de vrouwen
en gezegend is Jezus,
de vrucht van uw schoot.
Heilige Maria, moeder van God,
bid voor ons, zondaars,
nu en in het uur van onze dood.
Amen.

## Geloofsbelijdenis van de apostelen

Deze geloofsbelijdenis heeft een officiële of half-officiële verwoording in Vlaanderen en in Nederland. Dit brengt de verschillen mee.
De woordverschillen zijn met een schuine streep aangeduid.

Ik geloof
in God, de almachtige Vader,
Schepper van hemel en aarde.
En in Jezus Christus, zijn enige Zoon, onze Heer,
die ontvangen is van de heilige Geest,
(en) geboren uit de Maagd Maria;
die geleden heeft onder Pontius Pilatus,
gekruisigd is, gestorven en begraven;
die neergedaald is ter helle,
de derde dag verrezen uit de doden;
die opgevaren/opgestegen is ten hemel,
en zit aan de rechterhand van God,
zijn/de almachtige Vader;
vandaar zal Hij komen oordelen
de levenden en de doden.
Ik geloof in de heilige Geest;
de heilige katholieke kerk,
de gemeenschap van de heiligen;
de vergiffenis/vergeving van de zonden;
de verrijzenis van het lichaam;
(en) het eeuwig leven.
Amen.

# Gebeden voor alledag

# Morgengebeden

Kom, laat ons de Heer met
gejubel begroeten,
juichen wij toe de rots van ons
heil.
Laat ons verschijnen voor Hem
met een lofzang,
Hem met liederen eren.
Een machtige God immers is
de Heer,
koning is Hij over alle goden.
De aarde ligt uitgespreid in zijn
hand, aan Hem behoren de
toppen der bergen.
De zee is van Hem, Hij heeft
haar gemaakt,
zo goed als het land,
door zijn handen gevormd.
Kom, laat ons aanbiddend ter
aarde vallen,
neerknielen voor Hem die ons
schiep.
Hij is onze God en wij zijn
volk,
Hij is de herder en wij zijn
kudde.
*Ps. 95, 1-7*

Dag in dag uit
ontvangen wij van U het
bestaan.
Alles wat leeft
komt voort uit uw hand.
Uw Geest bezielt
alles wat adem heeft.
Bij het begin van deze dag
richten wij ons tot U.
Houd in ons het geloof levend
dat Gij ons roept
om beheerder te zijn
van uw schepping.
Geef dat wij deze opdracht
niet uit het oog verliezen en
laat ons toch niet voorbijzien
aan de kansen
die deze dag ons biedt.
Geef uw zegen aan ons werk,
blijf bij ons, Heer,
vergeet ons nooit.

Wanneer ik te kort schiet in
liefde of in rechtvaardigheid,
verwijder ik me onfeilbaar van
U, mijn God, en verwordt mijn
godsdienst tot afgoderij.
Om aan U te geloven, moet ik
geloven in de liefde en in het
recht, en waardevoller is het in
deze zaken te geloven dan uw
naam aan te roepen.
Buiten de liefde en het recht
kan ik U nergens ontmoeten.
Maar wie de liefde en het recht
als richtlijn nemen, zijn op de
juiste weg, die hen naar U zal
voeren.

Wij vragen uw zegen
over de komende dag,
Heer van al wat leeft.
Help ons deze dag door te
brengen
volgens uw bedoeling.
Houd in ons de hoop levend
op een betere wereld
en geef ons de kracht
om daar vandaag aan te werken.
Zegen allen met wie wij
in lief en leed verbonden zijn.
Maak ons bereid met elkaar
te delen
wat het leven biedt.
Geef ons een open oog
en een bewogen hart
voor ieder die onze naaste is,
naar het voorbeeld
en in de kracht
van Jezus, uw Zoon.

God, onze Vader,
aanvaard in het offer van uw
Zoon, het bidden en werken,
de vreugde en zorgen
van alle mensen.
Wij willen vandaag door uw
heilige Geest
getuigen van uw liefde zijn.
Met Maria bidden wij
voor heel uw kerk,
bijzonder voor de intenties
van de paus en van onze
bisschop, en voor onze
parochiegemeenschap,
door Christus, onze Heer.
Amen.

De nacht is voorbij,
een nieuwe dag begint.
Wij bidden U, God,
dat wij vandaag mogen leven
als kinderen van het licht.
Laat ons goede wegen gaan:
wegen van toewijding en
trouw,
wegen van vriendschap en
liefde,
wegen van eerlijkheid
en geloof in elkaar.
Leer ons wat
verantwoordelijkheid is
en geef ons de moed
deze niet af te schuiven
maar te aanvaarden
als een opdracht van U.

# Morgengebeden met en voor kinderen

O lie-ve Heer, ik ben zo blij, de duis-ter-nis ver-dween, de
don-kre nacht is weer voor-bij, uw licht staat om mij heen.

Dank, dat ik voor uw
aangezicht,
de lieve lange dag,
met alle kind'ren van het licht
spelen en zingen mag.

O lieve Heer, ik ben zo blij
dat U mij steeds omringt,
U bent niet ver, U bent
dichtbij,
dichtbij elk mensenkind.

*H. Lam/W. ter Burg*

Ik dank U dat ik ben geboren,
dat ik ogen heb gekregen
om de mooie aarde te zien,
oren heb gekregen
om de wind te horen ruisen
door de bomen
en een mond
om te kunnen zeggen
wat ik denk en voel.
Ik kan lopen
en mijn handen
kunnen iets maken.
Ik mag van de mensen houden
met mijn hart.
U hebt mij bedacht, God,
en U weet, wie ik ben.
Help mij om te leven.

Ik kan niet meedoen met de anderen,
Vader God.
De mensen doen wel aardig,
maar laten je toch alleen.
Ik had wel anders geboren
willen worden en vind het
leven niet prettig.
Het is gemakkelijk om te winnen
als je hard lopen kunt.
Het is gemakkelijk om te leven,
als niets je hindert.
De mensen zeggen dat U meer
houdt van hen die het moeilijk
hebben dan van hen die alles
kunnen.
Ik wil ervoor vechten om toch
iets te kunnen!
Help me, God, om me niet
minder te voelen dan de
anderen, om ervan te maken
wat ik kan.
U weet wat ik wél kan,
U weet wie ik ben,
U laat me niet alleen.

Ik dank U, Heer,
voor deze dag,
die ik van U
ontvangen mag.

Wees mij een hulp
bij wat ik doe
en leid mij tot
de avond toe. Amen.

God, wij hopen op U,
op een nieuwe hemel
en een nieuwe aarde,
waar alles goed geworden is,
waar U bij ons zult wonen
en alle tranen
van de ogen afwissen.
Van geweld
zal niet meer gehoord worden.
Er zal geen verwoesting meer
zijn.
De dood zal niet meer zijn,
geen geklaag of moeite meer,
wanneer alles is voorbijgegaan.
U maakt alle dingen nieuw
en zult ons het water
van het leven te drinken geven.
Geen zon zal er
meer nodig zijn overdag
en geen maan in de nacht.
Wij verwachten U, Heer,
want U zult ons eeuwig licht
zijn.
Uw koninkrijk kome.

# Tafelgebeden

Heer, zegen ons en deze
gaven, die wij van uw goedheid
mogen ontvangen.
Door Christus, onze Heer.
Amen.

Wij danken U
voor de gave
van het leven.
Wij danken U
voor alles
waarmee Gij ons zegent.
En wij bidden U:
maak ons tot mensen
die hongeren en dorsten
naar de gerechtigheid.
Leer ons werken
voor het voedsel
dat niet vergaat
en geef ons het brood
dat onze laatste honger
kan stillen:
Jezus, uw Zoon.

Heer, wij vragen uw zegen
over ons en over deze maaltijd.
Wij danken U voor het eten
van elke dag; help ons te delen
met hen die te weinig hebben.
Amen.

Heer, onze God,
van U komt al wat deze tafel
biedt:
de vrucht van de aarde,
het werk van onze handen,
de gezelligheid die wij
genieten.

Wij danken U voor spijs en
drank,
voor ons geluk en onze
vreugde.

Gedenk ook in uw goedheid,
Vader,
onze broeders en zusters die
honger lijden,
ziek of eenzaam zijn.
Wees hen nabij.
Laat onze hulp voor hen uw
zegen zijn.
Door Christus, onze Heer.

# Tafelgebeden met en voor kinderen

Vader in de hemel,
wij zitten rond de tafel,
het eten staat weer klaar.
Dank U dat vader en moeder
zo goed voor ons zorgen.
Zegen ons en deze maaltijd.
Maak ons blij en vriendelijk
voor elkaar.

God, uw goedheid
is zo groot.
Dank U voor het
daag'lijks brood.
Wil ons zeeg'nen
allen saam
vragen w'U
in Jezus' naam. Amen.

Heer, U brak het brood voor velen
en deelde het ook uit.
Mogen wij,
die aan elke maaltijd voldoende krijgen,
ook graag delen
met wie te weinig heeft.

# Avondgebeden

Ook deze dag is weer voorbij,
Heer God,
het is zo snel gegaan.
Ik heb het gevoel dat hij me
door de vingers is geglipt.
Soms zou ik de dagen willen
vasthouden,
zelf willen bepalen hoeveel dagen
er nog zullen komen.
De tijden, de dagen, ze zijn
van U, God,
U hebt ze mij te leven
gegeven.
Dat ik ze mag leven in
overgave,
ze niet krampachtig
vasthoudend,
dat ik ze in de avond,
vooral deze avond,
weer in uw handen kan leggen.
Dat ik mag weten: zo is het
goed.
Open mij de handen, God,
zodat ik kan ontvangen en
overgeven,
en leg uw handen op mij
om mij te behoeden en te
zegenen
hoe de nacht ook zal zijn.

In uw handen
leggen wij ons leven,
ons bestaan,
onze goede en onze kwade
dagen.
Aanvaard ons zoals wij zijn:
mensen van vlees en bloed.
Richt ons weer op
wanneer wij zijn gevallen;
geef ons nieuwe woorden
wanneer wij elkaar niet
verstaan.
Houd uw oog op ons gericht,
bewaar in ons wat goed is
en breng ons tot voltooiing.

Nu deze dag voorbij is
denken wij aan uw goedheid,
Heer, onze God.
Er is zoveel dat ons gelukkig
maakt,
zoveel waaraan wij vreugde
beleven.
Schenk deze vreugde aan allen
die weinig geluk kennen.
Geef ons een rustige nacht,
veilig onder uw bescherming.
Wij denken ook aan hen
die vannacht moeten werken,
aan de mensen die ziek zijn,
aan hen die niet kunnen slapen
van de zorgen.
Wees voor allen een bron van
troost,
van kracht en bemoediging.
Blijf met uw zegen bij onze
wereld
en waak over uw schepping,
deze nacht en tot in
eeuwigheid.

Gij kent mij, Heer, en Gij
doorschouwt mij,
Gij ziet waar ik ga of sta.
Van verre kent Gij mijn
gedachten,
Gij weet waarom ik bezig ben
of rust,
Gij let op al mijn wegen.
Heer, voor het woord nog op
mijn tong is weet Gij reeds wat
ik zeggen ga.
Waar ik mij wend, Gij staat op
wacht,
uw hand rust altijd op mijn
schouder.
Uw kennis is voor mij te
wonderbaar,
zo hemelhoog, dat ik ze niet
kan vatten.

Heer, zegen de aarde
waarover de duisternis valt,
zegen de steden en het
platteland,
de rijken, opdat zij edelmoedig
mogen zijn,
de armen, opdat ze elkaar
mogen liefhebben.
Ja, zegen vooral de armen,
mijn God.
Stuur de kinderen op weg naar
vader die thuiskomt, verwijder
de onenigheid tussen
gehuwden, breng vrede onder
broers en zusters.
Maak dat dit uur, waarop
kleinen en groten samen zijn,
tot een geluk wordt voor allen,
zodat allen U zegenen.
Ik bid tot U in naam van hen
die U nog niet beminnen.
Ik geef U mijn leven, opdat
hun leven beter en minder
hard zou zijn: neem het aan,
Heer.

*Avondliedeke*

't Is goed in 't eigen hart te
kijken
Nog even vóór het slapen gaan
Of ik van dageraad tot avond
Geen enkel hert heb zeer
gedaan;

Of ik geen ogen heb doen
schreien,
Geen weemoed op een wezen
lei;
Of ik aan liefdeloze mensen
een woordeke van liefde zei.

En vind ik in het huis mijns
herten,
dat ik één droefenis genas,
Dat ik mijn armen heb
gewonden
Rondom één hoofd, dat
eenzaam was.

Dan voel ik, op mijn jonge
lippen,
Die goedheid lijk een
avond-zoen.
't Is goed in 't eigen hert te
kijken
En zó z'n ogen toe te doen.
*Alice Nahon*

# Avondgebeden met en voor kinderen

De dag gaat nu bij ons van-daan, hij vlucht ach-ter de bo - men :
de a-vond - ster is op-ge - gaan : de nacht zal spoe- dig ko - men.

De dag gaat nu bij ons vandaan, hij vlucht ach-ter de
bo-men;
de a-vond-ster is op-ge-gaan: de
nacht zal spoe-dig ko-men.

Ook als de wereld donker ziet:
de Heer is in ons midden!
De duisternis verbergt Hem
niet;
Hij hoort de kind'ren bidden.

Hij houdt het kwaad van ons
vandaan,
bij Hem zijn wij geborgen.
Wij kunnen rustig slapen gaan,
en wachten op de morgen.
*H. Lam/W. ter Burg*

Ze zijn kwaad op me,
ik heb het weer gedaan!
Begrijp me toch, God.
Ik wil niet braaf zijn.
Soms komt het ineens:
dan word ik kwaad
en sla ik erop.
Dan krijg ik straf.
Nu ben ik bij U.
U begrijpt alles.
Ik zou wel anders willen zijn,
maar ik voel me
niet sterk genoeg
om tegen de anderen
op te kunnen.
Help me, God.
Ik ben nog klein.

248

O God, ik wil met U praten
want ik zit in het nauw.
Bij U kan ik op adem komen,
U brengt mij ruimte.
U denkt anders over mij
dan de mensen.
Met U kan ik praten
als met een vriend.
Ik weet dan ook
dat U mij hoort
als ik roep.
Toch weet ik dat ik te weinig
aan U heb gedacht;
ik doe me beter voor dan ik
ben;
het is niet altijd waar wat ik
zeg.
En ik behoor toch bij U.
Ook al ben ik wel eens kwaad
op de mensen,
maar nu ik op bed lig
en aan U denk,
schaam ik me
en wordt het stil in me.
Allemaal willen we wel
gelukkig zijn,
maar uw liefde die als een licht
over ons schijnt
moet zo groot zijn dat het niet
meer
zo belangrijk is wat je allemaal
hebt
en nog krijgen zult
of wat er gebeurt.
Nu kan ik gaan slapen, God.
Bij U ben ik geborgen.

Jezus noemde U
onze Vader,
omdat Hij U kende
als uw eigen kind.
Door Hem
kunnen wij U vertrouwen
wat er ook gebeurt.
In licht en donker
blijft U onze God
en uw licht schijnt
in de duisternis.
Geen macht ter wereld
kan dit uitdoven.
U hebt ons geroepen om
kinderen van het licht te zijn,
Uw wil te doen
en voor elkaar te leven.
Help ons te hopen
dat eens alles goed worden zal.

In uwe hoede zijn wij, Heer,
geheel de nacht geborgen.
Uw eng'len zendt Gij tot ons
neer,
die waken tot de morgen,
dat ons geen boze droom of
macht
in 't donker zal verschrikken,
maar ons de uren van de nacht
uw vrede kan verkwikken.
Amen.

## Voor nu en dan

Als u verdriet hebt
lees Jak. 4
Als mensen u teleurstellen
lees Ps. 127
Als u gezondigd hebt
lees Ps. 51
Als u tobt
lees Mt. 6, 19-34
Wanneer u in gevaar bent
lees Ps. 34
Als God ver weg schijnt
lees Ps. 139
Als u ontmoedigd bent
lees Jes. 40
Als twijfel u overvalt
beproef Joh. 7,17
Als u eenzaam of bevreesd bent
lees Ps. 23
Als u uw zegeningen vergeet
lees Ps. 103
Als uw geloof versterking behoeft
lees Hebr. 11
Als u volkomen uitgeput bent
lees Rom. 8,31-39
Als u moed nodig hebt voor uw taak
lees Joz. 1
Als de wereld soms sterker lijkt dan God
lees Ps. 90
Als u rust en vrede nodig hebt
lees Mt. 11, 25-30

Als u zekerheid nodig hebt
lees Rom. 8,1-30
Als u op reis gaat
lees Ps. 121
Als u bitter of kritisch dreigt te worden
lees 1 Kor. 13
Levensregels voor iedere dag
vindt u in Rom. 12
Wat Jezus leert over het gebed
vindt u in Luc. 11,1-13
Een voorbeeld van aanbidding
vindt u in Jes. 58,1-12

# Door de week

## Als ik tijd had

— Goedendag, zei de kleine prins.
— Goedendag, zei de koopman.
Hij verkocht uitstekende dorstlessende pillen. Men slikt eens in de week een pil en voelt nooit meer behoefte aan drinken.
— Waarom verkoop je die? vroeg het prinsje.
— Het is een grote tijdsbesparing, zei de koopman. De geleerden hebben het uitgerekend. Je bespaart drieënvijftig minuten in de week.
— En wat doe je dan met die drieënvijftig minuten?
— Daar doe je mee wat je wil...
'Als ik drieënvijftig minuten over had, dacht het prinsje bij zichzelf, dan liep ik heel rustig naar een bron...'
*Antoine de Saint-Exupéry*

## Ik heb geen tijd...

Nog nooit hadden de mensen zoveel vrije tijd, maar hebben ze ook meer tijd?

o ik moet verder - ik heb geen tijd

o ik moet nu deze brief beëindigen, ik heb geen tijd

o ik wilde je al de hele tijd opbellen, ik heb geen tijd

o ik zou graag dat boek lezen, ik heb geen tijd

o daarover praten we morgen, ik heb geen tijd

o zondag naar de kerk? Ik heb geen tijd.

## Als ik tijd had

### Vermoedelijke werktijd in het jaar 2000

1100 werkuren per jaar; 7,5 werkuren per dag; 4 werkdagen per week; 39 werkweken per jaar; 13 vakantieweken per jaar.
Zijn de mensen er genoeg op voorbereid als

o  de werkdag korter wordt
o  het weekend langer
o  de vakantie toeneemt
o  de pensioengerechtigde leeftijd lager wordt?

Wij zullen dan nog meer vrije tijd hebben, maar zullen we dan eindelijk ook meer tijd hebben?

o  meer tijd voor onszelf?
o  meer tijd voor de man/vrouw?
o  meer tijd voor andere mensen?
o  meer tijd voor God?

Of is het dan nog steeds zo: 'Ik heb geen tijd'?

## Ach, heremetijd

Tijd heelt alle wonden − alles op zijn tijd − tijd is geld − de tijd doden. Die goeie, ouwe tijd − met zijn tijd meegaan − komt tijd, komt raad − zich de tijd gunnen − mettertijd.
Geen zorgen voor de tijd − zijn tijd is gekomen − je moet de tijd benutten − alles heeft zijn tijd nodig − de tijdgeest weerstaan.
Het is de hoogste tijd − tijd verkwisten − wie niet bijtijds komt...
Ach, heremetijd.

## Alles heeft zijn tijd

*Alles heeft zijn uur, alle dingen onder de hemel hebben hun tijd.*
*Er is een tijd om te baren en een tijd om te sterven, een tijd om te planten en een tijd om wat geplant is te oogsten. Een tijd om te doden en een tijd om te genezen, een tijd om af te breken en een tijd om op te bouwen. Een tijd om te huilen en een tijd om te lachen, een tijd om te rouwen en een tijd om te dansen. Een tijd om stenen weg te gooien en een tijd om stenen te verzamelen, een tijd om te omhelzen en een tijd om van omhelzen af te zien. Een tijd om te zoeken en een tijd om te verliezen, een tijd om te bewaren en een tijd om weg te doen. Een tijd om stuk te scheuren en een tijd om te herstellen, een tijd om te zwijgen en een tijd om te spreken. Een tijd om lief te hebben en een tijd om te haten, een tijd voor oorlog en een tijd voor vrede.*
Pred. 3,1-8

## Tweemaal het dagelijkse leven

1. De wekker loopt af - vroeg opstaan - snel ontbijten - tas inpakken - auto uit de garage - spitsuur - zoeken naar een parkeerplaats - nog net op tijd op kantoor - altijd dezelfde paperassen - dezelfde collega - steeds hetzelfde bedrijf - de voorgeschreven hoeveelheid werk afkrijgen - eten in de kantine - weer boven de paperassen zitten, je collega's werken je op de zenuwen - hetzelfde geklets over auto's, voetbal, vrouwen - stipt op tijd ophouden - met de auto naar huis - loodzware vermoeidheid, je vrouw aan de deur met dezelfde onheilstijdingen - avondeten - televisie kijken - tot niets anders meer in staat zijn - op tijd naar bed - slapen tot de nieuwe dag aanbreekt.

2. Alles gaat op uur en tijd, zegt mevrouw Pietje Precies. Om één uur hebben de kinderen gegeten, tot twee uur moeten ze huiswerk maken, tot vijf uur mogen ze spelen, om halfzes eten ze, dan zit oma nog met de kinderen aan het huiswerk, en van 's avonds zeven tot 's ochtends zeven slapen ze. Om acht uur gaan ze naar school, en om halfeen zijn ze weer thuis.
Ik ben benieuwd, zegt mevrouw Laat maar Waaie, de buurvrouw, hoe lang het nog duurt, voordat uw kinderen alleen nog tik-tak zeggen.
*Irmela Wendt*

## Tegen de sleur van alledag

Een hobby uitoefenen. Aan sport doen.
'Open huis' houden. Vrienden en collega's bezoeken. Aan een danscursus deelnemen. Naar de bioscoop gaan.
Een kinder- of jeugdgroep leiden. Op je werk een gesprek op gang brengen. Aan ouderavonden of gespreksgroepen meedoen. Geen overuren meer maken. Je verder ontwikkelen. Naar de schouwburg gaan. Een avondwandeling maken. De televisie eens een keer afzetten. Gasten uitnodigen...

Mach es wie die Sonnenuhr
Zähl' die heitern Stunden nur.

## De kleine dingen van alledag

Heer, soms denk ik, dat het
leven alleen uit grote dingen
bestaat:
oorlogen en inflaties,
sterfgevallen en bruiloften,
nationale feestdagen en
kerkelijke hoogfeesten.
Dat zijn mijlpalen langs de
weg.
Maar onze levensweg zelf is
geplaveid met kleine dingen,
de kleine moeiten, de kleine
gebeurtenissen van alledag.
Leer mij dat ik in mijn leven
steen voor steen moet leggen,
dag aan dag moet leven
vooraleer er één groot
mozaïek,
één vol leven daaruit kan
oplichten.
En dat de feesten, de
zondagen, hoogtepunten zijn,
waarbij je even halt houdt,
ziet wat gedaan is
en kijkt hoe de weg verdergaat;
waarbij ik de ogen van de
aarde opsla naar U.
Dat feestdagen echter geen
gewoonten mogen worden,
doel op zich, vlucht uit het
alledaagse.
Heer, ik beken, dat wij de
kleine dingen misprijzen, dat
wij van het alledaagse af willen
zijn.
*Paul Roth*

## Werken om te leven - leven om te werken

Het werken is zo oud als de mens:
stenen bijlen slijpen, pyramides
bouwen, velden beplanten, auto's
maken, raketten ontsteken. Werk
heeft vandaag de dag veel gezichten: werk in ploegendienst, kan-
toorwerk, huiswerk, werk aan de
lopende band, huishoudelijk
werk...
Mensen moeten werken om te
kunnen leven. Zij moeten hun le-
vensonderhoud verdienen. Werk
en beroep betekenen echter meer.
Daarin moet de enkeling zijn gaven
en talenten kunnen ontplooien en
verwezenlijken, niet alleen voor
zijn eigen welzijn, maar ook voor
het welzijn van de gemeenschap.
Velen kunnen het werk alleen maar
zien als een manier om je brood te
verdienen, iets waarmee je de
noodzakelijke middelen aanschaft
voor het 'eigenlijke leven' in je gezin, je vrije tijd, je vakantie. Het
aantal mensen, dat er moeite mee
heeft in het dagelijkse werk de zin
van het leven te zien, neemt met de
dag toe. De arbeidsvoorwaarden
zijn er ook naar op vele plaatsen. Er
worden te eenzijdige prestaties van
je geëist, waardoor je lichamelijk en
geestelijk sterk belast wordt, je
ontwikkelingsmogelijkheden wor-

den bij het uitoefenen van je werk sterk begrensd, je hebt weinig of geen contact met collega's en natuurlijk ontstaan dan vrij vlug routine en verveling in het arbeidsproces.

Bovendien is werk hebben, een behoorlijk inkomen genieten op zich problematisch voor een massa werklozen. Loon naar werken?! Goed. Maar als je geen werk hebt, waar blijft dan de zin van de arbeid?

## De mens en de arbeid

'Ook al is arbeid een plicht van Godswege om samen voor elkaar de aarde bewoonbaar te maken, toch is arbeid niet de diepste zin van ons bestaan. In de traditie van de kerk hebben christenen begrepen dat bidden met werken, maar ook dat werken met bidden moet samengaan. Daarmee is iets heel wezenlijks gezegd. Arbeid is niet het enige dat ons leven zinvol maakt. En arbeid is niet altijd zinvol. Voortdurend is bezinning op de doeleinden en manieren van werken noodzakelijk. Wie leeft om te werken, heeft een wezenlijk stuk menszijn verloren. Werken wordt zinloos, wanneer het ons leven beheerst en geen ruimte meer laat voor waarden en ervaringen van andere aard, voor feest en spel, voor kunst en muziek, voor fantasie, voor liefde en vriendschap.'(...)

'Niettemin is duidelijk het besef doorgebroken, dat alle mensen het recht hebben met hun arbeidsvermogen hun persoon te ontplooien en hun verantwoordelijkheid in de samenleving waar te maken. Het gaat dan om recht op werk dat adelt. Dit rechtsbesef is ook de inhoud van de strijd van de arbeiders, hier en elders in de wereld. Die strijd is niet voltooid. Het gaat nu niet meer alleen om doelen en voorwaarden, omstandigheden en verhoudingen in de arbeid, maar ook om een rechtvaardiger verdeling van arbeidsmogelijkheden. Het recht op arbeid is thans bij uitstek een zaak geworden van solidariteit van ieder met allen en van allen met ieder.

'Neen aan het schandaal van de werkloosheid, die de arbeiders hun meest fundamentele recht ontzegt: het recht van eenieder om met zijn arbeid zijn dagelijks brood te verdienen. Deze situatie leidt niet alleen tot een verlies aan inkomen, maar ook en vooral tot een aantasting van hun menselijke waardigheid.'
*Johannes-Paulus II, Laken, 19 mei 1985 tot de christelijke arbeidersbewegingen*

## Uit de scheppingsverhalen

*God zegende hen, en God sprak tot hen:
'Wees vruchtbaar en word talrijk: be-
volk de aarde en onderwerp haar; heers
over de vissen van de zee, over de vogels
van de lucht, en over al het gedierte dat
over de grond kruipt.'
En God sprak: 'Hierbij geef Ik alle
zaadvormende gewassen op de hele
aardbodem aan u, en alle bomen met
zaaddragende vruchten; zij zullen u
tot voedsel dienen.'
Gen. 1,28-29*

*En tot de man heeft Hij gezegd:
'Omdat gij hebt geluisterd naar uw
vrouw en hebt gegeten van de boom die
Ik u had verboden, zal de grond ver-
vloekt zijn omwille van u ! Zwoegend
zult gij van hem eten, alle dagen van
uw leven. Distels en doornen zal hij
voortbrengen, met veldgewas moet gij u
voeden. In het zweet zult ge werken voor
uw brood, tot gij terugkeert naar de
grond, waaruit gij zijt voortgekomen:
gij zijt stof, en tot stof keert gij terug.'
Gen. 3,17-19*

## Hetzelfde doen — en toch niet hetzelfde

Drie bouwvakarbeiders waren stenen aan het houwen, toen een
vreemdeling op hen afkwam en aan
de eerste arbeider vroeg: 'Wat doet
u daar ?' 'Zie je dat dan niet ?', antwoordde deze en keek niet eens op.
'Ik houw stenen.' 'En wat doet u
daar ?' vroeg de vreemdeling aan de
tweede. Zuchtend antwoordde
deze: 'Ik moet geld verdienen om
voor mijn gezin brood op de plank
te krijgen. Mijn gezin is groot.'
Ook aan de derde vroeg de vreemdeling: 'Wat doet u daar ?' Deze
keek omhoog de lucht in en antwoordde, zacht maar trots: 'Ik bouw
een kathedraal'.

## zondag - vrije dag of feestdag

### Uit het dagboek van een 17-jarige

Het weekend — vooral de zondag — gaat letterlijk aan je voorbij. Het is vreselijk: als de tijdvreetmachine er niet is, voel je je overbodig! Door de week moet je van alles, zondags moet je niets, en daarom weet je niet wat je moet doen. Dat klopt toch niet!?

o Hoe brengen wij het weekend, de zondag door?

o Waarin verschilt bij ons de zondag van de doordeweekse dag?

o Wat bevalt ons aan onze weekends? Wat zouden we graag anders zien?

Een voorstel: de achterkant van een rol behang of een groot vel papier wordt dwars over de tafel gelegd. Ouders en kinderen drukken zo spontaan mogelijk hun wensen en ideeën voor een 'gezinsweekend' uit, ze zetten ze op papier zonder dat de anderen hun commentaar geven. Als alles zwart op wit staat, wordt over de afzonderlijke voorstellen gepraat en een keuze gemaakt.

### Onze 'gezinszondag'

o een dierentuin bezoeken
o door het bos wandelen en gekke dingen verzamelen
o samen spelletjes doen
o samen zingen en muziek maken
o 's avonds uit eten gaan
o een fietstocht maken
o met vader stoeien
o een museum bezoeken
o naar vrienden rijden
o verhalen vertellen
o een nachtwandeling maken

### De 'wat-jij-wilt-zondag'

Iedereen in het gezin mag een zondag inrichten zoals hij/zij het wil. Het is zijn/haar zondag. Alle anderen doen mee. Het is vanzelfsprekend dat hij/zij het plan eerst aan de anderen voorlegt en met hen bespreekt. Tenslotte moeten allen het ermee eens zijn. Niemand mag over het hoofd gezien worden. Daar moet je rekening mee houden. Het zal heus niet zo makkelijk zijn, de hele dag zinvol te vullen!

### De 'uitnodigings-zondag'

Om de beurt speelt ieder gezinslid op een zondag gastheer voor de rest. Dit keer gaat het dus niet om de eigen wensen, maar meer om die van de anderen. De gastheer krijgt per persoon een bepaald bedrag, dat tevoren voor alle uitnodigings-zondagen afgesproken is. Daarmee moet hij de hele dag zien rond te komen. Dat begint al met het ontbijt en eindigt pas met het avondeten. Tussendoor willen de gasten onderhouden worden. Dierentuin, zwembad, museum of bioscoop kosten geld. Afgezien nog van het middageten, of er nu sandwiches in de rugzak meegenomen worden of er snel een patatje gegeten wordt. Veel kinderen zullen misschien voor het eerst beleven hoelang een dag is. Je kunt veel doen.

**Voor hen werd het geen zondag**

Eens kwamen onder een grote boom de dieren samen, omdat ook zij een zondag wilden hebben, zoals de mensen. De koning van de dieren verklaarde: dat is heel simpel. Als ik een gazelle opeet, dan is het voor mij zondag. Het paard zei: een groot stuk land, waarop ik uren kan uitrennen, dat is voor mij zondag. Het varken knorde: lekker in de modder rollen en een zak eikels opeten, dat is voor mij zondag. De luiaard gaapte en bedelde: ik heb een dikke tak nodig om te slapen, wil het voor mij zondag zijn. De pauw stapte fier rond, liet zijn prachtige veren zien en zei beleefd maar zeer pertinent: een set nieuwe staartveren, dat is voor mij zondag. Zo vertelden de dieren urenlang en alle wensen werden vervuld. Maar het werd geen zondag. Toen kwamen de mensen voorbij en lachten de dieren uit:

Ja, weten jullie dan niet, dat het alleen zondag wordt, als je met God als met een vriend spreekt?
*Naar een Afrikaanse sage*

Als wij praten over zondag, bedoelen we vaak het hele weekend. Zondag zelf wordt door velen niet meer als **feest-dag** gezien, niet meer als **dag des Heren** gevierd. Verliest de zondag daardoor niet aan waarde? Zondags is er bij ons thuis niets te doen, zeggen velen. Hoe staat het ook weer in de fabel: *voor hen werd het geen zondag.*

# Korte geschiedenis van de zondag

Vanaf het begin hebben christenen de zondag als 'Dag des Heren' gevierd. Volgens de joodse kalender gebeurde Jezus' opstanding op de dag na de sabbat, dus op de eerste (werk)dag van de week. Bij Marcus heet het: *op de eerste dag van de week* kwamen zij in alle vroegte naar het graf, toen net de zon opging (Mar. 16,2). Vanzelfsprekend was de zondag nog geen officiële vrije dag. Het was een werkdag net als de andere; de christenen kwamen vroeg in de ochtend bijeen, vóór het werk begon.

De wekelijkse bijeenkomst werd al spoedig het teken waaraan men de christenen herkende. Van de eerste christengemeenten wordt in de Handelingen van de apostelen gezegd: zij hielden vast aan de leer der apostelen en aan de gemeenschap, aan het breken van het brood en aan de gebeden (Hand. 2,42). Niet toevallig heet het Griekse woord voor kerk 'ekklesia', dat is: *bijeenkomst.* Vanwege hun samenkomst op zondag waren de christenen al vroeg — en in sommige landen tot nu — aan vervolging en discriminatie blootgesteld.

Zo werden al in 304 in de buurt van Carthago 49 personen ter dood veroordeeld, omdat ze tegen het bevel van de keizer in voor de eredienst bijeenkwamen. Gevraagd naar de beweegredenen van hun handelen, gaven zij ten antwoord: omdat de eredienst van de Heer niet achterwege mag blijven, omdat zo het gebod luidt: wij kunnen niet leven zonder de dag des Heren te vieren. Zondag als vrije dag werd in 321 door de Romeinse keizer Constantijn per decreet uitgevaardigd. Maar pas in de middeleeuwen zette zich de zondagsrust door. Sinds deze tijd geldt ook het dubbele gebod van arbeidsrust en eucharistieviering. In de eerste drie eeuwen was een eigen voorschrift om de zondag te vieren overbodig. Wie als christen wilde leven, kwam in alle vroegte met de anderen bijeen. Dat was later niet meer zo vanzelfsprekend. Sinds de bloeitijd van de middeleeuwen geldt het kerkelijk gebod, dat de katholiek verplicht is aan de zondagse eucharistieviering deel te nemen. De eucharistieviering is hoogtepunt en middelpunt van de christengemeente. Het woord zondag is afgeleid van het Latijnse **dies solis**, dit is dag van de zon. De Romeinen wijdden deze dag aan hun zonnegod. De christenen namen het woord over, gaven er de betekenis aan: Christus, zon van gerechtigheid, Christus, licht van de wereld. Op de zondag, de 'Dag des Heren' vieren de christenen de dood en opstanding van hun Heer Jezus Christus.

# Elke zondag naar de kerk?

## (Z)onder dwang van het gebod

Je mag niet komen als je enkel
de sleur van de gewoonte volgt,
als je alleen maar toegeeft aan
sociale druk,
als je onder de dwang van het gebod
doorgaat,
zonder het zelf te wensen,
zonder het zelf te willen,
zonder vrij te zijn,
zonder vreugde.
Het is met een liefde
die niets voor zichzelf wil houden
dat ik je uitnodig.
Als je broeder, je vriend,
als degene
bij wie je terecht kunt
met al wat je blij maakt of pijn doet,
met al wat je angstig of opstandig
maakt, wacht ik op je.
Als degene
die je toewijding eist,
je inzet vraagt,
je tot broeder, tot zuster wil,
roep ik je.
Dan kun je,
eenmaal zelf tot vrede gebracht,
anderen tot vrede brengen,
zelf getroost, anderen troosten,
zelf bemind, anderen liefhebben.
*Christa Peikert-Flashpöhler*

## Zes mogelijke antwoorden

### De meesten gaan immers toch alleen uit gewoonte

Dat is juist, maar dat geldt voor het overgrote deel van wat wij doen; want wij kunnen niet iedere keer met volle bewustzijn tanden poetsen, krant lezen of gedag zeggen. Echte grote beslissingen in het leven van een mens neem je niet al te vaak (beroepskeuze, partner). De vraag of je wel of niet gelooft, beantwoord je meestal in kleine, alledaagse dingen die je wel of niet doet. Bovendien: voor goede gewoontes moet je vaak hard knokken.

### Voor mij hoeft het niet

Willen we de openlijke verkondiging van dood en opstanding van Jezus (waarvan wij en de wereld redding verwachten) daarvan laten afhangen, wat voor stemming we in het weekend hebben of hoe we van zaterdag op zondag geslapen hebben? In de gelijkenis van het feestmaal (Luc. 14, 15-24) stelt de evangelist nuchter vast: een man gaf een groot feestmaal en nodigde velen uit. Maar de een na de ander liet zich verontschuldigen.

## Ik bid liever thuis (of in het bos)

Laten we aannemen, dat dat klopt. Maar christen ben je niet voor jezelf alleen. Het duidelijke gebod van de Heer: doe dit tot mijn gedachtenis, geldt voor allen. Nergens anders komt de eenheid van de gemeente zo tot uitdrukking. De priester zegt niet 'ik breng', maar 'wij brengen' dit levende offer. Deze gedachte is verbonden met de bede: Hij maakt ons tot een gave, die U welgevallig is.

## Ik ga alleen maar, omdat ik thuis geen ruzie wil

Veel ouders vatten het zondagsgebod heel ernstig op, omdat zij zonder de eucharistieviering niet kunnen leven. In deze ervaring willen zij ook hun kinderen laten delen. Jongeren verzetten zich bijzonder sterk tegen het religieuze en kerkelijke. Zij maken vaak een bijna 'atheïstische fase' door. Zij willen en moeten zelfstandig worden en geloven, dat als zij anders dan hun ouders beslissen, dit een teken van een eigen vrije mening is. Jongeren en hun ouders moeten in de gaten houden, dat ze deze fasen doormaken. Ouders moeten zich niet van hun goede voorbeeld af laten brengen. Op de duur dringt de overtuiging die men uitdraagt door in de beslissingen van de jonge mensen.

## Ik vind de kerk geen gemeenschap

De vraag is, wat voor gemeenschap je zoekt.
Een gemeenschap zoals een jeugdgroep, een klas of een club, kun je hier niet verwachten.
Zeker lopen de meningen onder gelovigen uiteen.
Maar wanneer ze samen eucharistie vieren, dan betekent dat, dat ieder zijn bestaan – op leven en dood – oriënteert op de Jezus Christus, waarover hier gesproken wordt en op géén ander. Onze plaats, met ons gebed en ons 'amen' in de gemeenschap voor God, kan door niemand anders ingenomen worden. In de eucharistieviering zijn de gelovigen rond de tafel des Heren verzameld. Het beeld van de tafelgemeenschap kan verduidelijken: wie wegblijft, laat een lege plaats achter. Dat is in strijd met de essentie van de christelijke tafelviering.

## De liturgie in de huidige vorm zegt me niks

Wie de kerk binnenkomt met de gedachte: 'Eens kijken wat ze hier vandaag te presenteren hebben...', beschouwt zichzelf maar in geringe mate als lid van de gemeenschap die daar samenkomt. En in diezelfde mate geeft hij zichzelf eigenlijk al een reden om thuis te blijven. Wie het overigens niet nodig acht

tot God te bidden en Hem te danken, wie het evangelie slechts zinvol acht als het hem hier en nu wild enthousiast maakt, zal met geen enkele liturgische vormgeving, hoe modern ook, tevreden te stellen zijn. Wie van een gelovige gemeenschap houdt, wil erbij zijn, ook al is die niet perfect.

Anderzijds komt het inderdaad nog meer dan goed is voor, dat eucharistievieringen weinig betrokken schijnen op het reële, dagelijkse leven. Kerk en liturgie hebben wat dat betreft ook nog een eind weegs af te leggen.

# Laat het eens zondag worden

## 1. Het is niet alle dagen zondag

De zondag is meer dan een willekeurige werkdag. Hij steekt boven de andere dagen uit. Wij kunnen de zondag als 'rustdag' opnieuw ontdekken: als we ons tijd gunnen, als we uitvoerig ontbijten en daarbij vertellen; 's middags gezamenlijk iets ondernemen of met elkaar spelen en zingen; 's avonds de tafel feestelijk dekken en lekker eten; daarna de bedceremonie bij de kleintjes wat langer maken of met de groten het gesprek voeren dat er al zo lang had moeten komen. De zondag moet een vaste vorm krijgen, zonder dat er sprake is van een keurslijf.

## 2. De zondag (dag van de zon) is een vrolijke dag

De joden zeggen: het is zonde, op sabbat treurig te zijn en als je treurige mensen kent, moet je tenminste één ervan opvrolijken.

Ouders en kinderen moeten plannen en doen, wat ze samen leuk vinden. Dat betekent niet dat problemen en moeilijkheden moeten verdoezeld worden. Het betekent wel: de leuke kanten van het leven niet vergeten en ze op deze dag eens beklemtonen Misschien lukt het ouders en kinderen om op zondag minder te mopperen en kritiek op elkaar te hebben, meer de positieve kanten van elkaar te zien. Laat de zondag een heerlijke dag zijn, waarop je ervaart dat het leven niet enkel opgave is. Het is ook, en veeleer, een gave, een geschenk.

## 3. Zondag is de 'dag van de open deur'

Een gezin leeft niet zomaar voor zichzelf. Er zijn familieleden veraf en dichtbij, er zijn de vrienden, de buren, de collega's op het werk... Komen er vrienden op bezoek met kinderen die even oud zijn als je eigen kinderen, dan brengt dat heel wat leven in huis. Terwijl de ouders gezellig zitten te kletsen, gaan de kinderen op in leuke spelletjes. Met anderen doe je nieuwe ervaringen op, ze brengen je op nieuwe ideeën. Dat is ook zo als je met je gezin zelf ergens te gast bent en ziet hoe anderen de zondag doorbrengen.

## *Zondag: dag van de hoop in ons leven*

Voor christenen is de zondag de 'dag des Heren'. Zij moeten ook beseffen wat Jezus daarover zei: 'De sabbat is gemaakt om de mens, maar niet de mens om de sabbat' (Mar. 2,27). De zondag is een 'mens-vriendelijke' dag. Het gaat erom dat iedereen, binnen en buiten het gezin, zich mag en kan verheugen. In de Nieuwe Katechismus heet het: 'Niet hoeven werken is een goddelijk gevoel. Zo is de zondag bedoeld. Een dag van feestelijkheid, van iets-meer-mens-zijn... Het is de dag van herademen in de atmosfeer van God.' Met andere woorden: de zondag is er niet voor de auto, voor zaken, voor uitgesmeerde party's — ook niet voor 'naar de kerk moeten gaan'. Wie op een juiste manier de zondag viert, zal God ongedwongen danken en in die geest ook eucharistie willen vieren. Bij de joden bestaat het volgende gezegde: 'De sabbat heeft Israël meer recht gehouden dan Israël de sabbat'. Voor christenen geldt dat evenzeer. Zij moeten eerst opnieuw de zondag als feestdag ontdekken, als de dag waarop Jezus opgestaan is uit de doden. Zondag vieren wordt dan: de dag van de hoop in ons leven vieren.

## Het gat in de omheining

Een jood wandelde door zijn wijngaard, kwam bij een gat in de omheining, en overdacht lange tijd hoe hij dat kon herstellen. Plots drong het echter tot hem door, dat zoiets tegen de sabbat was. En om zich daar steeds bewust van te blijven, besloot hij: op deze plaats zal ik de omheining nimmer herstellen.

*uit de Chassidische vertellingen*

263

# het jaar

## Jaargang

Herfsten die vrouwelijk zijt
en winters als moede mannen
en lentes nog onbevangen
en zomers tot alles bereid,

er is een verlies aan tijd
wanneer gij elkaar komt vervangen
maar steigerend is het verlangen
het paard dat gij alle berijdt,

verlangen dat snuift in de zomer
en hinnikt van lenteverdriet,
soms rustiger lijkt en vromer
maar herfst als een hengst geniet

en als het op stal is gekomen
dan krijgt het de haver niet.

*Guillaume Van Der Graft*

# Naamfeesten en gebruiken in de jaarkring

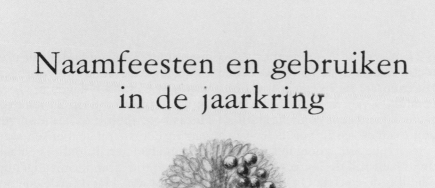

Onze aarde draait iedere 24 uur éénmaal om haar as: dat is onze dag. Onze aarde draait iedere 365 dagen, 5 uren, 48 minuten en 46 seconden éénmaal rond de zon: dat is ons jaar.

*Begin van de lente*
21 maart,
dag en nacht zijn even lang
*Begin van de zomer*
21 juni,
de langste dag en de kortste nacht
*Begin van de herfst*
23 september,
dag en nacht zijn even lang
*Begin van de winter*
21 december,
de kortste dag en de langste nacht.

Op 21 maart en 23 september vallen de stralen van de zon loodrecht op de evenaar, die als een gordel om het midden van de aardbol loopt. Op die dagen is het zonlicht gelijkmatig over de aarde verdeeld. Op 21 maart begint voor het noordelijke halfrond de lente, voor het zuidelijke de herfst. Op deze dag eindigt aan de noordpool een lange nacht; aan de zuidpool begint er één. Op deze beide uiterste punten van de aarde is er slechts één dag, de pooldag, en slechts één nacht, de poolnacht. Beide duren een half jaar.

## Onze Gregoriaanse kalender

In het sprookje van Doornroosje slapen alle mensen honderd jaar lang, vóór ze weer wakker worden... Een gelijkaardig, sprookjesachtig gevoel moeten de Romeinen gehad hebben, toen ze slapen gingen op donderdag 4 oktober 1582, en de dag daarop wakker werden op vrijdag... 15 oktober 1582. In het sprookje waren een boze fee en een goede prins verantwoordelijk voor de tijdsprong. In 1582 zorgde paus Gregorius XIII voor de truc. In feite ging het alleen maar om een herschikking van de Juliaanse kalender, die sinds Julius Caesar in zwang was. De Juliaanse kalender duurde ongeveer elf minuten en veertien seconden langer dan het zonnejaar. Dat lijkt niet veel, maar in de loop van zestien eeuwen worden minuten en seconden tot uren en dagen. De lente bijvoorbeeld begon in 1582 tien dagen te vroeg, op 11 in plaats van op 21 maart. Het is begrijpelijk dat er toen verwarring heerste bij de mensen, want niemand had hun duidelijk gemaakt waar die tijdverandering eigenlijk goed voor was. Het duurde dan ook nog enkele eeuwen voordat de nieuwe regeling als kalender over de hele wereld erkend werd. Protestantse landen wilden zich natuurlijk niet door de paus de tijd laten voorschrijven. Maar ook zij moesten tenslotte inzien dat de nieuwe kalender katholiek noch protestants was. Nauwkeuriger dan gelijk welke vroegere kalender, viel hij samen met het zonnejaar.

## De honderdjarige kalender

De geschiedenis van de honderdjarige kalender begint in een Frankisch klooster bij Bamberg na de dertigjarige oorlog (1648). De grote geleerden uit die tijd hadden reeds ontdekt dat de maan om de aarde en de aarde met andere planeten om de zon draait. Maar de meeste mensen kenden deze wereld nog niet en hielden nog steeds vast aan hetgeen ze dagelijks met hun ogen konden waarnemen: de aarde is het middelpunt, waar omheen de planeten draaien.
'Planeten' noemde men de zeven zichtbare gesternten, die overdag in de lucht op- en ondergaan of 's

nachts aan de sterrenbeelden voorbijtrekken: Zon, Maan, Mercurius, Venus, Jupiter, Saturnus, Mars. Ieder van deze zeven planeten beheerste volgens de mensen een jaar lang de aarde het leven van planten, dieren en mensen en vooral ook het klimaat. Daar dacht abt Mauritius Knauer in het klooster bij Bamberg zo het zijne van. Als om de zeven jaar dezelfde planeet de aarde beïnvloedt, dan moeten die planetejaren op elkaar lijken. Dan zou ook het weer telkens om de zeven jaar ongeveer hetzelfde moeten zijn. Zo dacht hij. Hij bouwde een hoge waarnemingspost en begon in 1652, zeven jaar lang, dag na dag, alles te observeren en op te schrijven. Volgens deze waarnemingen schreef hij een 'betrouwbare huiskalender', waar van alles instond over hetgeen men 's zomers en 's winters verbouwt, herfstzaaigoed, fruit, hop, wijnbouw, wind, hevige regenval, noodweer, ongedierte, vissen, ziektes en bijzondere weersgesteldheid onder de heersende planeet. De abt moet zeer teleurgesteld geweest zijn, toen in het voorjaar van 1659 de volgende zeven jaren begonnen en het weer totaal niet met zijn kalender overeenkwam.

Ongeveer vijftig jaar later kreeg een slimme zakenman uit Erfurt een afschrift van deze weersbeschrijvingen in handen. Voor hem

sChrIkkeL-JaerIgen Dag-LIChts-Meter,

O F T E

WEER-VOORZEGGER

OP DE XII. MAENDEN VAN DIT JAER.

Met zinspelende Dichtjens en geestryke Raedsels by idere Maend.

DAER ZYN ORDENDLYK BYGEVOEGD

De Jaer- en Peirde-Merkten; het Vertrekken en Aenkomen der Posten tot Gend; d'Ordonnantie der reyzende Boden; het Vertrekken en Aenkomen der Diligentien, Voituren en Bargien; de Geborte-Dagen der Souvereyne Princen en Princessen van Europa, als ook d'Evaluatie der Munte en de Reductie van brabandsch courant geld in

# AENMERKINGEN

### OP DE

## VERANDERING VAN HET WEDER.

### JANUARIUS.

*Veéle wenschen 't Nieuwjaer te koómen alle dagen,*
*En sommige dat zy het zelve nooyt en zagen :*
*'T is dat d'een geêrne krygt en d'ander noode geéft ;*
*Hier ziet men het verschil dat d'een aen d'ander heéft.*

Den 1 en 2 dugster en miſtagtig weder; den 3/ 4 en 5 dzybende wolſken met tuſſchenpoozing ban zonneſchÿn; den 6 ſtouden noordweſten wind; den 7 variabel; ban den 8 tot den 14 ongeſtadig weder met nu en dan ſneeuw/ regen en wind; den 15 met de nieuwe maene begint het weder

speelde het geen rol dat zijn versie geen goede kopie was, dat pagina's en data door elkaar geraakt waren, dat abt Knauer zijn vergissing al ingezien had. Hij rook zaken. In 1701 ,verscheen de 'weersvoorspelling' onder de titel:
'Op 100 jaar gestelde
kurieuze kalender
namelijk van 1701 tot 1801.
Daarin te vinden
hoe iedere huisvader,
van hoge en lage stand,
de hele tijd
volgens de invloed
van de zeven planeten
zijn huishouding met voordeel
kan voeren.'

Deze kalender werd een bestseller. De honderdjarige kalender was geboren. Soms kwam het weer toevallig overeen met hetgeen opgetekend stond in de honderdjarige kalender. Trouwens vandaag de dag zijn er nog mensen, die meer geloof hechten aan de honderdjarige kalender dan aan de weerkaart op de TV.

# Winter

**Een liedje voor de winter**

Een lied-je voor de win-ter, een lied-je voor het ijs.

Een lied-je voor de sneeuw die valt, dat krijgt van mij een prijs.

2. Een liedje voor de ijsbaan, Een liedje voor de vorst.
   Een liedje voor de tent met warme snert en worst.

3. Een liedje voor de schaatsen, Een liedje voor de slee,
   Een liedje voor de winterpret, dat zing ik heel graag mee.

271

## Waarom de eik in de winter nog bladeren heeft

De machtigste boom is bij ons de eik. Eiken worden niet alleen erg groot, dik en oud. Zij worden ook nooit helemaal kaal. Eerst als in het voorjaar het nieuwe loof begint te ontspruiten, vallen de laatste bladeren van het jaar daarvóór af. Waarom dat zo is, vertelt de oude legende.
Eens vroeg de duivel de lieve Heer of Hij hem de heerschappij over de bossen wou geven, zodat hij ergens op aarde de baas zou zijn. In zijn goedheid wilde God geen nee zeggen. Toch zou satans macht pas dan beginnen, als alle bomen zonder bladeren waren.
Vol zorg hoorden de bomen van deze overeenkomst, die ze aan het kwaad overleverde. En de sterke eik besloot het plan van de duivel te dwarsbomen. Met alle macht hield hij in herfst en winter zijn dorre bladeren vast, tot het nieuwe groen van de lente ontsproot. Zo doen de eiken sindsdien van jaar tot jaar en de duivel wacht nog steeds tevergeefs op de dag, dat hij zijn macht over de bossen krijgt.

## Vogelvoermengsel in vogelvoerpot

Om vogelvoer zelf te maken, hebben we zonnebloempitten, graankorrels en vet nodig. Verder een pan, bloempot, houten lepel, een touw en een lepel. We smelten het vet in een pot op het vuur en laten het daarbij niet te warm worden. Dan strooien en mengen we de korrels erin. Om de houten lepel binden we een touw en steken hem door het gat in de bloempot zo dat de brede kant van de lepel onderaan zit. We zetten de bloempot rechtop en vullen hem met het mengsel. Het vet mag niet meer vloeibaar zijn, dan kunnen we het goed vast aandrukken.
De eventuele rest kneden we tot een bol waarin we een touw meekneden, om hem aan op te hangen. We hangen de pot met de opening naar onder in een boom of op een andere plek, liefst uit de wind. Ten slotte wachten we op de eerste vogels...

## Een adelaar maken

Ieder gaat op zijn rug in de nog ongerepte sneeuw liggen en strekt zijn armen uit. Nu hef je de armen en beweeg ze op en neer in de sneeuw. Je begint boven het hoofd en beweegt de armen naar onder toe naast je lichaam. Zo maak je grote vleugels in de sneeuw. Wie nu voorzichtig opstaat, heeft een mooie vogel gemaakt.

## Speurtocht in de sneeuw

Een besneeuwd stuk land waar nog niemand doorheen heeft gelopen, is ideaal voor een spannend spelletje

spoorzoeken. Doodlopende sporen om het spel extra moeilijk te maken, zijn toegestaan. Goede spelers proberen, na het uitzetten van zo een doodlopend spoor, in de eigen voetstappen naar het hoofdspoor terug te keren. In hun schuilplaats barricaderen zich de 'vossen' in een sneeuwburcht of in een kuil. Zij onthalen de 'jagers' op sneeuwballen.

## Hordenschaatsen

Wie wipt tijdens het rijden over één of meerdere hindernissen? Wie slaat met een stok een pot van een paal? Wie kan al schaatsende een zakdoek van het ijs oprapen? Wie kan het langst onder een koord, die bij iedere beurt weer lager wordt gespannen, blijven doorschaatsen zonder tegen de (ijs-)vlakte te gaan?

## De natuur in

Als de gelegenheid zich voordoet, is het de moeite waard een wandeling te maken in een besneeuwd bos. Misschien zien we diersporen in de sneeuw. Als we goed opletten, zien we ook de verschillen. Je kunt de sporen onthouden of uittekenen en thuis in een boek nazoeken van welk dier ze zijn.
Ook in de winter kunnen we van bloesems genieten! Sneeuwvlokken en ijsafzettingen lijken op sterren en bloesem. Met een vergrootglas kunnen afzonderlijke vlokken nauwkeurig onderzocht worden.
De winter is de tijd, dat de bomen worden gekapt. Op de plaats waar de boom is afgezaagd, is zijn leeftijd af te lezen door de jaarkringen te tellen en ook is daaraan te zien welke de goede en welke de slechte groeijaren van de boom zijn.

# Januari

## Achter de waarheid

een grauwe dag in januari
een gat in de wolken
en de zon
die daar doorheen valt
lange vingers licht
op een sombere aarde
dat is een mooie waarheid

totdat het lage zonlicht
in mijn ogen valt
terwijl ik achter het stuur van mijn
auto zit
*Jan F. De Zanger*

## Weerspreuken

Draagt januari een sneeuwwit kleed
dan wordt de zomer zeker heet.

Als in januari de muggen zwermen,
dan moogt ge in meert uw oren
wermen.

Januari zonder regen
is voor de boer een zegen.

Schijnt de zon op nieuwjaar,
geeft het een goed appeljaar.

'Op de tweesprong'

## Herkomst en betekenis

Voor de Romeinen begon al een halve eeuw voor de geboorte van Christus het jaar met deze maand. Voor ons is dat pas, op grond van een decreet van paus Innocentius XII, vanaf 1691 het geval. Januari is genoemd naar de god Janus. Hij was de bewaker en beschermer van deuren en poorten. Janus wordt met twee gezichten afgebeeld: het ene ziet wat zich binnen afspeelt, het andere wat er buiten gebeurt. Janus werd bij de Romeinen de god van al wat begint; het ene, oude gezicht kijkt naar het verleden, het andere, jonge gezicht op de toekomst.

## Oude namen

*Louwmaand:* waarschijnlijk looi-maand = maand die geschikt is voor het looien.
*Wetmaand:* maand waarin velen huwden en waarin dus de huwe-lijkswetten golden.

## Sterrenbeeld

Van 22 december tot 20 januari: de steenbok.
Van degenen die onder dit ster-renbeeld geboren zijn, zegt men dat het langzame maar degelijke mensen zijn. Hun steen is de ap-pelgroene chrysopraas, die de angst overwint en de hoop levend houdt.

Wij zijn van U, eeuwige God,
en onze tijd behoort U toe.
Mensen komen en mensen
gaan,
de tijd slaat wonden en heelt
ze weer,
lief en leed gaan hand in hand.
Maar Gij, Heer, blijft dezelfde,
uw jaren kennen geen einde
want Gij zijt de levende God.
Wij danken U voor alles wat ons
in het afgelopen jaar is gegeven
en wij vragen U:
laat ons met vertrouwen
het nieuwe jaar tegemoet zien.
Stel ons open
voor alles wat komen gaat.
Vervul onze dagen
met vreugde en voorspoed
en vergeet ons niet.
Onze namen staan toch
geschreven
in de palm van uw hand?
Uw goedheid prijzen wij,
vandaag en alle dagen die
komen
tot in eeuwigheid.

## Bijzondere dagen

### 1 januari - Vredesdag

Heer,
maak mij tot een
instrument van de vrede
opdat ik liefde brenge waar
haat is, eenheid waar
verdeeldheid heerst,
vergiffenis waar zonden worden
bedreven, hoop waar de
wanhoop verduistert, geloof
waar duisternis vertroebelt,
vreugde waar droefheid is.

Heer, help mij,
niet zozeer om gelukkig te
willen zijn
als gelukkig te maken,
niet zozeer begrepen te worden
als anderen te begrijpen,
niet zozeer getroost te willen
worden, als anderen te
troosten,
niet zozeer bemind te willen
worden als te beminnen;
want ik zal ontvangen door te
geven,
vergeven worden door zelf te
vergeven,
in eeuwigheid leven door te
sterven.

Geef mij, Heer, vrede, kracht
en vreugde opdat ik anderen
vredig, krachtig en vreugdevol
kan helpen leven. Amen.
*Franciscus van Assisi*

## 18-25 januari - gebedsweek voor de eenheid

In 1908 werd op initiatief van de episcopaalse bekeerling Paul Wattson voor het eerst een week van gebed voor de eenheid gehouden. De aanvankelijke bedoeling daarvan was toen: de terugkeer van alle afgescheiden christenen tot de Stoel van Petrus.

Onder invloed van de Franse priester Paul Couturier werd de opzet van de bidweek diepgaand vernieuwd. Het centrale thema werd: de eenheid van alle christenen, zoals Christus die voor zijn kerk gewild heeft.

Uitgangspunt van deze nieuwe visie is de overtuiging, dat de huidige verdeeldheid van de christenen haar diepste oorzaak vindt in de zondigheid, ja dat de gescheidenheid zelf zonde is, waaraan alle christelijke gemeenschappen schuld hebben. Die zonde van de verdeeldheid kan slechts via een geestelijk proces hersteld worden: bekering uit de verdeeldheid, streven naar heiligheid, vernieuwing van de eigen kerkelijke gemeenschap en volhardend gezamenlijk gebed van alle christenen zijn onmisbare facetten van dit geestelijke streven naar eenwording.

## Voor eenheid onder de kerken

Heer, die wil dat al uw kinderen één zijn in U, wij bidden U voor de eenheid van uw kerken. Vergeef alles wat ons verdeelt: onze trots, ons ongeloof en ons gebrek aan begrip en liefde voor elkaar. Laat ons niet gewoon raken aan onze verdeeldheid en behoed ons ervoor dat wij als normaal beschouwen wat voor de wereld een ergernis is en uw liefde geweld aandoet.

*Liturgie van de Hervormde Kerk*

# Januari

| Heiligennaam | | Betekenis |
|---|---|---|
| 1. Nieuwjaar | hoogfeest van Maria, Moeder van God. | |
| Albero | zoon van Hendrik II van Leuven, bisschop van Luik, 12de eeuw. | Adel en beer |
| 2. Basilius | de Grote, uit Cappadocië, bisschop van Caesarea, kerkleraar, 4de eeuw. | De koninklijke |
| Gregorius | van Nazianze, broer van Basilius, bisschop, kerkleraar, 4de eeuw. | De wakkere |
| Brigitta | uit Holland, gestigmatiseerde dominicanes. | De schitterende |
| 4. Veerle | gehuwde vrouw, zuster van de H. Goedele, 9de eeuw. | Geslacht en strijd |
| Elisabeth | Tubback, cisterciënsernon te Rozendaal aan de Nete, 16de eeuw. | God is mijn Heer |
| 5. Gerlak | van Valkenburg, bekeerling en eremiet, 12de eeuw. | Speer en tovenaar |
| 6. Openbaring des Heren | gewoonlijk Driekoningen, ook Dertiendag genoemd, thans gevierd op de eerste zondag na Nieuwjaar. | |
| Geertrui | van Oosten, gestigmatiseerde begijn uit Delft, 14de eeuw. | Sterke speer |
| 7. Tillo | volgeling van Sint-Elooi, apostel in Vlaanderen, vooral Gits en Izegem, 7/8ste eeuw. | Het volk |
| 8. Goedele | uit Moorsele, dochter van HH. Witger en Amelberga, maagd in vaders huis, 7/8ste eeuw. | De goede |
| 9. Julianus | gehuwd man en ziekenverpleger uit Egypte, 3/4de eeuw, patroon van de gastvrijheid. | De jeugdige |
| 10. Paulus | eerste kluizenaar in Thebe, 3/4de eeuw. | De geringe |
| 11. Lodewijk | Portier, kartuizer te Gent, 15de eeuw. | Beroemd in de strijd |
| 12. Benedictus | bisschop, Angelsaksische monnik, begeleidde Sint-Wilfried naar Rome, 7de eeuw. | De gezegende |
| Tatiana | martelares te Rome, 2de eeuw. | Bakernaam |
| 13. Hilarius | bisschop van Poitiers, kerkleraar, 5de eeuw. | De vurige |
| Godfried | graaf van Kappenberg, gezel van St.-Norbert, 11/12de eeuw. | Onder de vrede van God |
| 14. Peerke | Donders, redemptorist en apostel der melaatsen in Suriname, 19de eeuw. | De rots |
| 15. Arnold | Jansen, stichter van de missiecongregatie van Steyl, 19/20ste eeuw. | Als een arend heersend |
| 16. Theobald | van Kortrijk, monnik van Villers, 7de eeuw. | Volk en moedig |
| 17. Antonius | de Grote, uit Egypte, kluizenaar, vader van de monniken, 3/4de eeuw. Patroon van de slagers. | De onschatbare |

| | | |
|---|---|---|
| Folko | abt van St.-Bertensabdij in Sint-Omaars en martelaar, 10de eeuw. | Het volk |
| 18. Prisca | jong meisje, martelares, 1ste of 3de eeuw. | Volgens de oude zeden |
| 19. Knoet | koning van Denemarken en martelaar, vader van Z. Karel de Goede, 11de eeuw. | Van edel geslacht |
| 20. Sebastianus | uit Milaan, martelaar te Rome, 3de eeuw. Patroon van onze schuttersgilden. | De verhevene |
| 21. Agnes | jong meisje en martelares te Rome, 3de eeuw. Patrones van de hoveniers. | De reine |
| Geeraard | norbertijner abt van Ninove, 12de eeuw. | Koene speer |
| 22. Vincentius | diaken in Saragossa, martelaar in de 3/4de eeuw. Patroon van de wijnbouwers en houtbewerkers. | De overwinnaar |
| Walter | van Bierbeek, cisterciënsermonnik in Himmerode, 13de eeuw. | De heerser over het leger |
| 23. Arnold | van Zwalm, norbertijn van Ninove, 13de eeuw. | Als een arend heersend |
| 24. Frans | van Sales, bisschop van Genève, kerkleraar, stichter van een religieuze congregatie, 16/17de eeuw. | Vrije Fransman |
| Bertram | monnik van Luxeuil, abt van St.-Kwintens en geloofsverkondiger in Zuid-Nederland, 7de eeuw. | Schitterend als een raaf |
| 25. Bekering van Adelwiva | de H. Apostel Paulus moeder van de H. Poppo van Deinze, later kloosterzuster in Verdun, 11de eeuw. | Adellijke vriendin |
| 26. Timotheüs | leerling van St.-Paulus, bisschop van Efeze, 1ste eeuw. | De Godvrezende |
| Bathildis | Frankische koningin, gemalin van Chlotaar II, 7de eeuw. | De strijdbare |
| 27. Angela | Merici, stichteres van de ursulinen, 15/16de eeuw. | De engelachtige |
| 28. Thomas | van Aquino, dominicaan en kerkleraar, de engelachtige leraar, 13de eeuw. Patroon van de katholieke scholen. | De tweeling |
| 29. Poppo | van Deinze, monnik en kloosterhervormer, 11de eeuw. | |
| 30. Aldegondis | stichteres en eerste abdis van Malbode, 7de eeuw. | De edele in de strijd |
| Martina | martelares te Rome, 3de eeuw. | De kampvechtster |
| 31. Jan | Bosco uit Becchi, priester en stichter van de salesianen, 19de eeuw. Jeugdpatroon. | God heeft geschonken |

# Februari

## Weerspreuken

In de korte maand regen
is vette en zegen.

Lichtmis helder en klaar
twee winters in één jaar.

Februari is nooit zo fel
of hij levert zijn drie zomerse dagen
wel.

## Sneeuwklok die de lente luidt

Sneeuwklok die de lente luidt,
bel het aan de graskant uit:
ik moet om het askruis gaan,

op mijn voorhoofd laten schrijven
dat ik hier niet lang mag blijven,
dat ik moet tot mest vergaan,

dat de goedgespannen huid
openspringt onder het kruid,
dat dit schoon lijf binnenkort

rot, beschimmelt en verdort,
dat ik moet om 't askruis gaan
bij de zwarte kapelaan.

*Hubert Van Herreweghen*

## 'Leven is loutering'

### Herkomst en betekenis

In de oud-Romeinse kalender was
februari de twaalfde maand van het
jaar. Het jaar begon met de lente.
Daarom was februari de maand van
boete, bezinning, loutering en
reiniging. Februari komt van fe-
bruare = reinigen. De natuur, die
spoedig zal ontluiken, heeft daarvoor tijd nodig om tot rust en op
krachten te komen. Deze rust, in de
zin van loutering en reiniging, zou
de mens eigenlijk ook moeten ondergaan. Meestal vallen carnaval en
Aswoensdag in februari.

### Oude namen

Sprokkelmaand: sporkellen =
sprong; dus maand die een sprong
maakt. Ook schrikkelmaand.
Blijde maand (vastenavond).

### Sterrenbeeld

Van 21 januari tot 19 februari:
de waterman.
Van degenen, die onder dit sterrenbeeld geboren zijn zegt men, dat
het mensen zijn met goede ideeën,
die ze zelfs ten uitvoer brengen, al
zijn ze soms ook wel eens wat wis-
pelturig; dat ze voor het overige
vriendelijk en geïnteresseerd zijn
en geneigd het goede te doen. Hun
steen is het bergkristal, een symbool van helderheid en waarheid. 279

## Bijzondere dagen

### 2 februari: Maria-Lichtmis

Reeds in de vijfde eeuw voor Christus was 2 februari in Rome een feestdag, die met een fakkel- en kaarsenoptocht gevierd werd. En sedert ruim een millennium viert de katholieke kerk op die dag de 'opdracht in de tempel'. Al eeuwen voordien echter had er op deze veertigste dag na Kerstmis een lichtprocessie plaats, die de oude Romeins-heidense verzoeningsprocessie moest vervangen. Het feest van Maria-Lichtmis kreeg zijn naam van de kaarsenwijding op deze dag.

Het was een katholiek gebruik dan alle kaarsen te wijden die in de loop van het jaar thuis of in de kerk gebruikt zouden worden. Druppels van een gewijde kaars liet men ter zegening in doodskist of zaaikoren vallen. Men ontstak de kaars als het onweerde. Wanneer men een nieuwe woning in bezit nam, liet men wasdruppels in de vier hoeken vallen. Ook liet men druppels in het water vallen om te voorspellen hoe de tarweoogst zou zijn: als de druppels op een vlasbloem geleken, zou de oogst goed zijn. In Vlaanderen werden (en worden hier en daar soms nog) op Lichtmis pannekoeken gebakken: al is een

vrouwke nog zo arm, met Lichtmis maakt ze haar panneke warm.
O.-L.-Vrouw-Lichtmis is ook het patroonsfeest van de katholieke universiteit te Leuven. Op die dag worden er ere-doctoraten toegekend.

## 6 februari: heilige Amandus

Amandus werd in de 7de eeuw geboren in Aquitanië, het huidige Gascogne. In 639 werd hij tot bisschop gewijd. Als reisbisschop kwam hij naar de streek van Gent en preekte Gods woord in Vlaanderen en Brabant. Hij wordt dan ook de 'apostel van Vlaanderen' genoemd. Hij stichtte verscheidene kloosters, waarvan het Gentse klooster, de latere Sint-Baafsabdij, en het klooster Elno aan de bron van de Schelde wel de voornaamste zijn.
Hij zou ook het geloof hebben verkondigd bij de Slaven aan de Donau. En in 646 zou hij bisschop van Maastricht geworden zijn.
Sint-Amandus is een zeer vereerd heilige in Vlaanderen. Verscheidene parochies hebben hem als patroon, vooral in West-Vlaanderen en in het land van Aalst langs de Dender.

## 14 februari: Valentijnsdag

Het oude gebruik op Valentijnsdag bloemen te geven, gaat terug tot in de tijd van de Romeinen, tot het feest van de godin Juno (godin van huwelijk en geboorte en de vrouw van Jupiter), op 14 februari. Deze feestdag werd door de christenen al vroeg overgenomen en in verbinding gebracht met de heilige Valentinus, die op 14 februari 269 vanwege zijn geloof ter dood gebracht werd. Valentinus heeft, naar men zegt, jonge paartjes volgens christelijke ritus gedoopt en de blinde dochter van de gevangenisbewaarder weer doen zien. In elk geval bleef het rode hart, het algemeen geldende symbool van de liefde, of het nu in christelijke of wereldlijke zin was, ook het symbool van Valentijnsdag.
Het moeten niet per se gekochte bloemen zijn, die wij geven aan mensen die ons ter harte gaan. Het kan veel attenter zijn, iemand iets te geven, waar we goed over nagedacht of dat we zelf geknutseld hebben.

# Februari

| Heiligennaam | | Betekenis |
|---|---|---|
| 1. Brigitta | Ierse abdis, ook vereerd in Vlaanderen, 5/6de eeuw. | De schitterende |
| Winand | prior van de dominicanen te Maastricht, 13de eeuw. | Strijd en waaglust |
| Zeger | Rijsel, één van de eerste Nederlandse dominicanen, 13de eeuw. | De overwinnaar |
| 2. Opdracht des | Heren, of O.-L.-Vrouw-Lichtmis. Feest sedert de 5de eeuw gevierd. | |
| 3. Blasius | bisschop van Sebaste in Armenië en martelaar, één van de 14 noodhelpers, vooral tegen keelpijn aangeroepen. Grote verering in Vlaanderen. | |
| Berlindis | vrouwe van Meerbeke, toonbeeld van dienende liefde, 7de eeuw. | Schitterend en zachtmoedig |
| 4. Veronica | wiste Jezus' gelaat af langs de kruisweg, 1ste eeuw. | Het ware gelaat |
| Rembert | van Torhout, leerling van de H. Ansgaar en bisschop van Bremen en Hamburg, 9de eeuw. | Schitterend door zijn raad |
| 5. Agatha | maagd en martelares te Catania (Sicilië), 3/4de eeuw. Aangeroepen tegen brandgevaar. | De goede |
| Adelheid | van Gelderen, abdis van Villich bij Keulen, 10/11de eeuw. | De adellijke |
| 6. Dorothea | maagd en martelares in Cappadocië, 3/4de eeuw. Eén van de 14 noodhelpsters. | Geschenk van God |
| Amandus | uit Aquitanië, bisschop van Maastricht en apostel van Vlaanderen, 7de eeuw. | De beminnenswaardige |
| 7. Rijkaard | Angelsaksische koning uit Wessex, 7/8ste eeuw. | Machtig en koen |
| 8. Hiëronymus | Emiliani, stichter van een congregatie voor hulp aan wezen en gevallen meisjes, 15/16de eeuw. | Heilige naam |
| 9. Appolonia | maagd en martelares te Alexandrië, 3de eeuw. Patrones tegen tandpijn. | Tot Apollo behorend |
| 10. Soteris | van Dordrecht, martelares, 12de eeuw. | De redder |
| 11. O.-L.-Vrouw | van Lourdes, verschijningen aan de H. Bernadette Soubirous in 1858. | |
| 12. Geertrudis | dochter van Pepijn van Landen, stichteres en abdis van Nijvel, 7de eeuw. | Sterke speer |
| Gilda | van Pennebeke, stichteres en overste van Terkameren, 12/13de eeuw. | Geld |
| 13. Vaast | bisschop van Atrecht en leermeester van Clovis, 6de eeuw. | Woud en gast |

282

| | | |
|---|---|---|
| Harlindis en Relindis | stichteressen en abdissen van Aldeneik, 8ste eeuw. | Raad en strijd<br>Leger en zachtmoedig |
| 14. Cyrillus en Methodius | uit Tessaloniki, apostelen van de Slavische volkeren, 9de eeuw. | De jonkheer<br>De naspeurende |
| Corneel | Poldermans, cisterciënser en martelaar te Zierikzee, 16de eeuw. | De gehoornde |
| 15. Columbaan | Ierse monnik en kluizenaar te Gent, 10de eeuw. | Van de duif |
| 16. Juliana | maagd en martelares in Nikodemië, 3/4de eeuw. | De jeugdige |
| Gregorius | aartsdiaken van Luik, daarna paus, 13de eeuw. | De wakkere |
| Walter | van der Aa, broer van de Z. Beatrijs van Nazaret, kloosterling te Averbode, 13de eeuw. | De heerser over het leger |
| 17. Silvinus | pelgrim en bisschop van Terwaan, 7/8ste eeuw. | Van het woud |
| 18. Bernadette | Soubirous, zienster van Lourdes en kloosterzuster te Nevers, 19de eeuw. | Beer en koen |
| 19. Bonifaas | Kloetink, uit Brussel, bisschop van Lausanne, overleden in Terkameren, 13de eeuw. | De weldoener |
| Hadewijch | norbertijner abdis van Kappenberg, 12de eeuw. | De strijdster |
| 20. Falko | bisschop van Maastricht, 5/6de eeuw. | De valk |
| 21. Petrus | Damiani, uit Ravenna, monnik en kardinaal, 11de eeuw. | De rots |
| 22. Sint-Petrus | Stoel te Rome. | |
| Hendrik | Herp, minderbroeder en mystiek schrijver, gestorven te Mechelen, 15de eeuw. | Machtig heerser |
| 23. Polykarpos | leerling van de apostel St.-Jan, bisschop van Smyrna, martelaar, 1/2de eeuw. | De vruchtenrijke |
| Odilia | van Mombeek, abdis van Maagdendaal-Oplinter, 13de eeuw. | Het erfgoed |
| 24. Ameel | 9de abt van Ter Duinen te Koksijde, 13de eeuw. | De scherpe |
| 25. Walburga | Angelsaksische kloosterzuster, geloofsbode en abdis van Heidenhem, 8ste eeuw, wordt ook vereerd in Vlaanderen. | Die bestuurt en beschermt |
| Adeltruide | nicht van de H. Aldegonde, kloosterzuster te Malbode, 7de eeuw. | Adel en kracht |
| 26. Ubold | cisterciënserbroeder in Bloemkamp (Friesland), 13de eeuw. | Verstandig en onversaagd |
| 27. Eucharius I | bisschop van Maastricht, 5/6de eeuw. | De dankbare |
| 28. Romanus | monnik en abt in Bourgondië, 4/5de eeuw. | De Romein |
| Silvana | maagd en martelares, 4/5de eeuw. | De boswachteres |
| 29. Oswald | bisschop van Worchester en York, 10de eeuw. | God en heerser |

283

# Lente

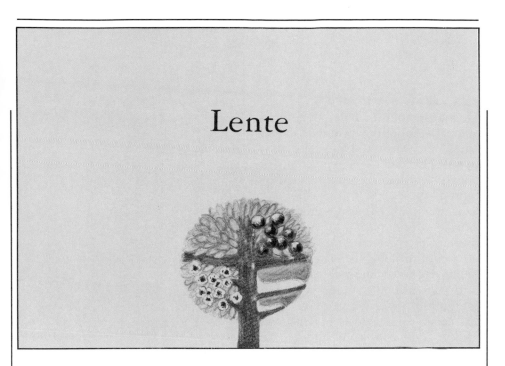

## Bloeit een bloempje in de weide

Bloeit een bloem-pje in de wei-de, in de wei-de, fa- la- la- lie-re !

Bloeit een bloempje in de weide is de len - te daar.

La - la - la - la - la - la - la - la - la - la - la - la - la -

la - la - la - la - la - la - la - la - la - la - la.

2. Schijnt de zonne ganse dagen, ganse dagen, falalaliere !
   Schijnt de zonne ganse dagen is de zomer daar.
3. Vliegt een zwaluw naar het zuiden, naar het zuiden, falalaliere !
   Vliegt een zwaluw naar het zuiden is de herfst weer daar.
4. Vallen vlokken uit de hemel, uit de hemel, falalaliere !
   Vallen vlokken uit de hemel is de winter daar.

M.: J. Wuytack | 285

De meeste mensen halen opgelucht adem — eindelijk worden de dagen langer en warmer. De aarde barst open, het eerste groen komt te voorschijn, iedereen wil weer naar buiten.

Overal vond vroeger de uitbanning van de winter plaats. Op vele manieren wordt de strijd tussen winter en zomer uitgebeeld. Na een lange kamp overwint uiteindelijk de zomer en wordt de winter verjaagd, lentefeesten worden gevierd.

De eerste lentebode is het sneeuwklokje, dat zijn kopje boven de sneeuw uitsteekt.

## De legende van het sneeuwklokje

Toen God zijn scheppingswerk voltooid had, toen gras, bomen en bloemen hun prachtige kleuren hadden gekregen, schiep Hij tot slot ook de sneeuw. Maar Hij gaf hem geen kleur. Zijn kleur moest de sneeuw maar zelf uitzoeken of hij moest een ander schepsel erom vragen.

De sneeuw ging naar het gras, naar het viooltje, naar de roos, naar de zonnebloem en naar talloze andere veelkleurige gewassen en vroeg aan ieder van hen: 'Geef mij iets van jouw kleur.' Maar niemand wilde aan dit verzoek voldoen.

Bovendien lachten ze de kleurloze sneeuw nog uit. Bedroefd ging hij aan de rand van de weg zitten en klaagde: 'Als niemand mij zijn kleur geeft, zal ik onzichtbaar blijven als de wind, die je ook niet kunt zien.' Hij dacht dat niemand hem had horen klagen, maar een piepklein sneeuwklokje, dat naast hem stond, had hem toch gehoord. Het zei tegen de sneeuw: 'Als mijn bescheiden jasje je bevalt, mag jij het wel hebben.' Dankbaar nam de sneeuw het aan en sindsdien is hij wit. Het sneeuwklokje is echter de enige bloem, die hij in zijn nabijheid duldt. Alle andere haat hij en hij doodt ze met zijn ijskoude adem.

o Zaaien en planten

Volgens een oude boerenspreuk gaat op de dag van de heilige Gertrudis, op 17 maart, de eerste tuinman aan het werk. Na de lange 'winterslaap' begint dan weer het werk in de tuin en op het land.

Als we een stukje tuin hebben is het vanzelfsprekend, dat we er de rommel uithalen voor we aan het spitten, zaaien en planten gaan.

We hebben al een tuintje als we een grote bak of schaal met zwarte aarde vullen en daarin wat zaaien of planten.

Het eerste zaaigoed: worteltjes, peterselie, prei, selder, spinazie.

In april en mei: verschillende soorten kool, erwten, sla.

Het geeft niet alleen voldoening, de grond vóór te bewerken, te zaaien en te planten; het is vooral spannend om te zien, hoe piepkleine plantjes uit de grond komen en groeien.

o Observeren wat in de natuur gebeurt

De trekvogels keren terug: we kunnen een lijst maken, waarop we noteren, op welke dag we een bepaalde vogel voor het eerst hebben gezien.

Bloemen beginnen te bloeien: we noteren in welke volgorde de verschillende kleuren in de natuur opkomen.

Vogels beginnen te zingen. Wij proberen de verschillende vogels aan hun lied te herkennen.

Nesten worden gebouwd. We kunnen nestkastjes maken. We noteren waar welke vogels broeden.

## Maart

Maart heeft knepen in zijn staart.

Donder in 't groene hout
't blijft de hele zomer koud.

Nooit is maart zo goed,
of hij sneeuwt een volle hoed.

Een droge maart is goud waard.


### LET OP UW HART

't Is maart, de wilgen lopen uit...
Let op uw hart! —
Het dobbert als een schuit
op de rivier, gezwollen van de regen.
De wilgenrijsjes tot in 't water wegen.

't Is maart, een dwaze merel fluit...
Let op uw hart! — Het trilt van elk
geluid
gelijk een kinkhoorn ruist van alle
kusten
waar moegewiegde baren komen
rusten.

288 | *Karel Vertommen*

## 'De wereld totaal overhoop'

### Herkomst en betekenis

Bij de Romeinen was deze maand naar de krijgs- en weergod Mars genoemd, waarnaar ook de planeet met haar onheilspellend rood genoemd is. In de oud-Romeinse kalender was maart de eerste maand van het jaar. Aanvankelijk is ze een maand van strijd en ommekeer: de winter wordt overwonnen, de lente trekt als overwinnaar binnen. Zo worden in deze maand de dagen een uur langer. Maart geldt daarom ook als een vrolijke maand. Lentemaand, voorjaarsmaand zijn namen, die duiden op de lente, die begint.

### Oude namen

Lentemaand.
Dorremaand: afgeleid van Thor, aan wie onze voorouders deze maand toegewijd hadden.
Sint-Jozefsmaand.

### Sterrenbeeld

Van 20 februari tot 20 maart:
de vis.
Van degenen, die onder dit sterrenbeeld geboren zijn zegt men dat ze gevoelig en makkelijk te beïnvloeden zijn, vaak ook artistieke aanleg hebben, dat ze hulpvaardig zijn en zichzelf wegcijferen,

maar dat ze ook afwijzend en hard kunnen optreden; dus 'zo beweeglijk als een vis in het water'. Hun steen is de stralend blauwe saffier, een symbool van de heldere hemel.

## Bijzondere dagen

### 19 maart, feest van de heilige Jozef

Wij weten niet veel van de levensloop van de heilige Jozef. Hij was timmerman, stamde uit het geslacht van David en was met Maria, de moeder van Jezus, verloofd. De heilige Schrift noemt hem rechtvaardig en trouw. Hij wordt ingewijd in het geheim van Jezus' menswording en zorgt als 'voedstervader' voor het kind en de opgroeiende Jezus. De devotie heeft de heilige Jozef pas betrekkelijk laat ontdekt. Dan, in de vroege middeleeuwen, breidt zijn verering zich snel uit. Het teken van de lelie, dat op oude afbeeldingen van de heilige Jozef te zien is, vindt zijn oorsprong in een legende.

Jozef zou door een wonder de man van Maria geworden zijn. Men had voor alle ongehuwde mannen uit het geslacht van David in de tempel stokken bijeen gebracht. Zo wilde men voor Maria de man vinden, die door God voorbestemd was. Alleen uit de stok van Jozef bloeide een lelie.

Zowel uit deze als ook uit andere legenden blijkt, dat Jozef een door God gekozen man is, die niet op de voorgrond treedt, maar bescheiden en onopvallend op de achtergrond van het hele Christusgebeuren blijft.

De heilige Jozef geldt als patroon van de (hand)arbeiders. Als zodanig viert de kerk hem op 1 mei.

# Maart

| Heiligennaam | | Betekenis |
|---|---|---|
| 1. Switbert | Angelsaksische bisschop, geloofsbode in Friesland, 7/8ste eeuw. | Krachtig en schitterend |
| 2. Karel | de Goede, graaf van Vlaanderen en martelaar, 11/12de eeuw. | De vrije man |
| 3. Frederik | van Hallum, dorpspastoor en norbertijn van Hallum, 12de eeuw. | Machtige beschermer |
| 4. Herman | lekebroeder van Villers, 12/13de eeuw. | De legerleider |
| 5. Simon | Utenhove, stichter en lekebroeder van de cisterciënserpriorij Vrouwenhove te Waarschoot, 15de eeuw. | De verhoorde |
| 6. Coleta | Boelet, hervormster van de clarissen, gestorven te Gent, 14/15de eeuw. | De volksoverwinnares |
| 7. Jan | abt van St.-Pieters te Gent, 7de eeuw. | God heeft geschonken |
| Herman | Coolsmet van Lochem, kartuizer te Geraardsbergen en Scheut, 15/16de eeuw. | De legerleider |
| 8. Humfried | bisschop van Terwaan, 9de eeuw. | Reus en vrede |
| 9. Francisca | Romana, Romeinse edelvrouw, weduwe en stichteres van een congregatie volgens de benedictijner regel, 14/15de eeuw. | De vrije |
| 10. Himelijn | Ierse monnik en pelgrim, gestorven te Vissenaken, 8ste eeuw. | |
| Christina | zuster van de Z. Beatrijs en cisterciënsernon van Nazaret, 13de eeuw. | De gezalfde |
| 11. Rosina | maagd en martelares. | De roze |
| 12. Denijs | van Rijkel, kartuizer in Roermond en Den Bosch, mystiek schrijver, 15de eeuw. | Zoon van de wijngod |
| 13. Eustaas | van Hoei, wellicht zoon van de H. Ivetta, bekeerling en monnik, 13de eeuw. | De evenwichtige |
| 14. Mathilde | koningin en stichteres van het klooster Quedlinburg, 9/10de eeuw. | Machtige strijdster |
| 15. Louise | Le Gras-de Marillac, weduwe uit Parijs, rechterhand van de H. Vincent de Paul, 16/17de eeuw. | Beroemd in de strijd |
| 16. Arnikius | abt van Averbode, 12/13de eeuw. | De arend |
| Gummarus | monnik van Villers, raadgever van de H. Aleidis van Schaarbeek, 13de eeuw. | Door God beroemd |
| 17. Patrick | bisschop, apostel en patroon van Ierland, 4/5de eeuw. | Van adel |
| 18. Edward | koning van Engeland, martelaar, 10de eeuw. | De eigendomsbewaker |
| 19. Jozef | bruidegom van de Moeder Gods, voedstervader van de Heer, 1ste eeuw, patroon van | Dat Jahweh toevoege |

| | | |
|---|---|---|
| | de kerk, van de handarbeiders, van de stervenden, van de Zuidelijke Nederlanden. | |
| Landwald | bisschop van Maastricht, gestorven te Wintershoven, 7de eeuw. | De bewaker van het land |
| 20. Thomas | van Leuven, lekebroeder van Villers, 13de eeuw. | De tweeling |
| Geertrui | van der Beken, 12de abdis van Maagdendaal-Oplinter, 15de eeuw. | Sterke speer |
| 21. Balderik | van Kraainem, koordeken van St.-Gummarus te Lier, 13de eeuw. | Onversaagd en machtig |
| 22. Genta | van Aarschot, abdis van Bloemendaal, 13de eeuw. | De stamgenoot |
| Hendrik | van Melsbroek, abt van St.-Bernards-aan-de-Schelde, 13de eeuw. | Machtig heerser |
| 23. Jozef | Oriol, Spaans priester en vader van de armen, 17/18de eeuw | Dat Jahweh toevoege |
| 24. Catharina | dochter van de H. Birgitta van Zweden, weduwe en kloosterzuster, 14de eeuw. | De reine |
| Florens | Radewijns, uit Leerdam, priester en broeder des Gemenen Levens te Deventer, 14de eeuw. | De bloeiende |
| 25. Aankondiging | des Heren, of O.-L.-Vrouw-Boodschap (feest sedert midden van de 6de eeuw). | |
| Hermelandas | uit Nijmegen, eerste abt op het eiland Aindré, 7/8ste eeuw. | Groot land |
| Hugo | van Terwaan, norbertijn en tweede abt van Berne, 12de eeuw. | De verstandige |
| 26. Ludger | Fries edelman, gezel van St.-Bonifatius, apostel bij Friezen en Saksen, en eerste bisschop van Münster, 8/9de eeuw. | Volk en speer |
| 27. Dominicus | bisschop van Atrecht, 6de eeuw. | Van de Heer |
| Corneel | de Jonghe, uit Dongen (Breda), dominicaan en groot Mariavereerder, gestorven in Sicilië, 17de eeuw. | De gehoornde |
| 28. Agnes | de Satillon, cisterciënsernon en onderpriorin van Bellopratum (Grimminge), 16de eeuw. | De reine |
| 29. Stefaan IX | Frederik van Lotharingen, paus, afkomstig uit de Nederlanden, 11de eeuw. | De kroon |
| 30. Roswitha | zuster van Karel de Grote, kloosterzuster te Liesborn (Westfalen), 9de eeuw. | Roem en krachtig |
| Reinald | volgeling van St.-Bernard, monnik van St.-Amands-aan-de-Schelde, en van Clairvaux, 12de eeuw. | Raad en beheer |
| 31. Godfried | monnik van Villers, 12de eeuw. | Onder de vrede van God |
| Guido | kluizenaar, norbertijn en stichter van Vikonje, 12de eeuw. | De man uit het woud |

# April

## Herkomst en betekenis

In de oud-Romeinse kalender was april de tweede maand van het jaar. De naam komt van het Latijnse woord aperire = openen. Door de Romeinse dichter Ovidius werd april bezongen als de maand die de aarde, de knoppen en de bloesems opent evenals de handen van de mensen.

## Oude namen

Grasmaand.
Paasmaand, Oostermaand.

## Sterrenbeeld

Van 21 maart tot 20 april:
de ram.
Van degenen, die onder dit sterrenbeeld geboren zijn, zegt men, dat ze vaak impulsief zijn, dat ze eerlijk voor hun mening uitkomen, slecht tot een besluit kunnen komen en dus soms met de kop tegen de muur lopen. Hun steen is de rood-bruin- en witgestreepte sardonyx.

## Bijzondere dagen

### 1 april

Aprilgrappen zijn de grappen die men in vrijwel de hele Indoger-

## Weerspreuken

April doet wat hij wil.

Heren en aprillen
bedriegen wie zij willen.

April koel en nat
vult schuur en vat.

In april heldere maneschijn,
zal de bloesem schadelijk zijn.

APRIL, VROEG

Lang voor de zon opkomt, in licht
nog nat van nacht, niet één geluid
hetzelfde, ziedend fluiten zij
elkander moord en doodslag toe,
de veren die hun messen slijpen,
de snavels die de zon aanvuren,
de vogels die van licht bedaren.
*Chr. J. Van Geel*

maanse wereld op 1 april met kinderen en onnozele of onnadenkende volwassenen uithaalt, om ze te foppen, meestal door ze om de een of andere onmogelijke boodschap uit te zenden. In onze eeuw is het gebruik zodanig uitgebreid dat men zelfs door persberichten belangstellenden ertoe tracht te bewegen, naar een opzienbarende gebeurtenis te gaan kijken, die dan niet plaatsvindt. In België (Vlaanderen) heet de dag Verzenderkensdag, in Duitsland Narrentag, in Engeland Allfools day. De voor de gek gehoudene heet aprilgek, in Frankrijk poisson d'Avril. Uit Europa is het gebruik naar Amerika gebracht, waar het zeer populair is geworden. De oorsprong is onbekend; men heeft er een herinnering aan het been en weer zenden van Christus 'van Pontius naar Pilatus' of aan de Quirinalia, het narrenfeest van de Romeinen, in gezocht. In Nederland wordt hierbij aan de verovering van Den Briel door de Watergeuzen (op 1 april 1572) gedacht, maar het gebruik moet veel ouder zijn.

## 14 april
### Heilige Lidwina van Schiedam

De legende vertelt dat Lidwina geboren werd op Palmzondag 18 maart 1380, terwijl in de Sint-Janskerk het passieverhaal werd gezongen.
Zij werd van jongsaf geplaagd door

lijden en ziekten, die zij dikwijls in eenzaamheid moest doorstaan. Zij overleed op 14 april 1435.
Zij werd de patrones van zieken en lijdenden. Haar naam wordt verklaard als lijd-wijd, wijd aan lijden. Haar door ziekten verscheurd lichaam werd het beeld van de verscheurdheid van de christenheid die een eeuw later door de Reformatie in de lage landen zou volgen. Zij is ook het beeld van de verscheurdheid van de Nederlanden. In die zin is het vers te verstaan dat Guido Gezelle schreef:
*Lidwina, Maagd der Nederlanden,*
*Sluit Noord en Zuid in sterker banden*
*Als stem en stam ooit binden zal:*
*Maak ons noch Noord, noch Zuid,*
*maar allen.*
*Geef dat wij eens zijn, staan en vallen*
*In waarheid en voor God, 't is al!*

# April

| Heiligennaam | | Betekenis |
|---|---|---|
| 1. Irene | martelares in Thessalonika, 3/4de eeuw. | De vrede |
| 2. Genoveva | van Brabant, toonbeeld van verdachte onschuld, 9de eeuw. | Afstammeling en vrouw |
| 3. Herman | lekebroeder van Villers, 12/13de eeuw. | De legerleider |
| 4. Isidorus | bisschop van Sevilla, kerkleraar, 6/7de eeuw, patroon van Spanje. | Geschenk Gods |
| Herman-Jozef | minstreel van O.-L.-Vrouw, norbertijn in Mariëngaarde en Steinfeld, 12/13de eeuw. | De legerleider |
| 5. Juliana | van Cornillon, priorin, uiteindelijk naar Fosses verbannen, instelling van H.-Sacramentsdag, 12/13de eeuw. | De jeugdige |
| 6. Jan | van Amsterdam, minderbroeder en martelaar bij Diest, 16de eeuw. | God heeft geschonken |
| 7. Johannes | Baptista de la Salle, stichter van de Broeders van de Christelijke scholen, 17/18de eeuw. | God heeft geschonken |
| Machteld | van Bierbeek, abdis van Bloemendaal, 13de eeuw. | Macht en strijd |
| 8. Willem | van Gongelberg of Brussel, abt van Villers en Clairvaux, 12/13de eeuw. | Wilskrachtige beschermer |
| Julia | stichteres van een congregatie voor de opvoeding van arme kinderen, 18/19de eeuw. | De jeugdige |
| 9. Waldetruide | of Woutruide, gehuwd en abdis-stichteres van Bergen, 7de eeuw. | Heerseres en kracht |
| 10. Notker I | bisschop van Luik, 10/11de eeuw. | Noodzaak en speer |
| 11. Stanislas | bisschop van Krakow, martelaar, 11de eeuw. Patroon van Polen. | Roem van de staat |
| 12. Julius I | paus, 4de eeuw. | De glanzende |
| Margriet | van Laken, cisterciënsernon van Bellopratum (Grimminge), 16de eeuw. | De parel |
| 13. Ida | van Leuven, kloosterzuster te Rozendaal (St.-Katelijne-Waver), gestigmatiseerde, 13de eeuw. | De eed |
| 14. Lidwina | van Schiedam, maagd van de Nederlanden (cf. Guido Gezelle), lijdende bruid van de Heer, 14/15de eeuw. | Volk en vriend |
| 15. Waltman | van Antwerpen, gezel van St.-Norbert, eerste abt van de St.-Michielsabdij te Antwerpen, 11/12de eeuw. | Heerser en man |
| 16. Drogo | van St.-Winnoksbergen, monnik aldaar en biograaf van de H. Godelieve van Gistel, 11de eeuw. | |
| 17. Benedictus | Labre, bedelaar en pelgrim, uit Ametten, 18de eeuw. | De gezegende |
| 18. Radolf | 10de abt van de norbertijner abdij van Ninove, 12/13de eeuw. | Raad en wolf |

294

| | | |
|---|---|---|
| 19. Bernardus | Provençaals boeteling en kluizenaar te St.-Omaars, 12de eeuw. | Koen als een beer |
| 20. Adelaar | bisschop van Erfurt, gezel van St.-Bonifatius en martelaar met hem te Dokkum, 8ste eeuw. | Adel en hard |
| Ligeer | kluizenaar en eerste abt van Ter Duinen, 11/12de eeuw. | Volk en speer |
| Oda | uit Brabant, norbertines, 12de eeuw. | Eigen bezit |
| 21. Anselm | Lombardische edelman, abt en bisschop van Kantelberg, kerkleraar, 11/12de eeuw. | Door God beschermd |
| Wolbodo | afkomstig uit Vlaanderen en bisschop van Luik, 10/11de eeuw. | Vreemdeling en bode |
| 22. Aldebertus | graaf van Oostervant, gade van de H. Regina, weldoener van kerken, kloosters en armen, 8ste eeuw. | Oud en schitterend |
| Radolf | norbertijner abt van Vikonje, 11/12de eeuw. | Raad en wolf |
| 23. Joris | Romeins soldaat, martelaar, 3/4de ceuw. Patroon van Engeland en van de verkenners. Eén van de 14 noodhelpers. | De landbouwer |
| Humbert | eerste norbertijner abt van Grimbergen, 11/12de eeuw. | Reus en schitterend |
| 24. Egbert | van York, Angelsaksisch monnik, poogde vruchteloos geloofsbode te worden in Friesland, maar zond de H. Willibrord naar de Nederlanden, 7/8ste eeuw. | Schitterend zwaard |
| 25. Marcus | leerling van de H. Petrus, gezel van de H. Paulus en evangelist, 1ste eeuw. Patroon van glasschilders en bouwarbeiders, wordt aangeroepen tegen hagel en bliksem. | Van Mars |
| Floribertus | zoon van de H. Hubertus, bisschop van Luik, 8ste eeuw. | De schitterend bloeiende |
| 26. O.-L.-Vrouw | van Goede Raad. | |
| Rikier | edele Frank, bekeerling, priester, kluizenaar en stichter van de abdij St.-Rikiers, 6/7de eeuw. | Machtig en leger |
| 27. Koenraad | bisschop van Utrecht, 11de eeuw. | Koen in het raadgeven |
| Christiaan | van de Walle, norbertijn van St.-Niklaas te Veurne en martelaar, 16de eeuw. | De christen |
| 28. Louis | Grignion de Montfort, Bretoens priester, stichter van de monfortanen, 17/18de eeuw. | Beroemd in de strijd |
| 29. Catharina | van Siëna, dominicanes en kerklerares, 14de eeuw, patrones van Italië. | De reine |
| Robrecht | van Brugge, vriend van de H. Bernard, abt van Ter Duinen en Clairvaux, 11/12de eeuw. | Schitterend door roem |
| Hildegardis | gemalin van Karel de Grote, 8ste eeuw. | Strijd en roede |

295

# Mei

## *'Een feest voor de ogen'*

### Herkomst en betekenis

Mei heeft zijn naam van de godin Maia, godin van de aarde en de vruchtbaarheid. Zij werd door de Grieken ook moedertje of voedster genoemd. Een tweede mogelijkheid is dat de naam komt van Jupiter Maius, de god die heerst over bliksem, donder, regen en zonneschijn.

### Oude namen

Bloeimaand.
Mariamaand.
In het volksgeloof: maand van de vruchtbaarheid.

### Sterrenbeeld

Van 21 april tot 20 mei:
de stier.
Van degenen, die onder dit sterrenbeeld geboren zijn, zegt men, dat ze geduldig, voorzichtig en tevreden zijn. Zij houden van rust, eten graag goed en wonen graag mooi. Zij worden niet gauw boos, maar berg je maar als ze eens boos worden! Hun steen is de bloedrode carneool. Hij houdt de liefde brandend, naar men zegt, zoals het in mei betaamt.

### Weerspreuken

Een natte mei
geeft boter in de wei.

Avonddauw en zon in mei,
hooi met karren op de wei.

Een bij in mei
is zo goed als een ei.

Is de mei een hovenier,
dan is hij ook boerkens plezier.

Voor de nachtvorst zijt ge niet beschermd, totdat Servatius zich ontfermt.

## *Bijzondere dagen*

### 1 mei: dag van de arbeid

'In alle overleg in de wereld van de arbeid moet de mens altijd centraal staan. Bij alle gerechtvaardigde eisen moet eerbied voor de onaantastbare waardigheid van de mens steeds bepalend zijn, niet alleen van de afzonderlijke arbeiders, maar ook van hun gezinnen, niet alleen van de mensen van nu, maar ook van de komende generaties. Als structurele wijzigingen na precieze berekeningen nodig blijken te zijn, mogen daarbij nooit arbeiders die vele jaren hun beste krachten gegeven hebben, daarvan alleen de dupe worden! Wees solidair en help ze weer een zinvolle bezigheid te vinden. Daartoe hebt gij al bemoedigende voorbeelden gegeven.'

*Paus Johannes Paulus II*
*16 november 1980 in Mainz*

## Tweede zondag in mei:

## Moederdag

Omdat God niet overal kan zijn, schiep Hij de moeders
*Arabisch spreekwoord*

In 1907 werd het voorstel om de moeders op een speciale dag te vieren voor het eerst gepropageerd door de Amerikaanse Ann Jarvis. Het gebruik ontstond in 1914 dan ook in de Verenigde Staten, waar de tweede zondag van mei toen wettelijk tot Mother's Day werd verklaard.
Rond 1920 raakte het gebruik in Europa, met name in Duitsland, Engeland en Scandinavië, en sinds circa 1930 in Nederland en België bekend.
Ook op 15 augustus (Maria Hemelvaart) worden de moeders gevierd.

## Spin haar niet in...

Het is niet meer zo vanzelfsprekend om kinderen te hebben
het is niet meer zo vanzelfsprekend om moeder te zijn

de tijd rukt aan onze verlangens
schudt onze gevoelens door elkaar
dwingt ons voortdurend te kiezen
tussen de beslotenheid van het huis
de nauwe relatie
en alles wat daarbuiten ligt
aan waarden
aan mogelijkheden
aan verrijking
aan eigen identiteit
deze tijd maakt het vrouwen niet makkelijk
vanzelfsprekend moeder te zijn
dicht bij kinderen te staan
warmte, geborgenheid, veiligheid gevend
op te gaan in het wisselend spel
van hun kleine leven
en toch ook niet onder te gaan
in het dagelijks zorgen
niet op een zijspoor zitten
maar jezelf kunnen zijn
in die boeiende verwarrende
altijd wisselende wereld
waarin ook vrouwen
waarin ook moeders
een stem moeten hebben
spin haar niet in
in de hulde van één dag
plak geen etiket op haar bestaan
laat haar zichzelf zijn
een mens een vrouw een moeder misschien
geef haar de kans dat zelf te kiezen
zichzelf te zijn
spin haar niet in
in het sentiment van één dag
geef haar de hulde van een heel eigen onvervangbaar leven.
*Mariette Vanhalewijn*

# Mei

| Heiligennaam | | Betekenis |
|---|---|---|
| 1. Jozef | arbeider, feest sedert 1955 gevierd. | Dat Jahweh toevoege |
| Jacob | Schuermans, minderbroeder uit Brussel en martelaar te Peer, 16de eeuw. | De onderkruiper |
| 2. Germaan | van Schotland, geloofsbode en martelaar te Wimau (Zuid-Vlaanderen), 5de eeuw. | Speer en kracht |
| 3. Jacobus | de Jongere, apostel en martelaar, 1ste eeuw. | De onderkruiper |
| Filippus | apostel en martelaar, 1ste eeuw. Patroon van hoedenmakers en bakkers. | De paardenvriend |
| 4. Willerik | bisschop van Bremen, werkte in de Nederlanden, 8/9de eeuw. | De veelvermogende |
| Catharina | van Park, bekeerde jodin uit Leuven en cisterciënsernon van Park, 13de eeuw. | De reine |
| 5. Aleidis | eerste abdis van 's Hertogendaal (Hamme), 13de eeuw. | Adel en waardigheid |
| 6. Dominiek | Savio, knaap, leerling van Don Bosco, 19de eeuw. | Van de Heer |
| 7. Domitianus | bisschop van Tongeren en Maastricht, 6de eeuw. | De temmer |
| 8. Avezoete | van Damme, dominicanes en stichteres van Engelendale te Assebroek, 13de eeuw. | De barende |
| 9. O.-L.-Vrouw | van Vlaanderen, of der Lage Landen. | |
| Hermas | leerling van St.-Paulus te Rome, 1ste eeuw. | De stutter |
| 10. Isidorus | landbouwer uit Madrid, 11/12de eeuw. Patroon van de boeren. | Geschenk van God |
| 11. Gengulf | Bourgondisch edelman, steun van de geloofsboden in de Nederlanden, kluizenaar en martelaar, 8ste eeuw. | Gang en wolf |
| Ansfried | graaf van Teisterbant, bisschop van Utrecht, 10/11de eeuw. | Onder Gods bescherming |
| 12. Pancratius | jonge Romeinse martelaar, 3de eeuw. Patroon van de eerste communicanten, ijsheilige. | De oppermachtige, de allesbedwinger |
| 13. Servatius | bisschop van Tongeren en Maastricht, 4de eeuw. | De geredde |
| 14. Matthias | apostel, na Jezus' hemelvaart bijgekozen, 1ste eeuw. | Gave Gods |
| Fulgeer | monnik van St.-Bernards-aan-de-Schelde, 12/13de eeuw | De schitterende |
| 15. Dymfna | Ierse koningsdochter, martelares te Geel, 7de eeuw. | |
| Margriet | van der Elst, begenadigde cisterciënsernon uit Maagdendaal (St.-Katelijne-Waver), 16/17de eeuw. | De parel |

| | | |
|---|---|---|
| 17. Celestijn | Ierse abt, naar Ronse verbannen, 8ste eeuw. | De hemelse |
| Laurens | eerste abt van Villers, 12de eeuw. | De gelauwerde |
| 18. Margriet | elfjarig meisje in Rameia, 13de eeuw. | De parel |
| Ulrik | Nederlandse dominicaan, 13de eeuw. | Erfgoed en machtig |
| 19. Ivo | Bretoens advocaat en kluizenaar, 13/14de eeuw. Patroon van de advocaten. | |
| Hadolf | abt en bisschop van Atrecht, 7/8ste eeuw. | Strijd en wolf |
| 20. Bernardinus | van Siëna, minderbroeder en volkspredikant, 14/15de eeuw. Patroon van de wolwevers. | Sterk als een beer |
| Saturnina | maagd en martelares in de omstreken van Atrecht, 7de eeuw. | Aan Saturnus toegewijd |
| Hugo | norbertijn van Mariënweert, martelaar, 12de eeuw. | De verstandige |
| 22. Rita | Mancini, weduwe en augustines uit Cascia, 14/15de eeuw. Patrones tegen hopeloze gevallen. | De parel |
| Helswindis | uit Limburg, eerste abdis van Burtscheid, 12/13de eeuw. | Adel en vriend |
| 23. Jan-Baptist | de Rossi, priester te Rome, vader van de armen, 19de eeuw. | God heeft geschonken |
| Wigbert | stichter van de abdij Gembloers, 9/10de eeuw. | Schitterend strijder |
| 24. O.-L.-Vrouw | Hulp van de Christenen. | |
| Rolland | monnik van St.-Amands, abt van Hasnon, 11de eeuw. | Roem en land |
| Godfried | Blesen, norbertijnerabt van O.-L.-Vrouw, 12de eeuw. | Onder de vrede van God |
| 25. Beda | benedictijnermonnik van Wearmouth, kerkleraar, 7/8ste eeuw. | |
| Gregorius VII | monnik Hildebrand, paus van de investituur, 11de eeuw. | De wakkere |
| Maria-Magdalena | de Pazzi, karmelites uit Firenze, mystick begenadigde, 16/17de eeuw. | Uit Magdala |
| 26. Filippus | Neri, priester uit Firenze en stichter van het Oratorium, 16de eeuw. | De paardenliefhebber |
| Eva | van Hoei, kluizenares en medewerkster van de H. Juliana van Cornillon, 13de eeuw. | De barende |
| 27. Augustinus | van Kantelberg, Romeins monnik, geloofsbode in Engeland en bisschop van Kantelberg, 6/7de eeuw. | De verhevene |
| Frederik | bisschop van Luik, 11/12de eeuw. | Machtige beschermer |
| 28. O.-L.-Vrouw | van Atrecht. | |
| Willem | van Oranje, ridder onder Hendrik IV, kluizenaar in het land van Kleef, 11de eeuw. | Wilskrachtige beschermer |
| Pieter | lekebroeder van Ter Duinen, 13de eeuw. | De rots |

| | | |
|---|---|---|
| 29. Maximinus | uit Poitiers, bisschop van Trier, 4de eeuw. | De grootste |
| 30. Jeanne | d'Arc, maagd van Orleans, verbrand te Rowaan, 15de eeuw. | God heeft geschonken |
| Lambert | van Liedekerke, norbertijn van Ninove, 12de eeuw. | Beroemd in zijn land |
| 31. O.-L.-Vrouw- | Bezoeking. | |
| Gertrudis | van Brabant, dochter van de hertog, martelares, 6de eeuw. | Sterke speer |
| Roeland | paladijn van Karel de Grote, gevallen te Ronceval, 8ste eeuw. | Roem en land |

# Zomer

## Komt mee naar buiten

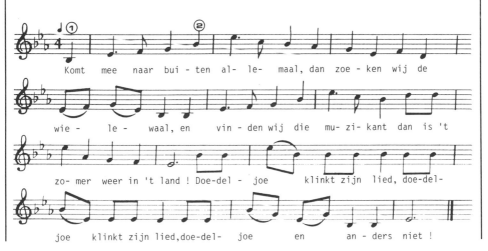

Komt mee naar bui - ten al - le- maal, dan zoe - ken wij de

wie - le - waal, en vin - den wij die mu- zi- kant dan is 't

zo- mer weer in 't land ! Doe-del- joe klinkt zijn lied, doe-del-

joe klinkt zijn lied,doe-del- joe en an - ders niet !

301

Tijd van zonnen, rijpen, reizen, uitrusten, de verten opzoeken, genieten van de mooie dagen, voor de meesten van ons vakantietijd, de tijd waarop we gewacht hebben...
Werktijd voor de landbouwers, de toeristische sector, de jobstudenten ofte vakantiewerkers...

## De zin van het reizen

Er bestaat een duidelijk etymologisch verband tussen de woorden 'zin' en 'reis'. Het Oudhoogduitse woord voor 'reis' is 'sinne, sinn'.
Reizen, onderweg zijn, heeft inderdaad veel te maken met bestemming zoeken en zin geven. De tekens langs de weg ontdekken, zich daarop oriënteren, is een voortdurend spel van 'zin' zoeken en ontdekken.

# Kom mee naar buiten

### De kleine nachtwaker

Eens, op een nacht dat de lucht geurde van bloesems en de sterren pinkelden, liep de kleine nachtwaker met zijn lantaarn door de weilanden. Daar zag hij plots, precies bij zijn rechtervoet, een klavertjevier. 'O', zei de kleine nachtwaker blij. Hij bukte zich en plukte het. Omdat een klavertjevier geluk brengt, besloot hij de mensen wakker te maken, want het geluk is fijner als je het met anderen deelt.
'Jullie moeten opstaan', riep hij. 'Ik heb een klavertjevier gevonden!'
Toen kwamen de mensen naar hem toe: de bloemenvrouw, de dichter, de draaiorgelman, het meisje dat ballons verkoopt en de boer. Zij gingen vóór hun huizen op het geluk zitten wachten. Zou het van links of van rechts komen? Of misschien wel van boven? Zij lieten hun ogen dwalen en legden hun oor te luisteren in de nacht.
Aan de bosrand speelden de reeën en moeder vos was met haar kinderen aan het ravotten. Vlak in de buurt sjirpte een krekel en de zachte nachtwind plukte bloesems van de bomen en liet ze speels over de daken dwarrelen.

Daar wandelden vijftien muisjes door de dorpsstraat, het ene telkens een beetje kleiner dan het andere. De maan spiegelde zich in de vijver. Dat zag er zo leuk uit, dat de kikkers een kring eromheen vormden en een kikkerlied zongen. Het beekje murmelde. In de oude kastanje zaten de uilen en hun lichtende ogen keken dromerig de nacht in.

De mensen waren heel stil. Zij keken naar de hazen, die haasje-over speelden, en hoorden de klokjesbloemen bengelen. 'Wanneer komt nu eigenlijk het geluk?' vroeg plotseling het meisje van de luchtballons.

'Sst...', antwoordde de kleine nachtwaker en legde de vinger op de mond. 'Het is er al lang. De hele nacht is vol geluk. Voelen jullie het niet?'

*Gina Ruck-Pauquèt*

Ga naar de mensen,
leef van hen,
houd van hen,
leer van hen,
begin
met wat ze hebben
en bouw
op wat ze weten
*Oud-Chinese wijsheid*

## Thuis vakantie houden

o De eigen streek ontdekken

o Wat valt er in onze stad, in de dorpen eromheen, in de naaste omgeving te ontdekken?
Een wandelkaart kopen, iedere dag of iedere zondag een andere richting uitlopen of fietsen; merkwaardige gebouwen, kerken, raadhuizen, typische gevels, monumenten 'onderzoeken'.

o Wat is er bij ons anders dan elders?
Zegswijzen, liederen, klederdracht, kook- en bakrecepten, feestdagen, bepaalde gebruiken, het landschap, planten ontdekken en opzoeken hoe ze heten...

o Hoe was het hier vroeger?
Met oudere mensen praten, provinciale en openluchtmusea bezoeken, in oude boeken snuffelen.

o Met een of een paar andere gezinnen iets ondernemen

o Wat kun je buiten vinden en wat kunnen we ermee doen? Van stenen kun je mannetjes maken en ze beschilderen. Stokken kun je snijden en versieren. Bloemen kun je onder een bloemenpers leggen of drogen en er kaarten mee maken.

o Wat dacht je van een gemeenschappelijk zomerfeest? Het feest zal zeker beter slagen, als veel mensen het mee helpen organiseren – van de versiering tot en met het eten en drinken. En als het hele feest nog een thema krijgt, bijvoorbeeld, 'in het circus', 'op de ridderburcht', 'in de ark van Noë'... dan is de voorbereiding al het halve feest.

o Eens iets heel anders doen

De nacht buiten doorbrengen - zonsopgang meemaken - kampvuur houden - stokbrood bakken - een bos bloemen plukken - op blote voeten lopen - een nachtwandeling maken - in de regen wandelen - een bijzonder boek lezen - schilderen, knutselen, spelen - één dag alleen dat eten, wat de natuur biedt - iemand opzoeken - een bron zoeken - een dag de auto niet gebruiken - heel intens luisteren, ruiken, proeven.

## Zomerspelletjes

o Luchtballonrace

In plaats van met een ei op een lepel te lopen kunnen we een wedstrijd houden met een ballon erop. Dat is veel spannender.

o Als het eens moet knallen...

... kunnen we een broodzakkenrace houden ! We vormen groepen van 3-5 spelers en spreken een afstand van bijvoorbeeld 5 meter af. Bij de finish staat een tafel, een stoel of een soort podium. Bij de start loopt

nummer 1 van de groep zo snel mogelijk met een papieren zak naar het podium, klimt erop, blaast het zakje op, laat het knallen en loopt snel terug. Dan komt nummer 2...

o Hoe langer, hoe liever

Wij vormen twee of meer groepen. Op een startsignaal probeert iedere groep een zo lang mogelijke slang te knopen van zakdoeken, hemden, riemen, touwtjes... In de vrije natuur kunnen ook natuurlijke materialen gebruikt worden: bladeren, dennenaalden, grashalmen...

o Een zonnewijzer bouwen

We weten allen dat de zon altijd van oost naar west draait. Maar hebben we er al eens aan gedacht dat we de zonnestralen kunnen benutten om een zonnewijzer te bouwen ? We hebben een dun houten stokje nodig, dat in een hoek van 45° met de punt naar het noorden wijzend, in de grond gestoken wordt. Nu kunnen we met behulp van een gewone klok ieder uur dàär een streepje zetten, waar de punt van de schaduw valt. De streepjes die de uren aangeven kunnen we bijzonder versieren.

### De zon in een glas wijn

Heerlijk is het. Zitten op het zomerse gazon. Met een glaasje wijn in de hand.
Eigen, zelf gemaakte wijn. En daarin fonkelend de zon. Heerlijk. Zelf gemaakt, zul je zeggen; dat kan toch niet? Toch wel. Het maken van alcoholhoudende dranken voor eigen gebruik is een bezigheid die al eeuwen wordt beoefend! En de laatste tijd wordt het amateurwijnmaken een steeds meer verspreide hobby.
In vroegere jaren, toen de boeren hun overvloedige hoeveelheden fruit niet of slechts gedeeltelijk aan de man konden brengen, brachten zij vruchtesappen of -pulpen tot gisting en verkregen dan een drank, die houdbaar bleek en die hun daarbij nog enige vrolijkheid verschafte in hun vaak sobere bestaan. Aan deze primitieve vorm van huisvlijt hebben de thans bekende commerciële wijnen hun oorsprong te danken.
Daar waar de druivenrank groeide, kwam men al spoedig tot de ont-

dekking dat het sap van de vrucht hiervan grote voordelen bood boven alle andere vruchtesappen.
Daarom werd het druivesap geacht de enige goede basis te zijn voor de drank, die thans als wijn mag worden aangeduid.
Sedert de vorige eeuw werd de markt dan ook overspoeld met betrekkelijk goedkope wijnen uit de bekende wijngebieden. En de kunst van het zelf maken van vruchtenwijnen stierf vrijwel uit. Dat hoeft echter niet zo te blijven. Je moet het volgend recept maar eens proberen.

o Morellenwijn

(Morellen zijn zure kersen, noorderkrieken)

*Ingrediënten (voor 5 liter)*
| | |
|---|---|
| *morellen* | *4000 gr* |
| *suiker* | *1500 gr* |
| *water* | *4,5 l* |
| *gist + gistvoeding* | |
| *pecto-enzymen* | |

Was het fruit en ontdoe het van de steeltjes. Doe het in een kom of ketel (roestvrij staal of email) en voeg per 500 gr fruit, 500 gr water toe. Daarna de enzymen, een lepeltje gist (liefst wijngist, maar bakkersgist doet het ook) en de gistvoeding.
Voor de enzymen en de gistvoeding kan je altijd terecht bij de apotheker, drogist of speciaalzaak. Laat de most 10 dagen staan, roer niet te

zachtzinnig (zeker driemaal daags) en maak met de handen het fruit kapot, zodat de enzymen hun werk beter kunnen doen.

Daarna zeven in etappes. Eerst door een grove zeef waar pitten en vellen in achterblijven, dan door een doek die vruchtvlees en kleinere vezels tegenhoudt. Overhaast het proces niet door te wringen.

Meet de vloeistof en voeg bij iedere liter 300 gr suiker. Goed roeren tot alles is opgelost. Laat dit 4 dagen warm staan, daarna in een 5-literfles met een waterslotje erop.

Is de wijn geklaard, hevel hem dan over op een nieuw vat. Herhaal dit 2 maand later en een derde keer na nog een maand. Bottel de wijn als hij zes maanden oud is. Leg de fles op haar zijkant, bijvoorbeeld in een ruimte waar een temperatuur heerst van 13°C of lager. Een jaartje laten liggen (als je dat kunt!) en dan opdrinken, zittende op het zomerse gazon...

*Gistvoeding* is een geheel van vitaminen en mineralen die stimulerend werken voor de gist.

*Pecto-enzymen* breken de celwanden af van de vrucht, zodat het sap beter vrijkomt.

De toevoeging van deze beide ingrediënten is niet hoogstnoodzakelijk, maar wel aan te raden omwille van het betere resultaat.

## Van kruiden, wandelen en zegenen

Waarom tijdens de zomermaanden ook eens niet een kruidenwandeling organiseren met het hele gezin? Sommige kruiden kun je rustig aanwenden bij de bereiding van het eten, andere hebben zelfs geneeskrachtige eigenschappen ... En ook als je niet zinnens bent ze te gebruiken, kan het ontdekken en herkennen ervan toch een aangename bezigheid zijn. Er bestaat voldoende literatuur om je wegwijs te maken in de kruidenwereld. Hieronder een lijstje van kruiden die je tijdens de vakantie kunt verzamelen.

o de hele vakantie door

honderdjarige aloë, aloë, eik, muur, duizendblad, duivenkervel, smalle weegbree, witte waterkers, varkensgras, alant, perzikkruid, citroen-melisse, boerenwormkruid, grote pimpernel, ogentroost, stokroos, bosbes.

o juni

waterdrieblad, vuilboomschors, hondsdraf, klein hoefblad, agrimonie, wijnruit, salie, thijm, betonie, zonnedauw.

o juni-juli

zilverschoon, heemst, hondsroos, echte kamille, karwij, linde, okkernootbladen en -vruchten (groene).

o juni-augustus

malrove, berendruif, gezegende distel, zuurbeswortel, brandnetel, zilverdistel, mannetjesereprijs, ijzerhard, guichelheid, Duitse brem, huislook, herderstasje, vlier, grote klis, marjolein, pepermunt, goudsbloem, driekleurig viooltje, witte dovenetel, duizendguldenkruid, cichorei.

o juli

bosbes, honingklaver, lavendel.

o juli-augustus

wolverlei, bosbes, Sint-Janskruid, absint-alsem, stalbaars, hysop.

o augustus

hoornklaver, vlas.

n augustus-september

guldenroede, venkel.

o september

anijs, zuurbes, kruidvlierbessen, valeriaan, wegedoorn.

Als je dit, overigens beperkte, kruidenlijstje doorleest, heb je dan ook de indruk dat je meer automerken kent dan kruidennamen? Vakantie is de tijd om daaraan wat te doen en wat dichter bij de natuur te komen.

Er was een tijd dat men op Halfoogst (15 augustus) bloemen en welriekende kruiden in onze kerken wijdde. De mensen legden

deze bloemen op de kermistafel van Halfoogst en bewaarden de kruiden tegen gevaar en ongeluk. In oude kalenders heet Halfoogst dan ook dikwijls Onze-Lieve-Vrouw-Kruidwijding. Aan die zegening ligt een legende ten grondslag die bij Maria's Hemelvaart het ledige graf als 'een besloten hof vol geurende bloemen en kruiden' bezingt.

# Juni

## Juni

Ik wil mijn best doen zoals de bloemen
hun best doen, van mijn leven
wil ik iets stijlvols maken, een reuzeneik
voor een kleurige vogel

maar ik lig op een strand in de zon
met een jongen die zachtjes snurkt
en speel met de tijd als met zand,
dijken bouwend en tunnels gravend.

*Leo Ross*

## *'Een feest voor alle zintuigen'*

### Herkomst en betekenis

Juni is bij de Romeinen naar de godin Juno genoemd, de vrouw van Jupiter. Zij gold als 'jeugdig bloeiend' en was de godin van de sterren, van het huwelijk en de huwelijkstrouw.

### Oude namen

Zomermaand, H. Hartmaand.

Wedemaent, wiedemaent, Braakmaand. In de tijd van het drieslagstelsel was juni de maand waarin men het derde, braakliggende terrein begon te bewerken.

### Sterrenbeeld

Van 21 mei tot 21 juni: tweelingen.
Van degenen, die onder dit sterrenbeeld geboren zijn, zegt men dat ze graag veel mensen om zich heen hebben, veel om handen willen hebben, handig en intelligent zijn. Hun enige vijand is de verveling. Hun steen is de wijnkleurige topaas, die de wilde hartstocht aan banden legt en de fantasie beteugelt.

### Weerspreuken

In juni weinig regen,
voorspelt een grote zegen.

Blaast juni in de noorderkant,
verwacht veel koren dan op 't land.

In juni dondergevaar,
betekent een vruchtbaar jaar.

## *Bijzondere dagen*

### 16 juni: heilige Lutgart van Tongeren

Lutgart werd in 1182 te Tongeren geboren. In 1205 werd zij priorin van het Sint-Katharinaklooster van de benedictinessen van Sint-Truiden.

Zij was een volksverbonden vrouw. Toen zij werd overgeplaatst naar de Waalse abdij van Awirs, zou zij, uit vrees er abdis te worden, van Onze-Lieve-Vrouw de gunst verkregen hebben nooit Frans te kunnen spreken... Het is dan ook begrijpelijk dat zij vereerd werd en wordt als schutsvrouwe van Vlaanderen en als patrones van taal- en letterkunde. Haar leven stond in het teken van dienstbaarheid, vasten en de allesdoordringende liefde van Christus.

Gedurende de laatste elf jaar van haar leven was zij blind, wat haar tevens tot patrones van de blinden maakte.

## 29 juni: Petrus en Paulus

*Petrus* was een van de twaalf apostelen en heette oorspronkelijk Simon. Hij was de broer van Andreas en was visser van beroep. Geboren te Betsaïda, woonde hij ten tijde van zijn ontmoeting met Jezus in Kafarnaüm. Hij was gehuwd; de evangelies maken melding van zijn schoonmoeder.

Met Jakobus en Johannes behoorde hij tot de drie bevoorrechte leerlingen, die getuigen mochten zijn van Jezus' glorie (de opwekking van Jaïrus' dochtertje, de gedaanteverandering op de berg Thabor) en van zijn vernedering (hof van Olijven).

Petrus verloochende Jezus kort voor diens dood tot driemaal toe. Toch gaf de verrezen Heer hem de opdracht zijn schapen te weiden. Hij kreeg daarmee de functie van 'rots' toegezegd waarop de gelovige gemeenschap moet gefundeerd zijn. Uit de Handelingen van de Apostelen blijkt dan ook duidelijk dat hij de leiding van de vroege kerk op zich nam.

Zijn houding ten opzichte van de naleving van de Joodse Wet door de heiden-christenen bracht hem op een bepaald ogenblik in een openlijk conflict met Paulus.

Net als Paulus, heeft Petrus verblijf gehouden in Rome. Hij stierf er de marteldood, volgens de overlevering de kruisdood, tijdens de vervolging onder Nero (64-67).

*Paulus,* wiens Joodse naam Saul was, werd in het begin van onze jaartelling te Tarsus in Cilicië (Z.-O.-Turkije) geboren. Op de eerste opvoeding thuis volgde in Jeruzalem een grondige godsdienstige vorming naar de beginselen van het farizeïsme. Paulus heeft aanvankelijk het christendom hartgrondig verfoeid en vervolgd. Maar op weg naar Damascus voelde hij zich door de genade van God gegrepen; daar verscheen hem, zoals hij het later zou uitdrukken, de Heer, die hem riep tot het geloof en het apostelschap onder de 'heidenvolken'. Deze voor de jonge gemeente zo belangrijke ommekeer,

'Paulus' bekering', had plaats enkele jaren na de dood van Jezus.

Paulus ondernam drie grote missiereizen.

Kort vóór het jaar 50 nam hij ook deel aan het apostelconcilie van Jeruzalem, waar de vrijheid van de heidenchristenen ten aanzien van de Joodse Wet werd aanvaard en Paulus' zending onder de heidenen officieel erkend werd.

Omstreeks Pinksteren 56 werd hij te Jeruzalem, bij een door Kleinaziatische Joden verwekte rel, door de Romeinen gearresteerd en twee jaar te Caesarea gevangen gehouden. Na een beroep op de keizer werd hij naar Rome overgebracht, waar hij nog eens twee jaar in gevangenschap doorbracht.

Vast staat dat hij dan te Rome onder Nero de marteldood is gestorven. Zijn grote betekenis ligt in zijn roeping en werk als apostel van de heidenen en in zijn brieven aan de eerste christengemeenten.

# Juni

| Heiligennaam | | Betekenis |
|---|---|---|
| 1. Thomas | van Argentolium, proost van Atrecht, martelaar, 11de eeuw. | De tweeling |
| 2. Marcellinus | priester-martelaar uit Rome, 3/4de eeuw. | Aan Mars gewijd |
| Jacob | Coppens Cornelisz, landbouwer uit Woggeno, martelaar te Alkmaar, 16de eeuw. | De onderkruiper |
| 3. Klothildis | gemalin van de Frankische koning Klovis, 5/6de eeuw. | Vermaard in de strijd |
| 4. Margriet | dochter van Hendrik II van Brabant, abdis van 's Hertogendaal, Hamme-Mille, 13de eeuw. | De parel |
| 5. Bonifatius | Angelsaksische monnik-bisschop Winfried, apostel in Duitsland en de Nederlanden, martelaar te Dokkum, 7/8ste eeuw. | De weldoener Winfried: vriend van de vrede |
| 6. Norbert | van Gennep, Nederlands edelman, stichter van de norbertijnen, bisschop van Maagdenburg, 11/12de eeuw. | Beroemde man uit het Noorden |
| 7. Valentinus | bisschop van Tongeren-Maastricht, 4de eeuw. | Van de krachtige |
| 8. Medardus | bisschop van Doornik en Noyon, geloofsbode in Vlaanderen, 6de eeuw. | De koene |
| 9. Arnold | van Velzeke, lekebroeder-schoenmaker, norbertijn van Ninove, 13de eeuw. | Als een arend heersend |
| 10. Blanda | leerlinge van St.-Eleuteer te Doornik, 6de eeuw. | De vleiende |
| 11. Barnabas | gezel van St.-Paulus, apostel en martelaar, 1ste eeuw. | Zoon van vertroosting |
| 12. Odolf | bisschop van Utrecht, 9de eeuw. | Rijkdom en wolf |
| 13. Antonius | van Padua, Portugees, minderbroeder, predikant en kerkleraar, 12/13de eeuw. Wordt aangeroepen om verloren zaken terug te vinden. | De onschatbare |
| 14. Elisa | profeet uit het Oud Verbond, leerling van Elia, 9/10de eeuw voor Christus. | God is redding |
| 15. Aleidis | van Schaarbeek, cisterciënsernon van Ter Kameren, mystieke, werd melaats, 13de eeuw. | Adel en waardigheid |
| Elisabeth | van Overloo, kloosterzuster Herkenrode, eerste priorin van Gempe, St.-Joris-Winge, 13de eeuw. | God is mijn eer |
| 16. Lutgardis | van Tongeren, cisterciënsernon van Awirs, 12/13de eeuw. Schutsheilige van Vlaanderen. | Beschermvrouwe van het volk |
| 17. Lambertus | van Wijnen, bisschop van Terwaan, 11/12de eeuw. | Beroemd in eigen land |

| | | |
|---|---|---|
| 18. Odo | dominicaan te Gent, 12/13de eeuw. | Eigen bezit |
| Jan | de Vriend, minderbroeder en martelaar te Leuven, 16de eeuw. | God heeft geschonken |
| 19. Alena | van Dilbeek, martelares, 7de eeuw. | De vreemde |
| 20. Maximinus | bisschop van Tongeren, 3de eeuw. | De grootste |
| Aldegonde | dochter van de H. Basinus, Drongen, 7de eeuw. | Oud en strijd |
| Lodewijk | de Vrome, keizer, zoon van Karel de Grote, kloosterstichter, 8/9de eeuw. | Beroemd in de strijd |
| 21. Aloïsius | Gonzaga, jezuïet te Rome, 16de eeuw. Jeugdpatroon. | De wijze |
| 22. Thomas | More, kanselier van Engeland, martelaar, 15/16de eeuw. | De tweeling |
| Sighild | kloosterzuster te Heusden, 8ste eeuw. | Zege en strijd |
| 23. Lietbert | van Brakel, pelgrim, bisschop van Kamerijk en Atrecht, 11de eeuw. | Volk en schitterend |
| Maria | van Oignies, mystiek begenadigde, 12/13de eeuw. | De verhevene |
| 24. Geboorte-feest | van St.-Jan-de-Doper. Patroonfeest van kleine kinderen. | |
| Frisius | zoon van koning Radboud van Friesland, martelaar, 8ste eeuw. | De Fries |
| Geeraard | van Kamerijk, gezel van St.-Norbert, eerste abt van Clairefontaine, 12de eeuw. | Koene speer |
| 25. Adelbert | diaken, gezel van St.-Willibrord, apostel van Kennemerland, 8ste eeuw. | Door adel schitterend |
| Odwin | priester van Hoegaarden, martelaar, waarschijnlijk 8ste eeuw. | Rijkdom en schitterend |
| 26. Salvus | rondreizende bisschoppen, martelaren omtrent Valensijn, 8/9de eeuw. | De ongedeerde, |
| Superior | | de geredde De bovenste |
| Baboleen | abt van Fosses, 7de eeuw. | |
| 27. Cyrillus | van Alexandrië, bisschop van Alexandrië, kerkleraar, 4/5de eeuw. | De jonkheer |
| Hadelijn | monnik en gezel van de H. Landelijn, 7de eeuw. | Strijd en adel |
| 28. Ireneüs | bisschop van Lyon, martelaar, 2/3de eeuw. | Man van vrede |
| Pieter | van de Moeren, uit Gent of Iddergem, minderbroeder en missionaris bij de Indianen in Mexico, 16de eeuw. | De rots |
| 29. Petrus | apostel en eerste paus, martelaar, 1ste eeuw. Patroon van de vissers. | De rots |
| Paulus | apostel van de volkeren, martelaar, 1ste eeuw. Patroon van de wevers. | De kleine |
| 30. Adilia | zuster van St.-Bavo, ziekenverzorgster, 7de eeuw. | De edele |
| Arnold | Cornibout uit Brussel, monnik te Villers, 12/13de eeuw. | Als een arend heersend |

# Juli

**Weerspreuken**

Een juli met zon
vult kelder en ton.

In juli, zonnebrand
wenst ieder op het land.

(Hondsdagen = 3 juli - 11 augustus)

## De lenige liefde

middenin de vlakte van juli
kwam ik je tegen.
ik woon hier, zei je.
ik keek naar de bloemen,
ja, dat zie ik,
zei ik, en waar leerde je de kunst
om niet lang te duren?
ook hier, zei je.

je was lenig;
en je woorden waren zo
doorschijnend,
ik kon er helemaal
door zien.
en daar lag ik al in het gras
en wat hield ik in mijn hand?
een oortje, waarin ik het lange
woord
'lieveling' uitgoot, zonder morsen.

*Herman De Coninck*

## 'Verlangen onder de zon'

### Herkomst en betekenis

Genoemd naar Gajus Julius Caesar,
die in het jaar 46 voor Christus in
het Romeinse rijk de kalender veranderde en definitief op 365 dagen
vaststelde. De maand heette tot dan
toe Quintilis (de vijfde) en werd ter
ere van Caesar tot Julius omge-
doopt omdat in deze maand zijn
verjaardag viel.

### Oude namen

Hooimaand, vennemaand (fenne =
weide).

### Sterrenbeeld

van 22 juni tot 22 juli:
de kreeft.
Van degenen, die onder dit sterrenbeeld geboren zijn zegt men, dat
het vriendelijke, gevoelige mensen
zijn, ook al tonen ze dit niet altijd.
Zij hebben veel fantasie en dromen
graag. Voor hun medemensen zijn
ze soms heel vermoeiend. Hun
steen is de blauw-grijze of ook geel-
bruine chalcedoon, die kommer en
kwelling afweert.

## Bijzondere dagen

### 6 juli: heilige Godelieve van Gistel

Rond leven en sterven van Godelieve van Gistel zijn heel wat legendarische 'feiten' geweven.
Zij werd in 1052 geboren in Heimfriedswilder in het huidige Frans-Vlaanderen. In 1070 werd zij door toedoen van haar man Bertolf, heer van Snipgate bij Gistel, om het leven gebracht.
Er bestaan vele vereringsvormen van de heilige Godelieve, vooral in West- en Oost-Vlaanderen en in Frans-Vlaanderen, haar geboortestreek. En velen vragen haar voorspraak bij God om in hun huwelijk het geluk en de vrede te vinden, die zij zelf nooit heeft gekend.

### 9 juli: heilige martelaren van Gorcum

De martelaren van Gorcum waren negentien in getal, allen Nederlanders uit Zuid en Noord. Op 25 juni 1572 vielen de geuzen Gorcum binnen en namen in hechtenis:
Leonard Vechel uit 's Hertogenbosch, pastoor;
Niklaas Janssen van Poppel, medewerker van Vechel;
Godfried van Duynen, seculier priester;
de minderbroeders van het Gorcumse convent:
Niklaas Pieck, gardiaan,
Hiëronymus uit Weert, predikant,
Willehad, een Deen,
Theodoor van der Eem uit Amersfoort,
Niklaas Jansen uit Heeze,
Antoon van Hoornaer,
Antoon van Weert,
Godfried van Mervel uit Melveren bij Sint-Truiden,
Frans Le Roye uit Brussel,
Pieter van der Slagmolen uit Asse,
Corneel van Wijk-bij-Duurstede;
Jan Lenarts uit Oisterwijk, augustijn en rector van het Gorcumse begijnhof;
Jan van Keulen, dominicaan en pastoor van Hoornaar;
Andries Wouters, pastoor van Heinoort;
Adriaan Janssen uit Hilvarenbeek, norbertijn en pastoor van Monster;
Jacob Lacops uit Oudenaarde, norbertijn.
Zij werden omwille van hun katholieke overtuiging op 9 juli 1572 opgeknoopt aan de balken van een oude turfschuur te Briele.

### 26 juli: Titus Brandsma

Titus Brandsma werd op 23 februari 1881 geboren te Oegeklooster bij Bolsward. Van 1892 tot 1898 was hij leerling aan het gymnasium van de franciscanen in Megen (N.-Brabant). In 1898 vond zijn intrede bij de karmelieten te Boxmeer plaats. In 1905 werd hij tot priester gewijd in de Sint-Jan te Den Bosch. Hij studeerde in Rome van 1906 en doceerde tot 1923 wijsbegeerte aan het studiehuis van de karmelieten te Oss. In 1923 werd hij benoemd als gewoon hoogleraar in de wijsbegeerte en de geschiedenis van de vroomheid aan de in dat jaar opgerichte universiteit van Nijmegen. In die hoedanigheid deed hij veel onderzoek naar Teresia van Avila en Geert Groote.

In 1935 werd Titus Brandsma door de aartsbisschop van Utrecht benoemd tot geestelijk adviseur van de R.K. Journalistenbeweging. In de jaren 1938 en 1939 gaf hij colleges over de bedenkelijke aspecten van de nationaal-socialistische levensbeschouwing. Op 30 december 1941 had hij een gesprek met mgr. dr. J. de Jong, de toenmalige aartsbisschop van Utrecht, over de situatie van de katholieke pers, nadat de Duitsers bekend hadden gemaakt dat op principiële gronden geen advertenties van nationaal-socialistische organisaties geweigerd mochten worden. In die dagen na het gesprek met de aartsbisschop trok Titus Brandsma langs directeuren en hoofdredacteuren van katholieke kranten met een brief, waarin werd meegedeeld dat de plicht bestond, ook wanneer met boete, schorsing of zelfs opheffing van de kranten werd gedreigd, om iedere medewerking aan de nationaal-socialistische beweging via hun kranten beslist te weigeren. 'God spreekt het laatste woord en loont zijn trouwe knecht', waren in de

brief de laatste woorden, die nu gebeiteld staan op de altaartrede van Titus' gedachteniskapel in Nijmegen.

'Pater Titus Brandsma (Nijmegen) dient wegens systematische voorbereiding van een tegen de Duitse bezettingsoverheid gerichte verzetsbeweging onmiddellijk gearresteerd en naar een concentratiekamp gestuurd te worden.' Zo valt te lezen in Duitse rapporten naar aanleiding van de rondreis van Titus Brandsma langs directies en hoofdredacteuren van katholieke kranten. Op 19 januari 1942 volgde de arrestatie van de pleitbezorger van gewetensvrijheid in Nijmegen, waarna Titus Brandsma in gevangenschap verbleef te Arnhem, Scheveningen, Amersfoort, Kleef en vanaf 19 juni in Dachau. Hij overleed aldaar op 26 juli, 61 jaar oud.

# Juli

| Heiligennaam | | Betekenis |
|---|---|---|
| 1. Aldebert | graaf van Oosterbant, 8ste eeuw. | Oud en schitterend |
| Regina | zijn gemalin, 8ste eeuw. | Raad en schoonheid |
| Rumoldus | Iers monnik, bisschop, martelaar bij Mechelen, 8ste eeuw. Patroon van het aartsbisdom Mechelen. | Roem en moedig |
| 2. Maria | Visitatie, gevierd in de kerk sinds de 14de eeuw. | De verhevene |
| 3. Thomas | apostel en martelaar. Patroon van de timmerlieden en van Oost-Indië, 1ste eeuw. | De tweeling |
| Geldwijn | van Heusden, monnik en abt van St.-Bertens, 11/12de eeuw. | De vergelding |
| 4. Bertha | echtgenote van Siegfried van Dowaai, na diens dood stichteres en abdis van Blangijs, 7/8ste eeuw. | De schitterende |
| Libertus | zoon van graaf Ado van Mechelen, abt en martelaar te St.-Truiden, 9de eeuw. | Volk en schitterend |
| 5. Hugo | van St.-Victor, waarschijnlijk uit de streek van Ieper, mystiek denker en schrijver, 11/12de eeuw. | De verstandige |
| 6. Godelieve | uit Heimfriedswilder, echtgenote van Bertolf van Gistel, martelares, 11de eeuw. Patrones van de naaisters, de huwelijksvrede en tegen oogziekten. | Lief aan God |
| Maria | Goretti, twaalfjarig meisje, martelares voor de zuiverheid, 1890-1902. Jeugdpatrones. | De verhevene |
| 7. Willibald | Angelsaksische geloofsbode, eerste bisschop van Eichstätt, preekte ook in Friesland, 8ste eeuw. | Wil en onversaagd |
| 8. Landrada | stichteres en eerste abdis van Munsterbilzen, 7de eeuw. | Land en raad |
| Amelberga | gezellin van Landrada, kloosterzuster te Munsterbilzen, 7de eeuw, gestorven te Temse. Patrones van Temse. | Scherp en beschermend |
| 9. Hendrik | van Coesfeld, karthuizerprior, gestorven te Genadedal (Brugge), 14/15de eeuw. | Machtig heerser |
| Leonard | Vechel, pastoor te Gorcum, met 18 gezellen, priesters uit Zuid- en Noord-Nederland, martelaren voor de Eucharistie te Gorcum, 1572. | De leeuw |
| 10. Witger en Amelberga | edele Franken, ouders van de HH. Goedele, Reinhilde en Emebert, daarna kloosterlingen, 7de eeuw. | Bos en speer Scherp en beschermend |

| | | |
|---|---|---|
| Maria Adolfina, | Maria Amandina, Kaatje Dierckx, uit Ossendrecht, Paulina Jeuris uit Schakkebroek, franciscanessen van Maria en martelaressen in China, 1900. | |
| 11. Benedictus | van Nursia, ordestichter en vader van het Westerse monnikendom, 5/6de eeuw. Patroon van Europa. | De gezegende |
| 12. Berta | of Bertrada met de grote voet, gemalin van Pepijn de Korte en moeder van Karel de Grote, vredestichteres, 8/9de eeuw. | De schitterende |
| 13. Hendrik | de Kreupele, keizer van Duitsland, echtgenoot van de H. Kunegonde, weldoener ook van de Nederlandse kerken, 10/11de eeuw. | Machtig heerser |
| 14. Camillus | de Lellis, stichter van een orde voor de verpleging van zieken, 16/17de eeuw. Patroon van de ziekenverplegers. | Behorend bij het huwelijk |
| 15. Bonaventura | Johannes Fidenza, minderbroeder, bisschop van Albano, kerkleraar, 13de eeuw. | Met een goede toekomst |
| 16. O.-L.-Vrouw | van de Berg Karmel. | |
| Arnold | van Majorca, Nederlandse abt van Clairvaux, 12de eeuw. | Als een arend heersend |
| 17. Fredegand | volgeling van St.-Willibrord, abt van Deurne, 7/8ste eeuw. | De vrede |
| 18. Frederik | bisschop van Utrecht na de H. Radboud, martelaar voor de gerechtigheid, 8/9de eeuw. | Machtige beschermer |
| 19. Bernolf | of Benno, bisschop van Utrecht, 11de eeuw. | Beer en wolf |
| 20. Margriet | van Gerines, dominicanes van 's Hertogendaal, Dietse dichteres, 15de eeuw. | De parel |
| 21. Laurentius | van Brindisi, kapucijn en kerkleraar, 16/17de eeuw. | Met lauweren omhangen |
| Reinhilde | dochter van Witger en Amelberga, kluizenares en martelares te St.-Renilde bij Halle, 7de eeuw. | Raadgeefster in de strijd |
| 22. Maria | Magdalena, boetelinge en kroongetuige van Jezus' Verrijzenis. Patrones van wijnbouwers en hoveniers, 1ste eeuw | Van Magdala |
| 23. Birgitta | van Zweden, echtgenote van Ulf, ordestichteres, 14de eeuw. Patrones van Zweden. | De beschermer |
| 24. Christina | de Wonderbare, uit Brustem, boerenmeisje, met wonderbare gaven begunstigd, gestorven te St.-Truiden, 13de eeuw. | Christelijke vrouw |
| 25. Jacobus | de Meerdere, apostel en eerste martelaar onder hen, wiens graf te Compostella overvloedig bezocht wordt. 1ste eeuw. Patroon van Spanje en Portugal. | De onderkruiper |

| | | |
|---|---|---|
| Christoffel | martelaar in Lycia, met legenden omgeven, 3de eeuw. Patroon van de weggebruikers. | De Christusdrager |
| Thomas | a Kempis, schrijver van de Navolging van Christus, 15de eeuw. | De tweeling |
| 26. Anna | moeder van O.-L.-Vrouw. Patrones van het huwelijk, 1ste eeuw. | De erbarming |
| Titus | Anne Sjoerd, Brandsma, Karmeliet, gestorven in het concentratiekamp van Dachau, 1942. | De roem |
| 27. Natalia | gehuwde vrouw, martelares te Cordoba (Spanje), 9de eeuw. | De geboortedag, kerstdag |
| Christiana | Angelsaksische prinses, onder leiding van de H. Hilduard te Dikkelvenne, 8ste eeuw. Patrones van Dendermonde. | Christelijke vrouw |
| 28. Nazarius | martelaar te Milaan onder Nero, 1ste eeuw. | Uit Nazaret |
| Celsus | kind, martelaar te Milaan onder Nero, 1ste eeuw. | Verheven |
| Victor I | paus en martelaar, 2de eeuw | De overwinnaar |
| 29. Martha | uit Bethanië, zuster van Maria en Lazarus, hospita van de Heer, 1ste eeuw, patrones van de huisvrouwen. | De meesteres |
| Bartholomeüs | de Vleeschouwer, uit Tienen, vader van de Z. Beatrijs, stichter van Bloemendaal, Maagdendaal en Nazaret, monnik, 12/13de eeuw. | Zoon van de vorentrekker |
| Beatrijs | van Nazaret, cisterciënsernon te Lier, mystieke schrijfster van 'De seven manieren van Minnen', 13de eeuw. | De gelukbrengster |
| Olaf II | koning van Noorwegen, 10/11de eeuw. | Overblijvende zoon |
| 30. Petrus | Chrysoloog, bisschop van Ravenna, kerkleraar, 4/5de eeuw. | De rots |
| Hathebrand | monnik te Utrecht, geloofsbode, 12de eeuw. | Strijdzwaard |
| Ingeborg | Deense prinses, Franse koningin, 12/13de eeuw. | Door God beschermd |
| 31. Ignatius | van Loyola, Baskisch edelman, stichter van de jezuïetenorde, 15/16de eeuw. Patroon van de geestelijke oefeningen. | De vurige |
| Thomas | Graultius, minderbroeder te Atrecht, 15de eeuw. | De tweeling |
| Gaspar | Berse, uit Goes, jezuïet, volgeling van de H. Franciscus Xaverius, missionaris, 16de eeuw. | De schatbewaarder |

# Augustus

### Voormiddag in augustus

Kleine meisjes met staartster-
renhaar
spelen met een kaatsbal regen-
bogen
aan een geraniummuur
van het achterkoerheelal.

Jongens blazen op de mondharmo-
nica van de dag
en roepen achter planetenhoepels
op het melkwegmacadam.

En moeders met een bloemkool in
de hand
praten lang met de groenteboer
over het weer.

Dit uur
zijn er geen vaders meer
op aarde.

*Paul Snoek*

## 'Het volle leven'

### Herkomst en betekenis

Genoemd naar de Romeinse keizer
Augustus (die leefde van 63 vóór
tot 14 na Christus). In deze maand
hadden zijn meeste veroveringen
plaatsgevonden. Daarom veranderde hij de vroegere naam Sixtilius
(= de zesde) in zijn eigen naam.

### Oude namen

Oogstmaand, korenmaand.

### Sterrenbeeld

van 23 juli tot 23 augustus:
de leeuw.
Van degenen, die onder dit sterrenbeeld geboren zijn zegt men, dat
ze zeer royaal zijn, maar ook een
beetje ijdel. Zij houden van rijkdom en pracht en winden zich niet
op over kleinigheden. Hun steen is
de jaspis, in een rood-, groen- of
blauwkleurige uitvoering.

### Weerspreuken

Is het warm en voorspoedig weer,
brengt augustus de eerste peer.

Wat augustus niet kookt,
laat september ongebraden.

Is 't weer op Maria Hemelvaart uit-
gelezen
zo zal 't heel de herfst voortreffelijk
wezen.

319

## Bijzondere dagen

### 15 augustus: Tenhemelopneming van Maria

'In de christenheid van Oost en West is Maria, meer dan enige mens — Christus natuurlijk uitgezonderd — aanwezig. Tot in de huiskamers toe. Niet allereerst door de ikonen met de grote sprekende ogen, en de beelden met de stille glimlach, maar doordat ze wordt toegesproken. Doordat gebeden tot haar verhoord worden door God. Ook — maar dit moeten wij meer als toegift dan als kern beschouwen — doordat zij soms verschijnt op een plaats die daarna zuiver evangelische kentekenen te zien geeft: vrede, genezing en levensverbetering (bijvoorbeeld Lourdes). De christelijke betrouwbaarheid van hetgeen op zulke plaatsen geschiedt, is door de kerk soms uitdrukkelijk erkend, zij het nooit met een speciale onfeilbare uitspraak. Belangrijker is dat de kerk als geheel haar heerlijkheid zozeer in geloof erkent, dat uitdrukkelijk werd uitgesproken: Maria is reeds verrezen naar lichaam en ziel. Waar wij van de andere doden alleen maar zeggen: zij zullen verrijzen, zij zijn bezig te gaan verrijzen, wordt van Maria erkend: zij is verheerlijkt. Gelijk Christus zijn verrijzenis onder ons uitwerkt door zijn sterke, effectieve aanwezigheid in het leven van de wereld, zo mogen wij dit ook zeg-

gen van Maria's heerlijkheid of 'tenhemelopneming'. Deze betekent dat zij meer in de wereld is dan welke vrouw ook. Zij is de meest aanwezige onder alle vrouwen. Zij is de echte Eva van de mensheid.'
*uit: De Nieuwe Katechismus*

'De inbreng van de vrouw is onontbeerlijk voor de volheid en de harmonie van het kerkelijk leven. Men begrijpt dat vrouwen lijden onder bepaalde vormen van paternalisme en discriminatie. De christelijke gemeenschap moet de bijdrage en de verantwoordelijkheid van de vrouwen valoriseren en er hen dankbaar om zijn...
Door haar eigen innerlijke belevingswereld en haar onvervangbaar charisma brengt de vrouw hàar getuigenis van geloof, hoop en liefde. Zij verrijkt terzelfder tijd de kerk en de maatschappij. Zij brengt

diepgang, echtheid, warmte, spontaneïteit aan, met nog tal van andere specifieke kwaliteiten. Hoe zou de komst van het Rijk Gods begonnen zijn zonder Maria, de moeder van Jezus ?

De gelovige gemeenschap verwacht de verrijkende inbreng van de vrouw niet alleen in het gezin — waar haar rol tegenover haar man en kinderen primordiaal blijft — maar in alle domeinen van het leven: in de spiritualiteit, in het theologisch denken, in het gemeenschapsleven, in de missionaire roeping, in de overlegorganen en in de pastorale diensten...'

*Johannes-Paulus II, Antwerpen, 17 mei 1985*

'In de groei naar een volwassen laïcaat in onze kerkgemeenschap hebben vrouwen een voorname rol gespeeld. Zij nemen in de kerk vele taken op zich, meestal in dienende functies. Doch wij stellen vast dat zij te weinig verantwoordelijkheid hebben, op plaatsen waar ook beslissingen vallen. Wij vrezen dat, indien niet ernstig wordt gezocht om vrouwen ook binnen de kerk een evenwaardige rol te laten spelen, ook in taken en verantwoordelijkheden op institutioneel vlak, de emancipatie van de vrouw zich ook tegen de kerk zal keren.'

*Aurélien Thijs, Antwerpen, 17 mei 1985*

# Augustus

| Heiligennaam | | Betekenis |
|---|---|---|
| 1. Alfonsus-Maria | de Liguori, bisschop, stichter van de redemptoristen, kerkleraar, 17/18de eeuw. | Edel en bereidwillig |
| 2. Eusebius | van Vercelli, bisschop, 3/4de eeuw. | De vrome |
| Geertrui | van Brugge, dominicanes te Kolmar, 13de eeuw. | Sterke speer |
| 3. Lydia | purperhandelaarster uit Filippi, op het woord van St.-Paulus bekeerd, 1ste eeuw. | Uit Lydië |
| 4. Jean-Marie | Vianney, pastoor van Ars, 18/19de eeuw. | God heeft geschonken |
| 5. O.-L.-Vrouw | ter Sneeuw. | |
| Oswald | koning van Engeland, 7de eeuw. | God en heerser |
| Abel | Iers monnik van Lobbes, aartsbisschop van Reims, geloofsbode in onze gewesten, 8ste eeuw. | De adem |
| Dirk | bisschop van Kamerijk en Atrecht, 9de eeuw. | Machtig volk |
| 6. Gedaanteverandering | van de Heer op de berg Tabor. | |
| Herman | zoon van Lothaar, norbertijnerabt van Kappenberg, 12/13de eeuw. | De legerleider |
| 7. Sixtus II | paus en martelaar, 3de eeuw. Patroon van wijngaardeniers en zwangere vrouwen. | De zesde |
| Juliana | van Cornillon, abdis aan wie het feest van H.-Sacramentsdag te danken is, 12/13de eeuw. | De jeugdige |
| 8. Dominicus | Guzman, Spaans priester, stichter der predikheren, 12/13de eeuw. Patroon van lakensnijders en naaisters. | Van de Heer |
| Sigrid | weduwe en kloosterzuster, 7de eeuw. | Zege en ridder |
| 9. Reinier | dominicaan te Brugge, 12/13de eeuw. | Raad en leger |
| 10. Laurentius | diaken, martelaar te Rome, 3de eeuw. Patroon van armen, aangeroepen tegen brandgevaar. | De gelauwerde |
| 11. Clara | van Assisi, volgde de H. Franciscus en stichtte de clarissen, 12/13de eeuw. Aangeroepen tegen koortsen en oogziekten en om goed weer te bekomen. | De heldere |
| Andries | leerling van de H. Norbert, eerste abt van Averbode, 12de eeuw. | De dappere |
| 12. Hippoliet | geleerde schrijver te Rome, 2/3de eeuw. | De paarden losmakend |
| 14. Werenfried | gezel van St.-Willibrord, geloofsbode in de Nederlanden, 8ste eeuw. | De vrede |
| Maximiliaan | Kolbe, Pools minderbroeder, martelaar van de naastenliefde in het kamp van Auschwitz. | Van de grootste |

| | | |
|---|---|---|
| 15. O.-L.-Vrouw | Tenhemelopneming (feest sedert de 7de eeuw). | |
| 16. Arnold | van Tiegem, bisschop van Soissons, vredes-apostel in Vlaanderen, stichter van de St.-Pietersabdij van Oudenburg, 11de eeuw. | Als een arend heersend |
| Rochus | uit Montpellier, verpleger van pestlijders, 14de eeuw. Patroon tegen pest en ziekten, vroeger zeer vereerd in Vlaanderen. | De roek, kraai |
| 17. Jeroen | geloofsbode in Kennemerland, martelaar te Noordwijk, 9de eeuw. | Godgewijde naam |
| 18. Helena | keizerin, moeder van Konstantijn, vond het H. Kruis, 3/4de eeuw. Patrones van smeden en schilders. | De lichtende |
| 19. Sebald | gezel van de HH. Willibrord en Bonifaas, geloofsbode in de Germaanse missies, 8ste eeuw. | Zege en moedig |
| 20. Bernardus | van Clairvaux, tweede stichter der cisterciënsers, kerkleraar, 'de honingvloeiende leraar', 11/12de eeuw. | Koen als een beer |
| Geert | Grote, Vader van de Moderne Devotie, van de Broeders en Zusters des Gemenen Levens te Deventer, 14de eeuw. | Koene speer |
| 21. Pius X | Guiseppe Sarti, paus van de Eucharistie, 1835-1914. | De vrome |
| Gilbert | abt van Valensijn, 12de eeuw. | Gijzelaar en schitterend |
| 22. O. L.-Vrouw | Koningin | |
| 23. Hendrik | Bosch, uit Rozendaal, norbertijn van Tongerlo, martelaar te Niupen, 16de eeuw. | Machtig heerser |
| 24. Bartholomeüs | of Nathanaël, apostel en martelaar, 1ste eeuw, patroon van de leerlooiers en herders. | Zoon van de voren trekker |
| Elisabeth | van Roesbrugge, weduwe, stichteres en kloosterzuster van Roesbrugge, 13de eeuw. | God is mijn eer |
| 25. Lodewijk IX | koning van Frankrijk, 13de eeuw. Patroon van bakkers, arbeiders in bouwwerken, boekdrukkers en pelgrims. | Beroemd in de strijd |
| Jozef | Calasanz, Spaans priester, vader der armen, 16/17de eeuw. | Dat Jahweh toevoege |
| 26. Helwigis | cisterciënsernon van Nazaret, waarschijnlijk 13de eeuw. | |
| 27. Thomas | Blaas, minderbroeder uit Beringen, martelaar te Tienen, 17de eeuw. | De tweeling |
| 28. Augustinus | uit Tagaste, bisschop van Hippo, kerkleraar, leermeester van het Avondmaal, 4/5de eeuw. Patroon van theologen en boekdrukkers. | De verhevene |

| | | |
|---|---|---|
| 29. Marteldood Sabina | van St.-Jan de Doper. martelares te Rome op de Avèntijnse heuvel, onder Hadriaan, 2de eeuw. | De Sabijnse |
| 30. Ingoberga | gemalin van de Frankische koning Charibert, 6de eeuw. | God en bergend |
| 31. Gertrudis | abdis van Bijloke, 15de eeuw. | Sterke speer |

# Herfst

**Het loof valt van de bomen**

*M.: J. Wuytack*

Het loof valt van de bo - men, de bloem- kens sla - pen al,

en nieu- wers hoo - ric clin-ghen, der vo - ghel- kens ge - schal.

Herfst
bont van kleuren
rijk aan vruchten
vrolijk met je feesten
treurig in je afscheid

## September?

Zwijg mij van september!
Ik hoor dan ieder jaar opnieuw:
"'t Is weer voorbij die mooie zomer...'
Een rotlied vind ik dat.
Het zand zit je nog in de kleren,
je schouders zijn nog aan 't vervel-
len,
de rimpels in je voorhoofd zinderen
nog na als je ze samentrekt — alles
herinnert je nog aan zon en zomer,
aan lekker lui en niks te hoeven...
En hopsakee,
daar mag je weer dagelijks op weg,
naar school of naar het werk.
En dan duurt het wel even —
nou, even, zeg maar enkele weken —
vóór het geen pijn meer doet.
Zo onze Jan van zeven:
'Moeke, wanneer zijn we weer eens
twee maanden naeen thuis?'
Ook hij reeds!
September mag dan voer zijn voor
weemoedige romantici
— 'de rosse gloed der dwarrelende
blaren' —
voor mij is het de voorsmaak
van het naderende winteruur
en van de lange kille avonden.
Van de vergaderingen ook, de
drukte in het verenigingsleven.
Werkjaar, schooljaar...

Dag zomer, dag zon, dag zwem-
broek...

*Ontferm u, God almachtig,*
*want ik voel mij regenachtig*
*en dat raak ik tot mijn spijt*
*niet in één, twee, drie weer kwijt.*
*Amen.*

## Een appelwijntje

In september komt er een overvloed aan appels op de markt, waarvan zeer goede wijnen kunnen
worden bereid. Niet alle soorten
appels zijn hiervoor echter even geschikt. Het is daarom aan te bevelen
zoveel mogelijk verschillende
soorten te gebruiken.
De appels moeten zorgvuldig gewassen worden. Het fruit hoeft niet
geschild te worden, maar dient wel
te worden ontdaan van de klokhui-
zen en de pitjes. Snij rotte en
beurse plekken uit.

*Ingrediënten (voor 5 liter wijn)*
*7,5 à 15 kilo appels (hoe meer hoe beter)*
*4,5 l water*
*1000 gr suiker*
*gist + gistvoeding*
*eventueel sap van 1 citroen*

Giet het water in de emmer waarin
de eerste, hevige, gisting zal
plaatshebben.
Hierin los je de suiker en het ci-
troensap op. Hak de appels zeer
fijn. Dit gaat het gemakkelijkst met
een groentehakker.
Breng het haksel zo spoedig mogelijk over in de oplossing in de em-

mer, zoniet gaat het bruin worden ofte oxyderen. Roer goed en dek het mengsel af.

Na 24 uur kun je de gist en de gistvoeding toevoegen. Na zowat 3 dagen verliest de gisting aan felheid. Nu moet je de most (het gistende sap) van de pulp (de vaste bestand delen) scheiden en in een 5-literfles met waterslot overbrengen. De gisting verloopt nu rustiger. Als het gistingsproces voorbij is, hevel je de most van de droesem, die op de bodem ligt, af. Je voegt nog wat suiker toe; het criterium daarbij: je smaak. Laat de wijn klaren en hevel ongeveer eenmaal per 6 weken. Zodra de wijn kristalhelder is, kun je hem bottelen.

Wijn maken is de zon vangen in een fles.

## September

September

Blond lief, de laatste gouden dagen wuiven ten afscheid en wij achten 't niet,
de bomen en de struiken dragen hun laatste tooi en in het riet schuilen de vissen en hun trage vinslag verraadt hen niet.

Het wordt nu tijd ons te bezinnen, de bossen kleuren dieper bruin en lila herfstasters beginnen hun ijle bloeien in mijn tuin.

Het wordt nu tijd om te bedenken: de zomer houdt niet eeuwig stand; hij schonk ons al wat hij kon schenken —
de laatste gouden dagen wenken en herfst komt reeds in feller kleuren drenken
de bloemen van dit dierbaar land.
*Koos Schuur*

### *'Tijd van rijpheid en overvloed'*

### Herkomst en betekenis

Met september begint de reeks

maanden, waarvan de namen naar Latijnse telwoorden verwijzen. Dat 'september' de zevende (septem) en niet de negende maand is, hangt samen met de manier van tellen van de oud-Romeinse kalender voor de wijziging ervan door Julius Caesar.

## Oude namen

Herfstmaand, tweede oogstmaand, gerst- of gheerstmaent, haver- of evenemaent, fruitmaand, speltmaent, pietmaent...

## Sterrenbeeld

van 23 augustus tot 23 september: de maagd.
Van degenen, die onder dit sterrenbeeld geboren zijn, zegt men dat het vriendelijke en behulpzame mensen zijn, die altijd bescheiden blijven en altijd met beide benen op de grond staan. Hun steen is de smaragd, die jeugdige frisheid en gezondheid geeft, eenheid en vriendschap in stand houdt.

## Weerspreuken

Met Maria's geboort (8 september) gaan de zwaluwen voort.

Septemberregen op het zaad komt het boerken wel te staad.

Sint-Michiels zomerke (29 september) duurt een week.

# September

| Heiligennaam | | Betekenis |
|---|---|---|
| 1. Ruth | weduwe, stammoeder van koning David en van Jezus. | De vriendin |
| Anna | profetes in de tempel van Jeruzalem bij de Opdracht van Jezus, 1ste eeuw. | De erbarming |
| 2. Margriet | Fier Margrietje van Leuven, martelares voor de zuiverheid, 13de eeuw. | De parel |
| Ingrid | gehuwde vrouw, daarna dominicanes in Zweden, 13de eeuw. | Godheid en lieftallig |
| 3. Gregorius | de Grote, paus en kerkleraar, 6/7de eeuw. Patroon van de kerkmuziek. | De wakkere |
| Remaclus | abt van Solignac, reizend bisschop in de Zuidelijke Nederlanden, 7de eeuw. | De rust |
| 4. Marcellus | bisschop van Tongeren en Maastricht, martelaar, 2de eeuw. | De kleine Marcus |
| 5. Gerbrand | norbertijnerabt van Dokkum, 13de eeuw. | Speer en zwaard |
| 6. Zacharias | profeet van Israël, 6de eeuw voor Christus. | Jahweh gedenkt |
| 7. Madelberta | nicht van de H. Aldegondis, abdis van Malbode, 7/8ste eeuw. | Volksvergadering en schitterend |
| 8. O.-L.-Vrouw | Geboorte (feest sedert de 7de eeuw, sedert de 10de eeuw voor heel de kerk). | |
| Adriaan | Romeins officier en martelaar, 3/4de eeuw. | Uit Adria |
| 9. Audomaar | of Omaar, bisschop van Terwaan, kloosterbouwer, 6/7de eeuw. | Rijkdom en vermaard |
| 10 Theodard | bisschop van Maastricht, martelaar, 7de eeuw. | Volk en koen |
| Niklaas | van Tolentijn, augustijn en cremier, 13/14de eeuw. | De volksoverwinnaar |
| 11. Vinciana | zuster van de H. Landwald, gestorven in Wintershoven, 6/7de eeuw. | Van de zegevierende |
| 12. Tobias | en zonen, begenadigde Israëlieten, uit het boek Tobias. | Jahweh is goed |
| Guido | koetsier en koster van Anderlecht, 10/11de eeuw. Patroon van koetsiers, kosters en klokkenluiders. Naam van Maria sedert 1683 in de kerk gevierd. | De man uit het woud |
| 13. Johannes | Chrysostomus, uit Antiochië, bisschop van Constantinopel, kerkleraar, 4/5de eeuw. | God heeft geschonken |
| 14. Kruisverheffing | feest sedert de 7de eeuw. | |
| 15. O.-L.-Vrouw | van Zeven Smarten, feest sedert 1814 in heel de kerk. | |
| Ermengarde | zuster van de Z. Beatrijs, eerste abdis van Maagdendaal (Oplinter), 13de eeuw. | Groot en roede |

329

| | | |
|---|---|---|
| 16. Cornelius | paus en martelaar, 3de eeuw. | De gehoornde |
| Joost | de Wevere, abt van Ter Duinen, 15de eeuw. | De rechtvaardige |
| 17. Lambertus | uit Maastricht, bisschop van Maastricht, martelaar, 7/8ste eeuw. | Beroemd in zijn land |
| Hildegard | van Bingen, abdis en mystieke schrijfster, 11/12de eeuw. | Strijd en roede |
| 18. Maarten | de Meestere, weversknecht uit Kortrijk, 17de eeuw. | Van Mars |
| 19. Jan | Brugman, uit Kempen, minderbroeder en predikant, overleden te Nijmegen, 15de eeuw. | God heeft geschonken |
| 20. Eustachius | martelaar met vrouw en beide kinderen, 2de eeuw. | De vruchtbare |
| 21. Matteüs | Levi de tollenaar, apostel en evangelist, 1ste eeuw. | Gave Gods |
| Debora | profetes van Israël, 12/11de eeuw voor Christus. | De bij |
| 22. Maurits | Romeins officier in Opper-Egypte, martelaar met het Thebaans legioen te Agaune (Zwitserland), 3de eeuw. | Uit Mauretanië |
| 23. Linus | paus na de H. Petrus, martelaar, 1ste eeuw. | |
| 24. Geeraard | monnik uit Venetië, bisschop van Csanad in Hongarije, martelaar, 10/11de eeuw. Apostel van de Hongaren. | Koene speer |
| 25. Gerolf | van Merendree, knaap en martelaar te Drongen, 8ste eeuw. | Speer en wolf |
| 26. Cosmas | geneesheren, martelaren, 3/4de eeuw. Patroons van zieken, artsen, apothekers en medische faculteiten. | De wereldorde |
| Damianus | | De overwinnaar |
| Maria | van Attenhove, abdis van Maagdendaal te Oplinter, 13/14de eeuw. | De verhevene |
| 27. Vincent | de Paul, vader van de armen, stichter van congregaties, 16/17de eeuw. | De overwinnaar |
| Hendrik I | eerste abt van Tongerlo, 12de eeuw. | Machtig heerser |
| 28. Lioba | Angelsaksische kloosterzuster, medewerkster van de H. Bonifatius, abdis van Bischofsheim, 8ste eeuw. | De lieve |
| 29. Michaël | aartsengel. | Wie is als God |
| Gabriël | aartsengel. Patroon van geloofsboden en van het postwezen, aangeroepen tegen kinderloosheid. | Sterke man Gods |
| Rafaël | aartsengel. Patroon van de reizigers. | De Heer heelt |
| 30. Hiëronymus | priester uit Dalmatië, schriftkenner, kerkvader, 4/5de eeuw. Patroon van leraars en studenten, aangeroepen tegen oogkwalen. | Met een godgewijde naam |
| Koenraad | van Urach, abt van Villers, 12/13de eeuw. | Koen in het raad geven |

# Oktober

### Wijnmaand

Ja, laat ons drinken. — Laat nu bon-
zend bloed en hete keel
de lafenis van blauw bewaasde bra-
men gretig smaken,
en pluk de vochtbedauwde vruchten van de gulle
vlier: de zware trossen, druipend
van de steel

en slurp den zwarten wijn. En drink
het fonklend
bloed van felle lijsterbes en 't gis-
tend rode
sap van rijpe rozebottels, drink! —
De loden
voetstap van den sombren winter
nadert: hef den wijn!

Drink zon en zomer in een duize-
lenden dronk tot op den bodem...
Nog is het tijd tot drinken en gelukkig zijn!
*Truus Gerhardt*

## 'Einde van het bestaan'

### Herkomst en betekenis

Volgens de oud-Romeinse telling is
dit de achtste maand (octo = acht).

### Oude namen

Wijnmaand, zaai- of zaadmaand, ro-
zenkransmaand, hersel- of aarsel-
maand: het jaargetijde aarzelt bij de
intrede van de herfst.
Rusel- of rozelmaand: slaat op
reuzel (vroeger begon men in oktober al met slachten).

### Sterrenbeeld

van 24 september tot 23 oktober:
de weegschaal.
Van degenen, die onder dit sterrenbeeld geboren zijn, zegt men,
dat ze streven naar harmonie en
evenwicht. Zij houden van muziek,
dans en mooie feesten. Voor werken zijn ze niet onmiddellijk in de
wieg gelegd. Hun steen is de water-
blauwe beril of aquamarijn, die een
symbool is van bezonnenheid en
evenwicht.

### Weerspreuken

Houden de bomen hun bladeren
lang,
wees voor een strenge winter bang.

De herfst met nevel doortrokken,
toont een winter vol sneeuwvlokken.

Is Simon en Taddeüs voorbij (18
oktober), is de winter kortbij.

331

# Oktober

| Heiligennaam | | Betekenis |
|---|---|---|
| 1. Theresia | van het kind Jezus, Thérèse Martin, karmelites te Lisieux, 1873-1897. Patrones van de missies. | De dierenvriendin |
| 2. HH. Engelbewaarders | | |
| 3. Ewalden | twee broers, de Witte en de Zwarte, gezellen van St.-Willibrord, geloofsboden bij Friezen en Saksen, martelaren, 7de eeuw. | Wet en heerser |
| 4. Franciscus | van Assisi, Giovanni Bernardone, minnezanger Gods, stichter van minderbroeders en clarissen, 12/13de eeuw. Patroon van Italië, van kooplieden, armen en wevers, van de Katholieke Actie, 12/13de eeuw. | De vrije |
| 5. Rixfried | bisschop van Utrecht, 8/9de eeuw. | Machtig in vrede |
| 6. Isidoor | van de H.-Jozef, Isidoor De Loor uit Vrasene, broeder passionist, gestorven te Kortrijk in 1916. | Geschenk van Isis |
| 7. O.-L.-Vrouw | van de Rozenkrans, feest voor heel de kerk sedert 1575, wegens de zege van Lepanto in 1571. | |
| 8. Sibilla | van Gages, cisterciënsernon te Awirs, boezemvriendin van de H. Lutgart, 13de eeuw. | Voorzegster van raadsbesluiten |
| 9. Dionysius | of Denijs, geloofsbode in Gallië, martelaar te Parijs, 4de eeuw, noodhelper, patroon van Frankrijk. | Zoon van de wijngod |
| Robrecht | eerste norbertijnerabt van Mariënweerd, 12de eeuw. | Schitterend door roem |
| 10. Venant | uit Henegouwen, eremijt en martelaar te St.-Venants, 7de eeuw. | De jager |
| 11. Gummarus | Frank uit Emblem bij Lier, bouwer van een kluis, 8ste eeuw. Stadspatroon van Lier. | Door God beroemd |
| 12. Wilfried | bisschop van York, geloofsbode in Friesland, 7/8ste eeuw. | Beschermer van de vrede |
| 13. Edward III | koning van Engeland, 11de eeuw. | Eigendomsbewaker |
| 14. Donatianus | bisschop van Reims, 4de eeuw. Patroon van het bisdom Brugge. | Van de geschonkene |
| 15. Theresia | Sanchez de Cepeda, van Avila, hervormster der karmelorde, kerklerares, 16de eeuw. | De dierenvriendin |
| 16. Hedwig | hertogin van Silezië, weduwe en kloosterzuster, 12/13de eeuw, patrones van de bruidsparen. | De strijdster |
| Gerardus | Majella, broeder-redemptorist, 18de eeuw. | Koene speer |

| | | |
|---|---|---|
| 17. Ignatius | bisschop van Antiochië, leerling der apostelen, martelaar, 1/2de eeuw. | De vurige |
| 18. Lucas | geneesheer, gezel van de H. Paulus, evangelist en schrijver van de Handelingen van de Apostelen, 1ste eeuw. | De lichtende |
| Arnold II | graaf van Holland, martelaar, 10de eeuw. | Als een arend heersend |
| 19. Elisabeth | van Spalbeek, gestigmatiseerde kloosterzuster te Herkenrode, 13de eeuw. | God is mijn eer |
| 20. Wendelin | Frank, kluizenaar in de Vogezen, 6de eeuw. Patroon van veld en vee. | |
| 21. Ursula | maagd en martelares te Keulen, 3de eeuw. Patrones van de onderwijzeressen. | Kleine beer |
| 22. Oelbert | landman en martelaar te Oosterhout, 10de eeuw. | Wolf en schitterend |
| 23. Johannes | van Capestrano, minderbroeder en predikant in Italië, Oostenrijk en Zuid-Duitsland, 14/15de eeuw. | God heeft geschonken |
| Oda | van Amay, Frankische weduwe, die zich aan de Heer wijdde, 6/7de eeuw. | Eigen bezit |
| 24. Antonius-Maria | Claret, bisschop van Santiago de Cuba, congregatiestichter en banneling, 1870. | De onschatbare |
| Severijn | bisschop van Tongeren, 3/4de eeuw. | Van de ernstige |
| 25. Jan | Rixtel, minderbroeder of hiëronymiet, martelaar te Gouda, 16de eeuw. | God heeft geschonken |
| Chrispijn Chrispiniaan | martelaren te Rome, 3de eeuw. Patroons van de schoenmakers. | De kroeskop Met de gekrulde haren |
| 26. Evarist | paus en martelaar, 2de eeuw. | De allerbeste |
| 27. Egbert | monnik van Villers, 12/13de eeuw. | Schitterend zwaard |
| 28. Simon | de IJveraar, apostel en martelaar. Patroon van bosarbeiders, metselaars en leerlooiers. | De verhoorde |
| Judas | Thaddeüs, apostel en martelaar, schrijver van een brief, die tot de H. Schrift behoort, 1ste eeuw. | De lovende, de dappere |
| 29. Ermelindis | uit Lovenjoel, kluizenares te Meldert in Brabant, 6de eeuw. | Groot en zachtmoedig |
| 30. Reinier | monnik van Villers, 12/13de eeuw. | Raad en leger |
| Theofiel | a Curte, minderbroeder in Etrurië, 18de eeuw. | Vriend van God |
| 31. Kwinten | martelaar onder Rictiovarus in Vermandland, St.-Kwintens, 3/4de eeuw. | Van de vijfde |

# November

## November

Geen spoor meer van zomer, al
haast weer winter.
De mistbanken van de herfst hangen laag
over de grond, verschuiven traag.
Het licht wordt steeds kouder en
minder.

En ik denk: ik ben bijna niet buiten
geweest
toen het gras nog hoog stond en bol
van groen
de bomen waren. Te veel te doen
en schrijven voor brood verduistert
de geest.

En zelfs de kleuren van oktober,
het befaamde palet, het beschilderde lover,
heb ik, al spijt me dat nauwelijks,
gemist.

Er schijnt nu een zon als een maan
door de mist,
maar het vuur van de zomer is opgebrand
en de bomen zwerven kaal door het
land.

*Hans Andreus*

## 'Tijd van gedenken'

### Herkomst en betekenis

Volgens de oud-Romeinse telling is
november de negende maand
(novem = negen).

### Oude namen

Slachtmaand, smeermaand,
Loefmaand: 'loef' = oude betekenis
van 'dol' (onbestendig weer).

### Sterrenbeeld

van 24 oktober tot 22 november:
de schorpioen.
Van degenen, die onder dit sterrenbeeld geboren zijn, zegt men,
dat ze een ondernemende geest
hebben. Zij pakken alle dingen
energiek aan, toch zijn ze ook op
hun hoede, en vragen zich af wat
hun medewerkers wel van hun doen
en laten vinden. Als zij nieuwe
mensen leren kennen, mogen ze ze
ja of neen. Hun steen is de ametist,
een violetkleurig, ondoorzichtig
kwarts. Deze steen moet je bewaren voor dronkenschap, en liefde en
trouw met elkaar verbinden.

## Weerspreuken

Als het begin november sneet,
leg dan uw pels maar gereed.

Donder in november
laat een goed jaar verhopen.

Geeft Allerheiligen zonneschijn,
dan zal het spoedig winter zijn.
Maar met Allerheiligen vochtig
weer,
volgen sneeuwballen keer op keer.

## Bijzondere dagen

### 1/2 november:
### Allerheiligen - Allerzielen

'November werkt op je gemoed',
zeggen velen, en daarom houden ze
niet van deze maand. In november
word je door zoveel dingen aan je
eigen dood herinnerd· kerkhof,
vallende bladeren, mist, vlug inval-
lende duisternis. En juist op de
eerste dag van deze maand viert de
kerk Allerheiligen. De gedachtenis
aan alle heiligen is door paus Gregorius IV in de 9de eeuw voor de
hele kerk voorgeschreven. Allerheiligen is het familiefeest van de
kerk. Alle heiligen worden herdacht. Ook zij, die niet officieel
heiligverklaard zijn, maar tot voorbeeld werden door hun manier van
leven. De apostel Paulus noemde
trouwens alle christenen 'heiligen'.
Al die mensen, die in de loop van

eeuwen ons tot voorbeeld strekken,
zeggen ons op dit feest: niet het graf
is het einde, maar het eeuwige leven, de gemeenschap met de levende God. Daarom liggen Allerheiligen en Allerzielen zo dicht
bij elkaar. Wij bidden ook in de
geloofsbelijdenis: 'Ik geloof in de
gemeenschap van de heiligen, de
opstanding van de doden en het
eeuwig leven.'

Op Allerzielen vieren wij alle doden, wij denken aan hun dood en
aan onze eigen dood. Wij vieren tegelijkertijd de opstanding van de
doden en de overwinning van het
leven op de dood.

*Jezus zei tot zijn leerlingen:*
*Laat uw hart niet verontrust worden,*
*gij gelooft in God, geloof ook in Mij.*
*In het huis van mijn Vader is ruimte*
*voor velen. Ware dit niet zo dan zou Ik*
*het u hebben gezegd, want Ik ga heen*
*om een plaats voor u te bereiden. En als*
*Ik ben heengegaan en een plaats voor u*
*heb bereid, kom Ik terug om u op te*
*nemen bij Mij, opdat ook gij zult zijn*
*waar Ik ben.*
*Joh. 14,1-3*

o Het is een mooi gebruik dat fa-
milies op Allerheiligen en Allerzielen naar het kerkhof gaan om
hun doden te bezoeken.

o Reeds in de middeleeuwen bestond het gebruik 's nachts op het
kerkhof een kaars of lantaarn te laten branden. Wij kunnen het graf

van onze verwanten wat opsmukken en versieren met een pot chrysanten, een krans, kaarsen...

o Op het kerkhof zijn er zeker graven waar niemand voor zorgt. Misschien kunnen wij ons om een dergelijk graf wat moeite geven?

o Wij bezoeken een kerkhof, lezen op de grafstenen de teksten en bekijken de beelden waarin mensen hun geloof en hun hoop uitdrukken.

## Allerheiligen

Vader in de hemel,
met vreugde gedenken wij
alle heiligen
die ons naar U zijn voorgegaan;
mensen als wij,
opgenomen in uw heerlijkheid.
Zij vormen de bekroning van
uw schepping,
zij delen in de glorie van uw
Zoon,
in hen bewonderen wij het
werk van uw Geest.
Met hen verbonden
bidden wij U:
bewaar ons in uw naam,
leid ons langs uw wegen
en wees Gij zelf onze
toekomst.
Dat vragen wij U
door Jezus Christus,
Hij alleen is de Heilige,
Hij alleen de Heer,
in tijd en eeuwigheid.

Waar kom ik vandaan? Ik weet het niet. Waar ga ik naar toe? Nog minder.
Hoe komt het dan dat ik zo vrolijk ben?
*Martin von Biberach*

Waar kom ik vandaan? Ik weet het wel.
Waar ga ik naar toe? Ik weet het.
Hoe komt het dan dat ik zo treurig ben?
*Martin Luther*

## Allerzielen

Wij richten ons tot U,
God, voor wie alles leeft.
Wij denken aan onze doden,
wij denken aan allen
die Gij uit dit leven hebt
weggeroepen
en die wij altijd nog missen.
Laat U vinden
door hen die U zochten,
vervul hun diepste verlangen
en breng hen behouden
in uw Koninkrijk.
Laat hen rust vinden
in uw nabijheid;
moge uw vrede hun deel zijn,
door Christus, onze Heer.

## 7 november: heilige Willibrord

Willibrord is één van de Angelsaksische missionarissen die in onze streken het geloof verkondigden. Hij is de patroon van de Nederlandse kerkprovincie.

Hij werd in 658 in Northumberland geboren en landde in 690 met 11 gezellen in Katwijk. Utrecht, zijn bisschopszetel, en Echternach waren het middelpunt van zijn apostolaat. Hij overleed op 7 november 739 in de laatstgenoemde stad.

De fameuze 'processie van Echternach' (vijf passen vooruit, drie achteruit), die in de 14de eeuw ontstond, wordt gehouden te zijner eer.

Willibrord is voor ons de grondlegger van de eenheid van de Nederlanden.

Via deze Willibrord nu is het misschien mogelijk toch iets aan te voelen van wat de eerstbekeerden bezighield. Immers hij was geboren uit een volk van verwante stam, dat ook zelf pas kort tot het christelijk geloof was overgegaan (de Engelsen — Angelsaksen — aan de overzijde van de Noordzee) en uit deze kerstening is ons meer overgeleverd. Dit geldt met name juist voor de gebeurtenissen bij de overgang van het Noordengelse Northumberland, waar Willibrord zelf vandaan kwam.

Het verhaal speelt rond 620-630, dus maar kort vóór Willibrords geboorte aldaar in 658. Zo zijn wij werkelijk dicht bij de wortels van het vaderlandse christendom, temeer daar de mentaliteitsverschillen tussen het Engelse volk en het onze toen veel geringer waren dan nu.

De Angelsaksen waren als volgt met het geloof in contact gekomen. Paus Gregorius de Grote had het initiatief genomen om benedictijnse missionarissen vanuit Rome naar Engeland te zenden. Hun opdracht was om daar, zonder politieke bijbedoeling, de boodschap van Christus aan te bieden. Eén van hen, Paulinus genaamd, drong door tot het verre Northumberland, waar de plaatselijke vorst, koning Edwin, zich zeer voorzichtig toonde tegenover de nieuwe boodschap. Na enige tijd van onzekerheid besloot deze om een wijzenvergadering bijeen te roepen. In die samenkomst is iemand opgestaan die zei: 'Koning, als gij met uw graven en vazallen 's winters om het haardvuur in een behaaglijk verwarmde zaal aan de maaltijd zit, terwijl buiten de storm huilt, de sneeuw en de regen striemen, dan gebeurt het ineens dat een kleine vogel de zaal invliegt: door de ene deur komt hij binnen, door de andere gaat hij naar buiten. Die paar ogenblikken dat hij in de zaal is, raakt hem het koude weer niet, maar onmiddellijk als hij uit uw blikken verdwijnt, keert hij in de donkere winter terug. Zo is het ook, dunkt mij, met het mensenleven. Wij weten niet wat eraan voorafgegaan is, niet wat erop volgt. Als de nieuwe leer ons daaromtrent enige zekerheid brengt, is zij waard dat wij haar volgen'. Jezus' boodschap was voor hen ant-

woord, licht en kracht. Betekent dit dat de vraag daarmee verstomd is? Nee, iedere nieuwe generatie, iedere nieuwe mens, moet haar opnieuw stellen. Een mens is iemand die het leven ondervraagt."

*uit: De Nieuwe Katechismus*

## 22 november: heilige Cecilia

Het enige wat wij van de heilige Cecilia weten is dat zij de marteldood is gestorven, op een 22 november, wellicht kort voor het jaar 180 en waarschijnlijk onder de Romeinse keizer Marcus Aurelius. Al het overige is vrome overlevering en legende. Ook wat bijvoorbeeld de muzikale begaafdheid van de heilige betreft. Die is haar gewoon toegedicht op basis van een antifoon uit haar officie die als volgt begint: 'Cantantibus organis, Caecilia Domino decantabat' (terwijl het orgel speelde, zong Cecilia voor de Heer). Wij zien Cecilia dan ook vaak afgebeeld terwijl zij aan het musiceren is. Zo bijvoorbeeld op het Lam Gods van Jan van Eyck in de Sint-Baafskathedraal in Gent.
Ondanks of allicht dank zij de legende, zijn er in Vlaanderen en Nederland weinig fanfares die haar niet tot patrones hebben. Op 22 november wordt zij her en der dan ook uitbundig gevierd.

## November

| | | |
|---|---|---|
| 15. Albert | de Grote, dominicaan en bisschop van Regensburg, 13de eeuw. Patroon van studenten en wetenschapsmensen. | Schitterend door adel |
| Edmonda | legendarische onderpriorin van Vrouwenpark, Leuven. | Bezitting en voogd |
| 16. Margareta | geboren in Hongarije, koningin van Schotland, 11de eeuw. | De parel |
| Geertrui | de Grote, kloosterzuster in Helfta, mystieke schrijfster, 13/14de eeuw. | Sterke speer |
| 17. Elisabeth | van Hongarije, landgravin van Thüringen, weduwe, 13de eeuw. Patrones van weduwen, liefdadigheidswerken, bedelaars en bakkers. | God is mijn eer |
| 18. Godfried | norbertijnerabt van Liske, 12de eeuw. | Onder de vrede van God |
| 19. Mechtild | de Begijn, kloosterzuster en mystieke schrijfster, 13de eeuw. | Macht en strijd |
| 20. Felix | van Valois, medestichter van de Trinitariërs voor de vrijkoping der slaven, 12/13de eeuw. | De gelukkige |
| 21. Amelberga | abdis van Susteren, 10de eeuw. | Scherp en beschermend |
| 22. Cecilia | Romeinse maagd en martelares, 3de eeuw. Patrones van kerkmuziek en muzikanten. | De kleine blinde |
| 23. Clemens I | derde opvolger van de H. Petrus, martelaar, 1/2de eeuw. | De zachtmoedige |
| Trudo | Frank uit Haspengouw, abt van Zerkingen, het latere St.-Truiden, 7de eeuw. | De kracht |
| 24. Albertus | van Leuven, bisschop van Luik, martelaar, 12de eeuw. | Schitterend door adel |
| 25. Katarina | van Alexandrië, maagd en martelares, 3/4de eeuw. Patrones van de hogescholen. | De reine |
| 26. Jan | Berchmans, uit Diest, jezuïet, gestorven te Rome, 16/17de eeuw. Patroon van de Vlaamse jeugd. | God heeft geschonken |
| 27. Alexander | abt van Averbode, 12/13de eeuw. | De verdediger van de mensen |
| Oda | Ierse koningsdochter, gestorven te St.-Oedenrode, 7/8ste eeuw. | Eigen bezit |
| 28. Fastredes | abt van Villers, 12de eeuw. | Vast en raad |
| 29. Radboud | monnik en bisschop van Utrecht, gestorven in Oostmarsum, 9/10de eeuw. | Raad en bode |
| 30. Andreas | apostel, broer van Simon-Petrus, martelaar 1ste eeuw. Patroon van Rusland, Schotland en Griekenland. Patroon van vissers, slagers en touwslagers. | De dappere |

# December

## De blaadren rijzen door den stuggen nevel

De blaadren rijzen
door den stuggen nevel,
er zijn geen klanken meer,
er is geen lied,
slechts in het dorre riet
een vroom geprevel...
Nu komt de tijd
dat men naar binnen ziet.

Want wij zijn arm,
en knagen aan 't verleden,
en spelen met de kaarten
van verdriet.
Het schoonste sprookje
stelt ons niet tevreden,
en door den nevel
lokt de toekomst niet.

Het leven vlood en d'as blijft
in onz' handen,
't verlangen stijgt om mede
te vergaan.
Doch in den weemoed blijft
één lichtje branden,

het licht dat w'in den zomer
overslaan, waarvoor wij slechts,
tot onze schâ en schande,
rondom den wintertijd
om olie gaan.

*Felix Timmermans*

## 'Licht in de duisternis'

### Herkomst en betekenis

Volgens de oud-Romeinse telling is december de tiende maand (decem = tien).

### Oude namen

Wintermaand, heilige maand, Christusmaand.
Wolfsmaand: hongerige wolven waagden zich dichter bij de woningen.

### Sterrenbeeld

van 23 november tot 21 december: de boogschutter.
Van degenen, die onder dit sterrenbeeld geboren zijn, zegt men dat het vrolijke mensen zijn, die graag reizen, openlijk voor hun mening uitkomen, ook woedend kunnen worden en die door de meeste mensen gewaardeerd worden. Overigens hebben boogschutters persoonlijke vrijheid nodig. Hun steen is de dieprode of oranjekleurige hyacint.

### Weerspreuken

De dagen lengen,
maar ze strengen.

Helder en klaar de heilige nacht maakt op een vruchtbaar jaar bedacht.

# December

| Heiligennaam | | Betekenis |
|---|---|---|
| 1. Natalia | gade van de H. Hadriaan, martelares te Rome, 3/4de eeuw. | Kerstdag |
| Renaat | bisschop van Maastricht, 5de eeuw. | De wedergeborene |
| Elooi | of Eligius, muntmeester van koning Chlotaar II, bisschop van Noyon, apostel van Vlaanderen, 6/7de eeuw. Patroon van smeden, metaalbewerkers en van de Vlaamse boeren. | De uitverkorene |
| 2. Jan | van Ruusbroec, prior van Groenendaal, grootmeester van de Nederlandse mystiek, 1381. | God heeft geschonken |
| 3. Franciscus | Xaverius, Bask, gezel van de H. Ignatius, jezuïet, geloofsbode in Oost-Azië, 16de eeuw. Patroon van de missies en de reizigers op zee. | De vrije |
| 4. Barbara | maagd en martelares te Nikomedië, 3/4de eeuw. Patrones van bergbewoners, architecten, mijnwerkers, brandweer en kanonniers. Eén van de 14 noodhelpers, aangeroepen tegen bliksem en onweer. | De vreemdelinge |
| . Johannes | van Damaskus, monnik en kerkleraar, 7/8ste eeuw. | God heeft geschonken |
| 5. Johanna | van Constantinopel, gravin van Vlaanderen, kloosterstichteres, als kloosterzuster gestorven, 12/13de eeuw. | God heeft geschonken |
| 6. Nikolaas | bisschop van Myra, 3/4de eeuw. Eén van de noodhelpers, patroon van Rusland, kinderpatroon. | De volksoverwinnaar |
| 7. Ambrosius | bisschop van Milaan, kerkleraar, 4de eeuw. Patroon van de imkers. | De onsterfelijke |
| 8. O.-L.-Vrouw | Onbevlekte Ontvangenis, sedert 1708 feestdag in heel de kerk. | |
| 9. Egbert | van Holland, zoon van graaf Dirk, bisschop van Trier, 10de eeuw. | Schitterend zwaard |
| 10. O.-L.-Vrouw | van Loretto. Patroonsfeest van de vliegeniers. | |
| Corneel | Muys of Musius, minderbroeder uit Delft, martelaar, 16de eeuw. | De gehoornde |
| 11. Ida | van Nijvel, cisterciënsernon te Kerkom-bij-St.-Truiden en Rameia, 12/13de eeuw. | De eed |
| Dirk Coelde | van Münster, minderbroeder, predikant en pestverzorger in de Nederlanden, gestorven te Leuven, 15/16de eeuw. | Machtig volk |

342

| | | |
|---|---|---|
| 12. Johanna Francisca | de Chantal, weduwe, kloosterstichteres met de H. Frans van Sales, 16/17de eeuw. | God heeft geschonken |
| 13. Lucia | maagd en martelares te Syracuse, 3/4de eeuw. Patrones van de blinden. | De lichtende |
| 14. Johannes | van het Kruis, Juan de Yepes, Spaans karmeliet, mysticus en kerkleraar, 16de eeuw. | God heeft geschonken |
| 15. Aubert Hadewych | van Antwerpen, leidster van jonkvrouwen te Nijvel, grootste Nederlandse dichteres van de middeleeuwen, 12/13de eeuw. | De strijdster |
| 16. Ansegijs | echtgenoot van de H. Begga, martelaar, 7de eeuw. | |
| 17. Begga | dochter van Pepijn van Landen, weduwe van Ansegijs, abdis te Andenne, 7de eeuw. | |
| 18. Wicbert | broer van de Z. Beatrijs, lekebroeder in Nazaret te Lier, 13de eeuw. | Strijd en schitterend |
| 19. Megengoos | van Gelderland, kloosterstichter, 10/11de eeuw. | Groot en Goot |
| Gerbirga | echtgenote van Megengoos, 10/11de eeuw. | Beschermende speer |
| 20. Hendrik | Egher van Kalkar, Nederlandse kartuizer in Keulen, 14/15de eeuw. | Machtig heerser |
| 21. Petrus | Canisius, Peter Kanis uit Nijmegen, jezuïet, tweede apostel van Duitsland, de enige Nederlandse kerkleraar, 16de eeuw. | De rots |
| 22. Hungeer | bisschop van Utrecht, 9de eeuw. | Reus en speer |
| 23. Geeraard | Scadde van Kalkar, rector van het Zwolse fraterhuis, 14/15de eeuw. | Grote speer |
| 25. Kerstmis | Geboorte des Heren (feestdag sedert de 4de eeuw) | |
| Anastasia | maagd en martelares uit Illyrië, 3/4de eeuw. Patrones van de boekkeurders. | De verrezene |
| 26. Stefanus | diaken van Jeruzalem, eerste martelaar, 1ste eeuw. Patroon van de metsers, timmerlui, wevers. Paardenpatroon. | De krans |
| 27. Johannes | apostel en evangelist, 1ste eeuw. Patroon van drukkers, boekhandelaars, beeldhouwers, schilders, notarissen en wijnbouwers. | God heeft geschonken |
| Fabiola | Romeinse matrone, boetelinge, 4de eeuw. | Uit Fabiae |
| 28. Onschuldige | Kinderen (feestdag sedert de 6de eeuw). | |
| 29. Thomas | Becket, aartsbisschop van Kantelberg, martelaar, bezocht veel plaatsen in Vlaanderen, 12de eeuw. | De tweeling |
| 30. Rijkaard | cisterciënserabt van Aduard in Friesland, 13de eeuw. | Machtig en koen |
| 31. Silvester | paus, 3/4de eeuw. | Van het woud |
| Melania | Romeinse matrone, kloosterlinge, 4/5de eeuw. | De zwarte |

343

2. Tekens aan sterren, zon en maan,
hoe zal de aarde dat bestaan ?
Zo spreekt de Heer: verheft u vrij
want uw verlossing is nabij.

3. Wanneer de zee bespringt uw
land
en slaat u 't leven uit de hand,
weet in uw angst en stervenspijn:
uw dood zal niet voor eeuwig zijn.

4. Ziet naar de boom, die leeg en
naakt
in weer en wind te schudden staat,
de lente komt, een twijg ontspruit,
zijn oude takken lopen uit.

5. Een twijgje, weerloos en ontdaan,
zonder gestalte, zonder naam.
Maar wie gelooft, verstaat het wel.
Dat twijgje heet: Emmanuel.

6. Die naam zal ons ten leven zijn.
Een zoon zal ons gegeven zijn.
Opent uw poorten metterdaad
dat uw Verlosser binnengaat.

*Sta op en schitter,*
*want uw licht is gekomen,*
*de glorie van Jahweh*
*gaat over u op.*
*Jes. 60,1*

# Advent en Kerstmis

## De nacht loopt ten einde

*Tekst: H. Oosterhuis*
*Muziek: B. Huijbers*

De nacht loopt ten ein- de, de dag komt na der- bij.

1. Het volk dat woont in duis - ter - nis

zal we - ten wie zijn Hei - land is.

On - ver - wacht komt van hein- d'en ver

de Men - sen - zoon, de mor - gen - ster.

## 11 november
## Sint-Maarten

Sint-Maarten is één van de bekende volksheiligen. Talrijke kerken, kloosters en instituten zijn naar hem genoemd en vele gebruiken werden met zijn naam verbonden. Volgens de legende sneed hij eens als soldaat met zijn zwaard zijn mantel in tweeën om hem te delen met een arme verkleumde bedelaar. Sulpicius Severus (°363 - †420), een vriend en bewonderaar van Maarten, heeft als eerste, nog tijdens het leven van de heilige, daarover geschreven:

Tijdens een ongemeen strenge winter, waarin velen onder de ijzige kou leden, zag hij bij de stadspoort van Amiens een armzalig geklede man. Deze smeekte de voorbijgangers om erbarmen maar allen gingen hem achteloos voorbij. Maarten, die zag dat de anderen geen erbarmen toonden, wilde, gedreven door Gods geest, zelf iets voor de man doen. Maar wat ? Al wat hij nog had was de soldatenmantel om zijn schouders. De rest had hij reeds bij andere gelegenheden weggeschonken. Hij trok het zwaard waarmee hij omgord was, sneed zijn mantel middendoor en gaf de ene helft aan de arme man. De andere sloeg hij zelf weer om. Vele omstanders begonnen om hem te lachen omdat hij er in een halve mantel maar potsierlijk bijliep.

Maar anderen, met meer inzicht, betreurden diep dat zij niet hetzelfde gedaan en de arme een kleed gegeven hadden, temeer daar zij in hun rijkdom geen naaktheid hoefden te vrezen.

In de loop van de volgende nacht verscheen Christus aan Maarten in zijn slaap. Hij droeg het deel van de mantel, dat de heilige aan de arme gegeven had. Maarten mocht Hem aanschouwen en herkende het kleed, dat hij weggegeven had. Dan hoorde hij Jezus duidelijk zeggen tot de engelenschare die Hem omringde: 'Maarten heeft mij met deze mantel gekleed'.

## Uit het leven van Sint-Maarten

Sint-Maarten werd rond 316 geboren in het huidige Hongarije. Zijn vader en moeder waren niet christelijk. Op twaalfjarige leeftijd vroeg hij, tegen de uitdrukkelijke wil van zijn ouders in, om ingewijd te worden in het christelijk geloof. Zes jaar later werd hij gedoopt. Op vijftienjarige leeftijd werd hij in het leger ingelijfd; dat hoorde zo volgens de keizerlijke bepalingen uit die tijd. Om zijn goedheid en bereidheid was hij bij de andere soldaten zeer graag gezien. Zodra hij dat kon verliet hij de keizerlijke dienst. En hij sprak tot de keizer: 'Tot nu toe heb ik u gediend; laat mij nu God dienen'.

Maarten vertrok naar Poitiers in Frankrijk, naar bisschop Hilarius. Hij bouwde zich buiten de stad een kluizenaarswoning. Om de armen in de omgeving te kunnen helpen, liet hij bewust de kans op een rijke carrière voorbijgaan en ging hij steeds eenvoudig gekleed.

In 371 werd hij door de meerderheid van het volk en van de geestelijken, tegen zijn eigen wil in, tot bisschop van Tours verkozen. Niettemin bleef hij zijn levensstijl van eenvoudige monnik verder handhaven.

Bisschop Maarten is de geschiedenis ingegaan als de zelfvergeten beschermer en helper van het arme volk. Reeds kort na zijn dood in 397 begon het volk hem als een heilige te vereren. Ook vandaag nog vinden wij sporen van deze heilige in bepaalde volksgebruiken.

## Gebruiken rond Sint-Maarten

Het Sint-Maartensfeest op 11 november is eigenlijk in de plaats gekomen van het oud-Germaanse herfstfeest met dankoffers aan Wodan. Aan dit feest herinneren de Sint-Maartensvuren, nog bekend in Limburg, en ook het uithollen van raap of bietwortel, waarin een kaarsje wordt gezet. De schil van die raap wordt dan mooi versierd met allerhande inkervingen.

In sommige streken wordt Sint-Maarten op dezelfde wijze vereerd als Sint-Nicolaas. Op die dag worden de kinderen, in herinnering aan de vrijgevigheid van de heilige, bedacht met een geschenk.

De Sint-Maartensgans (ook bekend in het Groot Woordenboek der Nederlandse taal) is een gans die met Sint-Maarten wordt geslacht. Hoe die gans in verband wordt gebracht met de heilige, is een omstreden kwestie. Volgens een legende zouden de ganzen hem verraden hebben, toen hij zich verborg in een ganzehok om niet het zware ambt van bisschop van Tours op zich te moeten nemen. Een andere legende vertelt echter dat bisschop Maarten zich tijdens een preek door ganzegesnater gestoord zou hebben gevoeld. Terwijl een volkssprookje verhaalt over een gans, die Sint-Maarten prees als redder in nood, omdat zij door zijn toedoen aan de wolf kon ontsnappen.

De meest plausibele verklaring is allicht dat begin november de tijd is waarop de ganzen normaal vetgemest zijn om op een feestdag als die van Sint-Maarten te worden verorberd.

## Lampions maken

### Vierkante lampions

De buitenkant wordt gemaakt van dun karton. Daar worden figuurtjes uitgeknipt terwijl er aan de binnenkant doorschijnend papier geplakt wordt. Bodem en deksel worden met dikker karton versterkt. De kaars kan op de volgende manier aan de bodem bevestigd worden: in de bovenkant van een lucifersdoosje wordt een gat gemaakt waar de kaars in past. De onderkant wordt met een punaise vastgezet. Het lucifersdoosje wordt nu op de bodem vastgeplakt.
Op dezelfde wijze kan ook een ronde of een zeskantige lampion gemaakt worden.

### Knolraap-lampion

Misschien woont er in de buurt een boer die knolrapen verbouwt. Met een flinke knolraap is een prachtige lampion te maken.
Aan de bovenkant wordt horizontaal een stuk afgesneden. De raap wordt met een lepel uitgehold, zover mogelijk naar beneden en opzij. In de raap worden daarna gaatjes gemaakt voor ogen, neus en mond. Het stuk dat van de bovenkant is afgesneden kan als 'hoofddeksel' gebruikt worden. In de raap wordt een kaars geplaatst en de lampion zelf wordt vastgezet op een stok.

## Advent

Het vieren van de advent is het werkelijk meemaken van het heimwee naar Gods komst, en van de bekering daartoe. Men beleeft erin hoe God steeds meer nabij komt in onze duisternis.

### Jesaja

Daarom worden veel lezingen in deze periode gekozen uit de profeten, de grote wachters. Vooral uit het boek Jesaja. Het is het monumentaalste onder de profetieën, en rijk aan messiaanse teksten. Jesaja's grandioze geloofszekerheid dat God zijn Gezalfde en zijn Heil zou schenken, deed hem woorden vinden die ook voor de huidige mens de vertolking zijn van verlangen naar God. 'Houd moed, heb geen vrees, zie, hier is uw God'. Zo is hij een der drie gestalten, die door de adventsliturgie worden opgeroepen...

### Johannes de Doper

De tweede centrale figuur is Johannes de Doper. Hij staat aan het begin van alle evangeliën. Hij trad op in de woestijn en daarmee wekte hij herinnering aan die tijden van genade: de terugtocht uit Babel, de uittocht uit Egypte.

Johannes brengt echter meer dan een herinnering aan die tijden. Hij kondigt een nieuwe tijd van genade aan en deze is de vervulling van alle vorige. De uittochten uit Egypte en Babel waren slechts voortekenen, vergeleken bij wat nu gebeurt. Nu komt God pas goed. Johannes is pas goed de stem in de woestijn, die roept om rechte paden te trekken voor onze God. Want de weg die bereid moet worden is nu niet meer een woestijnpad dat binnen één jaar verstuiven kan, maar een innerlijke weg in de mens, die blijvend is. Deze weg heet bekering.

## *Maria*

En ten slotte leest de liturgie in deze tijd al de verhalen over de meest menselijke voorbereiding: hoe de moeder van de lang verwachte de komst beleefde. In haar lichaam, en, vermeldt de Schrift, ook in geloof (Luc. 1,45) en in de messiaanse vreugde van het 'Magnificat'.

Drie mensen wijzen ons naar Een die nog niet verscheen. De stemming van hun wachten is verschillend. Zij varieert van het smartelijk heimwee van een profeet tot de 'blijde verwachting' van een jonge moeder. In navolging daarvan worden in de adventsliturgie symbolen van verlatenheid maar ook van vreugde gebruikt.

De advent bedoelt alle komen van Jezus. Allereerst het toenmalig binnentreden van de Heer in deze wereld. Daarmee echter tegelijk zijn komst in onze mensengemeenschap hier en nu. En deze weer wordt niet gezien los van de komst: zijn openbaring op het einde der tijden. Met deze laatste vangt dan ook, op de eerste zondag, de advent aan.

Naast de algemene liturgie bestaan er ook huiselijke gebruiken, zoals de hangende dennekrans met vier kaarsen, waarvan er iedere zondag één meer wordt aangestoken: het naderen van het Licht.

## Zelf een adventskrans maken

Materiaal: 2 bossen grote dennetakken, 4 kaarsenhouders, bloemendraad, eventueel touw, paarse linten, denneappels.

Van de grote dennetakken worden vele kleine takjes afgesneden (ongeveer 10 centimeter).

Van de lange takken die overblijven, wordt een ring gemaakt, die wordt verstevigd door er het bloemendraad omheen te wikkelen. Rondom worden er telkens 2 of 3 kleine takjes aan vast gemaakt. (In de handel zijn ringen van oasis of stro te verkrijgen, waarop de dennetakken en de kaarsen gemakkelijk te bevestigen zijn). In de krans die nu klaar is, worden de

kaarsedragers met de kaarsen geplaatst. De krans kan met naalden, paarse linten en denneappels nog verder versierd worden.

### Een ongewone adventskrans

Materiaal: een oud fietswiel, een busje lakverf of goudbrons, 4 rode kaarsen, 4 kleine koekjesvormen, 6 meter tamelijk breed paars fluwelen lint en lijm.
Verf het fietswiel met de verf of het goudbrons en laat het opdrogen. Op gelijke afstand van elkaar worden vervolgens de koekjesvormen op het wiel gelijmd en de kaarsen erin gezet. Het brede fluwelen lint wordt nu in 4 gelijke delen geknipt (elk anderhalve meter lang) en kruislings om de rand van het wiel gewonden. Op ongeveer 80 centimeter hoogte worden de linten in een strik aan elkaar geknoopt. Tus-

sen de spaken kan deze adventskrans nog verder met dennetakjes en denneappels versierd worden.

### Adventssnoer

Materiaal: 1 lang rood fluwelen lint, 24 lucifersdoosjes, gekleurd papier, lijm.
De lucifersdoosjes worden met gekleurd papier beplakt en voorzien van een getal (1 tot 24). De doosjes worden in gelijke afstand over het lint verdeeld en vastgeplakt. Elke dag wordt er een doosje afgeknipt en laten we ons door de inhoud ervan verrassen. Hoe dichter Kerstmis nadert, des te korter wordt het lint.

Goede Vader,

in deze advent worden wij ons weer meer bewust van alle vragen en verwachtingen in ons leven. Wij willen proberen het antwoord op deze vragen niet zozeer te gaan zoeken in luxe, comfort en macht die toch niet blijvend zijn, maar bij U, God, die ons diepste geluk wil.
Help ons daarom meer tijd te maken voor stilte, bezinning en gebed.
Doordring ons van uw blijde boodschap.
Maak ons geestdriftig als Jesaja zodat wij onze medemensen nieuwe moed kunnen geven.
Kom ons te hulp, want allen zijn wij onmachtig.
Vervul ons met een groter geloof en met uw Geest die ons in staat stelt uw komst voor te bereiden.
Amen.

# 4 december
# heilige Barbara

In vele gezinnen bestaat het volgende gebruik: op het feest van de heilige Barbara wordt een forsythiatwijg of een winterhard takje van een kerseboom binnengehaald. Die wordt een nacht in warm water gelegd en de volgende dag in een vaas met water geplaatst. Om de drie dagen wordt het water vervangen. In de warmte van de huiskamer beginnen de knoppen te zwellen om rond Kerstmis open te bloeien. Dat is dan een mooie verwijzing naar de twijg die ontsproot aan de stronk van Jesse. Een mooi teken voor de geboorte van Christus.
Dit gebruik gaat terug op de legende van de heilige Barbara die, in de tijd van de christenvervolgingen, tegen de wil van haar vader in, weigerde haar christelijk geloof op te geven. Dat leidde tot een zodanig conflict tussen vader en dochter dat zij tenslotte in een donkere kelder gevangen werd gezet. Toen zij daarheen op weg was, raakte een twijg van een kerseboom in haar kleed vast. Die plaatste ze in een kruik met water. En op de dag dat de twijg bloeide, werd zij ter dood veroordeeld. 'Jij was als dood', zei Barbara tot de twijg, 'maar je bloeide open tot nieuw leven. Zo

zal het ook met mij gaan. Dood, zal ik tot een nieuw, eeuwig leven openbloeien'.

Mijnwerkers vereren de heilige Barbara als hun patroonheilige. Net als in een donkere kelder komt ook in een mijnschacht weinig licht binnen. 4 december is voor vele mijnwerkers een feestdag. Zij vragen de heilige Barbara voor hen bij God te bidden dat hen in de diepte geen ongeluk treft.

## 6 december
## Sint-Nicolaas

De heilige Nicolaas leefde in de vierde eeuw.

Hij was bisschop van Myra in Klein-Azië, het tegenwoordige Turkije.

Reeds in de zesde eeuw was de verering van de heilige opmerkelijk groot, met name in Klein-Azië, in Constantinopel en in Rusland, dat hem tot patroonheilige koos. De verering in het Westen is van latere datum en is te danken aan het feit dat Italiaanse zeelieden zijn stoffelijk overschot in 1087 — om het te redden uit de handen van de Saracenen — vanuit Myra overbrachten naar het Zuiditaliaanse stadje Bari. Deze 'roof' wordt in de Byzantijnse kerk zelfs met een speciale feestdag (9 mei) herdacht. Vanuit Italië kwam de verering over naar het Noorden, waar Sint-Nicolaas onder meer de patroonheilige van het bisdom Luik en Amsterdam werd.

Tussen de 12de en de 14de eeuw werden er in België meer dan 100 kerken gebouwd ter ere van Sint-Nicolaas, terwijl er ook een bedevaart naar Dikkele bestond te zijner ere. In Nederland was er vooral in de 13de eeuw een piek in het aantal Nicolaaskerken.

De Reformatie heeft geprobeerd

aan de omvangrijke viering van Sint-Nicolaas een einde te maken, hetgeen ten dele is gelukt: als beschermheilige van huwelijk en gezin taande zijn invloed, maar als sprookjesachtige figuur uit de legenden bleef zijn populariteit bestaan.

Er is een legende die vertelt hoe Nicolaas een arme vader aan een bruidsschat hielp voor zijn drie dochters, die wilden trouwen. Omdat de vader geen geld had, moest hij de meisjes de straat opsturen waar ze hun geld door prostitutie zelf moesten verdienen. Toen Nicolaas dat hoorde, kreeg hij groot medelijden met hen. Drie nachten achter elkaar legde hij telkens een stuk goud in de kamer van de vader. Zo kwamen de drie meisjes aan hun bruidsschat en konden ze korte tijd later trouwen.

De legende wordt ook op een an-dere manier verteld, namelijk dat Nicolaas het goud door de schoorsteen precies in de kousen wierp, die de meisjes bij de haard te drogen hadden gehangen.

Ter herinnering aan de goede bisschop van Myra zetten de kinderen op de vooravond van Sinterklaas schoenen of laarsjes voor de deur of ze hangen een kous bij de kachel... In veel gezinnen bestaat het gebruik dat een familielid of een vriend voor Sinterklaas speelt en iets zegt over de goede of minder goede dingen die de kinderen gedaan hebben. Uit een grote zak verdeelt hij cadeautjes en snoep. Vroeger kregen de kinderen van Sinterklaas ook een tikje met een roe. Oorspronkelijk was dat niet als straf bedoeld. Het was veeleer een gebaar van zegening: de roe, als de levende tak, die bij aanraking vruchtbaarheid beloofde. In de loop van de tijden is deze betekenis van de roe vergeten en werd ze misbruikt om kinderen te straffen. Een verdraaiing natuurlijk.

Zoals het ook een verdraaiing is, als het Sinterklaasfeest zelf binnen een consumptiemaatschappij verwordt tot een commerciële bedoening, waarin aan kinderen geleerd wordt zoveel mogelijk te vragen en te krijgen...

## Zwarte Piet

De oorsprong van Zwarte Piet is niet zo duidelijk. Volgens sommige verhalen zou Sint-Nicolaas eens de duivel hebben overwonnen, die hem sindsdien trouw als knecht is blijven helpen. Anderen menen dat de helper van de Sint een Moorse slaaf voorstelt, die in de verhalen opdook toen deze naar Spanje werden verplaatst. Volgens weer anderen is Zwarte Piet niets anders dan het symbool van het kwade, de tegenpool van de Sint, die het goede vertegenwoordigt; Pieterman luistert immers stiekem aan de schoorsteen en onthoudt alle slechte dingen van de mensen om ze vervolgens aan Sinterklaas mee te delen, opdat deze het goede kan belonen en het kwade straffen.

### Sint-Nicolaas en Jonas met de duif

Al vele maanden lang scheen de zon dag in dag uit schroeiend heet op de aarde. Het gras werd bruin en ritselde dor in de wind. Op de akkers verdroogde het koren. Zelfs de bladeren aan de grote bomen begonnen te verwelken. Aan de hemel was geen wolkje te zien. Het wilde en wilde maar niet regenen. De ene beek na de andere droogde uit. Alleen in de diepste putten stond er nog wat water. Daaruit schepten de vrouwen. In kruiken droegen zij het kostbare water op hun hoofd naar huis. Mensen en dieren leden honger. In heel het land brak hongersnood uit.

In de stad Myra waren de voorraadschuren al lang leeg. Zelfs voor veel geld was er niets eetbaars meer te koop. De kinderen huilden en schreeuwden om brood. Maar hun moeder kon ze zelfs geen droge korst geven. De ratten liepen ook bij klaarlichte dag door de straten en zochten in de goot naar voedsel. Maar ze vonden niets. Op zekere dag kwamen drie schepen de haven binnenvaren. Ze kwamen uit de verre stad Alexandrië. Ze waren zwaar beladen en lagen diep in het water. Ze waren met graan op weg naar de keizerstad Constantinopel. Nicolaas was in die tijd bisschop in Myra. Op de dag dat de schepen in de richting van de haven kwamen, was hij juist op weg naar een zieke. Onderweg zag hij een jongen die in de richting van de haven liep. Hij had grote haast, maar toch hield hij behoedzaam een blauwe duif tegen zijn borst gedrukt.

'Wie ben jij?' vroeg de bisschop aan de jongen en liep met hem mee. 'Ik ben Jonas met de duif'. 'Je duif is een prachtige vogel', zei de bisschop. 'Zij heeft honger en is doodmoe', klaagde de jongen. 'Eergisteren heb ik haar de laatste korrel maïs gegeven die ik nog had. Sinds gisteren beweegt ze haar vleugels niet meer'.

'Waar loop je zo haastig naar toe?' vroeg de bisschop. De jongen antwoordde: 'Ik wil naar de haven, mijnheer de bisschop. Ze zeggen dat er drie schepen zijn aangekomen'. 'Drie schepen?' Verbaasd vervolgde de bisschop: 'Wat zoeken die schepen dan in onze haven? Bij ons is er niets meer te laden'.

'Die boten zitten vol', zei de jongen. 'Het zijn graanschepen. Ze komen uit Alexandrië en zeilen verder naar Constantinopel'.

Toen nam Nicolaas de jongen bij de hand en ging met hem naar de haven. Schepen vol graan, dat kon de redding zijn voor Myra! Uit graan kan meel gemalen worden. Van meel bakt men brood. Brood stilt de honger. Graan betekent het einde van de hongersnood. Niemand hoefde meer van de honger om te komen. Brood, dat was hoop in doodsnood.

Op het open plein voor de haven dromden vele mensen samen. Ze waren toegestroomd omdat ze de graanschepen wilden zien. Iedereen hoopte graan te kunnen kopen.

'Ik zal graan voor mijn duif krijgen', zei de jongen. Omdat zijn maag knorde van de honger, voegde hij er aan toe: 'En ook voor mijzelf zou ik graan willen kopen'.

Maar er was geen gejuich te horen. Niemand liet een kreet van vreugde horen. Zonder een woord te zeggen, stonden de mensen naar de schepen te staren. Aan de reling van de vrachtschepen troepten de matrozen bijeen. Ze hadden lansen in de hand. Dreigend richtten zij hun scherpe wapens naar de menigte. Jonas met de duif hield de hand van de bisschop stevig vast. Hij was bang voor de dreigende gezichten van de matrozen.

Nicolaas werkte zich door de menigte heen naar de kade. 'Waar is de bevelvoerende kapitein van deze schepen?' riep hij. 'Ik wil graag met de kapitein spreken'. 'Ik ben de kapitein', antwoordde een grote man met een zwarte baard. 'Kan ik bij u aan boord komen?' vroeg de bisschop.

'Kom maar op het schip, maar wel alleen', zei de kapitein.

Twee matrozen schoven een smalle plank van het schip tot op de kade. Nicolaas liet de hand van de jongen los en liep de wankele trap op. De plank schommelde.

De bisschop werd een beetje duizelig. Toen liep Jonas met de duif vlug achter hem aan, pakte zijn hand weer en hielp hem veilig aan boord. Beiden belandden veilig op het schip.

'Wat wilt u van mij?' vroeg de kapitein. 'U ziet, kapitein, dat de mensen van Myra erge honger lijden. In heel de streek is nergens nog brood te koop. Uw schepen zijn tot aan de randen gevuld. Verkoop een deel van de lading aan de mensen'.

'Dat mag ik niet', antwoordde de kapitein. 'In Alexandrië is de lading nauwkeurig gewogen. Geen korrel te veel, geen korrel te weinig. U weet zelf wat met een kapitein gebeurt die zijn lading niet tot en met de laatste kilo in Constantinopel aflevert: de keizer laat hem onthoofden'.

'Maar de mensen zullen sterven als u ze niet helpt', zei de bisschop. De kapitein dacht enige ogenblikken na. Dan echter schudde hij het hoofd en zei: 'Mijn hals gaat mij meer aan dan jullie honger. Als ik twee hoofden had, zou ik er één aan wagen om jullie uit de nood te helpen'.

'Heeft Jezus niet met vijf broden een grote volksmenigte genoeg te eten gegeven? Zijn er toen niet twaalf korven met brood overgebleven?' vroeg de bisschop. 'Help ons, en geen korreltje zal aan deze lading ontbreken'.

'Ik ken dat verhaal van Jezus erg goed', zei de kapitein. 'Als het klopt dat ik geen korrel te kort zal komen, zal ik u helpen'.

De kapitein haalde een krijtje uit zijn zak. Hij klom langs de touwladder naar beneden tot aan het water. Precies daar waar het water tegen de scheepswand kwam, trok hij een streep.

Nieuwsgierig boog Jonas met de duif zich over de reling en keek toe. 'We zullen zien', zei de kapitein listig. 'Jullie kunnen van het graan zoveel nemen als jullie willen. Het mag echter niet weggebracht worden, het moet hier op het havenplein neergeschud worden. Als de lading lichter wordt, komt het schip hoger op het water te liggen. Mocht dit gebeuren dan moet al het graan weer ingeladen worden. Daar zullen jullie mee akkoord moeten gaan'. Nicolaas knikte.

'Maar als uw woord uitkomt', ging de kapitein verder, 'dan komt het schip niet omhoog en de krijtstreep zal precies op de hoogte van de waterspiegel blijven. De lading wordt, zoals u gezegd hebt, niet lichter. In dat geval kunnen jullie al het uitgeladen graan houden'. De matrozen lachten. Zij wisten immers tevoren al wat het resultaat zou zijn.

'Waarom lach je?' vroeg Jonas met de duif aan de oude matroos die naast hem stond.

'Heeft een mens ooit gezien dat een schip niet omhoog komt als de lading gelost wordt?' antwoordde de matroos. 'Bisschop Nicolaas liegt niet. Wacht maar af', zei Jonas met de duif.

Toen aaide de oude matroos met zijn ruwe handen heel zachtjes over de kopveertjes van de duif, bukte zich, greep een handvol graankorrels en deed ze in de zak van de jongen. 'Hier', zei hij, 'dan heb je tenminste niet helemaal voor niets geloofd'. Enkele mannen uit Myra kregen toestemming over de plank te komen en het schip te betreden. Ze laadden het graan in zakken, namen de last op hun schouders en brachten die aan land. Daar schudden ze de gouden graankorrels op het gladde plaveisel van het plein. Langzaam groeide de hoop graankorrels tot een kleine heuvel. 'Genoeg', riep de kapitein. 'Laten wij eens kijken'.

Alle mannen van Myra moesten het schip verlaten. De kapitein boog zich over de reling en keek naar de krijtstreep.

Hij kon zijn ogen niet geloven en klom langs de touwladder naar beneden. De krijtstreep en de waterspiegel stonden nog steeds op de zelfde hoogte. Ongelovig staarde hij naar de zwarte scheepsplanken. Maar er was geen twijfel mogelijk, het schip was niet lichter geworden. Misschien is het nog niet genoeg, dacht hij en beval: 'Verder! Breng meer koren naar de wal'.

'Zie je?' zei Jonas met de duif tegen de oude matroos. Toen ging hij op de planken van het schip op de hurken zitten. Voor zichzelf had hij nog niets van het koren genomen. Maar zijn duif pikte de ene korrel na de andere uit zijn hand.

Vele zakken schudden de mannen leeg. De graanberg werd tenslotte zo hoog, dat de mensen er niet meer overheen konden kijken. De kapitein bleef echter naar de krijtstreep kijken. Maar die kwam geen vingerbreed omhoog. Ook de matrozen zagen het nu: in het ruim van het schip werd het koren niet minder, hoeveel de mannen er ook van wegsleepten.

'Genoeg, mannen', zei de bisschop tenslotte. 'We hebben genoeg koren. We hebben genoeg te eten tot de volgende oogst. En voor het nieuwe zaaigoed is er ook voldoende graan. De hongersnood is voorbij'.

Toen vielen allen die het hadden meegemaakt, op de knieën neer. Zij loofden en dankten God.

Sommigen dachten daarbij aan het wonder dat ze met eigen ogen gezien hadden, en anderen dachten aan de hongersnood, waaruit ze zo wonderbaar gered waren.

De matrozen echter legden hun lansen neer en verlieten het schip. De mensen van Myra gaven hen een hand. Ze waren gelukkig en juichten bisschop Nicolaas toe. Die wees mannen aan, die het koren onder de mensen verdeelden. Jonas met de duif kwam hoog op de schouders van een oude matroos van het schip af naar het havenplein. 'Hij heeft het van het begin af aan geloofd', riep de oude matroos luid over het plein.

*Willi Fährmann*

## Zie ginds komt de stoomboot

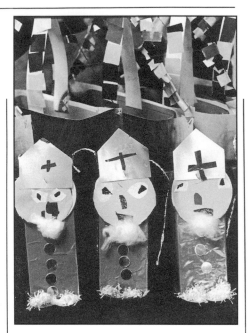

Zie ginds komt de stoomboot uit Spanje weer aan.
Hij brengt ons Sint-Nicolaas, ik zie hem al staan.
Hoe huppelt zijn paardje het dek op en neer,
hoe waaien de wimpels al heen en al weer.

Zijn knecht staat te lachen en roept ons steeds toe:
'Wie zoet is krijgt lekkers, wie stout is de roe'.
Och, lieve Sint-Nicolaas, och kom ook bij mij,
en rijd toch ons huisje niet stilletjes voorbij.

Sint-Nicolaas, de bisschop, schrijft op in zijn boek
al wat hij gehoord heeft, bij 't jaarlijks bezoek.
Wie zoet was, wie stout was, hij schrijft het er bij.
Wat zou hij wel schrijven van u en van mij?

### Speculaas

*Nodig:*
*1 kg bloem - 500 g boter - 70 g suiker (voor de helft bruine) - ± 30 g speculaaskruiden (kaneel, foelie, gemberpoeder, kruidnagel) - 2 eieren - 1 likeurglaasje water of cognac - 2 koffielepels bakpoeder.*

*Bereiding:*
Kneed al de ingrediënten tot een soepel deeg. Laat minstens 12 uur of een volledige nacht afgedekt rusten op een koele plaats of in de kelder. Bewerk het deeg nogmaals en maak er een rol van waarvan u schijven snijdt, die u in lichtjes met bloem bestoven speculaasvormen drukt. Bak in oven. Dunne speculaasjes op 210° C gedurende ongeveer 10 minuten. Dikkere speculaas op 200° C gedurende 15 tot 20 minuten. Onmiddellijk na het bakken van de planken halen en laten afkoelen op rooster. Afgekoelde speculaas in goed gesloten doos bewaren.

# Spelen en knutselen

## Spel met kerststalfiguren
### Maria en de engel

De beeldjes van Maria en de engel worden eerst op een kast, een tafeltje of een vensterbank gezet. De ouders vertellen hoe de engel aan Maria de blijde boodschap brengt en de Verlosser aankondigt.

### De herders

Op de plaats waar later de kribbe zal staan, worden nu al de beeldjes van de herders neergezet.
De ouders vertellen hoe de herders voor de poorten van Betlehem buiten in het veld liggen.

### Op weg naar Betlehem

De beeldjes van Maria en Jozef worden zo opgesteld alsof ze aan het wandelen zijn of voor een deur staan. Ze kunnen ook voor het beeldje van de waard van de herberg staan.
De ouders vertellen hoe Maria en Jozef op weg gaan van Nazaret, over het gebergte, naar Betlehem. Ze leggen vooral de nadruk op de teleurstelling en de ellende van Maria en Jozef als ze geen herberg kunnen vinden.

### De drie koningen

Vanuit een verre hoek van de kamer worden de beeldjes van de drie koningen elke dag wat dichter bij de kribbe gebracht; de ster trekt met hen mee.
De ouders vertellen over de vermoeidheid van de reizigers op weg van het oosten naar Betlehem en van hun vertrouwen in de ster die de weg wijst.

### De geboorte van Jezus

Op kerstavond is de stal helemaal opgebouwd. Alle figuren, Maria en Jozef, de herders, de dieren, het kindje Jezus, krijgen hun plaats.
De ouders vertellen over het wonder van de heilige nacht: God schenkt ons zijn Zoon. Zij lezen het kerstverhaal voor.

### Aankomst van de koningen

Ook na Kerstmis gaat het spel met de kerststalfiguren door. De beeldjes van de drie wijzen uit het oosten worden in de stal gezet.
De ouders vertellen van Herodes die de koningen vraagt hem te zeggen waar de nieuwe koning geboren

is. Dan vertellen ze van de aankomst van de koningen in Betlehem en hoe zij het kind in de kribbe erkennen als de heerser van de wereld.

## Zelf gemaakte beeldjes voor de kerststal

### Kerststalfiguren

*Materiaal: stenen, lijm, plakkaatverf, vernis, penseel.*

Kiezelsteentjes van verschillende grootte worden verzameld en goed schoon gemaakt. De grootste wordt gebruikt voor de romp en het onderstel (=beide benen), de kleinere voor het hoofd en ook voor het kindje Jezus. De stenen worden afzonderlijk geverfd, gedroogd en voorzien van een laagje vernis. Tenslotte worden ze aan elkaar gelijmd tot figuren.

### Kerststalfiguren van rollen karton

*Materiaal: rollen karton, gekleurd papier, watten, vilt- of lederresten, schaar, lijm.*

Verfraai de rollen karton met gekleurd papier en kleef er met papiersnippers de gezichten op. Van watten krijgen de figuren daarna haar en baard. De drie koningen krijgen ieder een kroon van goudpapier, de herders een mantel van de vilt- of lederresten.

### Kerststalfiguren van pijpewissers

*Materiaal: pijpewissers, piepschuimballetjes, stof en wolresten, restjes vilt of leder, wollen draden, goudpapier, viltstiften, lijm.*

Buig een pijpewisser in een ovale vorm: de romp. Bevestig daaraan vijf andere pijpewissers van verschillende lengte voor de hals, de armen en de benen. Pijpewissers laten zich gemakkelijk buigen. Met viltstiften worden op de piepschuimballetjes gezichten getekend. Haar en baard worden gemaakt van draden wol of van watten. Onder in het balletje wordt een gaatje gemaakt. Daar wordt wat lijm in gedaan en de kop wordt op de hals gestoken. Van stofresten worden kleren gemaakt. De drie koningen krijgen een kroon van goudpapier, de herders een staf van pijpewissers.

# Kerstmis

*Maar de engel zei: 'Verheug u, want heden is u in de stad van David de Verlosser geboren.'*

*Een oudere vrouw:* 'Kerstmis is voor mij al lang geen feest meer. Op die dagen voel ik mij erg eenzaam en verlaten. Geen bezoek, geen gesprek, niets. Iedereen viert feest in zijn eigen gezin. Oude mensen worden dan gewoon vergeten. Ik ben altijd blij als Kerstmis weer voorbij is.'

*Een jongere:* 'Met Kerstmis is er bij ons thuis niets te doen. Mijn ouders willen het feest vieren zoals vroeger, met veel vroomheid. Maar ik ben geen kind meer. Ik denk nu anders over Kerstmis. Die dagen zullen dus wel weer behoorlijk vervelend worden. Veel eten, veel drinken, veel TV-kijken, ieder jaar hetzelfde liedje.'

*Een huisvrouw:* 'Als het Kerstmis is, ben ik doodop. Het huis van boven tot beneden poetsen, dagenlang in de stad rondlopen, een volle boodschappentas sjouwen, de menu's voor de feestdagen voorbereiden, voor kerstversiering zorgen, aan duizenden kleinigheden denken... Op die dagen zelf krijg ik ook nauwelijks rust. Als Kerstmis voorbij is, zal ik een zucht van verlichting slaken.'

*Een dokter:* 'Met Kerstmis moet ik andere dokters vervangen. Dat vergt op die dagen erg veel inspanning. Steeds weer bellen mensen op met maagklachten: ze hebben gewoon te veel gegeten en te veel gedronken. Ergst van al zijn de noodgevallen: pogingen tot zelfmoord. Dat zit je behoorlijk dwars. Dat gaat je niet in je koude kleren zitten. Dat is nou de 'vrede' van Kerstmis.'

*Een kind:* 'Mijn verlanglijstje is ook dit jaar vrij lang geworden. Ik hoop dat mijn ouders aan alles denken! Anders is Kerstmis er alleen maar voor de grote mensen. Die praten enkel met elkaar als er bezoek komt. Wij hebben onze cadeautjes toch al. Daar moeten wij tevreden mee zijn. En we zouden samen kunnen spelen of zingen. Maar mijn moeder zegt dat we dat beter op een andere dag kunnen doen. Waarom nou niet op Kerstmis?'

*Een zakenman:* 'De mensen kopen als gekken. Alsof er na Kerstmis niets meer te krijgen is. En ze stellen steeds hogere eisen! Met

Kerstmis maak ik een reis naar het zuiden: ver weg van het klokgelui en de kerstliedjes. Die liedjes ben ik grondig beu. Je zult maar de hele dag die muziek moeten aanhoren! Nee, Kerstmis is voor mij al jaren 'dood'. Goede zaken doen, prima, maar de rest...'

**Korte geschiedenis van het kerstfeest**

De dag waarop Jezus geboren werd, is niet precies bekend. De evangelies geven daarover geen uitsluitsel. Sinds de vierde eeuw vieren de christenen Kerstmis. Toen ongeveer ontstonden de twee grote feesten van de kersttijd. De Kerk van Rome heeft de 25ste december gekozen. Deze dag gold in het gehele gebied rond de Middellandse Zee als de geboortedag van de onoverwinnelijke zonnegod Mithras, die ook door de Romeinen vereerd werd. Tegelijk was 25 december de dag van de Germaanse winterzonnewende. De kerk viert daarmee Christus als de ware zon en 'het Licht der wereld' dat de heidense zonnegod verdrijft.

De kerken van het Oosten vieren vooral 6 januari. Dat is de dag waarop Jezus gedoopt werd en door zijn Vader aan de wereld bekend gemaakt als zijn Zoon: 'Gij zijt mijn Zoon, mijn veelgeliefde, in U heb Ik welbehagen' (Mc 1,11). Daarom noemen wij dit feest ook Openbaring des Heren: Christus wordt geopenbaard als de ware koning, die door alle koningen gehuldigd wordt. Om deze reden noemt men dit ook het feest van de heilige Driekoningen.

Zijn godheid openbaart Hij ook in zijn eerste wondertekenen bij de bruiloft van Kana (zie Joh. 2), wat eveneens op 6 januari gevierd wordt.

Het woord 'Kerstmis' betekent 'Christus-mis', omdat we in de kerstnacht, in de heilige mis de geboorte van Jezus Christus vieren. Er is geen nacht zo heilig als deze, waarin God in Jezus Christus mens werd.

*De kerststal* werd in 1223 voor de eerste keer door de heilige Franciscus van Assisi in Greccio (Italië) in een kerk opgesteld. Zoals eens de herders in Betlehem, waren de gelovigen 'pelgrims' naar de kribbe. Al gauw stonden er kribben in vele kerken en kloosters, later ook in scholen en huiskamers. In deze tijd ontwikkelden zich de talrijke kerstspelen, die het kerstevangelie uitbeelden.

*De kerstboom* gaat terug op een vóórchristelijk gebruik. Om de winterzonnewende te vieren, werden in de twaalf donkerste nachten groene takken opgehangen als bescherming en tovermiddel en ook om de zon te bezweren. In alle culturen en godsdiensten is de altijd groene boom woonplaats van de

goden en daarmee teken van het leven geweest. Vruchtbaarheid werd ermee aangekondigd.

Het gebruik om een kerstboom te plaatsen, ontstond in de Elzas en in het Zwarte Woud omstreeks 1509. Hij werd door Maarten Luther en de Reformatie tot kerstsymbool van de protestanten verklaard. In de oorlog tegen Napoleon werd de den vrijheidssymbool van alle Duitsers. Tegen het einde van de 19de eeuw deed de boom zijn intrede in de katholieke kerken en huizen.

De kerstboom staat voor de boom van het paradijs waaraan de 'vruchten des levens' hangen, uitgebeeld door appels, noten, gebak en, in overdrachtelijke zin, door gouden kerstbollen en zilveren kerstboomversiering. Aan het einde van de kersttijd wordt de boom 'geplunderd'; van de boom des levens worden de vruchten des levens geplukt.

*Het gebruik om met Kerstmis cadeautjes te geven is eigenlijk ouder dan het kerstfeest zelf.* Reeds in de vóór-christelijke tijd werden op het feest van de zonnegod en van de zonnewende geschenken uitgedeeld. Op deze dag kregen de Romeinse bedienden en slaven, evenals in de Germaanse landen het dienstpersoneel, geschenken van hun meesters.

Het geven van cadeaus met Kerstmis gaat ook terug op Maarten Luther. Hij schafte omstreeks 1535 het tot dan toe gebruikelijke Sinterklaasfeest af. In plaats van Sinterklaas brengt nu het Jezuskind de gaven; Sinterklaas wordt kerstman.

Dit paneeltje werd omstreeks 1140 vervaardigd door een onbekend meester. Het is een pareltje van ivoorsnijkunst.

Het stelt twee scenes voor uit het kerstverhaal van Lucas.

De bijzonderste scene speelt zich af in Betlehem, dat hier wordt afgebeeld als een soort middeleeuws stadje: een plein dat door muren en torentjes omsloten is. In een voederbak ligt het kind Jezus. Het is in doeken gewikkeld en heeft op het hoofd een aureool met kruis. Door twee gaten, die ramen voorstellen, kijken de os en de ezel neer op het kind.

Eigenaardig aan die os en die ezel is dat zij in het evangelie van Lucas niet voorkomen! Hun oorsprong is ergens anders te zoeken, namelijk bij Jesaja. Al in de vroeg-christelijke tijd herinnerde men zich immers de woorden van deze profeet: 'Een os kent zijn eigenaar, een ezel de krib van zijn meester, maar Israël weet van niets, mijn volk heeft geen begrip' (Jes. 1,3). Het zijn deze woorden die in verband gebracht werden met het evangelie van Lucas, en die het ontstaan gegeven hebben aan de figuren van de os en de ezel. De boodschap ervan is dus eigenlijk: dieren kennen hun eigenaar, maar de mensen weten niet wie onder hen verblijft en aan wie zij toebehoren. Of met andere woorden: laat je niet door dieren beschamen en erken zelf het kind in de kribbe als uw Heer.

Het gehele paneel wordt beheerst door de figuur van Maria. Maar met haar rechterhand wijst zij naar het kind, als om de aandacht daarheen te leiden.

De zittende Jozef vormt een tegengewicht ten opzichte van de beide liggende figuren. Hij laat zijn hoofd op zijn rechterhand rusten en zit duidelijk in gedachten verzonken over het moederschap van Maria (Mt. 1,18-25).

De tweede scene is gesitueerd buiten de stadsmuren, aan de boven- en onderkant van het paneel. Beneden verkondigt een engel aan de herders met hun kudde de blijde boodschap: 'Heden is u een redder geboren, Christus de Heer, in de stad van David' (Lc. 2,11). De engel wijst naar de geboortescene. Twee herders zijn al op weg gegaan en de voorste steekt de hand op, als om te groeten. Bovenaan het paneel naderen twee engelen het gebeuren. Hun boodschap is de kern van het kerstevangelie: 'Eer aan God in den hoge en op aarde vrede onder de mensen in wie Hij welbehagen heeft' (Lc. 2,14). De grote stervormige bloem boven het Christuskind herinnert aan het verhaal van de Wijzen uit het Oosten (Mt. 2,1-12) die als vertegenwoordigers van de heidense wereld het kind huldigen. De stralende ster betekent: 'Het ware Licht, dat iedere mens verlicht, kwam in de wereld' (Joh. 1,9).

## Versieren van de kerstboom

o Spuit goudbrons op dennetakjes, denneappels of walnoten en hang ze aan een gouden draad op.

o Zaag uit triplex verschillende symbolen uit de christelijke kerstsfeer, bijvoorbeeld engelen, sterren, kaarsen. Schilder ze in allerlei kleuren en hang ze op.

o Pak kleine cadeautjes in kleurig papier in en hang ze met een draadje op.

o Rijg grote en kleine kralen aan een draad en maak er een krans van.

o Vouw sterren van gekleurd papier en hang ze op.

o Leg vier strohalmen over elkaar en bind ze met een draadje vast: een ster van stro.

o Maak bolletjes en sterren van kunstharskorreltjes. Bekleed eerst het bakblik van de bakoven met aluminiumfolie. Van stroken metaal vorm je een ster of een cirkel en je legt die op het bakblik. Vul die vormen met de korreltjes. Het bakblik wordt ongeveer tien minuten in de oven gezet bij een temperatuur van 200°C. De korreltjes smelten nu samen tot een vaste massa. Door de hard geworden vormen wordt met een verhitte breinaald een gaatje geprikt, waardoor een gekleurd lint wordt gestoken.

## Zelf gemaakte cadeautjes

### Kaarsdragers uit doppen van walnoten

*Materiaal: bierviltjes, vilt, doppen van walnoten, lijm, kaarsen en kleine dennetakjes.*
Bekleed een bierviltje met vilt en lijm daarop 3 tot 5 halve notedoppen. In het midden moet nog plaats blijven voor de kaars. Tussen de notedoppen kunnen kleine dennetakjes gekleefd worden.

### Zelf gemaakte kalender

*Materiaal: 12 vellen tekenpapier, waterverf, waskrijtjes, enz., een koord.*
Bedenk voor elke maand een motief en een bepaalde manier van schilderen. Maak nu de 12 afzonderlijke bladen. Op de onderste helft schrijf je telkens de maandkalender.

*En gij, Betlehem, landstreek van Juda, gij zijt volstrekt niet de geringste onder de leiders van Juda, want uit u zal een leidsman te voorschijn treden, die herder zal zijn over mijn volk Israël.*
*Mi. 5,1; Mt. 2,6*

## Kerstavond

Sommige gezinnen vieren thuis kerstavond. Ouders en kinderen, grootouders en alleenstaande verwanten en vrienden, komen samen rond kerstkribbe en kerstboom. Het is goed als zij allen actief in de viering worden betrokken. Daartoe enkele tips:

o De kinderen hebben vooraf op een zelf gemaakte kerstaffiche of -kaart het verloop van de avond mooi uitgeschreven.

o De vier adventskaarsen worden aangestoken.

o Het spel met de kerstfiguren (zie enkele bladzijden hiervoor) bereikt zijn hoogtepunt: het kindje Jezus wordt in de kribbe gelegd.

o De oudere kinderen hebben een kerstcollage gemaakt met recente foto's en prenten en stellen die nu bij de kerststal op.

o Als het kan worden de kaarsjes in de kerstboom (met de vereiste voorzichtigheid voor een uitslaand brandje) aangestoken.

o Vader of moeder lezen uit het evangelie het kerstverhaal voor (zie volgende bladzijde); de kinderen hebben daarbij een beeldverhaal ontworpen en wijzen in volgorde de bij de tekst passende beelden aan; of zij bekijken de prenten in de kinderbijbel.

o De jonge kinderen dragen een gedichtje voor; de grotere kinderen lezen een modern kerstverhaal voor.

o Allen zingen samen kerstliederen.

o Ouders en kinderen maken samen muziek.

o Iedereen formuleert een voorbede bij het thema 'vrede'.

o De geschenkjes, met de naam van de bestemmeling erop, worden het ene na het andere van onder de kerstboom gehaald en uitgedeeld.

o Na het eten is er tijd om te spelen, te praten, voor te lezen, te vertellen, muziek te beluisteren...

o De grootouders vertellen hoe zij vroeger Kerstmis vierden.

o Grootouders, ouders, verwanten en vrienden halen oude foto's boven en dissen familiegeschiedenissen op.

## De Blijde Boodschap van Kerstmis

In die dagen kwam er een besluit van keizer Augustus, dat er een volkstelling moest gehouden worden in heel zijn rijk. Deze volkstelling had voor het eerst plaats toen Quirinus landvoogd van Syrië was. Allen gingen op reis, ieder naar zijn eigen stad om zich te laten inschrijven. Ook Jozef trok op en omdat hij behoorde tot het huis en geslacht van David, ging hij van Galilea uit de stad Nazaret naar Judea, naar de stad van David, Betlehem geheten, om zich te laten inschrijven, samen met Maria, zijn verloofde, die zwanger was. Terwijl zij daar verbleven, brak het uur aan waarop zij moeder zou worden; zij bracht haar zoon ter wereld, haar eerstgeborene, wikkelde Hem in doeken en legde Hem neer in een kribbe, omdat er voor hen geen plaats was in de herberg.

In de omgeving bevonden zich herders die in het open veld gedurende de nacht hun kudde bewaakten. Plotseling stond een engel des Heren voor hen en zij werden omstraald door de glorie des Heren, zodat zij door grote vrees werden bevangen. Maar de engel sprak tot hen: 'Vrees niet, want zie, ik verkondig u een vreugdevolle boodschap die bestemd is voor het hele volk. Heden is u een Redder geboren, Christus de Heer, in de stad van David. En dit zal voor u een teken zijn: gij zult het pasgeboren kind vinden, in doeken gewikkeld en liggend in een kribbe'. Opeens voegde zich bij de engel een hemelse heerschare: zij verheerlijkten God met de woorden: 'Eer aan God in den hoge, en op aarde vrede onder de mensen in wie Hij welbehagen heeft.'

Zodra de engelen weer van hen waren heengegaan naar de hemel, zeiden de herders tot elkaar: 'Kom, laten we naar Betlehem gaan om te zien wat er gebeurd is en wat de Heer ons heeft bekend gemaakt'. Ze haastten zich erheen en vonden Maria en Jozef en het pasgeboren kind, dat in de kribbe lag. Toen ze dit gezien hadden, maakten ze bekend wat hun over dit kind gezegd was. Allen die het hoorden, stonden verwonderd over hetgeen de herders hun verhaalden. Maria bewaarde al deze woorden in haar hart en overwoog ze bij zichzelf. De herders keerden terug, terwijl zij God verheerlijkten en loofden om alles wat zij gehoord en gezien hadden; het was juist zoals hun gezegd was.

Lc. 2,1-20

## De herberg en de stal

Midden in de nacht, schrijven de evangelisten, staat er een ster boven een stal.
Een hut, het verblijf bij uitstek voor wie niet meetelt en geen aanspraak kan maken op enig recht.
Er was namelijk 'geen plaats in de herberg'.
Wie niets bezit, ogenschijnlijk niets te bieden heeft, krijgt ook geen plaats.
Er zijn twee werelden: de plaats van het 'goed volk', je weet wel, zij die geluk hadden in het leven, degelijk werden opgevoed in een warme thuis, alle kansen hadden om te studeren en daarna een goede baan vonden, mensen met een goede naam in de gemeenschap. Ze hebben het goed. De stal is die andere wereld: miserie die kleine mensen van vader op zoon geërfd hebben:

geen thuis, geen opvoeding, geen werk, geen zekerheid voor morgen.
In de herberg worden zij os-en-ezel-mensen genoemd, schorremorrie, verlopen lui, niet te vertrouwen, mensen met wie je beter niet omgaat, kinderen met wie je niet speelt, jongeren die voor niets goed zijn. Voor de mensen van de stal blijft de herbergdeur potdicht. Twee totaal aparte werelden.
Nog altijd wordt Kerstmis het meest gevierd in de warmte van de herberg. Achter de gesloten deuren van de welvaart heeft niemand weet van de duisternis en van de kou daarbuiten. Niemand in de herberg heeft weet van het nieuwe leven, de nieuwe hoop, die in de stal geboren wordt.
De mensen van de stal zijn getekend door de koude van de nacht, door de kilte van het tekort.
Wie kijkt vanuit de herberg voelt

afschuw, walging, zelfs minachting of spreekt vanuit een misplaatst medelijden.

De mensen van de stal zijn daar terechtgekomen omdat de herberg al 'volzet' was. Armoede van velen ontstaat uit de opgepotte rijkdom van enkelen. Eenzaamheid is het bittere resultaat van de gesloten kring van mensen, die genoeg hebben aan elkaar.

Dan is er geen plaats voor het kind, de vreemdeling, de werkzoekende, de ongehuwde man of vrouw, de echtgescheidene... Alleen in de stal is er altijd plaats. Die stille armoede van kleine mensen is de stille aanwezigheid van God...

'Wie zeg je nu dat Ik ben?'
Herken je Mij?
Hou je van Mij?
Kies je voor Mij?

De verborgen armoede van kleine mensen stelt mij onontkoombaar voor deze keuze: Gods liefde zichtbaar maken of verduisteren...

*Wie op zoek gaat naar de stal vindt altijd wel een ster om de weg te wijzen.*

Toen ging de hemel open boven de herders en boven de stal. De nacht vouwde zich open in een lied en wie er oren voor had, kon het horen: 'Er is goed nieuws voor jullie. Heden is er een redder geboren, een kindje in de stal.'

Wijzen uit het oosten, mensen uit de vreemde, maar met een open blik, zij vingen er een glimp van op,

een teken aan de hemel, een ster vóór hen uit. En zij gingen op weg, tot in de stal.

De herberg met haar wild geraas kende geen nacht en ook geen echte morgen. De versterkte steden en paleizen van Herodes en van ander machtig volk, zij trachtten de hoop van dat kleine volk weg te lachen. En al die tempels met schriftkenners en ritueelmakers zaten te zeer met het hoofd in de wolken om te zien hoe God geboren werd in een kind.

## Kerstgedichten

Nu zal het wel gauw gaan sneeuwen,
Dan worden de wegen wit.
Dan rijden de drie kamelen,
Waarop elk een koning zit
Door een woestijn van eeuwen,
Vol boosheid en gevit.

De herders liggen bij nachte
Te waken op het veld
Bij hun schaapjes met witte vachten.
Een engel heeft hun verteld,
Dat Jezus niet langer kan wachten
Want de wereld moet hersteld.

Wat herders en koningen hopen,
Het maakt gering verschil:
Men kan het geluk niet kopen,
Maar voor mensen van goede wil
Gaat de hemel eenvoudig open
En dan wordt alles stil.

Alleen wie het kwade begeren,
Die mogen niet binnen gaan,
De hemel is daar voor wie leren
De goedheid te verstaan;
Die de mensen door ons ontberen
Als wij hebben kwaad gedaan.

Door een woestijn van eeuwen
Vol boosheid en gevit
Rijden de drie kamelen
Waarop elk een koning zit.
Nu zal het wel gauw gaan sneeuwen
En dan wordt de wereld wit.
*Anton Van Duinkerken*

Ver in een land, heel ver en vreemd
is dit uur dood of haat
die de macht in handen neemt,
onze hoop verslaat.

Praat maar niet meer over vrede
Want je hart is koud.
Hoe lang is oorlog al geleden,
zijn je wapens oud?

Want ook bij ons, zo bij en dicht
is liefde vaak een woord
en het duister doodt het licht.
God wordt niet gehoord.

Laat ons niet te lang meer dralen,
want de tijd verkort
om onze weg nog te bepalen
voor het avond wordt.

Als gij dan komt, Heer, in de nacht
waar licht had kunnen zijn,
geef de warmte van uw kracht
aan de wereldpijn.

Doe ons van elkander houden,
leer ons mensen zijn,
zodat het huis waar wij aan bouwden
voor u klaar mag zijn.
*Jos Vanachter*

# Kerstlied

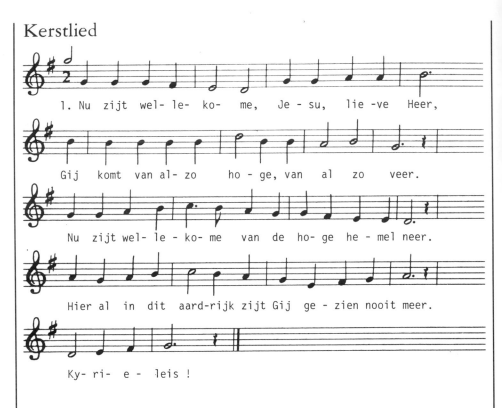

1. Nu zijt wel- le- ko- me, Je - su, lie -ve Heer,

Gij komt van al- zo ho - ge, van al zo veer.

Nu zijt wel- le - ko- me van de ho- ge he - mel neer.

Hier al in dit aard-rijk zijt Gij ge - zien nooit meer.

Ky- ri- e - leis !

## NU ZIJT WELLEKOME
Oud Nederlands lied - 1627

Christe, Kyrieleison. Laat ons zingen blij,
daarmeed' ook onze leisen beginnen vrij.
Jezus is geboren in de heilige kerstnacht
van een maged reine die hoog moet
zijn geacht. Kyrieleis!

D'herders op de velden hoorden
een nieuw lied:
dat Jezus was geboren, zij wisten 't
niet.

'Gaat aan geender straten en gij zult
Hem vinden klaar.
Betlem is de stede daar 't is ge-
schied, voorwaar', Kyrieleis!

D'heilige Driekoongen uit zo verre
land
zij zochten onze Here met of-
ferand.
Z'offerden ootmoedelijk mir,
wierook ende goud
't ere van den Kinde dat alleding
behoudt. Kyrieleis!

## Adventsacties

### Het wereldflatgebouw

Stel je eens voor dat de wereld een flatgebouw is met zes verdiepingen, en dat de wereldbevolking uit niet meer dan honderd mensen zou bestaan. Hoe zou die kleine wereld er dan uitzien?

In de bovenste drie verdiepingen wonen dan dertig mensen, die het bijna vanzelfsprekend vinden te beschikken over electrisch licht, koelkasten, TV-toestellen, auto's, meer dan genoeg en lekker eten. De kinderen hebben, even vanzelfsprekend, een warm bed en dikwijls een eigen kamer, rolschaatsen, een spelcomputer, fietsen en een overvloed aan speelgoed.

In de onderste drie verdiepingen wonen zeventig mensen, van wie de meesten niet genoeg te eten en evenmin een eigen bed hebben. De kinderen zijn er al blij met een stuk speelgoed dat 'die van hierboven' wegwerpen. De mensen in de bovenste helft van het huis zijn rijk. En alhoewel ze niet eens een derde van de huisbewoners uitmaken, maken ze aanspraak op tachtig procent (!) van wat er in het huis vervaardigd wordt. Voor veruit het grootste deel van de flatbevolking in de onderste helft van het huis blijft er slechts twintig (!) procent van de goederen over. Deze mensen zijn arm.

Wij in Nederland en Vlaanderen zijn rijk. De meesten van ons wonen in het bovenste gedeelte van het wereldflatgebouw. In Latijns-Amerika wonen erg weinig mensen boven. Het grootste deel van de bevolking leeft er onderaan, velen aan de rand van de hongerdood.
En ook in ons eigen land leven velen in doffe armoede.

### Vlaanderen: Welzijnszorg

Welzijnszorg heeft een drievoudig doel. Via een campagne in parochies, scholen en groepen wil Welzijnszorg mensen bewust maken van de grote noden die er in eigen land nog steeds bestaan ten gevolge van de sociale onrechtvaardigheid. Deze bewustmakingscampagne gaat vergezeld van een inzameling van giften ten voordele van tientallen sociale welzijnsinitiatieven in het Vlaamse land: opvanghuizen voor gehandicapten, buurtwerk, centra voor maatschappelijk werk, werking met gastarbeiders, projecten met kansarme jongeren, crisisopvangcentra, alfabetiseringsprojecten.

Ook op politiek vlak is Welzijnszorg werkzaam, onder meer door het geregeld innemen van politieke standpunten.

# ✦ SOLIDARIDAD

## 28 december
## Dag van de onschuldige kinderen

### Nederland: Solidaridad

De Interkerkelijke Actie voor Latijns-Amerika Solidaridad is een gezamenlijke activiteit van een groot aantal kerken in Nederland, waaronder de Rooms-katholieke kerk.

Door middel van een thema wordt de aandacht gericht op concrete situaties en wordt de Nederlanders gevraagd daarrond actie te voeren. Het gaat er in de actie Solidaridad om, bevrijding te realiseren. Daarvoor is financiële steun onontbeerlijk. Die gaat naar activiteiten van bewustwording, organisatie, informatie, onderzoek en documentatie, juridische bijstand, evangelisatie, verdediging van de mensenrechten en noodhulp in voorkomende gevallen. De mensen in Nederland wordt gevraagd solidair te zijn en hun steun te verlenen aan de initiatieven van Latijns-Amerikanen zelf. Kortom, de pogingen van kerken, groepen en personen in Latijns-Amerika om de mens daar in staat te stellen zelf vorm te geven aan zijn leven en samenleving, worden financieel ondersteund.

In de middeleeuwen, tot rond het begin van de veertiende eeuw, was deze dag een echt feest voor de kinderen: zij 'regeerden' toen in scholen en kloosters. Zij kozen een 'kinderbisschop' die het op die dag voor het zeggen had. En in de gezinnen zegden de kinderen aan ouders, broers en zussen in berijmde spreuken hun ongezouten mening.

De dag van de onschuldige kinderen herinnert aan de kindermoord in Betlehem door koning Herodes.

*Zodra Herodes bemerkte dat hij door de Wijzen om de tuin geleid was, ontstak hij in hevige toorn; hij zond zijn mannen uit en liet in Betlehem en heel het gebied daarvan al de jongens vermoorden van twee jaar en jonger, in overeenstemming met de tijd waarnaar hij de Wijzen nauwkeurig had gevraagd. Toen ging in vervulling het woord dat door de profeet Jeremia gesproken was: Een klacht werd in Rama gehoord, geween en luid gejammer: Rachel, wenend om haar kinderen, wil niet getroost worden, omdat zij niet meer zijn.*

*Mt. 2,16-18*

## Van oud naar nieuw

Deze dag is ook een gedenkdag voor alle kinderen, die voor Christus getuigenis hebben afgelegd en voor Hem gestorven zijn. Op sommige plaatsen bestaat de gewoonte op deze dag de kinderen en hun ouders te zegenen.

In herinnering aan het oude gebruik kunnen wij op 28 december onze kinderen een wens laten doen. Zij kunnen bepalen wat wij op die dag samen doen of samen zullen eten.

De jaarwisseling — de laatste dag van het oude en de eerste dag van het nieuwe jaar — wordt in de meeste gezinnen stemmig en feestelijk gevierd. Dat is een prachtige traditie. Van oudsher heeft het samen eten in de huiselijke kring een bijzondere betekenis gehad. Men heeft lang gedacht dat de mens 'tussen de jaren' bijzonder gevaar liep. De familie, met verwanten en vrienden, vormde daarom een kring rond de enkeling om hem te beschermen tegen binnendringende demonen. Daaruit komt een bekend gebruik voort: met vuurwerk en allerhande knaltuigen probeert men om middernacht die boze geesten te verdrijven.

Oudejaarsavond is een geschikt moment voor een terugblik op wat voorbij is. De bijzonderste gebeurtenissen van het jaar — geboorte, doopsel, eerste communie, eerste schooldag, verandering van school of werk, verlies van werk, huwelijk, ziekte, dood — worden in herinnering geroepen. Foto's, dia's, brieven, wenskaarten, bladen, prentbriefkaarten verlevendigen de terugblik.

Allicht vind je dan vele redenen om dank te zeggen aan ouders, aan kin-

deren, aan vrienden, aan God...
Om middernacht wordt de blik in de toekomst gericht. Wat zal het nieuwe jaar ons brengen aan vreugde en geluk, aan zorgen en lijden ? Mensen wensen elkaar geluk, gezondheid en een lang leven. En dat gaat nogal eens met een spetterend en vreugdevol vuurwerkje gepaard.

## Bij het begin van het jaar

Niet dat geen enkele wolk van smart over jou mag komen,
niet dat je toekomstig leven een lang pad van rozen zij,
niet dat je nooit een traan van spijt zou vergieten,
niet dat je nooit pijn zou voelen, neen, dat alles wensen wij je niet.
Tranen zuiveren het hart, smart maakt ons sterker,
pijn en nood brengen ons dichter bij de liefdevolle moeder van het Kind van Betlehem en geven ons de troost van haar glimlach.
Onze wens voor jou:
dat je voor altijd in je hart de herinnering bewaren mag van elke rijke dag die je gekend hebt;
dat je ieder uur een vriend mag hebben die je vriendschap waard is, die je vertrouwend de hand reiken kunt wanneer het moeilijk is;
en dat ieder uur van vreugde of leed,
de vredebrengende glimlach van het kerstekind met jou mag zijn en dat je dicht bij God mag blijven.

## Nieuwjaarswensje

Hipsehapse, hupsakee,
ik heb mijn beste wensen mee.
Met toeters en met bellen
kom ik je die vertellen.
Het oude jaar is weer voorbij,
er komt een nieuw voor jou en mij.
Het worde er eentje vol plezier
met vrede daar en vreugde hier.
Want pijn of ruzie en verdriet,
hemel nee, die wens ik niet.
Blozend, lachend en gezond
reizen wij het jaar dan rond.
Echt, het wordt weer reuzefijn
als wij dikke vrienden zijn.
          Je lieve kleuter...

## Vet- of oliebollen

*Nodig:*
*1/2 kg bloem - 30 g gist - 1/2 liter melk - 1 snuifje zout - 2 eieren - 2 eetlepels suiker - zeer zuiver frituurvet of olie.*

*Bereiding:*
Verwarm de melk tot ze lauw is en klop ze onder de bloem. Los de gist op met 1 eetlepel suiker en een weinig lauwe melk. Voeg bij de bloem. Meng er vervolgens de eierdooiers en het zout onder. Daarna het stijfgeklopt eiwit. Dek de kom af met een handdoek en laat het deeg gedurende maximum 1/2 uur rijzen op een warme plaats. Schep het deeg met een lepel (vooraf in

kokend water gedompeld om aankleven te voorkomen) in het hete frituurvet. Voorzichtig telkens één lepel deeg nemen en dicht tegen het frituurvet in het vet laten vallen. Keer ze gedurig om tijdens het bakken tot ze goudbruin gekleurd zijn. Laat verlekken in een vergiet. Leg ze daarna naast elkaar op een schotel. Bestrooi ze met poedersuiker en dien zeer warm op.

God, onze Vader,
bron van alle leven
en oorsprong van alle goed,
zegene u in het nieuwe jaar
en beware u in goede
gezondheid
naar lichaam en geest.
Amen.
Hij beware u
in het ware geloof,
in de onwrikbare hoop
en in het geduld
van de onwankelbare liefde.
Amen.
Hij ordene uw dagen
binnen zijn vrede;
Hij aanhore uw gebeden,
vandaag en altijd weer;
en op het einde van uw dagen
schenke Hij u het eeuwige
leven.
Amen.

## Zondag na 1 januari: Feest van de Openbaring des Heren (Driekoningen)

*Toen dan Jezus te Betlehem in Juda geboren was ten tijde van koning Herodes, kwamen er te Jeruzalem Wijzen uit het oosten en vroegen: 'Waar is de pasgeboren koning der Joden? Want wij hebben zijn ster in het oosten gezien en zijn gekomen om Hem onze hulde te brengen'.*

*Toen koning Herodes dit hoorde, werd hij verontrust en heel Jeruzalem met hem. Hij riep alle hogepriesters en schriftgeleerden van het volk bijeen en legde hun de vraag voor, waar de Christus moest geboren worden.*

*Zij antwoordden hem: 'Te Betlehem in Juda. Zo immers staat er geschreven bij de profeet: En gij, Betlehem, landstreek van Juda, gij zijt volstrekt niet de geringste onder de leiders van Juda, want uit u zal een leidsman te voorschijn treden, die herder zal zijn over mijn volk Israël.'*

*Toen ontbood Herodes in het geheim de Wijzen en vroeg hun nauwkeurig naar de tijd waarop de ster verschenen was. Daarop zond hij hen naar Betlehem met de opdracht: 'Ga een zorgvuldig onderzoek instellen naar dat Kind, en wanneer gij het gevonden hebt, bericht het mij dan, opdat ook ik het hulde kan gaan brengen.' Na de koning aanhoord te hebben vertrokken zij. En zie, de ster die zij in het oosten gezien hadden, ging voor hen uit totdat ze boven de plaats waar het Kind zich bevond stil bleef staan. Op het zien van de ster werden zij vervuld van overgrote vreugde. Zij gingen het huis binnen, zagen er het Kind met zijn moeder Maria en op hun knieën neervallend betuigden zij het hun hulde. Zij haalden hun schatten te voorschijn en boden het geschenken aan: goud, wierook en mirre. En in een droom van Godswege gewaarschuwd niet meer naar Herodes terug te keren, vertrokken zij langs een andere weg naar hun land.*

*(Mt. 2,1-12)*

## Korte geschiedenis van het feest

Het feest van de Openbaring des Heren is voor de kerken van het oosten — de orthodoxe christenen — een bijzonder feestelijke gebeurtenis, hun kerstfeest. Zij vieren de doop van Jezus. Na de plechtige viering trekken priesters en gelovigen in processie naar de doopvont. Daar smeekt de priester over het water de 'zegen van de Jordaan' af. De gelovigen scheppen water uit de doopvont en nemen het mee naar huis, als herinnering aan hun doopsel, maar ook als bescherming tegen demonen en als geneesmiddel tegen ziekten.

Anders dan de kerken uit het westen, die op deze dag de ontmoeting van de drie wijzen uit het morgenland met de pasgeboren Messias in het middelpunt van het feest plaatsen, vieren de kerken van het oosten minder het kind in de kribbe maar veel meer de Jezus, die na de doop in de Jordaan aan zijn openbaar optreden begint.

Iets van de grootheid van deze orthodoxe feestdag is sinds de laatste hervorming van de liturgie in de Rooms-katholieke kerk teruggekeerd. Op de zondag na het feest van de Openbaring wordt de doop van Jezus gevierd; een week later herinnert de evangelielezing aan het wonder van Jezus in Kana. En dat deze drie gebeurtenissen als Openbaring van God moeten begrepen worden, blijkt reeds duidelijk uit de uiterlijke tekenen ervan. Een wonderbaarlijke ster leidt de wijzen uit het morgenland veilig naar Betlehem. Bij de doop in de Jordaan noemt de stem vanuit de hemel Jezus de 'geliefde Zoon'. Bij de bruiloft in Kana geeft Jezus zelf door een wonder te kennen dat Hij de gezonden Messias is.

Dat deze drie gebeurtenissen 'theofanie' of 'epifanie' worden genoemd, heeft zijn oorsprong niet alleen in het christendom. De Grieken noemden iedere ontmoeting met een van de goden 'theofanie' en de Romeinen beschreven het bezoek van de keizer, die als God vereerd werd, in een van de veraf gelegen provincies als epifanie. Beide namen werden door de christelijke kerken aan de verschijning van Jezus gegeven: Hij en geen andere is de werkelijke openbaring.

## Feest van Driekoningen

De kerk van het westen heeft van deze drievoudige oorsprong van het feest eigenlijk alleen de openbaring van de pasgeboren Messias aan de wijzen uit het oosten in de herinnering vastgehouden. Het evangelie spreekt echter niet van koningen, en zegt ook niet dat het er drie waren. Driekoningen is een typische benaming van het volk. In de 9de eeuw werden de drie koningen voor het eerst met name genoemd: Gaspar, Melchior, Balthazar. Zij werden als vertegenwoordigers van de drie mensenrassen en van de drie toen bekende werelddelen aangezien. Volgens een oude overlevering werden in de 4de eeuw de relikwieën van de drie wijzen gevonden en in Milaan bewaard. In 1164 schonk keizer Barbarossa de beenderen aan de aartsbisschop van Keulen. Die liet daarop door de beroemdste goudsmid van zijn tijd het kostbare driekoningenschrijn vervaardigen, dat vandaag nog in het priesterkoor van de dom van Keulen staat.

### Driekoningen zingen en volksfeest

Rond het feest van Driekoningen bestaan er van oudsher vele volkse gebruiken. Reeds in de vijftiende eeuw werden er volkse spelen en optochten georganiseerd van aan de Alpen over Duitsland tot in Vlaanderen en Nederland.

Een aardig gebruik is, dat de kinderen op of rond het feest van Driekoningen, verkleed als Gaspar, Melchior en Balthazar, van huis tot huis driekoningenliederen gaan zingen. De toehoorders bedenken hen dan met wat zakgeld of snoep. Er zijn hier en daar aanzetten om de opbrengst van dit 'sterzingen' — de koningen dragen meestal een ster bij zich — gezamenlijk te besteden aan een ontwikkelingsproject.

Een ander gebruik is in vele gezinnen ook nu nog in zwang: wie een boon vindt in zijn koek of oliebol, mag die dag koning zijn en het menu samenstellen.

In sommige streken in Vlaanderen is dit Driekoningenfeest uitgegroeid tot een carnavalesk, uitbundig volksfeest.

1. Wij ko - men van Oos - ten, wij ko - men van ver, A la ber-
li - ne pos-til - jon ! Wij zijn er drie ko - nin - gen
met een ster, A la ber - li - ne pos - til-jon. Van cher a-
mi, tot in de knie : Wij zijn drie ko - nings- kin - de -ren. Sa,
pa -ter trok naar Ven - de - lo, van cher a - mi !

**A la berline postiljon!**

2. Gij sterre, gij moet er zo stille niet staan,
A la berline postiljon !
Gij moet er met ons naar Betlehem gaan,
A la berline postiljon.
Van cher ami, tot in de knie... enz.

3. Te Betlehem in die schone stad,
A la berline postiljon !
Maria met haar klein kindeken zat;
A la berline postiljon.
Van cher ami, tot in de knie... enz.

4. En 't kindeken heeft er zo lange geleefd,
A la berline postiljon !

Dat 't hemel en aarde geschapen heeft.
A la berline postiljon !
Van cher ami, tot in de knie... enz.

5. Ja hemel en aarde en dan nog meer,
A la berline postiljon !
Dat is een teken van God den Heer.
A la berline postiljon.
Van cher ami, tot in de knie... enz.

6. Wij hebben gezongen al voor dit huis,
A la berline postiljon !
Geef ons een penning, dan gaan we weer naar huis.
A la berline postiljon.
Van cher ami, tot in de knie... enz.

## De legende van de vierde koning

Naast Gaspar, Melchior en Balthazar was er nog een vierde koning uit het oosten op weg gegaan om de ster te volgen, die hem naar het goddelijk kind zou leiden. Zijn naam was Coredan. Hij had drie waardevolle rode edelstenen meegenomen. En hij had met de drie andere koningen een welbepaalde ontmoetingsplaats afgesproken.

Onderweg kwam het rijdier van Coredan echter ten val en werd kreupel. Hij kwam nog slechts traag vooruit. En toen hij bij de hoge palm aankwam, stond hij er alleen. In de stam van de boom stond een korte boodschap gegrift: de drie andere koningen zouden hem in Betlehem opwachten.

In gedachten verzonken reed Coredan verder. Tot hij plots aan de rand van de weg een kind zag. Het huilde bitter en bleek vrij ernstig gewond. Hij nam het op zijn paard en reed er mee terug naar het dorp waar hij het laatst was doorgekomen. Daar vond hij een vrouw die het kind wilde verzorgen. Hij nam een van de edelstenen uit zijn reistas, gaf hem aan de vrouw en zei: 'Geef het kind de beste zorgen'. Daarop reed hij verder, zijn vrienden achterna. Hij zag echter de ster niet meer. Die was aan de hemel verdwenen. Dus was hij aangewezen op mensen aan wie hij de weg kon vragen.

Op een dag verscheen de ster hem weer. Hij reed er achteraan. Zij voerde hem door een stad. Daar kwam hij een lijkstoet tegen. Achter de baar liep een vertwijfelde vrouw met haar kinderen. Coredan zag hun groot verdriet. Het was hun man en vader die naar het graf werd gedragen. Het gezin had vele schulden en na de begrafenis zouden de vrouw en de kinderen als slaven verkocht worden. Coredan nam de tweede edelsteen, die eigenlijk voor de pasgeboren koning bedoeld was, en gaf hem aan de vrouw. 'Betaal wat je schuldig bent en koop een huis met tuin en akkergrond, zodat jullie een eigen thuis hebben'. Hij keerde zijn paard en wilde weer de ster achterna. Maar die was andermaal verdwenen. Hij verlangde plots hevig naar het goddelijk kind en een diepe droefheid overviel hem. Was hij zijn roeping ontrouw geworden? Zou hij zijn doel nog wel bereiken? Dagen verkeerde hij in grote twijfel en onrust.

Toch verscheen de ster op een dag weer aan de hemel. Zij leidde hem door een vreemd land, waar een oorlog woedde. In een dorp hadden soldaten de boeren bijeen gedreven met de bedoeling ze af te slachten. Vrouwen en kinderen huilden en jammerden. Vertwijfeld en vol afschuw keek koning Coredan toe. Hij had nog slechts één edelsteen om weg te geven. Maar zou hij dan met lege handen voor de koning van de mensen verschijnen?

Wat zich voor zijn ogen afspeelde was echter zo afgrijselijk dat hij niet lang aarzelde. Met bevende handen nam hij zijn laatste steen, kocht daarmee de mannen vrij van de dood en spaarde het dorp van de verwoesting. Zijn vreugde hierom was echter van korte duur. Want hoe hij met de ogen ook het firmament afspeurde, nergens was zijn ster nog te bekennen. Doelloos en in groot verdriet reed hij verder. Jarenlang zwierf hij rond. Hij raakte alles kwijt, zodat hij zelfs moest gaan bedelen. Niettemin bleef hij zwakkeren helpen en zieken verzorgen.

Op een dag kwam hij in een havenstad aan en zag daar hoe een man weggevoerd werd uit zijn gezin om als strafgevangene op een galeischip te gaan werken. Coredan smeekte de man vrij te laten en bood zelfs aan zijn plaats in te nemen... wat prompt aanvaard werd. De vernedering was groot toen hij in de ketens werd vastgeklonken. Maar er was geen ontkomen aan. Het was tenslotte zijn eigen keuze.

Jaren gingen voorbij, zoveel dat hij ze vergat te tellen. Het slavenwerk viel hem steeds zwaarder. En mede door het gebrek aan elementaire verzorging kwijnde hij langzaam weg.

Hij was oud en had reeds alle hoop opgegeven, toen op een dag gebeurde wat hij niet meer had durven dromen: hij werd vrijgelaten. Aan de kust van een vreemd land werd hij aan wal gezet.

De nacht daarop droomde hij van zijn ster en van de tocht die hij als jonge man had ondernomen toen hij op zoek ging naar de koning der mensen. En in zijn droom hoorde hij plots een stem: 'Sta op en vertrek. Haast je !' Hij opende de ogen en zag aan de hemel weer zijn ster, schitterender dan ooit. Meteen ging hij op stap en volgde haar. Zij voerde hem tot bij de poort van een grote stad. Daar werd hij opgenomen in een massa van opgewonden mensen, die de stad uittrokken tot buiten de muren. Een beklemmende angst maakte zich daar van hem meester. Op een heuvel stonden drie kruisen opgericht. Boven het middelste kruis bleef zijn ster staan. Daar schitterde ze nog éénmaal in felle glans en verdween toen, voorgoed. Direct daarop flitste er een bliksemstraal uit de hemel die de oude man ten gronde wierp. In doodsangst kreunde hij: 'Moet ik dan toch sterven zonder u gezien te hebben? Ben ik dan toch tevergeefs als een pelgrim door steden en dorpen getrokken om u te vinden, Heer?' Hij sloot de ogen en voelde zijn levenskrachten langzaam wegtrekken.

De man aan het kruis keek hem aan met een blik waaruit goedheid en liefde spraken. En hij zei: 'Coredan, jij hebt mij getroost toen ik bedroefd was, en gered toen ik in levensgevaar verkeerde; jij hebt mij gekleed toen ik naakt was'. Toen slaakte hij een luide kreet en gaf de geest.

Een diepe innerlijke rust daalde over Coredan. Hij wist het nu zeker: 'Dit is de koning van de wereld, de man die ik al die jaren heb gezocht'.

*Naar een oude Russische legende*

## Zo spreekt de Heer

1. Zo spreekt de Heer die ons ge - scha- pen heeft :

"Wat durft dat volk Mij nog te vra - gen.

Dat volk dat vast maar toch in twee-dracht leeft,

Wat durft dat volk Mij nog te vra - gen.

# Vasten- en Paastijd

Die in zak en as ge - ze - ten,

twis-tend mijn ge- bod ver - ge - ten ?

Denkt gij dat Ik om dat vas - ten geef,

mijn volk,wat durft gij Mij te vra - gen !"

## Zo spreekt de Heer

Zo spreekt de God die alles weet en ziet:
'Ik durf uw vasten niet vertrouwen.
Als gij de zwervers niet uw woning biedt,
durf Ik uw vasten niet vertrouwen.
Schenk uw brood aan de geboeiden,
schenk uw troost aan de vermoeiden.
Anders hoor Ik naar uw smeken niet
en durf uw vasten niet vertrouwen'.

En Jezus sprak: 'Bemint uw vijand ook'.
Heer God,
wij staan voor U verlegen.
'Vergeeft het kwaad, zo doet mijn Vader ook'.
Heer God,
wij staan voor U verlegen.
'Want gij zijt ook zelf geschonden
door een menigte van zonden,
en mijn Vader, Hij vergeeft u ook'.
Heer God,
wij staan voor U verlegen.

En Jezus zegt: 'Mensen, verdraagt elkaar',
en Jezus' woord zal ons bevrijden.
'Vergeet uzelf en dient elkander maar',
en Jezus' woord zal ons bevrijden.
'Aan elkander prijsgegeven
vindt gij honderdvoudig leven'.
Jezus zegt: 'Mensen, bemint elkaar'.
En Jezus' woord zal ons bevrijden.
*Oosterhuis/B. Huijbers*

## Vastenavond, carnaval

*Vastenavond* komt van het Middelhoogduitse woord 'Vaselnacht'. In modern Duits komt daarmee 'faseln' overeen, wat kletsen, zeuren, zaniken betekent. Tot in de twaalfde eeuw werden daarmee de uitbundige zotheid bij het begin van de lente en de verdrijving van de wintergeesten gevierd.

Het gebruik van 'avond' of 'nacht' (Duits: Fastnacht) wijst op het oude Germaanse gebruik de dag te beginnen met de zonsondergang van de nacht ervoor. Zo wordt op vele plaatsen ook nu nog in de nacht voor Aswoensdag een stropop verbrand ter beëindiging van carnaval en als inzet van de eigenlijke vasten. Met de stropop wordt uiteraard niet de vreugde verbrand.

Sedert de twaalfde eeuw is dit gebeuren verschoven naar het begin van de vastentijd, meer bepaald de laatste drie dagen vóór Aswoensdag.

*Carnaval* komt waarschijnlijk van 'carrus navalis', letterlijk 'scheepskar', het watervoertuig waarmee, volgens het heidens volksgeloof, de vruchtbaarheidsgoden weer hun intocht deden. Misschien komt daarvan nog de scheepsvorm voort, die de meeste carnavalswagens vertonen.

Een andere mogelijke oorsprong is 'carne vale', wat letterlijk zoiets betekent als 'vlees, hou je goed'. Verwijzing naar de vastentijd waarin geen vlees mocht gegeten worden?

Vastenavond, carnaval... vinden hun oorsprong in een middeleeuwse feestdag: het Narrenfeest. Dit werd gevierd ofwel rond 1 januari, ofwel bij het begin van de vastentijd. Elders trokken vrome priesters en notabele burgers met maskers getooid door de straten, zongen hun liederen en maakten zich vrolijk over God en wereld. Dikwijls trokken studenten gewaden aan van hun oversten of van vorsten en bisschoppen en lachten en spotten met gebruiken binnen kerk en vorstenhuis. Er was zelfs zoiets als een 'spotkoning' of een 'narrenbisschop' die het hele feest voorzat. Zelfs de hoogstgeplaatste personen mochten verwachten bij deze gelegenheid voor de feestvierders een mikpunt van spot te zijn.

Vooral onder christenen was dit feest ruim verspreid. Daarin wordt duidelijk dat de vreugde een grondhouding van de christen is, en dat binnen die vreugde de menselijke maatstaven eens lustig op hun kop gezet kunnen worden. De ons bekende wereldorde is tenslotte ook niet het einde. Zo kan dit vrolijke feest ook het evangeliewoord illustreren dat de

laatsten de eersten en de kleinen groot zullen zijn.

Narrenfeest betekent ook vandaag nog: eens rustig met jezelf en met de anderen kunnen lachen en niet in treurnis en zorgen vergaan. Of zoals in het Oude Testament te lezen staat:

*Geef u niet over aan droefheid*
*en kwel u niet met uw tobberijen.*
*Blijheid van hart doet een mens leven*
*en een vrolijke man leeft lang.*
*Zoek afleiding voor uw zorgen*
*en troost uw hart*
*en jaag de droefheid ver van uw weg.*
*Want door droefheid zijn velen te*
*gronde gegaan*
*en zij dient tot niets.*
*Jaloezie en toorn verkorten het leven*
*en kommer maakt iemand oud vóór de*
*tijd.*
*Sir. 30,21-24*

Weinig dingen in het leven zijn bestand tegen de ernst van de humor.

Heer,
Geef ons een goede
spijsvertering
en ook iets om te verteren.
Geef ons gezondheid van
lichaam
en de wijsheid om ervoor te
zorgen
zoals het hoort.

Geef onze ziel een beetje
heiligheid
opdat wij nooit de droom
van goedheid verliezen.
Maak dat wij ons niet door de
zonde
laten afschrikken
maar de middelen vinden
om de orde te herstellen.

Geef ons een geest
die zich nooit verveelt
die niet mort
en zich niet laat verleiden tot
geklaag.

Laat niet toe dat wij
ons te veel bezighouden met
onszelf.
Geef ons zin voor humor,
Heer,
en de genade om scherts te
verstaan,
opdat wij op aarde wat geluk
kennen
en er geven aan anderen.

Amen.

*Thomas Morus (1478-1535)*

# Aswoensdag

*Ontdekken wat waardevol en
noodzakelijk is in het leven*

Er bestaat een heel ernstig spel:
'Wat zou ik meenemen, wat zou ik
absoluut nodig hebben om te blijven leven, als ik me zou moeten
beperken, als het erom ging te blijven bestaan?' De vastentijd zou
zoiets kunnen zijn, voor het geval
dat dit spel ernst zou worden.
Nog een andere gedachte is bepalend voor Aswoensdag: we worden
aan de dood herinnerd. Met het teken van het askruisje wordt de dood
zondermeer als 'merkteken' op ons
voorhoofd gedrukt. Gisteren nog
de drukte en de uitgelatenheid van
carnaval met al zijn klatergoud en
zijn illusies, en nu wordt ons plotseling gezegd: 'Bedenk, mens, dat
ge stof zijt en tot stof zult wederke-
ren'.
Stel je eens voor, dat er dagelijks
(zoals vroeger in kloosters) iemand
in opdracht van je baas naar je toe
komt om je mee te delen: 'Denk er
aan, wat je doet hoeft eigenlijk niet
en is in de grond van de zaak helemaal niet zo belangrijk. Spoedig zal
je helemaal niet meer bestaan. Dan
is iemand anders op je plaats net zo
goed'.

Zou je dat kunnen verdragen en verwerken?
Het askruisje richt onze ogen op de ontoereikendheid en de begrenzingen van ons leven. Het kruisteken wijst ons echter tegelijk op ons geloof en onze hoop dat uit onze tekortkomingen nieuw leven kan ontstaan — als wij bereid zijn óm te keren.

## Het askruisje

As is teken van menselijke gebrekkigheid en sterfelijkheid, maar ook teken van nieuw leven. In vroegere tijden werd met as gewassen: as heeft de kracht om te reinigen. Op de akkers worden ook nu nog de stoppels van het koren verbrand: as maakt de grond vruchtbaar.
As werd bij zondaars op het hoofd gestrooid: as reinigt van schuld en geeft kracht tot nieuw leven.
De as voor het opleggen van het askruisje wordt gemaakt van de verbrande palmtakjes van het vorig jaar; ze wordt door de priester gezegend. Zo wordt deze as voor ons tot teken van de weg van de dood naar nieuw leven.
De takjes van jubel en vreugde moeten verbrand worden, door de dood heengaan, om tot teken te worden van het kruis, de dood en de verrijzenis.
Het grondakkoord van de hele vastentijd klinkt in de teksten van de Aswoensdagliturgie steeds weer door:

'Keer tot Mij terug van ganser harte!'
Joël 2,12

'Laat u met God verzoenen!'
2 Kor. 5,20

'Bekeert u en geloof in de Blijde Boodschap'
Mc 1,15

Ommekeer, verzoening en geloof worden werkelijkheid door:

## Gebed - vasten - aalmoezen

Dit zijn voor ons vanouds bekende begrippen; misschien wel al te bekend, zodat we er niet veel meer mee kunnen beginnen. Het valt dan ook wel eens voor dat tussen de luim van carnaval en de vreugde van Pasen de ernst van vasten en boete gewoon wordt overgeslagen. Nochtans gaat het om uiterst belangrijke uitdrukkingsvormen van ons geloof.

*Gebed*
Je leven vóór God brengen

o God danken voor alles wat je hebt, kunt en aan anderen te danken hebt

o God vragen je te aanvaarden met je tekorten en je wensen

o God loven en prijzen en Hem erkennen als oorsprong en behoeder van al het goede

Gebed is sprekend geloof.

389

De vastentijd is een kans en een oproep om uitdrukkelijker in de geest van Jezus van Nazaret te leven, om bewuster Gods liefde te beantwoorden. Dat kan onder meer door je persoonlijk gebedsleven beter te verzorgen, en door extra aandacht te geven aan het gezins- of gemeenschapsgebed. In het gezin kan bijvoorbeeld afgesproken worden om tijdens de vasten ten minste één maal per dag (morgen-, avond- of tafelgebed) *bijzondere* aandacht te besteden aan een gezamenlijk gebed.

De veertigdagentijd biedt ook nog andere kansen om je christen-zijn wat meer diepgang te geven: eens rustig een stukje uit de bijbel lezen; een vastenpredikatie beluisteren; deelnemen aan een bezinningsdag, een retraite, een meditatie, een kruiswegoefening; de rozenkrans bidden. Het is ook een geschikte tijd om het sacrament van de biecht te ontvangen en om de deelname aan de vieringen van de eucharistie bijzonder te verzorgen.

## Vasten
Je leven herdenken en herinrichten

o 'Eigenlijk zou ik mij wel een en ander kunnen ontzeggen. Veelal zoek ik toch maar genot zonder er bij na te denken, uit gewoonte. Als ik nu eens wat minder geld uitgaf aan... ?'
o 'Ik ga te vanzelfsprekend mijn eigen gangetje zonder veel om de

anderen te geven. Als ik nu eens wat attenter omging met... ?'
o 'Ik zou mijn dag beter kunnen indelen. Dan krijg ik misschien wat meer tijd voor... ?'
Vasten is je iets kunnen ontzeggen. Vasten blijkt overigens iets universeels te zijn: iedere godsdienst kent het onder een of andere vorm (veertigdagentijd, ramadan, Jom Kippoer...).

Het is niet slecht om je bewust te zijn van je eigen honger. Daarom kun je ook op de werkdagen tijdens de vasten echt 'vasten'. Wie dat niet aankan, zou zichzelf toch ten minste moeten beperken in eten, drinken, roken, TV kijken...
En party's, dansavonden en andere dergelijke genoegens, kunnen wel even wachten tot na Pasen.
Door een dergelijke onthechting ga je wat vrijer staan tegenover jezelf met je wensen en behoeften, tegenover de mensen waarmee je samenleeft, tegenover God.
Een dergelijke houding van onthechting en van beperking in consumptie, zou wel eens van levensbelang kunnen zijn voor de toekomst van de wereld, van de mensheid. Als afzonderlijke christenen en als gelovige gemeenschap kunnen wij door bewust te vasten daarin een voorbeeld stellen.

*Aalmoezen*
Je leven delen
o Niet onverschillig blijven voor de nood en de zorgen van anderen
o Wat je jezelf ontzegt, aan anderen geven
o Niet alleen delen, maar ook afgeven, geheel wegschenken
Weggeven wat je hebt is je geloof echt ernstig nemen.

Vanouds hebben christenen het delen met de armen als een bijzondere zin van de vasten gezien. Vandaag kan dat betekenen: ieder christen moet, naar godsvrucht en vermogen, elk jaar een voor hem voelbaar financieel offer brengen voor hongerenden en noodlijdenden in deze wereld. Meer nog dan anders in het jaar moeten christenen zich in de veertigdagentijd bekommeren om mensen, die naar lichaam of geest in nood verkeren: gewetensgevangenen, zieken, gehandicapten, bejaarden, slachtoffers van uitbuiting, sociaal misdeelden, moedeloze, wanhopige, radeloze mensen... In hen komt Christus je tegemoet.

# Suggesties om samen wat te doen

## De moed hebben om gewoon iemand uit te nodigen

Als we iemand uitnodigen hebben we vaak het gevoel dat we ons 'iets op de hals halen': het huis moet er netjes bijliggen, wat zetten we de gast voor en waarover zullen we praten...? En worden we zelf uitgenodigd, dan voelen we ons direct verplicht, uit burgerlijke beleefdheid, de ander op zijn beurt op visite te vragen.
Nodig eens, zomaar, iemand uit, zonder speciale aanleiding. Geef de mensen het gevoel dat ze bij je 'thuis' zijn in plaats van 'op bezoek'. En loop zelf eens gewoon binnen bij een ander; er is veel kans dat die daar blij mee is.

## Hongermaal

Hier en daar groeit in parochies, christelijke verenigingen, caritatieve groeperingen... de mooie traditie om elk jaar tijdens de vasten, een zogenaamd 'hongermaal' te organiseren. Dit is een bewust sober gehouden maaltijd, die in het teken staat van christelijke soberheid en mededeelzaamheid en van het wereldwijde hongerprobleem. Veelal

gaat een dergelijke maaltijd, die overigens gezellig verloopt, gepaard met bezinning, een of andere vorm van collecte, veelzijdige informatie over ontwikkelingslanden.

## Een hongerdoek bekijken of samenstellen

De oorsprong van hongerdoeken ligt in de 11de eeuw. Bij het begin van de vastentijd werd de ruimte, waarin het altaar staat, door een voorhangsel van het schip van de kerk afgescherm. Men sprak over een 'vasten voor de ogen'. Later werden de hongerdoeken kleiner en met afbeeldingen uit het lijdensverhaal beschilderd.
o Hangt er tijdens de vastentijd een hongerdoek in je kerk, probeer dan de afbeeldingen te verstaan en te duiden.
o Je kan ook een eigen gezins-

hongerdoek samenstellen. Daarvoor heb je een stuk wit beddelaken nodig. Er kunnen bijbelse of andere taferelen op geschilderd of gebatikt worden. Je kan er ook figuren op aanbrengen met papier of kleine lapjes textiel.

## Het kruis — teken van onze verlossing

Het kruis is het teken van ons heil en onze redding. Als dusdanig staat het centraal in de boetetijd die aan Pasen voorafgaat.
— Je kan tijdens de veertigdagentijd met je gezin een kruisweg meemaken, in de kerk of in de open lucht als daar de kans toe is. Dit wordt zeker een aparte belevenis.
— Een andere mogelijkheid is met het gezin een kruis-'tocht' te ondernemen. In en rond de kerken in je buurt ga je op zoek naar afbeeldin-

gen van het lijden van Jezus.

— Thuis zelf kunnen ouders en kinderen samen een kruis maken voor de eigen woning: van hout, gebakken klei, mozaïeksteentjes of gewoon door enkele prenten samen te voegen.

## In het gezin over God spreken

o Spreken over God doe je zoals je bent: zoekend en vragend, moedeloos en onzeker, dankend en zingend...

o Spreken over God is ook spreken over je schuld, je tekortkomingen, je angst en je aarzeling...

o ... over je medemensen, hun vreugde, hun geluk.

o Spreken over God is spreken over zijn nabijheid, over de diepste reden van je genegenheid en je liefde.

# Levenswijsheden uit landen van de derde wereld

o Er zijn mensen die vissen vangen en er zijn mensen die alleen maar het water troebel maken.
*uit Iran*
o Het is beter een licht aan te steken dan de duisternis te vervloeken.
*uit Afrika*
o De glimlach die je iemand schenkt, keert naar je terug.
*uit India*

o Als iemand op zijn eentje droomt, blijft het maar een droom. Als velen gezamenlijk dromen, wordt dit het begin van een nieuw leven.
*uit Brazilië*
o Wie grote honger heeft, eet de aardappelen met de schil.
*uit Haïti*
o Het is het hart dat geeft, de vingers stoppen de ander maar wat toe.
*uit Afrika*
o Wie geen tijd heeft voor anderen, is armer dan een bedelaar.
*uit Nepal*
o Men kan de tranen van wenenden niet drogen zonder zijn handen nat te maken.
*uit Zuid-Afrika*

## De liturgie van de veertigdagentijd

De evangelieverhalen op de zondagen van de veertigdagentijd weerspiegelen de 'spannende' weg van de geschiedenis van God met ons, en daarmee tegelijk onze eigen weg. Ook hier tussen ritme en spanning is er
— vertrek en doel
van ontbering en zegen
van lijden en vreugde
van dood en leven
van onthouding en overvloed
van diepten en hoogten
van dorst en water
van donker en licht
van menselijke schuld en goddelijke verlossing.
In het kerkelijk jaar staat de verrijzenis van Jezus Christus op Pasen centraal. De apostel Paulus brengt dit in zijn eerste brief aan de gemeente van Korinte op de volgende manier onder woorden:

*'Als er geen opstanding van de doden bestaat, is ook Christus niet verrezen. En wanneer Christus niet is verrezen, is onze prediking zonder inhoud en uw geloof eveneens'.*
1 Kor. 15,13-14

De vastentijd voert ons door 40 dagen naar deze kern van ons geloof.

o 40 dagen en nachten duurde de zondvloed
o 40 jaren trokken de Israëlieten door de woestijn voordat ze het beloofde land bereikten
o 40 dagen verbleef Mozes op de berg Sinaï
o 40 dagen lang daagde de Filistijn Goliat de Israëlieten uit totdat David tegen hem ten strijde trok
o 40 dagen had de profeet Elia nodig om door de kracht van brood en water naar de heilige berg Horeb te trekken
o 40 dagen lang predikte Jona boete in de stad Ninive
o 40 dagen lang vastte Jezus in de woestijn en werd toen door de duivel bekoord
o 40 dagen lang verscheen Jezus na zijn opstanding aan de leerlingen en sprak met hen over het Rijk Gods.

Het getal 40 heeft in de heilige Schrift een bijzondere betekenis. Het is het getal van de verwachting, van de voorbereiding, van boete en vasten.
In een 40-daagse 'paasboetetijd' moeten de gemeenten en de afzonderlijke gelovigen zich bezinnen op de kern van hun geloof. Zij moeten het leven, lijden en sterven van Jezus in onze tijd, ieder jaar opnieuw mee beleven en in de eucharistie vieren. De evangelies op de zon-

dagen van deze voorbereidingstijd maken ons in de drie 'liturgische jaren' (A-B-C) vertrouwd met beslissende situaties van de levensweg van Jezus.

## De liturgische jaren

De gewoonte van de Joden om bij de eredienst teksten van het Oude Testament te lezen, werd in de vroegchristelijke gemeenten gehandhaafd. Stilaan ging men ook voorlezen uit de 'leer van de apostelen' (Hand. 2,42), met bijzondere aandacht voor de herinnering aan Jezus en aan zijn woorden en daden, die overigens spoedig ook in de evangelies te boek werden gesteld. Zo ontstond er mettertijd een schema van woorddienst. Ieder jaar werden de lezingen en de evangelies herhaald.

Volgens de beschikkingen van het tweede Vaticaans concilie moesten van toen af meer teksten uit het Oude en Nieuwe Testament in de loop van een langere tijd voorgelezen worden. De leesvolgorde, die in 1969 voor de zondag werd ingevoerd, strekt zich uit over telkens drie jaar en kent drie onderscheiden gedeelten (liturgische jaren A-B-C). Zo worden nu de bijbelteksten die tijdens de woorddienst bij de eucharistieviering voorgelezen worden, om de drie jaar herhaald.

# Eerste zondag in de veertigdagentijd

## 'De woestijn ingaan'

Jezus moet vóór zijn openbaar optreden, vóór Hij de boodschap van zijn Vader, het Rijk Gods, verkondigt, de woestijn in.

> 'Vervuld van de heilige Geest ging Jezus weer weg van de Jordaan: Hij werd door de Geest naar de woestijn gevoerd, waar Hij veertig dagen verbleef en door de duivel op de proef werd gesteld. Gedurende die dagen at Hij niets en toen ze voorbij waren, kreeg Hij honger'.
> Lc. 4,1-2

In de woestijn, het oord van eenzaamheid, van beslissing en Godservaring, wordt Jezus op de proef gesteld: zal Hij andere mogelijkheden om te leven aangrijpen dan die Hem door zijn Vader zijn opgedragen ?

Het evangelie is in de drie liturgische jaren het verhaal van de bekoring van Jezus, dat ons in drie versies wordt verteld.

Liturgisch jaar A - Mt. 4,1-11
Liturgisch jaar B - Mc. 1,12-15
Liturgisch jaar C - Lc. 4,1-13

### De woestijn weent

Een missionaris slaat het vreemde gedrag van een bedoeïen gade. Steeds weer opnieuw gaat die languit op de grond liggen en drukt zijn oor in het zand van de woestijn. Verbaasd vraagt de missionaris hem: 'Wat doe je daar toch eigenlijk ?' De bedoeïen staat op en zegt: 'Vriend, ik luister hoe de woestijn weent: ze zou graag een tuin willen zijn'.
*Een oud Afrikaans verhaal*

## Tweede zondag in de veertigdagentijd

### 'Onderweg naar het land van belofte'

In het verhaal over de verheerlijking van Jezus op de berg Tabor wordt een glimp zichtbaar van het land van belofte.

*'Jezus nam Petrus, Jakobus en diens broer Johannes met zich mee en bracht hen boven op een hoge berg, waar zij alleen waren. Hij werd voor hun ogen van gedaante veranderd: zijn gelaat begon te stralen als de zon en zijn kleed werd glanzend als het licht. Opeens verschenen hun Mozes en Elia, die zich met Hem onderhielden. Petrus nam het woord en zei tot Jezus: Heer, het is goed dat we hier zijn. Als Gij wilt zal ik hier drie tenten opslaan, een voor U, een voor Mozes en een voor Elia'.*
Mt. 17,1-4.

De leerlingen, op de eerste plaats Petrus, stonden op het punt te bezwijken voor de 'bekoring van de verheerlijking'. Zij willen graag op de berg, hun land van belofte, blijven; niet meer naar beneden naar het lage niveau van het alledaagse leven. Maar Jezus rukt ze weg uit hun illusies. Ze zijn onderweg, nog niet aan het einddoel. De weg leidt eerst door kruis en dood naar de verrijzenis.

De verheerlijking van Jezus in de drie liturgische jaren:

Liturgisch jaar A - Mt. 17,1-4
Liturgisch jaar B - Mc. 9,2-10
Liturgisch jaar C - Lc. 9,28-36

Uit de dorpen en de steden
  zijn wij onderweg naar U
Uit de dalen en de bergen
  zijn wij onderweg naar U
Met de lijdende broeders
  zijn wij onderweg naar U
Met de lachende kinderen
  zijn wij onderweg naar U
Als bouwers aan de vrede
  zijn wij onderweg naar U
Als boden van de gerechtigheid
  zijn wij onderweg naar U
Als getuigen van uw liefde
  zijn wij onderweg naar U
Als leden van uw kerk
  zijn wij onderweg naar U
Als wij het brood delen
  zijn wij onderweg naar U
Als wij de zwakken
ondersteunen
  zijn wij onderweg naar U
Als wij voor de vervolgden
bidden
  zijn wij onderweg naar U
Als wij het heilig offer vieren
  zijt Gij bij uw volk.
*Kerstlied uit Zuid-Amerika*

# Derde zondag in de veertigdagentijd

## *'Vóór de beslissing'*

In de drie liturgische jaren horen we op deze — evenals op de twee volgende zondagen — verschillende verhalen. Toch hebben ze iets gemeenschappelijks: Jezus stelt ons duidelijk vóór een beslissing.
Jezus zegt tot de vrouw bij de Jakobsput:

*'Iedereen die van dit water drinkt, krijgt weer dorst, maar wie van het water drinkt dat Ik hem zal geven, krijgt in eeuwigheid geen dorst meer; integendeel, het water dat Ik hem zal geven, zal in hem een waterbron worden, opborrelend tot eeuwig leven'.*
Joh. 4,13-14

In het gesprek met de vrouw bij de Jakobsput, bij de reiniging van de tempel en in de gelijkenis van de onvruchtbare vijgeboom worden het geduld, maar ook de vastberadenheid van Jezus duidelijk: wij, mensen, kunnen wel schuldig worden, we kunnen wel dwalen, toch is het vereist dat wij vruchten dragen. Wij moeten ons uitspreken vóór Hem en mogen dan van zijn belofte

## Vierde zondag
## in de veertigdagentijd

### 'Licht uit de duisternis'

Centraal in de evangelieteksten staan mensen die blind zijn of blind waren, maar aan wie door Jezus het licht aangeboden en gegeven wordt.

zeker zijn, dat Hij ons water geeft, dat eeuwig leven schenkt.

Liturgisch jaar A - Joh. 4,5-42 (het gesprek bij de Jakobsput)
Liturgisch jaar B - Joh. 2,13-25 (de reiniging van de tempel)
Liturgisch jaar C - Lc. 13,1-9 (de gelijkenis van de onvruchtbare vijgeboom).

*'Ieder die slecht handelt, heeft een afschuw van het licht en gaat niet naar het licht uit vrees dat zijn werken openbaar gemaakt worden. Maar wie de waarheid doet, gaat naar het licht, opdat van zijn daden moge blijken dat zij in God zijn gedaan'.*
*Joh. 3,20-21*

*'Wij moeten de werken van Hem die Mij gezonden heeft, verrichten zolang het dag is. Er komt een nacht en dan kan niemand werken. Zolang Ik in de wereld ben, ben Ik het licht van de wereld'.*
*Joh. 9,4-5*

Bij de genezing van de blindgeborene opent Jezus hem niet alleen de ogen van het lichaam, maar ook de ogen van het geloof. — In het gesprek met Nicodemus biedt Jezus zichzelf aan als het licht dat redding en waarheid brengt. — De barmhartige vader geeft zijn zoon de vrijheid om naar het donker van de wereld te trekken; maar na zijn ommekeer mag hij verder leven in het licht van de vader, met meer gaven overladen dan tevoren.

De teksten in de drie liturgische jaren:
Liturgisch jaar A - Joh. 9,1-41 (genezing van de blindgeborene)
Liturgisch jaar B - Joh. 3,14-21 (gesprek met Nicodemus)
Liturgisch jaar C - Lc. 15,1-3; 11-32 (gelijkenis van de barmhartige vader)

## Nacht en dag

Een rabbi vroeg aan zijn leerlingen: 'Wanneer gaat de nacht over in de dag?' De eerste antwoordde: 'Als ik een huis van een boom kan onderscheiden'. 'Nee', antwoordde de rabbi. De tweede probeerde: 'Als ik een hond van een paard kan onderscheiden'.
'Nee', antwoordde de rabbi. En zo probeerden de leerlingen de een na de ander een antwoord te vinden op de gestelde vraag.
Tenslotte zei de rabbi: 'Als je het gezicht van een mens ziet en je ontdekt daarin het gezicht van je broer of je zus, dan is de nacht voorbij en is de dag begonnen'.
*Joodse legende*

# Vijfde zondag in de veertigdagentijd

## 'Sterven om te leven'

Met de 'Passiezondag' komt het lijden van Jezus op dramatische wijze nabij. Het zijn tenslotte stervens- en tegelijk verrijzenisverhalen, die wij op deze zondag in de drie liturgische jaren aantreffen.
In het verhaal van de opwekking van Lazarus openbaart Jezus aan de treurende mensen zijn macht ook over de dood. — In de gelijkenis van de graankorrel verklaart Hij de zin van zijn eigen leven: eerst door de dood draagt Hij rijke vrucht voor anderen.

*'Voorwaar, voorwaar, Ik zeg u: als de graankorrel niet in de aarde valt en sterft, blijft hij alleen; maar als hij sterft, brengt hij veel vrucht voort. Wie zijn leven bemint, verliest het; maar wie zijn leven in deze wereld haat, zal het ten eeuwigen leven bewaren'.*
*Joh. 12,24-25*

De overspelige vrouw, die volgens de joodse wet ter dood veroordeeld moet worden, wordt door Jezus niet veroordeeld. Haar wordt de kans gegeven voor een nieuw leven.

399

## Het lied van alle zaad

*Tekst: H. Oosterhuis*
*Muziek: Oud volkslied*

Wie als een god wil le -ven hier op aar - de

Wie als een god wil le- ven hier op aar - de

Hij moet de weg van al - le zaad

en zo vindt hij ge - na - de

en zo vindt hij ge - na - de.

Hij gaat de weg van alle aardse dingen
hij leeft het lot
met hart en ziel
van alle stervelingen.

Hij wordt aan zon en regen prijsgegeven
het kleinste zaad
in weer en wind
moet sterven om te leven.

De mensen moeten sterven voor elkander
het kleinste zaad
wordt levend brood
zo voedt de een de ander.

En zo heeft onze God zich ook gedragen
en zo is Hij
het leven zelf
voor iedereen op aarde.

*H. Oosterhuis*

De teksten in de drie liturgische jaren:
Liturgisch jaar A - Joh. 11, 1-45 (opwekking van Lazarus)
Liturgisch jaar B - Joh. 12, 20-33 (gelijkenis van de graankorrel)
Liturgisch jaar C - Joh. 8,1-11 (Jezus en de overspelige vrouw)

400

# Zesde zondag in de veertigdagentijd
# Palmzondag

## 'Jubelend van vreugde - ten dode bedroefd'

Jezus staat vlak vóór het einde. De laatste beslissing nadert. Hij is in Jeruzalem aangekomen. De mogelijkheid om door het volk als de door God gezonden Messias te worden aanvaard, ligt voor Hem. Maar dan slaat de triomfantelijke ontvangst binnen enkele dagen om in de kreet: 'Aan het kruis met Hem'.

*De mensen die Hem omstuwden, jubelden:*
*'Hosanna, Zoon van David. Gezegend de Komende in de naam des Heren! Hosanna in den hoge!'*
*Mt. 21,9*

*De landvoogd nam het woord en sprak tot hen: 'Wie van de twee wilt ge dat ik u vrijlaat?' Ze zeiden: 'Barabbas!' Pilatus vroeg hun: 'Wat zal ik dan doen met Jezus, die Christus genoemd wordt?' Zij riepen allen: 'Aan het kruis met Hem!'*
*Mt. 27,21-22*

Op Palmzondag horen we de beide verhalen, dat van de intocht in Jeruzalem en het lijdensverhaal. Het 'akkoord' van de 'paasboetetijd' is hier nog eens in zijn volle rijkdom te horen.

De teksten in de drie liturgische jaren:
Liturgisch jaar A -
Mt. 21,1-11 (intocht)
Mt. 26, 14-27,66 (passie)
Liturgisch jaar B -
Mc. 11,1-10 (intocht)
Mc. 14,1-16,47 (passie)
Liturgisch jaar C -
Lc. 19,28-40 (intocht)
Lc. 22,14-23,56 (passie)

## Christuslied

*Hij die bestond in goddelijke majesteit*
*heeft zich niet willen vastklampen aan de gelijkheid met God:*
*Hij heeft zich van zichzelf ontdaan en het bestaan van een slaaf aangenomen.*
*Hij is aan de mensen gelijk geworden.*
*En als mens verschenen*
*heeft Hij zich vernederd,*
*Hij werd gehoorzaam tot de dood,*
*tot de dood aan een kruis.*

*Daarom heeft God Hem hoog verheven*
*en Hem de naam verleend*
*die boven alle namen is,*
*opdat bij het noemen van zijn naam*
*zich iedere knie zou buigen*
*in de hemel, op aarde en onder de aarde,*
*en iedere tong zou belijden*
*tot eer van God, de Vader:*
*Jezus Christus is de Heer.*
*Brief aan de Filippenzen, 2,5-11*

## Vastenactie (Nederland)

## Om het recht van de zwaksten

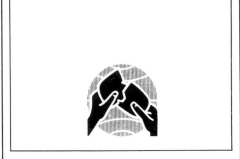

In 1961 is door de Nederlandse Bisschoppenconferentie de Bisschoppelijke Vastenactie opgericht. Dat was een gevolg van een nieuwe kijk op het vasten: versobering en onthechting in dienst van de medemens eerder dan in dienst van eigen zieleheil. Het betekent een opnieuw beleven en in de praktijk brengen van wat in de bijbel onder vasten wordt verstaan: 'Als jullie vasten, vast dan zo: maak de strakke banden los, verwijder het knellende juk, laat slaven in vrijheid gaan, bestrijd elke vorm van onderdrukking. Deel je brood met wie honger lijdt, haal armen en daklozen in huis, geef kleren aan wie naakt is, onttrek je niet aan de zorg voor je naaste' (uit Groot Nieuws Bijbel). Afgestemd op dit bijbels ideaal, wordt in de Vastenactie een tweeledig doel nagestreefd: geld inzamelen ter ondersteuning van ontwikkelingsactiviteiten in de Derde Wereld, met name op sociaal-economisch gebied; anderzijds is de actie gericht op groeiende bewustwording van de Nederlandse katholieken ten aanzien van dat streven naar rechtvaardigheid.

In de praktijk betekent dit: waterputten helpen aanleggen, onderwijs, alfabetisering, landbouwonderricht, verschaffen van landbouwmachines en -gereedschap, onderdrukten steun geven, vormings- en werkgelegenheidsprojecten...

Een decanaat of parochie krijgt een bepaald project toegewezen aan het begin van de vastentijd. In dat project wordt er naar gestreefd het verband zichtbaar te maken tussen de problemen van het project in de Derde Wereld en ons sociaal-economisch systeem. Zo wordt gewerkt aan materiële steunverlening en aan kritiseren van ons eigen gedrag en onze maatschappelijke verhoudingen. Dat is een hedendaagse wijze om gestalte te geven aan de innerlijke beleving van boetvaardigheid en bekering.

# Broederlijk Delen (Vlaanderen)

## Voor een rijk van gerechtigheid

Wat de Vastenactie is voor Nederland, is Broederlijk Delen zowat voor Vlaanderen:

o **Een bewustmakingsactie**

Broederlijk Delen wil de mensen het onrecht en de onderontwikkeling van de Derde Wereld leren *zien,* en brengt daarover informatie. Het wil hen daarenboven leren *oordelen* en poogt hen meer bewust te maken van hun verantwoordelijkheid ten opzichte van die problemen. Het stuurt ten slotte ook aan op *handelen* en wil iedereen die dat wil, aanzetten tot deelname bij het zoeken naar oplossingen.

o **Een solidariteitsactie**

Ook organiseert Broederlijk Delen een collecte en zamelt giften in om jaarlijks ongeveer 500 ontwikkelingsprojecten te ondersteunen. Naast deze financiële solidariteit vraagt en krijgt de Derde Wereld ook morele en politieke steun aan miskende mensenrechten van boeren die opkomen voor hun rechten op een stuk grond, gehandicapten voor hun erkenning, arbeiders die zich organiseren in een vakbond, Indianen en andere etnische groepen die hun recht op behoud van hun eigenheid doen gelden, de vrouw die wil uitstijgen boven haar traditionele positie, mensen die gevangen of gefolterd worden om hun opkomen voor de rechten van anderen...

o **Politieke beïnvloeding**

Broederlijk Delen wil allereerst de concrete mens helpen. Maar wanneer de machtsverhoudingen zo onrechtvaardig zijn dat een goede ontwikkeling aan de basis wordt geremd of onmogelijk gemaakt, dan probeert BD ook druk uit te oefenen op de verantwoordelijke instanties. Dit ligt volkomen in de lijn van de opdracht die de Belgische bisschoppen aan BD hebben gegeven.

o **Bijbelse inspiratie**

Christenen hebben op basis van hun geloof de permanente opdracht tot solidariteit met de mensen van de Derde Wereld. De vastentijd is een krachtige hefboom om gelovigen en kerkgemeenschap tot die solidariteit te bewegen.

## Het Zonnelied

van Sint-Franciscus van Assisi

Allerhoogste, almachtige,
goede Heer,
U zij de lof, de glorie,
de eer en alle zegening.

U alleen, Allerhoogste,
komen ze toe
en geen mens is waardig
U te vernoemen.

Geloofd zijt Gij, mijn Heer,
met al uw schepselen,
bijzonder voor Heer Broeder Zon:
hij maakt de dag en uit zichzelf
verlicht hij ons.
En hij is schoon en straalt
met grote glans:
van U, o Allerhoogste,
is hij het teken.

Geloofd zijt Gij, mijn Heer,
voor Zuster Maan en al de sterren,
die Gij geplaatst hebt aan de hemel,
helder, edel en schoon.

Geloofd zijt Gij, mijn Heer,
voor Broeder Wind,
voor lucht en wolk;
voor klare hemel
en voor elk soort weer,
waardoor Gij aan uw schepselen
onderhoud verschaft.

Geloofd zijt Gij, mijn Heer,
voor Zuster Water,
zo nuttig en deemoedig,
kostbaar en kuis.

Geloofd zijt Gij, mijn Heer,
voor Broeder Vuur,
waarmee Gij onze nacht verlicht.
Hij is schoon en blij,
krachtig en sterk.

Geloofd zijt Gij, mijn Heer,
voor onze Zuster Moeder Aarde,
die ons voedt en leidt
en velerlei vruchten voortbrengt,
met kleurige bloemen en gras.

Geloofd zijt Gij, mijn Heer,
voor wie vergeving schenken,
uit liefde tot U,
en ziekte en moeilijkheden dragen.

Zalig die alles in vrede doorstaan,
want Gij, Allerhoogste,
zult ze kronen.

Geloofd zijt Gij, mijn Heer,
voor Broeder lichamelijke Dood,
waaraan geen levend mens
ontkomen kan.

Wee hen
die in zware zonde sterven.
Maar zalig wie Gij in uw heilige wil
gevestigd vindt,
de tweede dood zal ze niet deren.

Prijs en zegen mijn Heer.
En dank en dien Hem
met grote nederigheid.

# Met het Zonnelied de veertigdagentijd door

## Van Aswoensdag tot de zaterdag erna

*'Geloofd zijt Gij, mijn Heer, voor Zon, Maan en sterren...'*

- probeer je eens tien minuten lang in te leven in de situatie van een blinde
- maak een avondwandeling
- wees eens een zonnetje voor de mensen...

## Eerste week van de vastentijd

*'Geloofd zijt Gij, mijn Heer, voor Wind, lucht en wolk...'*

- adem vijf minuten lang héél bewust
- kijk naar wolkenformaties
- zet eens een raam wagenwijd open en laat de kamer vol frisse lucht stromen
- wat weet je eigenlijk over de luchtverontreiniging in je omgeving?
- laat je eens lekker doorwaaien
- zie je in je directe omgeving dingen gebeuren waar een 'reukje' aan zit?
- geef wat minder snel 'lucht' aan je ongenoegens

## Tweede week van de vastentijd

*'Geloofd zijt Gij, mijn Heer, voor Zuster Water...'*

- kan je een dag zonder water leven?
- was je eens met koud water na het trimmen
- ken je mensen die al tot de nek in het water staan?
- durf je iemand die het nodig heeft een flinke bolwassing te geven?
- voor het open raam staan als het regent kan zalig zijn
- welke is de bron vanwaaruit je leeft?

## Derde week van de vastentijd

*'Geloofd zijt Gij, mijn Heer, voor Broeder Vuur...'*

- denk eens na over het voorstel: meer trui, minder centrale verwarming
- sporen van vuur ontdekken in het leven van alledag
- eindelijk een heet hangijzer aanpakken
- erover nadenken welke rommel al lang verbrand had kunnen worden
- voor iemand anders de kastanjes uit het vuur halen
- het vuur als symbool van God beschouwen

## Vierde week van de vastentijd

*'Geloofd zijt Gij, mijn Heer, voor Zuster Moeder Aarde...'*
- kijk eens aandachtig naar tekens van de ontluikende lente
- bewust en oplettend eten
- eens een hele dag ervaren wat het is honger te lijden
- letten op de dingen die het milieu aantasten
- aan mensen denken die in een 'woonsilo' moeten leven
- nadenken over de zin: 'Gij zijt genomen uit aarde, tot de aarde keert gij terug'
- dankbaar zijn ten opzichte van God en van elkaar

## Vijfde week van de vastentijd

*'Geloofd zijt Gij, mijn Heer, voor wie vergeving schenken...'*
- dankbaar rekenen op de vergevensgezindheid van God
- geen 'rechter' spelen in het gezin
- inzien dat de zwakken soms de sterken zijn en de sterken de zwakken
- zieken bezoeken en naar hen luisteren
- dankbaar zijn voor 'zorgende handen'
- de handen vouwen — gevouwen handen hebben nog nooit iemand doodgeslagen

## Zesde week van de vastentijd

*'Geloofd zijt Gij, mijn Heer, voor Broeder Dood...'*
- geef eens iets waaraan je erg gehecht bent, zomaar weg
- probeer voor jezelf duidelijk te maken wat een van je naaste verwanten voor je betekent
- zonder haast het kruisteken maken
- het kruis van een ander zien en het helpen dragen
- naar het kerkhof gaan en bidden voor de overleden familie en vrienden

# Ter verdere overweging

o **Sober leven**

- doe eens iets vrijwillig en gratis
- zeg niet dat anderen moeten versoberen, begin zelf
- word weer verliefd op doodgewone dingen
- durf een goedkoop en origineel geschenk geven
- koop nooit iets omdat 'iedereen' het heeft
- zet jezelf op rantsoen voor eten, drinken, roken, snoepen
- pak niet uit met je diploma's en pretenties
- doe het eens een avond zonder TV
- ga wat meer te voet
- durf je beperktheid met humor bekijken
- zoek samen in gezin en vriendenkring naar vormen van soberheid
- maak het thuis gezellig met eenvoudige dingen
- laat je niet overrompelen door reclame
- knutsel zelf al eens iets in elkaar
- stop wat je uitspaart in een spaarpot voor een ontwikkelingsproject

o **In solidariteit**

- maak je niet af van de mensen die je lastig vallen
- doe niet alles zelf, anderen kunnen ook wat
- wees hartelijk in toevallige ontmoetingen
- laat ook armen je vrienden zijn
- vraag je elke avond af: wie heb ik vandaag blij gemaakt?
- stort elke maand een bedrag voor een ontwikkelingswerk
- blijf één avond per week met zijn allen thuis en neem de tijd voor elkaar
- doe iedere dag wat handenarbeid
- laat een jongen of meisje uit een kindertehuis vaste vakantieganger zijn bij je thuis
- vraag geen hoger loon zolang je het dubbele verdient van je vrienden
- vecht niet voor je carrière ten koste van een ander
- durf opkomen voor een rechtvaardiger inkomensverdeling
- ga regelmatig op bezoek bij zieken en bejaarden
- engageer je in een sociale werkgroep
- hou contact met missionarissen en ontwikkelingshelpers
- gooi een bedelbrief nooit zomaar in de prullenmand
- sta ten minste 1% van je inkomen af aan ontwikkelingshulp
- zorg ervoor dat advents- en vastenacties geen leugen zijn

## Korte geschiedenis van de kruisweg

Reeds sinds de 15de eeuw wordt het lijden van Jezus Christus uitgebeeld, eerst in 7, later in 14 staties. In kerken, langs wegen naar de kerk, of bij kerkhof- en bedevaartskapellen werd het gebeuren van de lijdensweg van Jezus in afbeeldingen van allerlei aard zichtbaar gemaakt. De oorsprong daarvan lag in het gebruik om tijdens pelgrimstochten in het Heilig Land de verschillende staties van het lijden achtereen te bezoeken.

Dit en de vooral door Franciscus van Assisi gestimuleerde passievieringen leidden tot de wens de heilige plaatsen ook ver van Jeruzalem te beleven. Dit kan in de kruisweg. Van statie tot statie kan de gelovige zich door het beschouwen van de lijdensweg van Christus, in gedachten en gebeden in zijn lijden verdiepen.

In de ontmoeting en confrontatie met Jezus, die voor ons de eerste en eigenlijke kruisweg is gegaan, vinden we onszelf terug, ontdekken wij de zin van ons leven. In de kruisweg vinden we de ups en downs van onze levensweg, die door Jezus Christus tot werkelijk leven gemaakt wordt en in Hem zijn einddoel vindt.

Over de kruisweg kunnen we niet praten; de kruisweg kunnen we niet gewoon bekijken; de kruisweg zouden we biddend moeten doen.

## Eerste statie

*Jezus wordt ter dood veroordeeld.*
Zij schreeuwden: Weg, weg met
Hem!
Kruisig Hem... Toen leverde Pila-
tus Jezus aan hen uit om de
kruisdood te ondergaan.
*Joh. 19,15-16*

## Tweede statie

*Jezus neemt het kruis op zijn
schouders.*
Jezus zelf droeg zijn kruis naar een
plaats, die Calvarië heet.
*Joh. 19,17*

## Derde statie

*Jezus valt voor de eerste maal onder het
kruis.*
Jezus nam zijn kruis en ging op weg
naar de plaats die Calvarië heet.
Hij wierp zich op zijn knieën en
bad.
*Joh. 19,17*
*Lc. 22,41*

## Vierde statie

*Jezus ontmoet zijn diep bedroefde
moeder.*
Er waren daar ook vrouwen die
Hem vanaf Galilea gevolgd waren...
en onder hen bevond zich Maria,
zijn moeder.
*Mc. 15,40*
*Joh. 19,25*

## Vijfde statie

*Simon van Cyrene helpt Jezus zijn kruis te dragen.*
Toen zij Hem wegvoerden, hielden zij een zekere Simon aan, een man uit Cyrene, die van het veld kwam; hem belaadden ze met het kruis om achter Jezus aan te dragen.
*Lc. 23,26*

## Zesde statie

*Veronica droogt Jezus' aangezicht af.*
Een vrome vrouw droogde Jezus' aangezicht af.
*(Traditie van de kerk van Jeruzalem).*

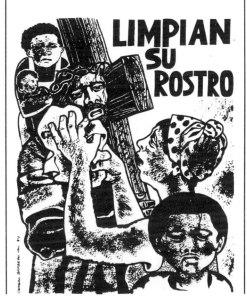

## Zevende statie

*Jezus valt voor de tweede maal onder het kruis.*
Jezus is onderweg verschillende keren gevallen.
*(Traditie van de kerk van Jeruzalem).*

## Achtste statie

*Jezus troost de vrouwen van Jeruzalem.*
Een grote menigte volgde Jezus. Onder hen veel vrouwen die zich op de borst sloegen en over Hem weeklaagden.
*Lc. 23,27*

411

## Negende statie

*Jezus valt voor de derde maal onder het kruis.*
Alvorens Calvarië te bereiken, viel Jezus voluit voor de derde maal.
*(Traditie van de kerk van Jeruzalem).*

## Tiende statie

*Jezus wordt van zijn kleren beroofd.*
Ze verdeelden zijn kleren onder elkaar door er om te dobbelen.
*Joh. 19,23*
*Mt. 27,34*

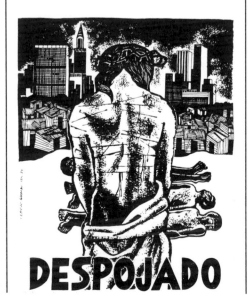

## Elfde statie

*Jezus wordt aan het kruis genageld.*
Samen met Hem kruisigden zij ook
twee rovers, de een rechts, de ander
links van Hem.
Mc. 15,24-27

## Twaalfde statie

*Jezus sterft aan het kruis.*
Mijn God, mijn God, waarom hebt
Gij Mij verlaten?... Daarop slaakte
Jezus een luide kreet en gaf de
geest.
Mc. 15,34-37

413

## Dertiende statie

*Jezus wordt van het kruis genomen.*
Bij het kruis van Jezus stonden zijn
moeder, de zuster van zijn moeder,
Maria de vrouw van Klopas en Maria Magdalena.
*Joh. 19,25*

## Veertiende statie

*Jezus wordt in een heilig graf gelegd.*
Jozef van Arimatea legde het lichaam van Jezus in een graf dat in de
rots was uitgehouwen en rolde een
steen voor de ingang ervan.
*Mc. 15,46*

# De Goede Week

Met Palmzondag begint de Goede Week, ook wel stille Week of heilige Week genoemd. De laatste dagen daarvan — van Witte Donderdag tot en met Paaszaterdag — zijn het hoogtepunt van de voorbereiding op Pasen; de kerk viert het lijden, het sterven en de dood van Jezus Christus.

De benaming 'goede' week verwijst naar het heil dat alle mensen in de dood en de verrijzenis van Jezus wordt aangezegd. Lange tijd mochten tijdens de Goede Week — en dat gold ook voor de daarop volgende paasweek — geen zware lichamelijke werkzaamheden worden verricht, er vonden geen rechtszittingen plaats en men mocht in die tijd geen schulden opvragen. Gevangenen werden vrijgelaten of bestraften begenadigd.

# Palmzondag

De liturgie van Palmzondag combineert twee herinneringen: de gedachtenis van de intocht van Jezus in Jeruzalem en die van zijn lijden en sterven. Vreugde en droefheid liggen vlak bij elkaar.

Bij het begin van de plechtigheden is er de palmwijding ter herinnering aan het gejuich, waarmee men Jezus bij zijn intocht in Jeruzalem ontving.

*Zeer velen uit het volk spreidden hun mantels uit op de weg, terwijl anderen de weg bedekten met twijgen die zij van de bomen hadden gesneden.*
*Mt. 21,8*

## Palmtakjes

Echte palmtakken zijn takken van de palmboom of van de olijfboom. Palmen zijn het symbool voor de koning; olijftakken zijn het symbool voor de vrede, die door de koning wordt gebracht.

Deze echte palmtakken worden bij ons — naargelang van de streek — vervangen door allerlei andere groene takken en twijgen.

Hoe groot de palmbosjes zijn en hoe ze zijn samengesteld, is verschillend naar streek of traditie.

415

Vroeger werden de palmtakjes boven of naast de huisdeur opgehangen, naar het kerkhof gebracht of naar een pas omgeploegde of met koren ingezaaide akker. In enkele, vooral landelijke streken, bestaan die gebruiken ook nu nog.

Geschikte plaatsen in huis om de palmtakjes op te hangen zijn: bij het wijwaterbakje, achter het kruisbeeld of boven een deur. We kunnen ook het palmtakje naar peter en meter brengen of naar het gezin van een petekind.

## Witte Donderdag

Op deze dag werden vroeger de publieke zondaars na hun boetetijd weer in de gemeenschap opgenomen om het paasfeest mee te kunnen vieren. Er werd verzoening met hen gevierd.

Witte Donderdag wordt zo genoemd naar de liturgische kleur van deze dag en herinnert wellicht ook aan het bedekken van de kruisbeelden met een witte doek.

In Zuid-Nederland heet Witte Donderdag ook Doppendonderdag, Dopperkensdag of Zoppendoppendonderdag, omwille van het nog wel in kloosters en gezinnen voorkomend gebruik om bij het gewone avondeten wittebrood in wijn of mede te dopen. Algemeen is het kindergeloof dat de klokken op Witte Donderdag naar Rome vliegen om op Paaszaterdag terug te keren.

Met uitzondering van de mis, waarin de bisschop voor de kerken in zijn diocees de olie wijdt die bij de liturgieviering nodig is, wordt er op de morgen van deze dag geen eucharistieviering gehouden.

Pas 's avonds komt de gemeente bij elkaar en viert ter gedachtenis van het Laatste Avondmaal de eucharistie.

Het evangelie van de voetwassing herinnert aan de dienst, die de Heer ons bewijst en die ook wij elkaar verplicht zijn.

*Toen Hij dan hun voeten had gewassen, zijn bovenkleren had aangetrokken en weer aan tafel was gegaan, sprak Hij tot hen: 'Begrijpt gij wat Ik u gedaan heb? Gij spreekt Mij aan als Leraar en Heer, en dat doet gij terecht, want dat ben Ik. Maar als Ik, de Heer en Leraar, uw voeten heb gewassen, dan behoort ook gij elkaar de voeten te wassen. Ik heb u een voorbeeld gegeven, opdat gij zoudt doen zoals Ik u gedaan heb.'*
*Joh. 13,12-15*

Het gebaar van de voetwassing kan het woord van de verkondiging verdiepen. Daarbij wast de priester de voeten van enkele vertegenwoordigers van de parochie.

Na het gloria zwijgen de klokken en het orgel tot de paasnacht. In plaats van de klokken horen we nu houten ratels of kleppers.

Het Lichaam des Heren wordt na de viering van de eucharistie in processie van het hoogaltaar naar een andere plaats gedragen. Daar wordt het bewaard tot het uitreiken van de heilige communie op Goede Vrijdag; het wordt er door de gelovigen in stille aanbidding vereerd.

**Wat in het gezin gemeenschappelijk gedaan zou kunnen worden**

o Voor of na de plechtigheid samen eten in herinnering aan de maaltijd van Jezus met zijn leerlingen

o Samen een 'boetewerkje' afspreken, dat tot Pasen zal onderhouden worden.

o Iets zaaien dat op Pasen en daarna kan groeien en bloeien, bijvoorbeeld graan, kool, kruiden, bloemen...

# Goede Vrijdag

Jezus' sterfdag wordt vanouds herdacht met een viering zonder volledige eucharistie. Wel komt de gelovige gemeenschap 's middags, gewoonlijk om 3 uur, samen voor een woorddienst met kruisverering en communie, of voor een kruisweg.

Met zijn stilte en ruimte voor bezinning, met vasten, klaagzangen, zwijgende klokken en zwijgend orgel staat deze dag in het teken van de droefheid.

Maar bij alle rouw is er toch ook een beginnende vreugde om wat volbracht wordt. Dat blijkt ook uit de naam van deze dag: *Goede* Vrijdag. Het lijdensverhaal en de kruisverering vormen het middelpunt van de plechtigheden.

## Paaszaterdag

De kerk en het altaar blijven leeg. Paaszaterdag is de grote rustdag tussen dood en opstanding. In het gezin is Paaszaterdag de dag van de laatste voorbereiding op het paasfeest.

# Enkele ideeën voor de voorbereiding van het paasfeest

o **Paaseieren kleuren**

Het populairste en meest verbreide gebruik met Pasen is het kleuren, geven of verstoppen van paaseieren. Het ei is in alle culturen het symbool van het leven: in het christendom wordt het paasei het symbool van de verrijzenis.
Sinds de 16de eeuw brengt de paashaas de eieren naar de kinderen. Of het nu daaraan ligt dat hij voor een zeer vruchtbaar dier doorgaat, dat hij eigenlijk een mislukt gebraden paaslam was, dat hij niet mag slapen en daarom een symbool van de opstanding moet zijn... — in elk geval ontstond het verhaal: de paashaas brengt de eieren.

o Paaseieren hoeven niet alleen maar in allerlei kleuren geverfd te worden. We kunnen erop schilderen: paaswensen, paasspreuken, het alleluja (zelfs met muzieknoten), het jaartal, een paaskaars, een kruis, een Christusteken... Naargelang van de leeftijd van de kinderen kunnen we in het gezin zinvolle spreuken vinden en op de eieren schilderen.

o In plaats van eierverf te kopen en daarmee de eieren te kleuren, kunnen we ze ook met 'natuurlijke verf' kleuren:
Groen krijgen we door een aftreksel van klimop- en brandnetelbladeren, van jonge haverspruiten of spinaziesap.
Geel worden de eieren door ze samen met saffraan en kummel in water te koken.
Bruin krijgen we de eieren door moutkoffie of door uienschillen, die in water gekookt worden.
Voor rood gebruiken we een aftreksel van rode biet.

o Het gekookte ei kun je ook in vloeibaar was dompelen. Dan krab je er patronen in en je legt het ei in een verfoplossing. Enkel de plaatsen waar de was ingekrast is, krijgen kleur.

In 1982 werd er in een stenen graf bij Worms een meisjesskelet gevonden met munten en gekleurde eieren. De munten dateerden uit het jaar 320 vóór Christus. Wellicht is het kleuren van eieren, waardoor aan hun levenskracht een magisch-religieuze bestemming gegeven werd, ouder dan het christendom. Blijkbaar gaven de heidense bewoners van Europa hun doden soms eieren mee als voedsel voor het nieuwe leven. Dit gebruik stemt dan overeen met de praktijk van enkele Afrikaanse stammen, die hun fraaie voorouderbeeldjes met de inhoud van eieren begieten.

## o Een paasmobiel maken

*Materiaal:* uitgeblazen eieren (de helft meer dan je denkt nodig te hebben), puntige stokjes en kurkschijfjes, draden om op te hangen, houten parels, vetstiften, plakkaatverf, lintjes, wol en touwtjes, aardappelstempels en stukjes piepschuim.

*Werktuigen en hulpmiddelen:* penselen, potje water, lapjes, scharen, messen, lijm, wat azijnwater, per ei een halve lucifer om het ei mee op te hangen.

*Werkwijze:* het uitgeblazen ei op een puntig stokje, boven en onder met kurkschijfjes tegen het schuiven of draaien, vastzetten. Versieren met het beschikbare materiaal naar eigen smaak en believen. Het ophangen: stokjes en kurkschijfjes verwijderen; het stukje lucifer, waaraan een draad is gebonden, wordt loodrecht in het bovenste gaatje geschoven. Het gaat dwars liggen zodra de draad wat aangetrokken wordt. Het tweede gaatje, dat nodig was om het ei uit te blazen, kan afgedekt worden met een houtparel of een plukje wol.

*Tip:* een mobiel kan je gemakkelijker evenwichtig maken, als je het van onderen begint op te bouwen.

## o Paaskaarsen maken

*Materiaal:* resten was van gebruikte kaarsen. De was wordt vloeibaar gemaakt en kan vervolgens in een vorm gegoten worden. Daarna wordt de kaars versierd met paassymbolen. Dat kan natuurlijk ook met een gekochte kaars. Een paaskaars kan ook in de weken van de veertigdagentijd 'groeien', wanneer we ze iedere week verder versieren.

419

De zelfgemaakte paaskaars bege-
leidt ons niet alleen gedurende de
paasdagen, maar tijdens de gehele
paastijd.
De paaskaars is een zinvol geschenk
voor de peter en meter van de kinderen. Misschien nodigen we ze uit
of bezoeken we ze in het weekend.
Op het paasfeest herinneren de
doopkaarsen ons aan ons doopsel.
We zetten de doopkaarsen van de
kinderen en die van onszelf op een
opvallend plaatsje en steken ze tijdens de maaltijden aan.

## Korte geschiedenis van het paasfeest

De datum van het paasfeest hangt
samen met de Joodse tijd- en
feestkalender. Daarin begonnen de
maanden telkens met de dag van de
nieuwe maan. De eerste maand na
het begin van de lente heette 'nisan'.
Op de 14de nisan, dus met volle
maan, vierden de Joden hun paasfeest — Pesach of Pascha — ter
herinnering aan de uittocht uit
Egypte. Tot in de 2de eeuw was de
14de nisan, onverschillig op welke
dag van de week hij viel, ook de
datum van het christelijk paasfeest.
De christenen in sommige delen
van Klein-Azië hielden deze datum
vast, terwijl Rome en daarmee het
grootste deel van de kerk de voorkeur gaf aan de zondag, die op de
14de nisan volgde. Het eerste concilie van Nicea (325) nam een definitief besluit: Pasen wordt ieder jaar
gevierd op de zondag na de eerste
volle maan in de lente. Dit geeft
aanleiding tot een vijftal weken
mogelijk tijdsverschil (22 maart -
25 april) van jaar tot jaar.
Het paasfeest is een van onze
oudste feesten. Reeds in de 4de
eeuw werd Pasen als christelijk
feest, als 'het feest der feesten'
hooggeschat en uitgebreid gevierd.

## Pasen: het christelijke feest bij uitstek

Je kan op de vooravond van Pasen thuis een gezellig en zinvol gezinsfeest houden. Dat zou bijvoorbeeld als volgt kunnen gaan.

Allen zitten rond de tafel waarop een brandende paaskaars staat (eventueel de doopkaars van een van de kinderen). Bij gedempt licht speelt een kind op de blokfluit of beluisteren allen een passend stukje muziek.

Er wordt samen gebeden

In de naam van de Vader en de Zoon en de heilige Geest. Amen.

*Moeder leest voor:*
*Op de eerste dag van de week kwam Maria Magdalena vroeg in de morgen — het was nog donker — bij het graf en zag dat de steen van het graf was weggerold. Zij liep snel naar Simon Petrus en naar de andere, de door Jezus beminde leerling, en zei tot hen: 'Ze hebben de Heer uit het graf genomen en wij weten niet waar ze Hem hebben neergelegd.' Daarop gingen Petrus en de andere leerling op weg naar het graf. Ze liepen samen vlug voort, maar die andere leerling snelde Petrus vooruit en kwam het eerst bij het graf aan. Vooroverbukkend zag hij de zwachtels liggen, maar hij ging niet naar binnen. Simon Petrus die hem volgde, kwam ook bij het graf en trad wel binnen. Hij zag dat de zwachtels er lagen, maar dat de zweetdoek die zijn hoofd had bedekt, niet bij de zwachtels lag, maar ergens afzonderlijk opgerold op een andere plaats. Toen pas ging ook de andere leerling die het eerst bij het graf was aangekomen, naar binnen; hij zag en geloofde, want zij hadden nog niet begrepen hetgeen er geschreven stond, dat Hij namelijk uit de doden moest opstaan.*
*Joh. 20,1-9*

*Vader staat op, neemt de brandende kaars in de hand en bidt:*

Dit is de dag
die de Heer heeft gemaakt.
Laten wij juichen
en ons daarover verheugen.

Pasen,
Feestvreugde.
Vreugde om het leven.
De Heer is opgestaan.
Hij leeft en neemt ons bij de hand.
Hij gaat ons voor en voert ons door de dood heen naar het leven.
Het leven in en met en door Hem.

*Allen zingen samen:*
De Heer is waarlijk opgestaan (strofe 1 en 2).

421

De Heer is waar-lijk op-ge-staan, al-le-lu- ia !

De Heer is waar-lijk op-ge-staan, al-le-lu- ia !

1. Zoek Hem bij de do-den niet,

maar ver-sta het nieu-we lied :

De Heer is waar-lijk op-ge-staan. Al-le-lu- ia !

Tekst: Paasliturgie
Muziek:/W. ter Burg

2. 't Licht schijnt in de duisternis,
zie hoe groot zijn luister is !

3. Jezus deed de dood teniet.
Zing daarom het hoogste lied.

4. Hij, de grote Mensenzoon,
gaat door 't graf heen naar zijn troon.

*Vader kondigt aan:*

Wij bidden voor onze dierbare afgestorvenen die nu bij God zijn en met ons wachten op de verrijzenis:

Een kind leest de namen voor van gestorven familieleden of vrienden. Elk van de aanwezigen mag aanvullen.

*Moeder bidt:*

Machtige God,
nooit verloochent Gij
het werk van uw handen.
Sterker dan de dood
is uw trouw.
In Jezus laat Gij ons zien
hoezeer wij U ter harte gaan.
In uw naam is licht
dwars door alle donker heen;
Gij zijt geen God van doden
maar van levenden.

En de vrienden van Jezus
haastten zich
om aan elkaar te vertellen:
Jezus leeft!
Jezus wil dat wij leven!
Jezus is bij de Vader
en spreekt er voor ons
ten beste.

_Allen zingen samen:_

De Heer is waarlijk opgestaan
(strofe 3 en 4).

Hierop volgt een gezellig avondmaal.

### Emmaüs

'Heer blijf bij ons,
de zon gaat onder.'
Wij boden dan het avondbrood
den vreemden man,
die langs de baan
met ons was meegegaan.
En wijl hij 't zegenend
de oogen sloot,
gebeurde het: Zijn aangezicht
verklaarde in een hemels licht,
waarin hij plotseling verdween...
Dit was het wonder.
Wij stonden weer alleen,
doch vouwden blij onz' handen.
Het was alsof Hij
door ons heen verdween
en 't licht in ons is blijven branden.
Blijf zoo in ons, o Heer,
de zon gaat onder!

_Felix Timmermans_

# De hemelvaart
# van Christus

**De evangelist Lucas schrijft in de
Handelingen van de Apostelen**

_Toen Hij dat gezegd had, werd Hij
voor hun ogen opgenomen en een wolk
nam Hem op en onttrok Hem aan hun
ogen. Terwijl zij zonder hun ogen af te
wenden naar de hemel zagen, stonden
plotseling twee mannen in witte gewaden bij hen en zeiden:
'Mannen van Galilea, wat staat gij
daar naar de hemel te staren. Deze
Jezus, die is heengegaan en in de hemel
is opgenomen, zal op dezelfde wijze te-
rugkomen zoals ge Hem naar de hemel
hebt zien gaan._
_Hand., 1,9-11_

Zo'n voorstelling van de hemelvaart
komt velen vreemd voor. Kan men
daar in het tijdperk van de ruimte-
vaart nog in geloven?
Of is Jezus Christus misschien
zoiets als de eerste ruimtevaarder?
'Het hemelvaart-verhaal is zeer
eenvoudig. Geen pompeuze apo-
theose (sluitstuk) als bij heidense
mythen en in toneelstukken, maar
een bescheiden aanduiding waar
Hij heenging: naar de Vader. Hij
steeg een weinig omhoog, tot onmiddellijk een wolk Hem onzichtbaar maakte. Deze wolk betekent

de aanwezigheid van God (zie Lc. 9,34-35 en vele plaatsen van het Oude Testament). Tegelijk wordt hier gezinspeeld op de 'wolken des hemels' waarop de Mensenzoon zal terugkeren.

De evangelische boodschap is niet dat Jezus, toen de wolk Hem aan het oog onttrokken had, is doorgegaan door dampkringen tot Hij, eindelijk, bij de Vader was. Christus' verheerlijkte mensheid legt geen afstanden af zoals wij het doen. Bovendien is de Vader, de hemel, niet 'boven'. De richting naar 'boven' werd gekozen omdat de hemelkoepel met zijn licht, zijn vrijheid, zijn openheid een prachtig symbool is voor de plaats van God. Maar de Vader, naar wie Jezus heen ging, is niet aan plaats gebonden. (Joh. 4,24).

Ons ruimtelijk voorstellingsvermogen moeten wij dus achterlaten. Wat wij weten is dat Jezus als mens bij de Vader is.

Een mens, dus met een lichaam, maar geen aards lichaam. Hoe deze bestaanswijze — het begin van de nieuwe schepping — thans is weten wij niet.'

*Uit: De Nieuwe Katechismus*

# Hoe men ten tijde van Jezus de wereld zag

Als we willen begrijpen wat 'hemelvaart' betekent, moeten we beseffen welke voorstellingen de mensen in de tijd van Jezus erop na hielden van de hemel en de aarde. De wereld, dat was de aarde. Het was een platte schijf, die op zuilen werd gedragen, die in een groot 'oerwater' — de onderwereld — stonden.

De hemel was het firmament, de wolken en de horizon, die we met onze ogen zien.

De wereld was onderverdeeld in drie verdiepingen:

o de onderwereld, de plaats van het kwade;

o de aarde, de plaats van de mensen;

o de hemel, de plaats van het goede of de woning van God.

Als Christus nu weer bij God moest zijn, dan moest Hij nu eenmaal naar 'boven', naar de 'hemel', de plaats van God.

Dit kon men zich niet anders voorstellen dan dat Hij door een wolk omhoog geheven werd: 'Hij werd voor hun ogen opgeheven'.

## Het huidige wereldbeeld

Met deze voorstelling zouden wij in onze tijd van ruimteonderzoek niet veel kunnen beginnen. We spreken weliswaar nog van de 'hemel', maar bedoelen hiermee enkel de atmosfeer van onze planeet, de aarde. Van de andere kant is 'hemel' of 'hemels' ook in onze taal symbool voor al het goede en het mooie, voor vrijheid, liefde en geluk.

Met de verandering van het wereldbeeld is echter de bijbelse boodschap niet veranderd.

*De elf leerlingen nu begaven zich naar Galilea, naar de berg die Jezus hun aangewezen had. Toen zij Hem zagen, wierpen ze zich in aanbidding neer; sommigen echter twijfelden. Jezus trad nader en sprak tot hen: 'Mij is alle macht gegeven in de hemel en op aarde. Ga dus en maak alle volkeren tot mijn leerlingen en doop hen in de naam van de Vader en de Zoon en de heilige Geest en leer hun te onderhouden alles wat Ik u bevolen heb. Zie, Ik ben met u alle dagen tot aan de voleinding der wereld.'*
Mt. 28,16-20

## 'Hemel' begint waar wij God ontmoeten

Christus neemt geen afscheid van de aarde tot zijn wederkomst. Hij is op een nieuwe wijze tegenwoordig: Heer en God voor de mensen van alle landen, alle tijden, alle rassen en generaties.
'Hemel' betekent niet een of andere plaats, maar een relatie: Christus is weer bij de Vader, aan zijn rechterhand.
Hemelvaart vieren wil niet zeggen: naar de hemel omhoog kijken. Het is ook geen afscheidsfeest, maar de belofte van Gods tegenwoordigheid en een opdracht voor ons.
Zo vermaant ons de evangelist Lucas:
*'Mannen van Galilea, wat staat ge daar naar de hemel te kijken?'*
Hand. 1,11

Ook voor ons begint de 'hemel' op aarde.
De hemel is daar waar wij God ontmoeten en bij Hem zijn. Dit gebeurt overal waar wij liefde, vreugde en geluk schenken en ervaren, niet op de laatste plaats in ons huwelijk en ons gezin. De hemel, het laatste en volkomen geluk, is er nog niet helemaal. Maar wij kunnen de hemel al een beetje open laten gaan.

De Braziliaanse bisschop Helder Camara heeft geprobeerd dit door een kleine gelijkenis duidelijk te maken:

Twee vrachtrijders kwamen met volgeladen, door ezels getrokken wagens aanzetten. De wegen waren één grote modderpoel en de beide karren bleven steken. Een van de vrachtrijders was vroom. Hij viel in de modder op zijn knieën en begon God om hulp te smeken. Hij bad, bad zonder ophouden en keek op naar de hemel.
Intussen vloekte de ander in zijn woede; hij probeerde om zijn kar uit de modder te trekken. Hij zocht takken, bladeren, droog zand bij elkaar. Hij sloeg op de ezels los en duwde uit alle macht tegen de kar. Daarbij schold hij dat het een aard had.
En dan gebeurde het wonder: vanuit de hoogte kwam een engel omlaag. Tot verrassing van beide vrachtrijders kwam hij degene te

hulp die gevloekt had. De arme man wist niet meer hoe hij het had en riep: 'Pardon, dat moet een vergissing zijn. Die hulp is zeker voor die ander bedoeld!?'
Maar de engel zei: 'Neen, die is voor jou: God helpt degene die werkt.'

## Pinksteren

*Toen de dag van Pinksteren aanbrak, waren allen bijeen op dezelfde plaats. Plotseling kwam uit de hemel een gedruis alsof er een hevige wind opstak en heel het huis waar zij gezeten waren, was er vol van. Er verscheen hun iets dat op vuur geleek en dat zich, in tongen verdeeld, op ieder van hen neerzette. Zij werden allen vervuld van de heilige Geest en begonnen in vreemde talen te spreken, naargelang de Geest hun te vertolken gaf. Nu woonden er in Jeruzalem Joden, vrome mannen, die afkomstig waren uit alle volken onder de hemel. Toen dat geluid ontstond, liep het volk te hoop en tot zijn verbazing hoorde iedereen hen spreken in zijn eigen taal. Zij waren buiten zichzelf en zeiden vol verwondering: 'Maar zijn al die daar spreken dan geen Galileeërs? Hoe komt het dan dat ieder van ons hen hoort spreken in zijn eigen moedertaal? Parten, Meden en Elamieten, bewoners van Mesopotamië, van Judea en Kappadocië, van Pontus en Asia, van Frygië en Pamfylië, Egypte en het gebied van Libië bij Cyrene, de Romeinen die hier verblijven, Joden zowel als proselieten, Kretenzen en Arabieren, wij horen hen in onze eigen taal spreken van Gods grote daden'. Allen waren buiten zichzelf, wisten niet wat ervan te denken en*

zeiden tot elkaar: 'Wat zou dit betekenen?' Maar anderen zeiden spottend:
'Ze zijn zich aan zoete wijn te buiten
gegaan'.
Hand. 2,1-3

Adem in mij, heilige Geest,
opdat ik denk wat heilig is.
Stuw mij, heilige Geest,
opdat ik doe wat heilig is.
Verlok mij, heilige Geest,
opdat ik hou van wat heilig is.
Sterk mij, heilige Geest,
opdat ik bescherm wat heilig is.
Bescherm mij, heilige Geest,
opdat ik het heilige nooit
verlies.

(toegeschreven aan Augustinus)

## Korte geschiedenis van het pinksterfeest

*In het begin schiep God de hemel en de
aarde. De aarde was woest en leeg;
duisternis lag over de diepte en de Geest
van God zweefde over de wateren. Toen
sprak God: 'Er moet licht zijn!' En er
was licht.*
*Gen. 1,1-3*

Dit is de geloofsbelijdenis van de
mensen van het Oude Verbond. Zij
ligt vervat in de scheppingsverhalen
van de heilige Schrift en doortrekt
de geschiedenis van het uitverkoren
volk tot aan het pinksterfeest van de
kerk.

Ieder jaar opnieuw vierde het
Godsvolk van het Oude Verbond
grote pelgrimsfeesten. Een daarvan
was Pinksteren, een dankfeest, 'het
feest van de oogst'. Het hing nauw
samen met het 'feest van de ongede-
semde broden' aan het begin van de
gerstoogst en werd 50 dagen daarna
op het eind van de graanoogst gevierd. Men noemde het ook gewoon: 'wekenfeest'.

*Als ge de eerste sikkel in het koren hebt
geslagen, moet ge zeven weken aftellen
en dan het wekenfeest vieren ter ere van
Jahweh uw God, met vrijwillige gaven, al naar Hij u gezegend heeft.*
*Dt. 16,9-10*

Zo brachten de gelovige Israëlieten
de vreugde om de binnengehaalde
oogst in verband met de dank aan
Jahweh, hun God, die hun daarin de
rijkdom van zijn zegen bewezen
had.

o In de laat-Joodse tijd kwam in de
plaats van de dank voor de oogst
steeds sterker de gedachtenisvie-
ring op van de gebeurtenis bij de
Sinaï, toen God aan Mozes de Wet
gaf. Het sluiten van het verbond
tussen Israël en Jahweh, die zijn
volk uit de slavernij van Egypte bevrijd had en op wonderbare wijze in
het land van zijn belofte had bin-
nengeleid, was door deze 'wet-
geving' bezegeld. Op Pinksteren
vernieuwde het Godsvolk in de ge-

dachtenisviering zijn verbond met God:

*Met eigen ogen hebt gij gezien hoe Ik ben opgetreden tegen Egypte, hoe Ik u op arendsvleugelen gedragen en hier bij Mij gebracht heb. Als gij aan mijn woord gehoorzaamt en mijn verbond onderhoudt, dan zult ge — hoewel de hele aarde Mij toebehoort — van alle volken op bijzondere wijze mijn eigendom zijn. Gij zult mijn priesterlijk koninkrijk en mijn heilig volk zijn. Deze woorden moet gij de Israëlieten overbrengen.*
*Ex. 19, 4-6*

o De kerk heeft bij deze religieuze overlevering aangeknoopt en viert nu nog op de vijftigste dag na Pasen het pinksterfeest. Zij viert de voltooiing en bevestiging van de verrijzenis van Jezus, zijn verheerlijking bij de Vader en zijn voortdurende tegenwoordigheid door het werken van de heilige Geest.

*Zij werden allen vervuld van de heilige Geest en begonnen in vreemde talen te spreken, naargelang de Geest hun te vertolken gaf.*
*Hand. 2,4*

Zo is Pinksteren, de vijftigste dag, de dag van de voltooiing, van de volheid van leven voor de eeuwigheid. Hier vindt het gebruik van de oosterse kerk zijn verklaring; door op Pinksteren in de kerken de grond met gras en bloemen te be-dekken wordt er verwezen naar de nieuwe paradijstuin, die onverwoestbaar is sinds Gods Geest in deze wereld aan het werk is.

*Dan zal de Vader op mijn gebed u een andere Helper geven om voor altijd bij u te blijven: de Geest van de waarheid, voor wie de wereld niet ontvankelijk is, omdat zij Hem niet ziet en niet kent. Gij kent Hem, want Hij blijft bij u en zal in u zijn.*
*Joh. 14,16-17*

## Beelden van de Geest

Een hevige wind:
hij laat het stof van de sleur opwaaien

Een zachte bries:
hij kent slechts het eenvoudige en nietige

Een verre horizon:
hij bevrijdt ons uit de benauwenis van alledag

Een vurig hart:
hij kent geen onverschilligheid of vertwijfeling

Een helder licht:
hij verdrijft de duisternis van het leven

Een aandachtig oor:
hij luistert als geen ander

Een open oog:
hij ziet alle problemen en kijkt in het hart

Uw zonen en dochters zullen profeteren, uw jongemannen visioenen zien, de ouderen onder u zullen droomgezichten ontvangen.
Hand. 2,17

*Er zijn verschillende gaven, maar slechts één Geest. Er zijn vele vormen van dienstverlening, maar slechts één Heer. Er zijn allerlei soorten werk, maar er is slechts één God, die alles in allen tot stand brengt.*

*1 Kor. 12,4-6*

### Een geest die ons gegeven is

'Zij die met mij lachen, alsof ik een gek was die denkt dat hij een profeet is, zouden moeten nadenken. Ik heb mij nooit als profeet beschouwd in de zin van de enige profeet in het volk omdat ik weet dat jullie en ik het volk van God, het profetische volk zijn. Mijn enige taak is in dat volk deze profetische geest te wekken, een geest die ikzelf niet kan geven maar die ons gegeven is door de Geest. En elk van jullie kan in waarheid zeggen: 'De Geest kwam over mij sinds de dag van mijn doopsel en heeft mij naar de Salvadoraanse wereld gezonden, het volk van El Salvador'. Wanneer het nu zo slecht gaat, dan is dat omdat de profetische opdracht bij vele gedoopten gebroken is. Maar God zij dank kan ik ook zeggen dat er in ons aartsbisdom een profetisch ontwaken is, in de christelijke basisgemeenschap, in de groep die zich bezint over het woord van God, in dat kritisch bewustzijn dat ontstaat in ons christendom, dat geen massa-christendom meer wil zijn maar een bewust christendom.
Beste broeders, als profetische kerk in een zo verscheurde en onrechtvaardige wereld kunnen wij niet zwijgen. Zou anders deze verschrikkelijke vergelijking waarheid worden? 'Zwijgende honden! Waartoe dienen zwijgende honden als ze het erf niet bewaken?'

*Oscar Arnulfo Romero*

### Ik koester een droom

Ik koester de droom dat de mensen op een dag zullen opstaan en zullen inzien dat ze geschapen zijn om als broeders samen te leven.
Ik koester de droom dat op een dag de rechtvaardigheid neer zal stromen als water en de rechtschapenheid zal vloeien als een machtige stroom.
Ik koester de droom dat in alle wetgevende lichamen van onze staten en in al onze gemeenteraden mensen zullen worden gekozen, die rechtvaardig handelen, de barmhartigheid liefhebben en nederig de wegen van God bewandelen.
Ik koester de droom dat op een dag de oorlogen ten einde zullen zijn, dat de mannen hun zwaarden zullen omsmeden tot ploegscharen en hun

speren tot snoeimessen, dat de volkeren niet meer zullen opstaan tegen de volkeren en dat niemand meer aan oorlog zal denken.

Ik koester de droom dat we met dit geloof in staat zullen zijn om de raadszittingen der wanhoop te verdagen en nieuw licht te brengen in de duistere kamers van het pessimisme.

Met dit geloof zullen we de dag kunnen verhaasten waarop er vrede op aarde zal heersen en goede wil tegenover de mensen. Het zal een glorierijke dag zijn, de morgensterren zullen te zamen zingen en de zonen Gods zullen kreten van vreugde slaken.

*Martin Luther King*

## Uit de eerste brief van het Jongerenconcilie van Taizé aan het volk van God

Toen de christenen uit de eerste tijden voor een onoplosbare vraag kwamen te staan en onderling verdeeld dreigden te raken, besloten zij in een concilie bijeen te komen. Dit hebben wij ons herinnerd met Pasen 1970, toen wij antwoorden zochten voor onze tijd. En wij hebben gekozen, niet voor een forum van ideeën, of voor congressen, maar voor een concilie van jongeren, dat wil zeggen een realiteit, die jongeren uit alle landen verenigt en die ondubbelzinnig om een inzet van ons vraagt om Christus en het evangelie.

De opgestane Christus is de kern van het concilie van jongeren. Hem vieren wij in zijn aanwezigheid in de eucharistie, in zijn leven in de kerk en in zijn verborgen aanwezigheid in de mens, onze broeder.

De opgestane Christus bereidt zijn volk voor om terzelfder tijd volk van aanbidding te worden, vervuld van een vurig verlangen naar God; volk van rechtvaardigheid, midden in de strijd van uitgebuite mensen en volken; volk van gemeenschap, waarin ook de niet-gelovige een creatieve plaats vindt.

Wij maken daadwerkelijk deel uit van dit volk. Daarom richten wij deze brief tot hen die ertoe behoren, om de ongerustheid die in ons is met hen te delen, evenals de verwachting, die ons verteert.

Kerk, wat zeg je van je toekomst?
(...)

Ga je 'volk van de zaligsprekingen' worden zonder andere zekerheid als Christus, een arm volk, contemplatief, vrede scheppend, brenger van vreugde en van een bevrijdend feest voor alle mensen, ook al zou je vervolgd worden om de gerechtigheid?

Wij weten dat wij niets veeleisends kunnen vragen van anderen, zonder onszelf op het spel te zetten. Wat hebben wij te vrezen? Zegt Christus ons niet: 'Ik ben gekomen om de aarde in brand te steken en hoe graag zou ik zien dat het vuur al was aangestoken'? Wij zullen het concilie van jongeren durven beleven als een voorafbeelding van alles wat wij vragen. (...)

## Het lied van de heilige Geest

1. De Geest des He - ren heeft een nieuw be - gin ge - maakt,

in al wat groeit en leeft zijn a - dem uit - ge - zaaid.

De Geest van God be - zielt die koud zijn en ver-steend,

herbouwt wat is ver-nield, maakt één wat is ver - deeld.

2. Wij zijn in Hem gedoopt
Hij zalft ons met zijn vuur.
Hij is een bron van hoop
in alle dorst en duur.
Wie weet vanwaar Hij komt
wie wordt zijn licht gewaar ?
Hij opent ons de mond
en schenkt ons aan elkaar.

3. De geest die ons bewoont
verzucht en smeekt naar God
dat Hij ons in de Zoon
doet opstaan uit de dood.
Opdat ons leven nooit
in weer en wind bezwijkt,
kom, Schepper Geest, voltooi
wat Gij begonnen zijt.

De eerste melodie bezingt de heilige Geest als een wervelende en veroverende kracht in ons. De tweede heeft eerder een stil en ingetogen karakter.

*H. Oosterhuis*
*G. Philippeth*

### De verdere jaarkring

In het kerkelijk jaar volgt dan een lange tijd van rustige bezinning op het Rijk der hemelen: de 'tijd na Pinksteren' die tot het begin van de advent duurt. De misgewaden zijn rustig groen.
Deze tijd wordt begonnen met eerst nog drie mysteries te gedenken, die in de paastijd — vond het christenvolk — nog niet genoeg tot hun recht kwamen.

Allereerst op de eerste zondag na Pinksteren het mysterie dat in Jezus' heilswerk ontvouwd is: het geheim van de drieëne God: de Vader die zond, de Zoon die gezonden werd, de Geest die Zij beiden geven: Drievuldigheidszondag.
De donderdag daarna viert men het geheim van Witte Donderdag nog eens op een heel speciale manier: het feest van 's Heren aanwezigheid in tekenen: Sacramentsdag.
De vrijdag 'acht dagen later' wordt een geheim van Goede Vrijdag nog eenmaal herdacht: het gewonde hart. Dit is tegelijk een verrijzenisgeheim: Jezus' stralende, overstromende persoonskern. Ook bestaat er een gewoonte om iedere eerste vrijdag van de maand deze geloofswerkelijkheid te gedenken.
Zo worden bepaalde geheimen van de verlossing opnieuw gevierd. Dit is zinvol. Want door Pinksteren werd het heil niet afgesloten. Het doet Jezus en al zijn heilsmysteries aanwezig zijn in onze historie voor altijd.
Het liturgisch jaar wordt afgesloten met het feest van Christus-koning: Jezus, koning van het heelal. Dit feest verwijst naar de toekomst, die nu reeds begonnen is, naar de uiteindelijke voltooiing: het Rijk Gods, wanneer Christus alles in allen zal zijn.

# Jezus' moeder

De bijbelse gegevens over Maria zijn eerder schaars. Toch volstaan ze om te weten dat Maria een bijzondere vrouw was. Haar leven kunnen we karakteriseren met drie sleutelwoorden: geloof, hoop en liefde.

## Moeder van geloof

Abraham was de eerste gelovige van het Oude Verbond: hij wordt de vader van het gelovige Joodse volk. Maria is de eerste gelovige van het Nieuwe Verbond. In Lc. 1,26-38 kunnen we nalezen wat dit voor haar betekende: open en ontvankelijk heeft zij ja gezegd op Gods roepstem. 'Zie de dienstmaagd des Heren' zijn de woorden, die haar uit het hart zijn gegrepen. Met heel haar hart geloofde zij en zo nam haar leven een beslissende wending. Zij nam het risico met God, dag na dag, ook als haar hart en haar verstand haar geloof niet konden volgen. Haar trouw aan God was totaal en onvoorwaardelijk: nooit kwam ze terug op haar genomen besluit.
'Zalig zij die geloofd heeft', lezen we bij Lc. 1,45.

## Moeder van hoop

In het Oude Verbond was de hoop een karaktertrek van 'de armen van Jahweh': zij hoopten tegen alle hoop in. Maria hoopte elke dag opnieuw, ook al begreep ze niet altijd de draagkracht van alle gebeurtenissen: 'Maria bewaarde al deze woorden in haar hart en overwoog ze bij zichzelf' (Lc. 2,19).
Doorheen de wisselvalligheden van haar bestaan wist ze met vertrouwen naar de toekomst toe te leven:
— Wanneer Jezus in de tempel achterbleef, zei ze: 'Kind, waarom hebt ge ons dit aangedaan?' (Lc. 2,48).
— Ook te Kana komt zij naar voren als de moeder van de hoop: 'Doe maar wat Hij u zeggen zal...' (Joh. 2,5).
— Onder het kruis bleef ze hopen, ook al leek alles uitzichtloos: 'Terwijl de soldaten hiermee bezig waren, stonden bij Jezus' kruis zijn moeder, de zuster van zijn moeder, Maria de vrouw van Klopas en Maria Magdalena' (Joh. 19,25).
— Na Jezus' hemelvaart blijft ze met de apostelen volhardend uitkijken naar de komst van de Geest: 'Zij allen bleven eensgezind volharden in het gebed samen met de vrouwen, met Maria, de moeder van Jezus, en met zijn broeders' (Hand. 1,14).

## Moeder van liefde

Moeders zetten zich totaal in. Maria heeft volledig voor haar Zoon geleefd en heeft Hem prijsgegeven om allen te redden. Precies op dat offermoment werd Maria onze moeder en moeder van de jonge kerk.

*Toen Jezus zijn moeder zag en naast haar de leerling die Hij liefhad, zei Hij tot zijn moeder: 'Vrouw, zie daar uw zoon'. Vervolgens zei Hij tot de leerling: 'Zie daar uw moeder'. En van dat ogenblik af nam de leerling haar bij zich in huis.*
Joh. 19,26-27

## 8 December:

Feest van de onbevlekte ontvangenis van de heilige maagd en moeder Gods Maria

*Voordat Ik u in de moederschoot vormde, koos Ik u uit; voordat ge geboren werd, bestemde Ik u voor Mij; als profeet voor de volken heb Ik u aangewezen.*
Jer. 1,5

Maria is al voor haar geboorte door God uitverkoren de moeder te worden van de redder en verlosser Jezus Christus. Haar onvoorwaardelijk 'ja' op de opdracht, die God haar gaf, kon zij — zo gelooft de

kerk — alleen maar uitspreken, omdat God haar van het begin af aan bijzonder begenadigde.
'Als ik van zonde spreek, zonder ik alleen de maagd Maria uit, die ik uit eerbied voor de Heer niet wens te noemen als ik over zonde spreek', zegt de heilige Augustinus, een van de grote kerkleraren.
Maria wordt zo tot het ideale voorbeeld voor de hele kerk.

*In Christus heeft God ons uitverkoren vóór de grondlegging der wereld, om heilig en vlekkeloos te zijn voor zijn aangezicht. In liefde heeft Hij ons voorbestemd zijn kinderen te worden door Jezus Christus, naar het welbehagen van zijn wil, tot lof van de heerlijkheid van zijn genade. Hij heeft de kerk tot zich gevoerd als een heerlijke bruid, zonder vlek of rimpel of fout, heilig en onbesmet.*
Ef. 1,4-6a en 5,27

## 25 Maart:

Feest van de aankondiging des Heren (Maria Boodschap - Negen maanden voor Kerstmis)

*Ik zei: 'Ach, Jahweh, mijn Heer, ik kan niet spreken; ik ben veel te jong!' Maar Jahweh antwoordde: 'Zeg niet 'Ik ben veel te jong!' Naar iedereen tot wie Ik u zend, moet gij gaan en alles wat Ik u opdraag, moet ge hun zeggen'. Jer. 1,6-7*

Negen maanden voor Kerstmis viert de kerk de boodschap aan Maria en Maria's onvoorwaardelijk 'ja' aan God. Maria ontvangt van de heilige Geest haar zoon Jezus Christus. Daarmee wordt de aard van het goddelijk handelen met de mensen zichtbaar. God dwingt niet tot meewerken, God doet een beroep op ons. Het is beslissend, dat Maria haar gelovig 'ja' antwoordt. Deze scene van de boodschap van Maria is kenmerkend voor ieder beroep, dat God op de mensen doet, ook voor onze eigen roeping. Het gelovige 'ja' van Maria kan ons tot voorbeeld zijn.

*De engel Gabriël werd van Godswege gezonden naar een stad in Galilea, Nazaret, tot een maagd die verloofd was met een man die Jozef heette, uit het huis van David; de naam van de maagd was Maria. Hij trad bij haar binnen en sprak: 'Verheug u, Begenadigde, de Heer is met u'. Zij schrok van dat woord en vroeg zich af, wat die groet toch wel kon betekenen. Maar de engel zei tot haar: 'Vrees niet, Maria, want gij hebt genade gevonden bij God. Zie, gij zult zwanger worden en een zoon ter wereld brengen, die gij de naam Jezus moet geven. Hij zal groot zijn en Zoon van de Allerhoogste genoemd worden. God de Heer zal Hem de troon van zijn vader David schenken en Hij zal in eeuwigheid koning zijn over het huis van Jakob en aan zijn koningschap zal nooit een einde komen'. Maria echter sprak tot de engel: 'Hoe zal dit geschieden, daar ik geen gemeenschap heb met een man?' Hierop gaf de engel haar ten antwoord: 'De heilige Geest zal over u komen en de kracht van de Allerhoogste zal u overschaduwen; daarom ook zal wat ter wereld wordt gebracht heilig genoemd worden, Zoon van God. Weet, dat zelfs Elisabeth, uw bloedverwante, in haar ouderdom een zoon heeft ontvangen en, ofschoon zij onvruchtbaar heette, is zij nu in haar zesde maand; want voor God is niets onmogelijk'. Nu zei Maria: 'Zie de dienstmaagd des Heren; mij geschiede naar uw woord'. En de engel ging van haar heen. Lc. 1,26-38*

## 2 Juli:

### Feest van Maria Visitatie

*Veeleer gelukkig die naar het woord van God luisteren en het onderhouden.*
Lc. 11,28

Maria is zwanger en gaat voor ongeveer drie maand op bezoek bij haar nicht Elisabet, die ook een kind verwacht. Het zal een zoon zijn; Johannes zal hij heten.
Zowat drie decennia later zal deze Johannes als 'de Doper' bekend zijn. Hij zal na Jezus het meest leerlingen rond zich verzamelen en in Israël als een groot profeet beschouwd worden. Later noemen christenen hem de laatste profeet van het Oude Verbond, de voorloper van Jezus Christus.

*In die dagen reisde Maria met spoed naar het bergland, naar een stad in Judea. Zij ging het huis van Zacharias binnen en groette Elisabet. Zodra Elisabet de groet van Maria hoorde, sprong het kind op in haar schoot. Elisabet werd vervuld met de heilige Geest en riep met luider stemme uit: 'Gij zijt gezegend onder de vrouwen en gezegend is de vrucht van uw schoot. Waaraan heb ik het te danken, dat de moeder van mijn Heer naar mij toekomt? Zie, zodra de klank van uw groet mijn oor bereikte, sprong het kind van vreugde op in mijn schoot. Zalig zij die geloofd heeft, dat tot vervulling zal komen wat haar vanwege de Heer gezegd is.'* Lc. 1,39-45

*En Maria sprak:*
*'Mijn hart prijst hoog de Heer, van vreugde juicht mijn geest om God mijn redder; daar Hij welwillend neerzag op de kleinheid zijner dienstmaagd. En zie, van heden af prijst elk geslacht mij zalig omdat aan mij zijn wonderwerken deed Die machtig is, en heilig is zijn Naam. Barmhartig is Hij van geslacht tot geslacht voor hen die Hem vrezen. Hij toont de kracht van zijn arm; slaat trotsen van hart uiteen. Heersers ontneemt Hij hun troon, maar verheft de geringen. Die hongeren overlaadt Hij met gaven, en rijken zendt Hij heen met lege handen. Zijn dienaar Israël heeft Hij zich aangetrokken, gedachtig zijn barmhartigheid voor eeuwig jegens Abraham en zijn geslacht, gelijk Hij had gezegd tot onze vaderen'.*
Lc. 1,46-56

Met het Magnificat staat Maria in de lijn van de bevrijdingsgeschiedenis van een heel volk. Haar woorden vinden we reeds terug in het Oude Testament, in het lied van Hanna, een vrouw die op oudere leeftijd een zoon krijgt, Samuel.
Het Magnificat is een lied van bevrijding. Het is sterke taal. 'Heersers ontneemt Hij hun troon, rijken zendt Hij heen met lege handen'. Alle waarden worden omgekeerd. Een nieuwe toekomst breekt aan die aan God wordt toegeschreven. Maria herkent deze daden van God. Zij is een groot gelovige, een mondige vrouw. Zij neemt het woord en

staat op om God te prijzen. Zo zet zij zelf de bevrijdingsgeschiedenis van God met zijn volk verder. Tegelijk staat zij aan een nieuw begin bij de geboorte van Jezus, de Messias. Zij engageert zich om deze belofte van heil zelf waar te maken. Haar ja is een bevestiging van het bevrijdingswerk van God met zijn volk: alle mensen gelijk, geen machthebbers meer, geen onderdanen, geen Jood of Griek, man of vrouw.
Profetische taal in de mond van een vrouw!

## 15 Augustus:

Feest van de
Tenhemelopneming van
Maria

Op deze dag is de Maagd en Moeder Gods ten hemel opgenomen. Maria is de eerste onder de mensen die het beeld geworden is van wat de kerk zal zijn als de tijd alleen nog naar uw maatstaf wordt gemeten. Zij toont het volk de weg die leidt tot zekerheid, de hoop die zin geeft aan dit leven en vertroosting brengt. Ongerept is zij gebleven, vol van genade tot in het graf. Want zij heeft uw Zoon gedragen en het levenslicht geschonken aan de Heer van alle leven.
*Uit de prefatie van de dag.*

In dit gebed wordt duidelijk, dat dit feest niet alleen maar een feest van Maria is, maar ook ons feest, het feest van de hoop op de verrijzenis van de doden, het feest van de levenden.

*En er verscheen een groot teken aan de hemel: een vrouw, bekleed met de zon, de maan onder haar voeten en op haar hoofd een kroon van twaalf sterren. En zij baarde een kind, een zoon, die alle volken zal weiden met een ijzeren staf. En ik hoorde een stem in de hemel roepen: 'Nu is gekomen het heil en de macht en het koningschap van onze God en de heerschappij van zijn Gezalfde, want de aanklager van onze broeders is neergeworpen, die hen aanklaagde bij onze God, dag en nacht'. Apok. 12,1.5.10*

## 8 September:

Feest van Maria's
Geboorte

Vol vreugde vieren wij het geboortefeest van de maagd Maria; uit haar is voortgekomen de Zon der gerechtigheid, Christus, onze God. *Openingsvers uit het brevier*

Afgezien van Jezus Christus zijn er maar twee heiligen, van wie de kerk het geboortefeest viert: Johannes de Doper en Maria. Beiden staan in onmiddellijk verband met het Christus-gebeuren; beiden waren vanaf het eerste ogenblik van hun bestaan ertoe uitverkoren om de komst van Jezus Christus voor te bereiden.

Het feest van 8 september, negen maanden na de onbevlekte ontvangenis van Maria, is een feest van onbevangen vreugde. Maria wordt gevierd als het 'morgenrood van het heil en het teken van hoop voor de hele wereld' (Slotgebed van de heilige mis).
Maria weerspiegelt de schoonheid en de liefelijkheid van de door Gods genade verloste mens.

*Je bent mooi, mijn vriendin, mooi als Tirsa, bekoorlijk als Jeruzalem, maar ook geducht als een leger in slagorde! Wend je ogen van mij af, ze brengen me in verwarring. Je lokken zijn als een kudde geiten, die neergolven van Gileads bergen; je tanden zijn als een kudde ooien die opstijgen uit het bad; twee aan twee, en geen enkele is alleen. Je wangen achter je sluier zijn als het hart van een granaatappel. Koninginnen zijn er wel zestig, en bijvrouwen tachtig, en jonge meisjes zijn er zonder tal, doch zoals mijn duifje, mijn schoonste, is er maar één, zoals zij de enige was voor haar moeder, de lieveling voor wie haar baarde. Gelukkig prijzen haar de meisjes die haar zien; de koninginnen en de bijvrouwen roemen haar. Wie rijst daar op als de dageraad, schoon als de maan, stralend als de zon en geducht als een leger in slagorde? Hooglied 6,4-10*

## Andere vormen van Mariadevotie

Naast deze grote feestdagen herdenkt de kerk nog op verschillende andere dagen de moeder van God, bijvoorbeeld:

— 22 augustus: Maria Koningin
— 12 september: de naam van Maria
— 15 september: gedachtenis van de 7 smarten van Maria
— 7 oktober: Onze-Lieve-Vrouw van de rozenkrans
— 1 januari: hoogfeest van de moeder Gods.

Hier komen nog bij:
de twee Mariamaanden: mei met het meilof en oktober met het rozenkransgebed.

Er is dus voldoende gelegenheid om de gestalte en de zending van Maria in heel haar volheid d.w.z. in haar betrokkenheid op Christus en in haar betekenis voor ons, mensen, te gedenken.
In veel parochies is een gebruik bewaard gebleven vanuit de 15de eeuw: de angelusklok. Eenmaal ('s middags om 12 uur) of ook driemaal per dag ('s morgens, 's middags en 's avonds) wordt een kleine klok in de toren van de kerk geluid. Het herinnert de bewoners, de arbeiders en de boeren eraan de 'engel des Heren' te bidden en zo de mens-

wording van God in de schoot van de maagd Maria dankbaar te gedenken.
Het rozenkransgebed met zijn driemaal vijf 'tientjes' is eveneens in de 15de eeuw ontstaan. De oeroude traditie om gebeden, vooral het onzevader, aan kralen of steentjes, later aan een kralensnoer, af te tellen, wordt hierbij weer opgenomen en verder ontwikkeld. Met een 'tientje' wordt een tiental 'weesgegroeten' bedoeld, waarbij telkens een van de mysteries van het geloof, de blijde, de droevige en de glorievolle mysteries, wordt herdacht. Daarbij staan de onscheidbare geheimen van Jezus als de Zoon van God en Jezus als Zoon van Maria, in het middelpunt.

## Het angelus

De engel des Heren heeft aan Maria geboodschapt.
En zij heeft ontvangen van de heilige Geest.
Wees gegroet, Maria,...

Zie de dienstmaagd des Heren.
Mij geschiede naar uw woord.
Wees gegroet, Maria,...

En het Woord is vlees geworden.
En het heeft onder ons gewoond.
Wees gegroet, Maria,...

Bid voor ons, heilige Moeder Gods.
Opdat wij de beloften van Christus waardig worden.

Heer, wij hebben door de boodschap van de engel de menswording van Christus uw Zoon leren kennen. Wij bidden U: stort uw genade in onze harten, opdat wij door zijn lijden en kruis gebracht worden tot de heerlijkheid van de verrijzenis. Door Christus onze Heer. Amen.

### De rozenkrans

Wanneer wij de rozenkrans bidden, gedenken wij de grote momenten uit het leven van Jezus en Maria. De 'mysteries' of 'geheimen' van de rozenkrans leiden ons binnen in het leven van Jezus, want ze zijn als het ware de samenvatting van het hele evangelie.

Bij elk van deze mysteries bidden we eenmaal het 'Onze Vader' en tienmaal het 'Wees gegroet Maria'. Doordat er van deze gebedsvorm zoveel innerlijke rust kan uitgaan, is hij voor vele mensen een bron van kracht en bemoediging.
De vijf blijde mysteries worden vooral gebeden in de advent, de vijf droeve mysteries in de vastentijd, en de vijf glorierijke mysteries in de paastijd.

### De vijf droeve mysteries

*1. Jezus bidt in doodsangst tot zijn Vader.*

'Vader, als Gij wilt, laat dan deze beker Mij voorbijgaan, nochtans, niet mijn wil maar de uwe geschiede.'
*(Lc. 22,42)*

*2. Jezus wordt gegeseld.*

'Toen waste Pilatus zijn handen en zei: ik ben onschuldig aan het bloed van deze rechtschapen man; gij moet het zelf maar verantwoorden. Daarom liet hij omwille van hen Barabbas vrij, maar Jezus liet hij geselen.'
*(Mt. 27, 24-25)*

*3. Jezus wordt met doornen gekroond.*

'De soldaten vlochten een kroon van doorntakken, zetten Hem die op het hoofd en wierpen Hem een purperen mantel om. Ze traden op

Hem toe en zeiden: 'Gegroet, koning der Joden!' En ze sloegen Hem in het gezicht.'
(Joh. 19, 2-9)

4. *Jezus draagt zijn kruis.*

'Toen zij Jezus wegvoerden, hielden zij een zekere Simon aan, een man uit Cyrene, die van het veld kwam; hem belaadden zij met het kruis, om het achter Jezus aan te dragen.'
(Lc. 23,26)

'Wie mijn volgeling wil zijn moet Mij volgen door zichzelf te verloochenen en elke dag opnieuw zijn kruis op te nemen.'
(Mc. 8,34)

5. *Jezus sterft aan het kruis.*

'Toen Jezus van de zure wijn genomen had, zei Hij: 'Het is volbracht'. Daarop boog Hij het hoofd en gaf de geest.'
(Joh. 19,30)

'Groter liefde heeft niemand dan deze, dat hij zijn leven geeft voor zijn vrienden. Gij zijt mijn vrienden...'
(Joh. 15, 13-14)

## De vijf blijde mysteries

1. *De engel Gabriël brengt de blijde boodschap aan Maria.*

'Verheug u, begenadigde. De Heer is met u. Gij hebt genade gevonden bij God. Zie, gij zult ontvangen en een Zoon baren, en gij zult Hem Jezus noemen.'
(Lc. 1,28. 30-31)

2. *Maria bezoekt haar nicht Elisabet.*

'Gezegend zijt gij, meer dan alle vrouwen, en gezegend is de vrucht van uw schoot. Zalig zijt gij omdat gij geloofd hebt.'
(Lc. 1,42-45)

3. *Jezus wordt geboren in Betlehem.*

'Heden is u een redder geboren, Christus de Heer, in de stad van David. En dit zal voor u een teken zijn: gij zult een pas geboren kindje vinden, in doeken gewikkeld en liggend in een kribbe.'
(Lc. 2, 11-12)

4. *Jezus wordt opgedragen in de tempel.*

'Zie, dit kind is bestemd tot een teken van tegenspraak, zodat de gezindheid van vele harten openbaar moge worden. En ook uw ziel zal door een zwaard worden doorboord.'
(Lc. 2, 34-35)

5. *Jezus wordt teruggevonden in de tempel.*

'Wat hebt gij toch naar Mij gezocht? Wist gij dan niet dat Ik in het huis van mijn Vader moest zijn?'
(Lc. 2,49)

# De vijf glorierijke mysteries

### 1. Jezus verrijst uit de doden.

'Gij zoekt Jezus, de gekruisigde. Hij is niet hier. Hij is verrezen. Hij gaat u voor naar Galilea.'
*(Mc. 16,6)*

'Christus die uit de doden verrezen is, sterft niet meer. Door de dood heeft Hij afgerekend met de zonden, eens en voor goed. Zijn leven nu is een leven voor God.'
*(Rom. 6,9-10)*

### 2. Jezus stijgt op ten hemel.

'Ik stijg op naar mijn Vader en uw Vader, naar mijn God en uw God.'
*(Joh. 20,17)*

'Zoek wat boven is, daar waar Christus zetelt aan de rechterhand Gods. Zin op het hemelse, niet op het aardse. Uw leven is nu met Christus geborgen in God.'
*(Kol. 3,1-3)*

### 3. De heilige Geest daalt neer over Maria en de apostelen.

'Gij zult kracht ontvangen van de heilige Geest, die over u zal komen, en gij zult mijn getuigen zijn tot aan het uiteinde der aarde.'
*(Hand. 1,8)*

### 4. Maria wordt ten hemel opgenomen.

'Onze woonplaats is in de hemel. Vandaar verwachten wij de Heer Jezus. Hij zal ons lichaam herscheppen om het gelijkvormig te maken aan zijn verheerlijkt lichaam.'
*(Fil. 3,20-21)*

### 5. Maria wordt gekroond in de hemel.

'Een groot teken werd zichtbaar aan de hemel: een vrouw bekleed met de zon, de maan onder haar voeten en op haar hoofd een kroon van twaalf sterren.'
*(Apok. 12,1)*

Ge- groet Vorstin - ne,   O  Moe - der van Barmhar- tig - heid ;

Le-ven  en Vreug-de,  bron  van Hoop, wij groe-ten  U !

Wij, Eva's  kind' ren,  sme- ken  vu-rig  om  uw  bij- stand.

Tot U  gaan wij  om  troost, met ons hart  vol droefheid,  in

dit aardse dal  van  tranen. O, goede Maagd,  die  ons  al-tijd

voorspreekt,sla vol erbar- men  u- we  mil- de  o- gen     op ons,

uw  kind'ren  neer.  En  als wij eens uit dit  aardse  le- ven

moe-ten  schei-den, geef dan dat wij uw god' lijk Kind aan-

schouwen.  O   milde,  o     heilige,  o

Moedermaagd, Mari -   a,  wees gegroet.

443

# Ons gezin

Teken hier de stamboom van uw gezin.

Teken hier de stamboom van heel de familie.

# Mijlpalen in het leven

**Huwelijk van de ouders**
*'Verbonden in liefde en trouw'*

Namen

Datum

# Kinderen
## Geboorte
*'In Gods hand geschreven'*

## Doopsel
*'Wedergeboren uit water en geest'*

Naam

Datum

Plaats

Datum

Peter

Meter

Parochie

---

Naam

Datum

Plaats

Datum

Peter

Meter

Parochie

---

Naam

Datum

Plaats

Datum

Peter

Meter

Parochie

---

Naam

Datum

Plaats

Datum

Peter

Meter

Parochie

Getuigen

## Eerste communie
*'Verenigd rond de tafel*
*van de Heer'*

Datum

Parochie

Datum

Parochie

Datum

Parochie

Datum

Parochie

## Vormsel
*'Bezegeld met Gods gave,*
*de heilige Geest'*

Datum

Peter of meter

Parochie

Vormleer

Datum

Peter of meter

Parochie

Vormheer

Datum

Peter of meter

Parochie

Vormleer

Datum

Peter of meter

Parochie

Vormleer

# Kinderen
## Geboorte
*'In Gods hand geschreven'*

## Doopsel
*'Wedergeboren uit water en geest'*

| | |
|---|---|
| Naam | Datum |
| Datum | Peter |
| Plaats | Meter |
| | Parochie |

| | |
|---|---|
| Naam | Datum |
| Datum | Peter |
| Plaats | Meter |
| | Parochie |

## Kleinkinderen

| | |
|---|---|
| Naam | Geboorte |
| Eerste communie | Doopsel |
| Vormsel | Parochie |
| Parochie | Meter |
| Peter of meter | Peter |

| | |
|---|---|
| Naam | Geboorte |
| Eerste communie | Doopsel |
| Vormsel | Parochie |
| Parochie | Meter |
| Peter of meter | Peter |

| Eerste communie<br>*'Verenigd rond de tafel*<br>*van de Heer'* | Vormsel<br>*'Bezegeld met Gods gave,*<br>*de heilige Geest'* |
| --- | --- |
| Datum | Datum |
| Parochie | Peter of meter |
| | Parochie |
| | Vormheer |
| Datum | Datum |
| Parochie | Peter of meter |
| | Parochie |
| | Vormleer |
| Naam | Geboorte |
| Eerste communie | Doopsel |
| Vormsel | Parochie |
| Parochie | Meter |
| Peter of meter | Peter |
| Naam | Geboorte |
| Eerste communie | Doopsel |
| Vormsel | Parochie |
| Parochie | Meter |
| Peter of meter | Peter |

449

## Naamdagen en andere belangrijke dagen

| Gestorven — opgewekt tot eeuwig leven | | Andere belangrijke momenten in het leven van ouders en kinderen | |
| --- | --- | --- | --- |
| Datum | Naam | Datum | Gebeurtenis |

# Kerkelijke feestdagen 1986-2002

| Jaar | Nieuwjaar | Aswoensdag | Pasen | Hemelvaart | Pinksteren |
|------|-----------|------------|-------|------------|------------|
| 1986 | woensdag | 12 februari | 30 maart | 8 mei | 18 mei |
| 1987 | donderdag | 4 maart | 19 april | 28 mei | 7 juni |
| 1988 | vrijdag | 17 februari | 3 april | 12 mei | 22 mei |
| 1989 | zondag | 8 februari | 26 maart | 4 mei | 14 mei |
| 1990 | maandag | 28 februari | 15 april | 24 mei | 3 juni |
| 1991 | dinsdag | 13 februari | 31 maart | 9 mei | 19 mei |
| 1992 | woensdag | 4 maart | 19 april | 28 mei | 7 juni |
| 1993 | vrijdag | 24 februari | 11 april | 20 mei | 30 mei |
| 1994 | zaterdag | 16 februari | 3 april | 12 mei | 22 mei |
| 1995 | zondag | 1 maart | 16 april | 25 mei | 4 juni |
| 1996 | maandag | 21 februari | 7 april | 16 mei | 26 mei |
| 1997 | woensdag | 12 februari | 30 maart | 8 mei | 18 mei |
| 1998 | donderdag | 25 februari | 12 april | 21 mei | 31 mei |
| 1999 | vrijdag | 17 februari | 4 april | 13 mei | 23 mei |
| 2000 | zaterdag | 8 maart | 23 april | 1 juni | 11 juni |
| 2001 | maandag | 28 februari | 15 april | 24 mei | 3 juni |
| 2002 | dinsdag | 13 februari | 31 maart | 9 mei | 19 mei |

| Sacraments-dag | Allerheiligen 1 november | Eerste zondag van de advent | Kerstmis 25 december | Liturgisch jaar |
|---|---|---|---|---|
| 29 mei | zaterdag | 30 november | donderdag | C |
| 18 juni | zondag | 29 november | vrijdag | A |
| 2 juni | dinsdag | 27 november | zondag | B |
| 25 mei | woensdag | 3 december | maandag | C |
| 14 juni | donderdag | 2 december | dinsdag | A |
| 30 mei | vrijdag | 1 december | woensdag | B |
| 18 juni | zondag | 29 november | vrijdag | C |
| 10 juni | maandag | 28 november | zaterdag | A |
| 2 juni | dinsdag | 27 november | zondag | B |
| 15 juni | woensdag | 3 december | maandag | C |
| 6 juni | vrijdag | 1 december | woensdag | A |
| 29 mei | zaterdag | 30 november | donderdag | B |
| 11 juni | zondag | 29 november | vrijdag | C |
| 3 juni | maandag | 28 november | zaterdag | A |
| 22 juni | woensdag | 3 december | maandag | B |
| 14 juni | donderdag | 2 december | dinsdag | C |
| 30 mei | vrijdag | 1 december | woensdag | A |

# Trefwoordenregister

# Bronvermelding

**Teksten**

De bijdragen in dit boek waarbij geen auteur vermeld staat, zijn ofwel vertalingen uit 'Durch das Jahr, durch das Leben', ofwel bijdragen van de hand van de kernredactie.

19 Uit: God ons nabij, Gezinsgroepen, 1985.
24 Zelfde als 19.
25 Uit: Volksliederenbundel Gottmer, Haarlem, 1952.
29 Uit: Brieven aan gezinnen. Een werkdocument, Interdiocesaan Pastoraal Beraad, Brussel, 1979.
30 Uit: H. Oosterhuis, Hem herkennen in ons midden, Ambo, Bilthoven, 1970.
32-33 Uit: Bisschop Bluyssen, Geloven in mensen-mensen geloven, Bisdomblad 's Hertogenbosch, 's Hertogenbosch, 1984.
33 K. Lehmann, Samenwonen is niet-huwen, in Rondom Gezin, 1984/3.
35 Uit: Orde van dienst voor de liturgie van het huwelijk, Interdiocesane Commissie voor Liturgische Zielzorg, Brussel, 1981.

44-45 Zelfde als 35.
46 Uit: Thuis bidden, Persdienst bisdom Breda, 1979.
53 1) Uit: Als christenen samenkomen, Pastoraal Informatiecentrum, Hasselt, 1980.
2) Zelfde als 29.
62 Zelfde als 53,1).
63 Zelfde als 29.
68 Uit: Jonggehuwden bidden, De Wijngaard, Brugge, 1981.
75 Uit: J.L. Klink, Geloven met kinderen, Ambo, Baarn, 1976.
85-86 Uit: Liturgieën voor de kinderdoop, Apostolaat voor Kerkelijk Leven, Westerlo, 1975.
88 Uit: K. Jonckheere, Groot verzenboek voor al wie jong van hart is, Lannoo, Tielt/Amsterdam, 1978.
92 Zelfde als 19.
94-95-97 Uit: Ik zie, ik zie wat jij niet ziet, Altiora, Averbode, 1986 (illustraties).
99-100 Uit: W. Al (samensteller), Bidden met onze kinderen, Gooi en Sticht, Hilversum, 1975.
116 Zelfde als 46.
118 Uit: Nader bij U, De Wijngaard, Brugge, 1976.
119 Uit: M. Gandhi, Autobiografie, Arnhem, 1931.
128-129 Uit: K. Depoortere, Wij zijn van u met al ons kwaad. Over zonde, verzoening en biecht, Lannoo, Tielt, 1984.
131 Uit: Blijf bidden, ook op latere leeftijd, Brepols/Katholieke Bijbelstichting, 1983.
135 Uit: Orde van dienst van de boeteliturgie, Interdiocesane Commissie voor Liturgische Zielzorg, Brussel, 1976.
137-138 Uit: Augusta De Wit, Orfeus in de dessa, Van Kampen en zoon, Amsterdam; Standaard Uitgeverij, Antwerpen, 1976 (27ste druk).
151 Uit: S. Regli, Het sacrament van het vormsel, Gottmer, Haarlem, 1979.
169-173 Uit: Orde van dienst voor de ziekenliturgie, Interdiocesane Commissie voor Liturgische Zielzorg, Brussel, 1975.
180 Kinderen voor kinderen, l.p., Varagram ES 159.
Verschenen in Kinderen voor kinderen. Alle liedjes van de 4 l.p.'s, Universal Songs Holland, Amsterdam, 1983.
188-189 Uit: Hoogland, mei 1985.
190 Zelfde als 19.
194-195 Uit H.S. Kushner, Als 't kwaad goede mensen treft, Ten Have, Baarn, 1983.
195-196 Uit: Geloofscommunicatie in het gezin, Interdiocesaan Pastoraal Beraad, Brussel, 1983.
200 Zelfde als 131.
207 Uit: De orde van dienst voor de uitvaartliturgie, Interdiocesane Commissie voor Liturgische Zielzorg, Brussel.
213-214 Zie: H. Peeters, De jongeren en het overlijden van vader. Ervaringen en rouwverwerking, Vereniging voor Vormingswerk voor Weduwen, Brugge, 1979.
216 Zelfde als 19.
234 Uit: L. Vander Kerken, Een filosofie van het wonen, De Nederlandse Boekhandel, Antwerpen/Amsterdam, 1982 (2de uitgave).
240 *"Dag in, dag uit": zelfde als 46.
*"Wannner ik te kort schiet": uit: L. Boff, Onze Vader, Altiora, Averbode.
241 *"Wij vragen uw zegen": zelfde als 46.
*"De nacht is voorbij": zelfde als 46.
242 *"O lieve Heer" uit: Halverwege tussen klein en groot, Parochiale vormselcatechese. Tweede jaar, Patmos, Antwerpen/Amsterdam, 1983, (2de druk).
*"Ik dank u dat ik ben geboren": uit: J. Klink, Niet in de wind, niet in het vuur, Ambo, Baarn.
243 *"Ik kan niet meedoen": zelfde als 242 "Ik dank U dat ik ben geboren".
*"Ik dank U, Heer": uit: J. Kalmijn-Spierenburg, 'k Vouw mijn handjes. Kindergebeden, Zomer en Keuning, Wageningen, 1977.
*"God, wij hopen op U": zelfde als 242, "Ik 242, "Ik dank U dat ik ben geboren".
244 *"Heer, zegen ons": zelfde als 131.
*"Wij danken U": zelfde als 46.
*"Heer, onze God": uit J. Snaet, Bidden

thuis. Gezinsgebedenboek, Patmos, Antwerpen, 1980.

245 *"Vader in de hemel": uit: J. Cauwe, God, ik bid graag met U, Kerk en Wereld, Mechelen.

*"God, uw goedheid": zelfde als 243, "Ik dank U, Heer".

*"Heer, U brak het brood": uit: G. De Groot, Luisterhapjes. Deel 1, Huize Levensruimte, Averbode, 1984.

*"Ook deze dag": uit: P. Bruggeman, G. Zuidberg, Met menselijke ogen zien in het licht van Gods gelaat, Lannoo, Tielt, 1979.

246 *"Nu deze dag voorbij is": zelfde als 46.

*"In uw handen": zelfde als 46.

*"Gij kent mij": naar psalm 139.

247 *"Heer, zegen deze aarde": Chileens avondgebed.

*"Avondliedeke": uit: A. Nahon, Op zachte vooizekens, De Nederlandse Boekhandel, Antwerpen, 1921.

248 *"Dank voor alle mooie dingen": zelfde als 243, "Ik dank U, Heer".

*"Ze zijn kwaad op mij": zelfde als 242, "Ik dank u dat ik ben geboren".

*"De dag gaat nu bij ons vandaan": zelfde als 242, "O, lieve Heer".

249 *"O, God, ik wil met U praten": zelfde als 242, "Ik dank U dat ik ben geboren".

*"Jezus noemde U": zelfde als 242, "Ik dank U dat ik ben geboren".

*"In uw hoede": zelfde als 243, "Ik dank U, Heer".

251 Uit: A. de Saint-Exupéry, De kleine prins, Ad. Donker, Rotterdam, 1980, (16de druk).

255 *Uit: De mens in de arbeid. Bisschoppelijke vastenbrief 1980, Bisschoppelijke brieven, nr. 11, Secretariaat R.K. Kerkprovincie in Nederland, 1980.

*Uit: Liber memorialis. Paus Johannes-Paulus II in België 1985, Altiora, Averbode, 1985.

263 De nieuwe katechismus. Geloofsverkondiging voor volwassenen, Paul Brand, Hilversum/Antwerpen; Malmberg, 's-Hertogenbosch; Romer & Zonen,

Roermond/Maaseik, 1966, blz. 376-377.

266 Uit: A. Van Wilderode (samensteller), Het groot jaargetijdenboek. Gedichten voor elke dag, Orion/Desclée De Brouwer 1971.

271 VDCV-uitgave.

274 Zelfde als 266.

275 Zelfde als 46.

279 Zelfde als 266.

285 Tekst en canon: St. Van Vaerenbergh.

288 Zelfde als 266.

292 *"April, vroeg": zelfde als 266.

*"1 april": Winkler Prins Encyclopedie. Deel 2, Elsevier, 1971, p. 282.

297 "Spin haar niet in": uit: De Bond, 9 mei 1980.

305-306 "Morellenwijn": uit: C.J.J.-Berry, Zelf wijn maken, Luiting B.V., Laren N.H., 1974.

308 Zelfde als 266.

313 Zelfde als 266.

314-315 "Titus Brandsma": uit: 121-Informatiebulletin 8 maart 1985.

319 Zelfde als 266.

320 Uit: De nieuwe katechismus, blz. 557.

320-321 Zelfde als 255 (Liber memorialis).

326-327 Uit: J. Dhert, Wijn maken thuis, Unieboek, Bussum-Holland, 1975.

327 Zelfde als 266.

331 Zelfde als 266.

336 Zelfde als 46.

337-349 Zie: De nieuwe katechismus blz. 348-349.

351 Zelfde als 53,1).

352-354 Zie: Grote Spectrum Encyclopedie. Deel 16, Het Spectrum, Utrecht/Antwerpen, 1978, blz. 551.

369-370 "De herberg en de stal" is een tekst van PJZ (Werkgemeenschap voor Parochiale Jeugdzorg), Antwerpen.

371 "Ver in een land": uit: Maandbrief van de Gezinsgroepen, januari 1985.

376 "Bij het begin van het jaar": zelfde als 19.

380-381 Uit: M. Veldhuyzen, Prisma-liederenboek, Het Spectrum, Utrecht/

Antwerpen, 1971.
386 "Zo spreekt de Heer": uit: Zingt Jubilate, ICLZ, Brussel.
388 Zelfde als 244, "Heer, onze God".
400 Uit: Randstadbundel, Gooi en Sticht, Hilversum.
404 Zelfde als 244, "Heer, onze God".
409-412 Uit: L. Boff, Kruisweg van de rechtvaardigheid, Altiora, Averbode; De Horstink, Amersfoort, 1985.
417 Uit: Bijbel voor de Jeugd, Altiora, Averbode, 1986.
418 "In 1982 ...": uit: Levend land, maart 1985.
422 Zelfde als 386.
423 Uit: F. Timmermans, Adagio, Scriptoria, Antwerpen, 1981 (12de druk).
423-424 Zie: De nieuwe katechismus, blz. 225-226.
429 Vertaling van: Mgr. Romero, Seleccion y notas de Arnoldo Mora R., Editorial Universitaria Centroamericana, 1981, blz. 305-306.
429-430 Zelfde als 244, "Heer, onze God".
431-432 Uit: Zingen maakt gelukkig, Universitaire Parochie, Leuven, 1981.
432 Zie: De nieuwe katechismus, blz. 235-236.
433-434 Zie: Maria, themanummer van Objectief, april 1985.
440-443 Zelfde als 244, "Heer, onze God".
Alle schriftteksten: Willebrordvertaling, KBS, Boxtel.